Yves Boudreault
Wacef Guerfali

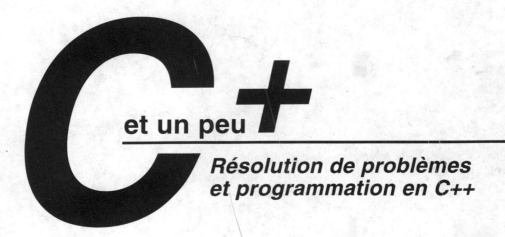

C++
et un peu

Résolution de problèmes et programmation en C++

PRESSES INTERNATIONALES
POLYTECHNIQUE

C et un peu + : résolution de problèmes et programmation en C++
Yves Boudreault, Wacef Guerfali

Pour connaître nos distributeurs et nos points de vente, veuillez consulter notre site Web à l'adresse suivante :

   http://www.polymtl.ca/pub

Courrier électronique des Presses internationales Polytechnique :

   pip@courriel.polymtl.ca

Dépôt légal : 3e trimestre 2001
Bibliothèque nationale du Québec
Bibliothèque nationale du Canada

ISBN 2-553-00933-X
Imprimé au Canada
1 2 3 4 5 05 04 03 02 01

AVANT-PROPOS DE LA DEUXIÈME ÉDITION

Déjà cinq années sont passées depuis la parution de la première édition. Comme tout change à la vitesse de l'éclair en informatique, il fallait rafraîchir et actualiser le contenu de notre volume. C'est le défi que nous nous sommes lancé, et ce dans le meilleur délai possible. Une fois les modifications mineures effectuées, la tentation était trop forte; nous avons revu en profondeur le contenu. Résultat : plus de modifications, plus de temps, plus de dangers d'introduire de nouvelles coquilles…

Le bilan de la première édition est remarquable. Ouvrage à caractère pédagogique dédié à l'apprentissage d'une méthode de résolution de problèmes dans le cadre de la programmation, il a servi à la formation de plus de 5000 étudiants supervisés par une centaine d'enseignants. Les améliorations apportées dans cette deuxième édition sont en grande partie notre réponse (réaction) aux différents commentaires et suggestions formulés par nos étudiants et collègues.

Pour cette nouvelle édition, nous avons adopté une programmation répondant au projet de norme ISO du langage C++. De cette façon, tous les programmes proposés peuvent être compilés par la majorité des compilateurs.

Le volume peut se diviser en deux parties qui couvrent deux paradigmes de développement de logiciel : procédural et par objet. Les neufs premiers chapitres concernent le développement procédural et les trois derniers touchent le développement par objet.

Les lecteurs ayant apprécié l'enchaînement logique de la matière des chapitres 1 à 6 de la première édition, nous l'avons donc tout naturellement conservé. Le chapitre 10 traitant de l'attribution dynamique de l'espace mémoire est devenu le chapitre 7. Suivent les chapitres sur les éléments du génie logiciel et la méthodologie de la résolution de problèmes. Ce réaménagement permet de regrouper dans les neuf premiers chapitres toute la matière concernant le paradigme de développement procédural.

Le chapitre 9 de l'édition précédente, soit le traitement en mode interactif, a été jeté aux oubliettes. On trouve maintenant des environnements de programmation conçus spéciale- ment pour faciliter la programmation d'interfaces graphiques de qualité, ce qui rend dé- suète la matière de ce chapitre.

La séquence renouvelée des chapitres suivants soutient le paradigme de développement par objet. Le chapitre 12 de l'édition précédente, intitulé programmation par objet, est devenu le chapitre 10. Il présente les notions de base de la programmation par objet qui sont supportées par le langage C++. Quoique le chapitre 11 ait échappé à la valse des déplace- ments, nous l'avons remanié en profondeur. Nous avons présenté les listes circulaires à liens doubles en exploitant les concepts de la programmation par objet. Le dernier chapitre, analyse orientée par objet, est tout neuf et il se veut l'équivalent de la portion du chapitre 8 traitant de la conception procédurale.

Maintenant que nous avons présenté la nouvelle structure du livre, voyons en détail les améliorations apportées à chacun des chapitres.

Dans le chapitre 1, la matière qui couvre les systèmes d'exploitation a été complètement revue. Nous avons adopté une approche généraliste plutôt que liée à un seul système d'exploitation. Dans cet esprit, nous avons décrit les principales caractéristiques et fonctions des systèmes d'exploitation. Le chapitre se termine par un exposé sur une méthode de pensée visant la description d'une tâche à l'aide d'une séquence d'opérations. En d'autres mots, il s'agit de la notion d'algorithme.

Dans le chapitre 2, nous présentons le nouveau type booléen accepté par le standard du langage. Certaines précisions permettront de mieux comprendre les manipulations des chaînes de caractères.

Pour répondre aux besoins des programmeurs débutants, nous avons ajouté quelques fonctions d'entrée/sortie dans le chapitre 3. Toutefois, il ne s'agit pas d'une présentation exhaustive.

La lecture d'un fichier, véritable bête noire pour les débutants, est expliquée sous toutes les coutures au chapitre 4. Une lecture attentive de ces exemples devrait en aider plus d'un.

Les chapitres 5 à 9 ont bénéficié de modifications mineures. L'ajout de plusieurs précisions facilite la compréhension de notions essentielles de la programmation par objet traitée dans le chapitre 10. L'implantation des listes circulaires à liens doubles à l'aide de la programmation par objet constitue un excellent exemple pour illustrer et manipuler les différents concepts. L'étude de cas, soit l'évaluation d'une expression arithmétique en notation polonaise, devrait permettre aux étudiants de consolider leur maîtrise des concepts inhérents à la programmation par objet.

Le chapitre 12 se veut une réponse à la question : «Quelles classes et quels objets devrait-on déclarer dans ce programme?» En effet, il n'est pas évident d'identifier les classes et les objets nécessaires à la résolution d'un problème. Dans le domaine du génie logiciel, il existe plusieurs méthodes servant à bien encadrer le développeur. Parmi celles-ci, le langage de modélisation objet nommé UML (*Unified Modeling Language*) jouit d'une bonne réputation. Dans cet ouvrage, nous proposons une méthode simplifiée qui utilise UML. Ce sujet est incontournable pour tous ceux qui désirent mettre au point une application sous le paragidme objet.

L'exercice solutionné, un bien inestimable aux yeux de l'apprenant! Dans cette deuxième édition, nous avons ajouté de nombreux exercices couvrant un angle différent de la matière de façon à amenuiser, voire à combler, les incompréhensions les plus courantes.

Enfin, deux nouvelles annexes se sont greffées au livre : l'une porte sur les instructions du préprocesseur et l'autre, sur la notion d'espace de noms.

AVANT-PROPOS DE LA PREMIÈRE ÉDITION

Ce livre s'adresse à toute personne désirant s'initier aux environnements informatiques et apprendre une méthode systématique de programmation. Conçu plus particulièrement pour les étudiants de première année en génie de l'École Polytechnique de Montréal, il ne nécessite pas de connaissances préalables sur le sujet.

Le futur ingénieur doit s'initier à l'informatique dès le début de sa formation. La conception, la fabrication et la production assistées par ordinateur sont, dans le contexte technologique actuel, des notions auxquelles l'ingénieur peut difficilement se soustraire. Afin d'exploiter adéquatement la puissance des outils informatiques, l'étudiant doit connaître les concepts de base de l'informatique ainsi que les rudiments de la programmation. C'est ce que nous avons voulu présenter.

Les langages C et C++ sont fortement prisés par les entreprises de développement de logiciel. Le langage C est puissant, flexible et portable. Il permet d'interagir aisément avec d'autres langages tel FORTRAN. Cependant, cette flexibilité force le programmeur à connaître exactement le fonctionnement d'une instruction en fonction du contexte, ce qui peut devenir un inconvénient pour un débutant. Dans le langage C++, l'ajout de règles qui tiennent lieu de balises a amoindri cet inconvénient. Dans cet ouvrage, nous avons choisi d'introduire les concepts fondamentaux de la programmation à l'aide du langage C et des possibilités simplifiées offertes par le langage C++.

C'est Dennis Ritchie qui a créé le langage C en 1972, alors qu'il travaillait avec Ken Thompson à la conception du système d'exploitation UNIX. De 1979 à 1982, Bjarne Stroustrup a introduit le concept de classe dans ce même langage. La poursuite de ses travaux de 1983 à 1985 l'a amené à mettre au point le langage C++. Mentionnons que le langage C a été normalisé en 1989, tandis que le langage C++ ne l'est pas encore.

En informatique, le traitement de l'information respecte la séquence suivante: collecte des données, traitement des données et présentation des résultats. Ce processus du traitement de l'information est l'idée maîtresse sur laquelle s'appuie l'ordre de présentation des éléments de la majorité des chapitres.

Une approche de plus en plus utilisée dans le domaine de l'enseignement universitaire est celle de l'apprentissage par études de cas. Ce livre en présente six. Il s'agit de problèmes détaillés qui permettent à l'étudiant de faire le lien entre la matière et la pratique et qui favorisent donc la compréhension.

Le texte suit les principes sur lesquels s'appuie la discipline du génie du logiciel. Selon cette dernière, le développement basé sur le «n'importe comment, du moment que ça marche» n'a aucune valeur. Le programmeur doit plutôt utiliser une méthode rigoureuse et systématique. La méthode de conception de logiciel que nous présentons est une simplification d'un modèle formel. Elle comporte cinq étapes: la définition du problème, l'analyse du problème, la rédaction des algorithmes, le codage du programme et la mise au point. Nous décrivons en détail cette méthode et nous l'appliquons aux études de cas.

De plus, soulignons que ce livre innove en présentant des algorithmes rédigés dans un format appelé pseudo-code schématique et développé à l'École Polytechnique de Montréal par le professeur Pierre N. Robillard.

Contenu

Le principal objectif de ce livre est d'enseigner une méthode systématique de résolution de problèmes. La séquence des chapitres amène le lecteur d'un niveau profane à un niveau avancé.

Le chapitre 1 familiarise l'étudiant avec l'environnement informatique. Après une brève description du fonctionnement d'un ordinateur, nous abordons le système d'exploitation DOS. Le chapitre se termine par la présentation de l'environnement unifié de développement de Borland dont nous nous servons pour concevoir les programmes en langages C et C++.

Dans les chapitres suivants, lorsque certains concepts de programmation se présentaient différemment en langage C et en langage C++, nous les avons inscrits dans un tableau en identifiant précisément les éléments provenant du langage C et leurs équivalents en langage C++. Toutefois, dans les exemples, nous avons choisi d'approfondir seulement les possibilités du langage C++, car ce dernier apporte des améliorations qui simplifient la programmation par rapport au langage C.

Le chapitre 2 présente les éléments de base des langages C et C++. Il contient les types élémentaires ainsi que les opérateurs et les fonctions qui les concernent. Le lecteur y trouvera de plus les processus de lecture de données et d'affichage de résultats. Le chapitre 3 traite de la manipulation de fichiers de caractères (ASCII). Il s'agit d'une suite logique du chapitre précédent, puisqu'on examine une généralisation des processus de lecture et d'écriture adaptée aux fichiers.

Au chapitre 4, nous présentons les structures de décision du langage C suivies des types de variables qui leur sont associés, ainsi que les structures de répétition, elles aussi suivies des types de variables associés.

La modularité est l'un des éléments importants de la programmation dite structurée. Le morcèlement d'un programme en sous-programmes dans le but d'en diminuer la complexité est une opération essentielle. Le chapitre 5 présente en détail les éléments du langage qui permettent la modularisation des programmes. Nous insistons également sur la notion de paramètres et de modes de transmission de paramètres, un sujet qui tire profit des possibilités offertes par le langage C++.

La mémorisation de l'information dans un fichier peut se faire de différentes façons. Une méthode avantageuse est de conserver l'information dans le même format que celui utilisé dans la mémoire principale. Dans ce cas, on parle de fichier binaire. Au chapitre 6, nous étudions le fichier binaire en le comparant au fichier de caractères (ASCII). Notre présentation de trois modes d'accès aux données d'un fichier témoigne de l'importance du choix de l'organisation des données dans le fichier.

Les chapitres 7 et 8 décrivent la méthode de conception d'un logiciel, depuis sa définition jusqu'à sa mise au point. Au chapitre 7, nous insistons sur l'importance, pour un analyste, de mettre sa pensée par écrit. Dès lors, il peut la transcrire sous forme d'algorithmes dont la conception repose sur le raffinement graduel. Le chapitre 8 expose la méthodologie de résolution de problèmes.

Dans le chapitre 9, nous analysons trois modèles de dialogues usager-ordinateur: par questions et réponses, par menu et par formulaire. Nous élaborons les techniques particulières de programmation nécessaires à la réalisation de ces modèles.

Les chapitres 10 et 11 portent sur l'attribution dynamique de l'espace mémoire et sur les structures de données qu'elle entraîne. Nous guidons le lecteur en décortiquant la matière élément par élément et, une fois le principe bien assimilé, nous poursuivons avec des structures de données plus complexes.

Le livre se termine au chapitre 12 par la présentation d'un nouveau paradigme, soit celui de la programmation par objet. Nous y décrivons les caractéristiques propres à un objet et tentons d'y mettre en lumière l'approche de conception intrinsèque à ce type de programmation.

Cheminements possibles

Il est possible pour le lecteur d'exploiter ce livre de différentes façons, selon les objectifs visés ou la formation recherchée.

L'étudiant qui désire se familiariser avec les environnements informatiques et connaître les rudiments de la programmation peut consulter les chapitres 1 à 5, 7 et 8. Le chapitre 9 constitue un excellent complément pour quiconque veut connaître le traitement interactif.

Les chapitres 7 et 8 sont fondamentaux pour ceux qui veulent apprendre à bien programmer. Ils peuvent même être les deux premiers chapitres étudiés dans le cas d'un cheminement basé sur l'apprentissage de conception d'algorithmes. Une fois cette notion bien assimilée, on peut poursuivre avec les chapitres 1 à 5. Par contre, l'étudiant qui maîtrise des notions de base de programmation pourra approfondir ses connaissances en examinant les chapitres 9 à 11.

Le chapitre 12, quant à lui, s'adresse au lecteur intéressé à connaître la programmation par objet, le sujet de l'heure dans le domaine de l'informatique.

Éléments particuliers

Ce livre contient plusieurs exemples, figures, tableaux, questions et exercices. Mentionnons, pour permettre au lecteur de s'y retrouver, les éléments suivants.

- Les raffinements qui correspondent à des commentaires opérationnels dans les algorithmes sont en caractères gras.
- Les opérateurs et les fonctions propres à un type de variable sont regroupés dans des tableaux.
- L'affichage qu'on obtient lors de l'exécution d'un programme apparaît dans un cadre. Les entrées effectuées par l'usager lors de l'exécution du programme sont soulignées.
- Les questions à la fin de chaque chapitre concernent les points importants à retenir.
- Les exercices, également à la fin de chaque chapitre, comportent des problèmes de programmation qui permettent de faire le lien entre la théorie et la pratique.
- Les travaux dirigés sont des exercices de programmation réalisés à l'aide d'un ordinateur et supervisés par un professeur. La durée prévue pour chaque travail dirigé est de trois heures. Ces exercices sont extrêmement importants pour le professeur qui désire suivre l'apprentissage de ses étudiants.
- Les réponses à toutes les questions ainsi que les solutions à des exercices sélectionnés figurent dans une section à la fin du livre.
- L'annexe A contient la liste des mots réservés en langages C et C++. On retrouve également une table des caractères ASCII à l'annexe B et une table des caractères étendus à l'annexe C.

REMERCIEMENTS

De la première édition

Nous remercions pour leur appui et leurs conseils nos collègues qui ont travaillé, pendant les dernières années, à la présentation du cours d'informatique de première année : Adel Alimi, Caroline Barrière, André Beauchamp, Philippe Corriveau, Salah El Hihi, Chahin Fiouzi, Sophiène Kamoun, Christian Langheit, Frank Leclerc, Jacques Melançon et David Zilioli.

Nous désirons remercier également Mmes Diane Ratel, Martine Aubry et Nicole Blanchette des Presses internationales Polytechnique pour leur aide professionnelle et leur soutien constant.

Enfin, nous remercions le Bureau d'appui pédagogique qui nous a accordé une subvention ainsi que les Presses internationales Polytechnique qui ont encadré et mené à terme l'édition de cet ouvrage.

De la deuxième édition

Ce manuel est le résultat de multiples efforts déployés durant ces dernières années pour enseigner un langage de programmation supportant une méthode de résolution de problèmes. Plusieurs intervenants sont sollicités dans l'organisation d'un cours et nous désirons témoigner notre reconnaissance à toutes ces personnes.

Pour leur appui et leurs précieux conseils, nous désirons remercier nos collègues, anciens et actuels, et en particulier André Beauchamp, Caroline Barrière, Eric Fimbel, Richard Gourdeau, Christian Langheit, Sébastien Lapierre, Christophe Leclerc, Franck Leclerc, Jacques Melançon, Shahram Moïn et Bruno Cayer-Navert. Leurs critiques constructives et leur participation active ont grandement contribué à la conception de ce manuel.

Par leurs questions, leurs commentaires et leurs suggestions, plusieurs étudiants ont contribué à l'amélioration constante de ce livre. Leurs attentes nous ont grandement motivés et elles ont inspiré la qualité pédagogique du manuel.

Nous désirons remercier également Mmes Diane Ratel, Martine Aubry et Nicole Blanchette des Presses internationales Polytechnique pour leur patience, leur aide professionnelle et leur soutien constant. La réédition d'un manuel n'est pas une mince tâche ; à plusieurs reprises, elle nous est même apparue plus laborieuse que l'écriture initiale. Soyez assurées, mesdames, que nous respectons grandement votre travail.

Yves Boudreault
Wacef Guerfali

TABLE DES MATIÈRES

Chapitre 3
Entrées et sorties

Chapitre 4
Structures de programmation

Chapitre 7
Attribution dynamique d'espace mémoire

Chapitre 8
Éléments de génie du logiciel

Chapitre 12
Analyse et conception orientées par objet

Chapitre 1

ENVIRONNEMENT ET PENSÉE INFORMATIQUES

L'informatique occupe une place importante dans la vie contemporaine. Dans tous les rouages de la société, on retrouve des activités informatiques. Celles-ci s'exercent à l'aide d'équipements matériels sophistiqués servant de support physique à des logiciels. L'ensemble de ces équipements, matériels et logiciels, forme ce qu'on appelle un environnement informatique.

Le plus important de tous les appareils physiques constituant le matériel d'un environnement informatique est certes l'ordinateur lui-même. Généralement, l'ordinateur est raccordé à divers périphériques spécialisés comme un clavier, une imprimante, un écran, un modem. Par ailleurs, on retrouve toujours dans un environnement informatique une composante logicielle, appelée système d'exploitation, dont la fonction est de permettre l'utilisation efficace de l'ordinateur.

Un environnement informatique est généralement spécialisé en vue d'une utilisation précise, telle que la gestion, le graphisme, le calcul scientifique ou encore la programmation. Les environnements informatiques de programmation sont axés sur le développement et la mise au point de programmes. Ces environnements conviviaux et rapides fournissent des ensembles d'outils dont, par exemple, des bibliothèques de programmes spécialisés et des débogueurs.

1.1 MICRO-ORDINATEUR ET PÉRIPHÉRIQUES

L'ordinateur prend des données à l'entrée, appelées intrants, les emmagasine et les transforme, puis produit d'autres données, les résultats, appelés extrants. Ses caractéristiques de performance sont la vitesse et la fiabilité de ses calculs, sa capacité d'emmagasinage de même que la précision et la prévisibilité de ses résultats. Il excelle dans des opérations telles que:

- recevoir des intrants provenant de dispositifs variés;
- comparer des valeurs;
- additionner, soustraire, multiplier et diviser des nombres;
- transmettre des résultats à des dispositifs variés.

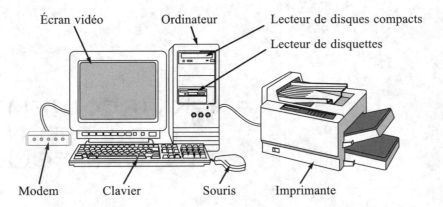

Figure 1.1 Configuration physique d'un poste de travail typique.

La figure 1.1 montre la configuration physique d'un poste de travail typique, composé de l'ordinateur et de périphériques. Les périphériques sont des dispositifs d'entrée ou de sortie d'information qui ne font pas partie de l'ordinateur lui-même, mais qui lui sont reliés, généralement par des câbles. Les principaux périphériques sont l'écran vidéo (dispositif de sortie), également appelé moniteur, les lecteurs de disquettes et de disques compacts (dispositifs d'entrée et de sortie), l'imprimante (dispositif de sortie), le clavier (dispositif d'entrée) et le modem (dispositif d'entrée et de sortie).

Les diverses parties de l'ordinateur qui effectuent les opérations d'emmagasinage et de transformation des données, de même que les modes de communication qui les lient entre elles, définissent l'architecture d'un ordinateur.

1.1.1 Architecture et fonctionnement

La figure 1.2 présente l'architecture de base d'un ordinateur. Celui-ci se compose essentiellement de trois éléments reliés par des canaux de communication, soit une unité centrale de traitement, notée UCT, des unités d'entrée et de sortie et des unités de mémoire.

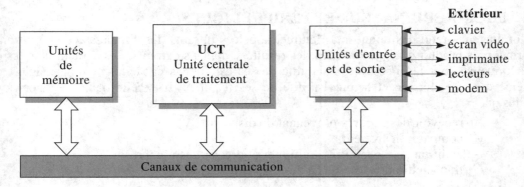

Figure 1.2 Architecture de base d'un ordinateur.

UCT. L'UCT est la principale composante d'un ordinateur. C'est une puce électronique, également appelée microprocesseur, qui effectue les opérations demandées sur les données en exécutant une à une les séquences d'instructions constituant un programme d'ordinateur. L'UCT comprend un très grand nombre de «portes» électroniques, chacune pouvant contenir l'une ou l'autre des deux valeurs suivantes: soit 1, soit 0. Des combinaisons de ces valeurs, suivant un code numérique strict, permettent de traiter tous les genres de données. Comme le montre la figure 1.3, l'UCT est elle-même composée de plusieurs éléments:

- des registres qui emmagasinent des instructions ou des données;
- une unité de commande qui dirige et coordonne les activités de l'UCT;
- une unité de traitement arithmétique et logique, notée UAL;
- une interface au système chargée des communications avec les périphériques.

L'UCT est reliée aux périphériques par trois bus de communication, soit le bus de transfert de données, le bus d'adresses et le bus de commandes. Le type de microprocesseur que constitue l'UCT est une caractéristique déterminante de l'ordinateur. Il est le grand responsable des performances de l'ordinateur, entre autres la capacité et la vitesse de calcul.

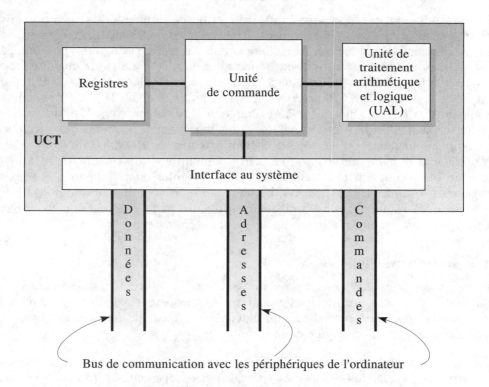

Figure 1.3 UCT, unité centrale de traitement.

Unités d'entrée et de sortie. Les unités d'entrée et de sortie, comme leur nom l'indique, permettent à l'ordinateur d'effectuer des entrées ou des sorties d'informations, donc de communiquer avec le monde extérieur. L'ordinateur reçoit, des unités d'entrée, des informations représentant soit des données, soit des instructions et il rend des résultats au monde extérieur par les unités de sortie. Le clavier, la souris, le lecteur de disquettes, le lecteur de disques compacts et les disques rigides représentent les principales unités d'entrée, tandis que l'écran, l'imprimante, le lecteur de disquettes, le lecteur de disques compacts et les disques rigides constituent les unités de sortie les plus courantes.

Unités de mémoire. Les unités de mémoire servent principalement à conserver les instructions et les données d'un programme pendant son exécution. On peut se représenter les unités de mémoire comme un ensemble de cases où on range des informations. L'UCT communique directement avec la mémoire vive ou RAM (*Random Access Memory*). La mémoire vive est une partie de la mémoire qui contient de l'information uniquement lorsque l'ordinateur est sous tension. Elle est volatile, c'est-à-dire que son contenu disparaît dès que l'ordinateur est mis hors tension. Il faut donc sauvegarder de façon permanente les informations se trouvant en mémoire vive avant de couper l'alimentation à la fin d'une session de travail, sans quoi elles seront irrémédiablement perdues.

La mémoire vive est une ressource limitée. La taille de la mémoire vive, caractéristique importante d'un ordinateur, est exprimée en octets et en multiples d'octets, soit les kilo-octets, méga-octets, giga-octets et même téra-octets. Le préfixe kilo, qui représente généralement la quantité 1000, est utilisé pour représenter dans ce contexte la quantité exacte de 1024, soit 2^{10}. De même, le préfixe méga, représentant généralement 1 000 000, représente en fait 1024 ko, soit 1 048 576 octets ou 2^{20}. Les préfixes giga (2^{30}) et téra (2^{40}) servent aussi à quantifier l'espace mémoire. Par exemple, un ordinateur ayant 128 Mo de mémoire vive a une capacité de 128×2^{20} octets. Les ordinateurs sont aussi munis d'une composante de mémoire permanente qu'on appelle mémoire morte ou ROM (*Read Only Memory*). Contrairement à la mémoire vive, on ne peut pas modifier l'information dans la mémoire morte d'un ordinateur; on peut seulement la lire. De plus, son contenu n'est pas perdu lorsqu'on met l'ordinateur hors tension. La mémoire morte contient, d'une part, l'information nécessaire à l'amorçage de l'ordinateur et, d'autre part, les programmes de base qui contrôlent les composantes physiques spécifiques à l'ordinateur.

1.1.2 Poste de travail typique

La figure 1.4 présente le type de poste de travail dont il est question dans cet ouvrage. Le lecteur doit avoir accès à un tel poste pour réaliser les exercices de programmation. Le poste comprend un micro-ordinateur, un clavier, un lecteur de disquettes, un lecteur de disques compacts, un disque rigide et un écran vidéo.

Boîtier du micro-ordinateur. L'UCT, les unités de mémoire, les unités d'entrée et de sortie ainsi que les lecteurs de disques compacts et de disquettes sont tous logés dans le boîtier du micro-ordinateur. Celui-ci contient aussi le bloc d'alimentation, un ventilateur de refroidissement et un petit haut-parleur pour les signaux sonores.

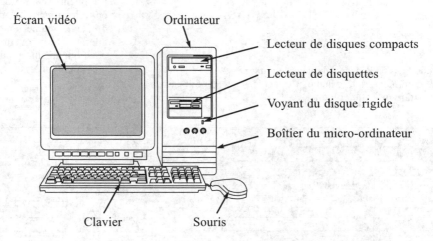

Figure 1.4 Poste de travail.

Unité d'entrée: le clavier. Le clavier est le dispositif d'entrée de données le plus utilisé. Il comporte généralement quatre parties: au centre, un clavier de style machine à écrire; à droite, un groupe de touches d'édition et de déplacement du curseur; à l'extrême droite, un clavier numérique; dans la partie supérieure, une rangée de touches spéciales, dites touches de fonction.

Le clavier de style machine à écrire sert à entrer les lettres, les chiffres et les autres caractères usuels qui forment les mots, les expressions, les énoncés de programmes et les données qu'ils utilisent. Les lettres A à Z, les chiffres 0 à 9 et les caractères de ponctuation ont la même disposition que sur un clavier de machine à écrire. On obtient les lettres majuscules et les caractères occupant les positions supérieures des touches en appuyant simultanément sur la touche <Shift> et sur la touche désirée. On y accède aussi en enfonçant la touche <Caps Lock>; pour retourner aux lettres minuscules, on doit désactiver cette touche en appuyant de nouveau sur elle. La barre d'espacement permet d'entrer un espace et la touche <Backspace> permet de revenir en arrière et d'effacer des caractères.

Les touches d'édition et de déplacement du curseur sont généralement utilisées dans les programmes de traitement de texte. Il s'agit des touches <←>, <→>, <↑>, <↓>, <PageUp>, <PageDown>, <Home>, <End>, <Ins> et <Del>.

Le clavier numérique, activé lorsqu'on appuie sur la touche <Num Lock>, peut s'utiliser pour entrer des données numériques. On peut aussi se servir des chiffres du clavier de style machine à écrire pour entrer des données numériques. De plus, il est possible de programmer les 12 touches de fonction, identifiées <F1> à <F12>, afin que chacune réalise des actions différentes, selon chaque logiciel.

D'autres touches telles que <Ctrl>, <Alt>, <Caps Lock> et <Del>, situées de part et d'autre du clavier de style machine à écrire, permettent de réaliser diverses fonctions quand on les utilise une ou plusieurs à la fois. La figure 1.5 décrit l'usage de ces touches.

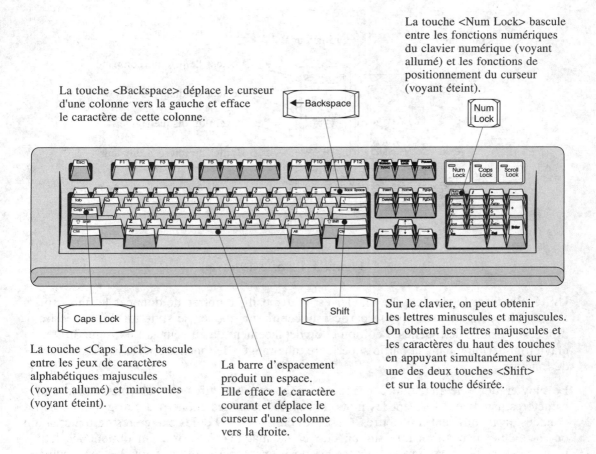

La touche <Num Lock> bascule entre les fonctions numériques du clavier numérique (voyant allumé) et les fonctions de positionnement du curseur (voyant éteint).

La touche <Backspace> déplace le curseur d'une colonne vers la gauche et efface le caractère de cette colonne.

La touche <Caps Lock> bascule entre les jeux de caractères alphabétiques majuscules (voyant allumé) et minuscules (voyant éteint).

La barre d'espacement produit un espace. Elle efface le caractère courant et déplace le curseur d'une colonne vers la droite.

Sur le clavier, on peut obtenir les lettres minuscules et majuscules. On obtient les lettres majuscules et les caractères du haut des touches en appuyant simultanément sur une des deux touches <Shift> et sur la touche désirée.

Figure 1.5 Clavier.

Unités de sortie: écran vidéo et imprimante. L'unité de sortie la plus fréquemment utilisée est l'écran vidéo. Il peut être monochrome ou en couleurs. Il est muni de boutons qui permettent d'ajuster l'intensité et le contraste. Son alimentation est généralement distincte de celle de l'ordinateur proprement dit. Le micro-ordinateur peut aussi être relié à une imprimante qui possède également une alimentation distincte.

1.2 SUPPORTS EXTERNES D'INFORMATION

Les supports externes d'information sont des dispositifs matériels qui emmagasinent l'information de façon permanente. C'est là leur principale propriété: ils conservent leur contenu jusqu'à ce que l'usager le modifie ou le remplace; c'est pourquoi on les appelle mémoires non volatiles. De ce fait, ils constituent un élément essentiel de tout environnement informatique puisque le contenu de la mémoire vive, quant à lui, se perd lors de la mise hors tension de l'ordinateur. Pour cette raison, on utilise les supports externes pour conserver les informations utiles telles que des programmes et des données entre les sessions de travail à l'ordinateur. Ces informations sont habituellement regroupées sous forme de fichiers; on donne un nom unique à chacun d'eux, ce qui nous permet de les retrouver et d'y accéder.

Les supports externes d'information présentent certains autres avantages, comme la possibilité, sauf exception, de transporter l'information d'un ordinateur à un autre et la propriété d'offrir généralement une grande capacité de stockage à faible coût et dans un volume réduit. On compare très souvent les différents supports externes d'information en fonction de leur capacité d'emmagasinage, en nombre de bits ou d'octets, et de leur temps d'accès, c'est-à-dire le temps moyen nécessaire pour accéder à une information donnée. Ces paramètres, ainsi que le coût à l'achat, peuvent varier énormément d'un support externe à un autre; c'est pourquoi il importe de choisir un système qui correspond à ses besoins.

Par ailleurs, puisqu'il s'agit en fait d'une forme de mémoire indépendante de l'ordinateur même, on désignera parfois les supports externes d'information par les expressions mémoire externe ou mémoire périphérique.

Les supports magnétiques externes se composent souvent d'un support physique recouvert d'une mince couche d'une substance, un oxyde de fer, dont l'état magnétique se détecte et se modifie facilement, permettant ainsi la lecture et l'écriture d'informations. Les cassettes audio ou vidéo utilisent un procédé similaire. Il existe deux types de supports magnétiques, soit les disques et les rubans.

1.2.1 Disques magnétiques flexibles et rigides

Les micro-ordinateurs utilisent surtout les disques magnétiques flexibles ou rigides. En fait, pratiquement tous les micro-ordinateurs sont équipés d'au moins un lecteur de disques flexibles et d'un lecteur de disques rigides.

Disques flexibles. Les disques flexibles, ou disquettes, sont utiles en raison de leur faible coût. Les disquettes consistent en un disque de mylar souple recouvert d'oxyde de fer sur ses deux faces et protégé par une enveloppe de plastique. Le format courant de disquettes est de 3 1/2 po.

On peut conserver l'information de façon permanente sur la disquette. Pour que l'ordinateur puisse aller chercher de l'information sur une disquette, il faut avoir inséré préalablement la disquette dans un lecteur de disquettes. On utilise l'expression «lire une disquette» pour désigner cette fonction de l'ordinateur qui consiste à aller chercher de l'information sur une disquette et l'expression «écrire» pour désigner celle d'y mettre de l'information.

La figure 1.6 présente une disquette rigide de 3 1/2 po. La disquette se compose d'un disque de plastique mince et flexible recouvert d'un film magnétique sur ses deux faces, protégé par une enveloppe de plastique rigide. La surface magnétique de la disquette est subdivisée en régions concentriques nommées pistes, elles-mêmes subdivisées en secteurs. Par exemple, une disquette à haute densité de format 3 1/2 po comporte 80 pistes, chacune étant divisée en 18 secteurs pouvant contenir 1024 octets chacun, ce qui donne une capacité totale de 1,44 Mo ($1024 \times 80 \times 18$).

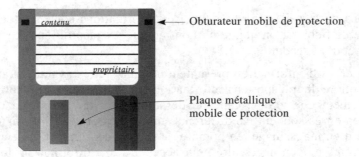

Figure 1.6 Disquette rigide de 3 1/2 po.

Un trou au centre de la disquette permet de la fixer à l'axe d'entraînement du lecteur. La disquette tourne dans son enveloppe protectrice et présente à tour de rôle à la tête de lecture et d'écriture du lecteur les différents secteurs d'une piste. La tête de lecture et d'écriture peut se déplacer de manière à se positionner au-dessus de n'importe quelle piste.

Sur la disquette de 3 1/2 po, un petit obturateur mobile, à l'endos de la disquette, assure une protection des données. Ainsi, la disquette se trouve protégée contre l'écriture lorsque l'obturateur est ouvert. Une plaque métallique mobile protège la surface magnétique de la disquette lors des manipulations. Au moment de la lecture et de l'écriture, cette plaque est déplacée et libère la surface magnétique de la disquette.

Il faut prendre certaines précautions lors de la manipulation des disquettes. Elles sont fragiles et contiennent de précieuses informations. Il ne faut pas toucher à leur surface magnétique. Il ne faut pas les plier, ni les mutiler, ni les transporter sans étui protecteur. Il faut garder les disquettes à l'abri de la chaleur, des champs magnétiques, de la télévision et du soleil.

Pour insérer une disquette dans un lecteur, on doit la pousser jusqu'au fond. Si elle en ressort, c'est qu'on l'a insérée du mauvais côté. Il suffit alors de la retourner de l'autre côté. Lorsque la disquette est bien insérée au fond du lecteur, le bouton d'éjection ressort. Pour retirer ce type de disquette, il suffit d'appuyer sur le bouton d'éjection et de la retirer du lecteur.

ATTENTION!
Il ne faut jamais retirer la disquette du lecteur lorsque le voyant est allumé. En effet, cela signifie qu'un certain travail est en cours sur la disquette.

Disques rigides.   Les disques rigides sont aussi très appréciés par les usagers de micro-ordinateurs bien qu'ils comportent quelques désavantages: ils coûtent relativement cher et ils sont en général fixes, c'est-à-dire qu'ils font partie intégrante de l'ordinateur et qu'on ne peut pas les changer à volonté comme on change de disquette. Toutefois, leurs avantages dépassent largement ces inconvénients. Le fait qu'ils soient fixes permet de les faire tourner continuellement à grande vitesse dès que l'ordinateur est en marche, réduisant ainsi le temps d'accès. De plus, ils offrent une très grande capacité de stockage, comparativement aux disquettes, soit de l'ordre du giga-octet et même du téra-octet.

Les disques rigides conviennent également aux systèmes informatiques de plus grande envergure qui sont souvent plus volumineux et plus performants, voire plus rapides. Un disque rigide se compose d'une série de disques d'aluminium superposés avec une tête de lecture pour chaque face, ou même une pour chaque piste. Dans ce dernier cas, le temps d'accès à l'information est très court puisque les têtes n'ont pas à se déplacer par rapport aux pistes.

Les disques, flexibles ou rigides, ont la caractéristique importante d'offrir un accès direct et séquentiel aux données (sect. 6.3).

1.2.2 Rubans magnétiques

Un ruban magnétique est une bande souple couverte d'une pellicule magnétisable. Ce ruban s'enroule dans une cassette – c'est le cas des cassettes audio ou vidéo. Le principal avantage du ruban magnétique est son coût peu élevé pour une capacité de stockage donnée. Cependant, son inconvénient principal est de ne permettre que l'accès séquentiel aux données, c'est-à-dire que pour lire un segment donné de ruban, il faut avoir parcouru tout le ruban qui le précède. Cela équivaut à chercher une pièce musicale sur une cassette audio. Cette restriction des rubans magnétiques entraîne un temps d'accès relativement long. Les disques, en revanche, permettent l'accès direct. On peut faire un parallèle avec un disque compact sur lequel le lecteur laser se positionne directement à l'endroit désiré.

Cependant, on utilise encore beaucoup les rubans magnétiques, surtout sous forme de bobines dans les systèmes informatiques d'envergure, pour stocker de grandes quantités de données à un prix raisonnable. On les trouve aussi sous forme de cassettes qui servent à faire des copies d'informations contenues sur disque, et ce à des fins d'archivage ou de sécurité.

1.2.3 Disques compacts

Les disques compacts ou disques optiques constituent une forme très intéressante de mémoire morte. Ils offrent une capacité incroyable de stockage, soit plus de 600 Mo ou plus de 400 disquettes, ainsi qu'une bonne rapidité d'accès. Il s'agit simplement du fameux disque compact, très bien connu des amateurs de musique, utilisé pour stocker des informations plutôt que de la musique. Le disque compact permet même de combiner sur un même support des données, des images de très haute résolution et du son stéréo haute-fidélité. C'est le média par excellence du multimédia.

1.2.4 Liens téléinformatiques et réseaux

Nous ne traitons pas ici de supports externes d'information en tant que tels, mais plutôt de dispositifs permettant de communiquer avec ces derniers. L'expression «liens téléinformatiques» est un terme général qui désigne les moyens d'échanger des informations avec l'extérieur sur de moyennes ou de longues distances. Nous verrons les modems, les banques de données externes et les réseaux.

Le modem a pour fonction de relier un ordinateur à une ligne téléphonique afin de lui permettre de communiquer avec un autre système informatique. Ce périphérique sert simplement à convertir les données numériques en tonalités et à faire l'inverse pour les données reçues, d'où le nom modem pour **mo**dulateur-**dém**odulateur. On utilise souvent les modems pour communiquer avec des banques de données externes ou avec un ordinateur central. Les modems se caractérisent par leur vitesse de communication, donnée en bits par seconde (bps). La vitesse de transmission, ou débit, en bauds, s'établit en fonction de la fréquence de débit du signal. Les vitesses varient de quelques centaines à plusieurs milliers de bits par seconde.

Les banques de données externes sont généralement destinées à des applications spécialisées, comme le courtage des actions à la bourse. Certains clubs ou associations utilisent aussi une banque de données pour communiquer avec leurs membres. On parle souvent alors de babillard électronique puisque les membres peuvent également y laisser leurs messages.

Enfin, les réseaux permettent de relier entre eux plusieurs ordinateurs dans le but de transférer des informations et de partager des ressources informatiques telles qu'une imprimante ou une banque de données. On retrouve aussi les réseaux dans certaines applications spécialisées pour relier des micro-ordinateurs, alors appelés postes de travail, à un ordinateur plus puissant utilisé pour les gros calculs et la gestion des périphériques. Dans un réseau, il est rare que les ordinateurs soient reliés entre eux par des modems.

1.2.5 Autres dispositifs

Il existe encore quelques autres supports externes d'information tels que les cartouches, les mémoires à tores et les mémoires à bulles. Cette liste est loin d'être exhaustive, mais elle couvre les besoins courants en stockage d'information.

Les cartouches sont rarement employées avec les ordinateurs, mais on les retrouve encore avec certains micro-ordinateurs domestiques pour les jeux vidéo et autres logiciels. Il est assez difficile de copier les logiciels sur cartouches; c'est pourquoi certaines compagnies les préfèrent aux disquettes. Les cartouches coûtent cependant plus cher à produire et ne sont disponibles que sous forme de mémoire morte. On les utilise aussi parfois comme mode d'expansion; c'est le cas par exemple de certaines imprimantes laser.

Les mémoires à tores ne servent plus tellement aujourd'hui, mais méritent toutefois une mention puisqu'elles ont déjà été le principal mode de stockage d'information des ordinateurs. Il s'agit de petits aimants en forme de beignes qui peuvent être magnétisés dans un sens ou dans l'autre par un bobinage serré de fils conducteurs. Ces mémoires ont l'avantage d'être de type mémoire vive et de conserver leur contenu même une fois l'alimentation coupée. Elles sont cependant en voie de disparaître parce qu'elles occupent beaucoup d'espace, consomment beaucoup de puissance et coûtent cher.

Lorsqu'on a besoin d'une grande densité de stockage et d'une faible consommation de puissance, on fait parfois appel aux mémoires à bulles qui remplissent ces deux conditions. Il s'agit de petits cylindres magnétiques situés dans une matrice non magnétique et qui ont la propriété de pouvoir retenir de l'information. Même si elles ont connu des débuts difficiles à cause de leur coût élevé, les mémoires à bulles gagnent en popularité auprès de certaines applications spécialisées qui requièrent une mémoire abondante, rapide et non volatile.

1.3 SYSTÈME D'EXPLOITATION

Un système d'exploitation, comme son nom l'indique, sert à exploiter les ressources logicielles et matérielles d'un environnement informatique. Par exemple, un tel système permet de stocker ou de rechercher de l'information, de gérer l'exécution des programmes, de contrôler les différentes unités d'entrée et de sortie ainsi que d'allouer de la mémoire vive aux programmes et aux données.

Un ordinateur est constitué de plusieurs composants complexes: processeur, mémoire, disque, écran, carte réseau, etc. Écrire des programmes qui font appel directement à ces composants et qui les utilisent de façon appropriée peut s'avérer une tâche fastidieuse. Pour ce faire, le programmeur devrait connaître en détail le fonctionnement de chaque composant et se tenir au courant de toutes les nouveautés, ce qui est impossible compte tenu du rythme fulgurant auquel évolue la technologie et de la diversité des composants offerts sur le marché.

Les systèmes informatiques ont évolué en se simplifiant grâce à l'ajout graduel d'une couche de logiciels sur le matériel. Ces logiciels gèrent les différents composants du système et présentent à l'usager une interface simplifiée facile à comprendre et à programmer. C'est cette couche de logiciels qui compose le système d'exploitation.

La figure 1.7 montre la position du système d'exploitation par rapport aux principales couches d'un système informatique.

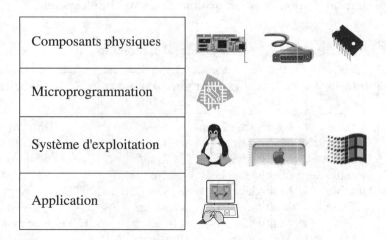

Figure 1.7 Principales couches d'un système informatique.

La première couche, soit les composants physiques, comprend des circuits intégrés, des câbles, des blocs d'alimentation, etc. La deuxième couche, la microprogrammation appelée BIOS pour *Basic Input Output System*, se compose de microprogrammes qui contrôlent directement les périphériques et fournissent une interface intermédiaire entre les composants physiques et le système d'exploitation. Ces programmes résident dans des mémoires mortes souvent intégrées dans les composants physiques. L'ensemble des instructions que les microprogrammes exécutent définit le langage de base pour communiquer avec les composants physiques.

Le système d'exploitation s'appuie sur les couches précédentes pour gérer l'ensemble des ressources matérielles et logicielles. MS-DOS, Windows 95/98, Windows NT, Windows 2000, System V, OS2, Unix, Linux, AIX, etc., sont tous des exemples de systèmes d'exploitation.

Le système d'exploitation comprend deux parties principales: le noyau et l'interface. Le noyau contient les différentes fonctions du système d'exploitation et l'interface offre un mode de dialogue et de prise de commande qui facilite grandement l'utilisation de ces fonctions pour l'usager. Le système d'exploitation exécute une panoplie d'opérations ou de tâches comme accéder à un fichier, mémoriser une donnée ou transmettre un fichier à l'imprimante. Certains systèmes d'exploitation ne peuvent exécuter qu'une seule tâche à la fois (monotâches), alors que d'autres peuvent exécuter plusieurs tâches concurremment (multitâches). De la même façon, certains systèmes d'exploitation peuvent servir à un seul usager (mono-usagers) et d'autres à plusieurs usagers en même temps (multiusagers).

Le tableau 1.1 présente divers systèmes d'exploitation et leurs caractéristiques: l'interface utilisée pour entrer une commande (texte ou graphique), le type de gestion des tâches (une seule ou plusieurs à la fois), le nombre d'usagers et le fabricant.

Enfin, la dernière couche est celle des applications. Ces programmes permettent de répondre à des besoins particuliers des usagers: traitement de texte, chiffrier électronique, calcul d'ingénierie, système de gestion de bases de données, jeux, fureteurs, etc.

Tableau 1.1   Caractéristiques de divers systèmes d'exploitation

Système d'exploitation	Interface	Gestion des tâches	Nombre d'usagers à la fois	Fabricant
DOS	Texte	Monotâche	Un	IBM, Microsoft
Windows	Graphique	Multitâche	Un	Microsoft
Windows NT	Graphique	Multitâche	Un	Microsoft
OS2	Graphique	Multitâche	Un	IBM
Mac OS	Graphique	Multitâche	Un	Apple
UNIX	Texte	Multitâche	Plusieurs	AT&T
Linux	Texte	Multitâche	Plusieurs	Développement coopératif
AIX	Graphique	Multitâche	Plusieurs	IBM

1.3.1 Interface (SHELL)

On appelle interface (SHELL) la portion du système d'exploitation qui fait la jonction entre les fonctions de base et l'usager. L'interface permet donc la communication entre l'usager et l'ordinateur. Cette tâche s'effectue à l'aide d'une interface textuelle ou d'une interface graphique. Les interfaces textuelles, plus simples, interagissent avec l'usager au moyen de commandes textuelles affichées à l'écran et entrées avec le clavier. L'interface graphique, connue sous l'acronyme GUI pour *Graphical User Interface*, représente les objets à manipuler (tel un fichier ou un programme) par une icône correspondant à un pictogramme à l'écran. L'usager doit sélectionner une icône avec le pointeur de la souris et actionner le programme en cliquant sur les boutons de la souris.

Une interface est beaucoup plus qu'une fenêtre entre l'usager et le noyau du système d'exploitation. En fait, l'interface se distingue grandement de la partie interne d'un système d'exploitation. Certains systèmes d'exploitation offrent même un choix parmi différentes interfaces; ainsi, l'usager peut obtenir pour son environnement la plus grande compatibilité d'interface possible. Il en est ainsi pour les usagers du système d'exploitation UNIX qui peuvent choisir parmi diverses interfaces telles que *Borne shell*, *C shell* et *Korn shell*. Soulignons également les premières versions de Windows, de Microsoft Corporation, qui ont remplacé l'interface de MS-DOS (le système d'exploitation est demeuré le même à l'exception de l'interface usager).

Les interfaces qui possèdent des caractéristiques similaires peuvent servir dans des systèmes d'exploitation ayant différentes structures internes. Il est donc possible de créer des interfaces usagers-ordinateurs uniformes pour une variété d'ordinateurs.

La figure 1.8 schématise le rôle de l'interface du système d'exploitation lors de l'exécution de différentes applications logicielles. L'interface effectue le lien entre les opérations propres à ces applications et les fonctions du système d'exploitation. Ces fonctions sont regroupées dans une entité appelée le noyau du système d'exploitation (art. 1.3.2).

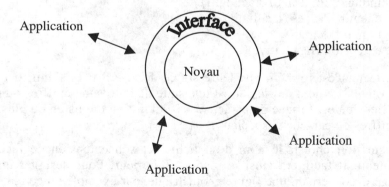

Figure 1.8 Rôle de l'interface d'un système d'exploitation.

1.3.2 Noyau

On nomme noyau la partie interne d'un système d'exploitation. Ce noyau contient les composantes logicielles qui réalisent les fonctions à la base du fonctionnement de l'ordinateur. Les principales composantes sont:

– le gestionnaire de fichiers;
– une collection de pilotes de périphériques;
– le gestionnaire de mémoire;
– le gestionnaire de processus;
– l'interface réseau.

Gestionnaire de fichiers. Le gestionnaire de fichiers mémorise l'emplacement de chaque portion de fichiers, les droits d'accès des usagers aux fichiers et les portions de disque disponibles pour les nouveaux fichiers. Ces gestionnaires offrent la possibilité de regrouper un ensemble de fichiers dans des répertoires qui constituent ainsi un arbre des répertoires.

L'information peut être conservée de façon permanente sur disque et sous forme structurée appelée fichier. Un fichier contient un ensemble de données de même nature sur un sujet: un programme écrit en langage C, le curriculum vitæ d'une personne, la description d'échantillons d'eau, etc.

Chaque fichier est identifié et repéré par une spécification que l'usager lui assigne. Pour copier un fichier, le modifier, le renommer, le détruire, en afficher le contenu à l'écran ou l'imprimer, il faut mentionner la spécification du fichier. Une spécification comporte quatre éléments: l'indicatif du lecteur où se trouve le fichier, le chemin d'accès au fichier, le nom du fichier et son extension. De ces quatre éléments, seul le nom du fichier est obligatoire. La forme générique de la spécification d'un fichier est la suivante:

L:\NOM.EXT

où L: = indicatif du lecteur (facultatif)
    \   = chemin d'accès (facultatif)
    NOM = nom du fichier
    EXT = extension (facultative)

L'indicatif du lecteur est formé d'une lettre suivie de «:». Il peut s'agir, par exemple, du lecteur A:, B: ou C:. Le nom du fichier est une suite de lettres, de chiffres ou de caractères spéciaux. L'extension est formée du caractère «.» suivi d'au moins un ou plusieurs symboles (lettres, chiffres ou caractères spéciaux).

Le programmeur doit choisir le nom d'un fichier et son extension de façon à bien en décrire le contenu. Il facilitera ainsi le repérage ultérieur. Pour désigner un programme écrit en langage C concernant une figure géométrique, par exemple un cercle, et stocké sur un disque placé dans le lecteur B:, la spécification suivante serait appropriée:

B:\CERCLE.C

En utilisant un ordinateur, on en arrive très rapidement à accumuler un grand nombre de fichiers. Il devient alors laborieux d'en repérer un en particulier. Une façon simple de gérer un grand nombre de fichiers est de les regrouper. Cela permet de simplifier la recherche en la limitant à des groupes plus restreints de fichiers. Les groupes de fichiers s'appellent des répertoires. À la tête se trouve un répertoire appelé la racine. Il peut contenir des fichiers et plusieurs sous-répertoires. Chacun des sous-répertoires peut, lui aussi, contenir d'autres fichiers et d'autres sous-répertoires. Cette structure est dite arborescente et donne lieu au concept d'arbre de répertoires qui définit le chemin d'accès à un fichier. Dans les exemples suivants, nous écrirons les noms des répertoires en majuscules et les noms des fichiers en minuscules.

La figure 1.9 présente un exemple d'arbre de répertoires. Dans cet exemple, le répertoire racine, identifié par «\», contient deux fichiers, sol.cpp et sol.exe, ainsi que trois répertoires, FORTRAN, CPP et PASCAL. Les répertoires FORTRAN et PASCAL sont vides. Le répertoire CPP contient deux répertoires, PROJET et TRAVAUX. Le répertoire TRAVAUX contient le fichier tp1.cpp. Finalement, le répertoire PROJET contient trois fichiers, projet.cpp, projet.exe et sol.cpp, et un répertoire vide, OUTILS. Le fichier sol.cpp du répertoire PROJET porte le même nom et la même extension qu'un des fichiers du répertoire racine. Comme ces deux fichiers se trouvent dans des répertoires différents, il est facile de les distinguer. En effet, les fichiers d'un répertoire sont totalement isolés de ceux des autres répertoires et peuvent donc porter des noms identiques.

Accès aux fichiers. À un instant donné, l'usager peut accéder directement aux fichiers du répertoire actif, et il n'y a qu'un seul répertoire actif à la fois. Par exemple, considérons l'arbre de la figure 1.9 et supposons que c'est le répertoire racine qui est actif.

On peut accéder directement à tous les fichiers du répertoire actif. Pour accéder à des fichiers hors du répertoire actif, il faut ajouter à la spécification du fichier le chemin d'accès. Le chemin d'accès correspond aux noms des répertoires consécutifs menant au fichier séparés par le caractère «\».

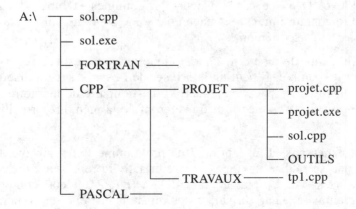

Figure 1.9 Arbre de répertoires.

Chaque accès à un fichier s'effectue à l'aide du gestionnaire de fichiers. La procédure débute par une requête d'accès à un fichier adressée au gestionnaire par un logiciel ou une application. Cette procédure correspond à l'ouverture du fichier. Si le gestionnaire accepte la requête, il fournit alors l'information nécessaire pour accéder au contenu du fichier et le manipuler.

Collection de pilotes de périphériques. Une autre composante du noyau consiste en une collection de pilotes, soit des programmes qui permettent de communiquer avec les contrôleurs ou encore directement avec le périphérique. Chaque pilote correspond à un type particulier de contrôleur ou de périphérique. Dans le cas d'une imprimante ou d'un contrôleur de disque, les requêtes sont traduites en plusieurs opérations définies dans un pilote spécifique.

Un pilote pour un contrôleur de disque rigide, par exemple, doit traduire une requête d'écriture d'un fichier en plusieurs opérations. Ces opérations déterminent la piste, le segment et le secteur au moyen du descripteur de fichier, puis communiquent cette information au contrôleur approprié. À partir de ce moment, le contrôleur positionne la tête de lecture/écriture du disque physique et surveille le processus d'enregistrement.

Quant au pilote d'imprimante, il traduit la requête d'impression d'un fichier et en fait plusieurs instructions qui réaliseront d'abord le transfert de polices de caractères, puis celui des instructions de contrôle d'imprimante. En fait, les étapes diffèrent souvent selon le type d'imprimante et c'est pourquoi, à l'achat d'une nouvelle imprimante, le fabricant fournit souvent un disque qui contient le bon pilote.

Gestionnaire de mémoire. Le gestionnaire de mémoire coordonne l'utilisation de la mémoire vive ou RAM. Dans un environnement mono-usager ou monotâche, cette opération est simple et minimale. Le programme qui effectue la tâche courante est placé en mémoire principale, exécuté et remplacé par le programme qui réalise la tâche suivante. Dans un environnement multitâche ou multi-usager, où l'ordinateur doit répondre à plusieurs besoins simultanément, le rôle du gestionnaire de mémoire est plus important et sa tâche plus complexe. Dans ce cas, plusieurs programmes et blocs de données doivent résider en mémoire concurremment et chacun dans une zone mémoire distincte attribuée et gérée par le gestionnaire de mémoire.

La tâche du gestionnaire de mémoire se complique lorsque l'espace requis est supérieur à l'espace mémoire disponible. Il peut alors utiliser de l'espace sur un disque rigide afin de combler momentanément l'espace manquant. Le gestionnaire de mémoire doit se servir de programmes et de blocs de données qui transiteront de la mémoire principale au disque et vice versa.

Gestionnaire de processus. L'exécution d'un programme se transforme dans le temps au fur et à mesure que se réalise une activité. Cette activité représente un processus. L'état d'un processus correspond à l'état courant de l'activité. Cet état comprend la position courante du programme exécuté, la valeur des registres et l'état de la mémoire qui lui est associée. À différents temps de l'exécution d'un programme ou d'un processus, on observe différents états du processus.

Dans un système à temps partagé, plusieurs processus peuvent être en concurrence dans une même tranche de temps. Par exemple, l'exécution simultanée d'une application, de programmes utilitaires et de certaines fonctions du système d'exploitation sollicite en même temps l'UCT. Le système d'exploitation a comme tâche de coordonner ces processus, c'est-à-dire de s'assurer que :

– les ressources nécessaires comme les périphériques, l'espace mémoire, l'accès aux données et à l'UCT soient disponibles ;

– les processus indépendants n'interfèrent pas avec un autre processus ;

– les processus qui doivent échanger de l'information peuvent le faire.

Ce sont un ordonnanceur (*scheduler*) et un répartiteur qui coordonnent les processus. L'ordonnanceur gère une table de processus en plaçant ces derniers dans un ordre satisfaisant à certains critères, puis conserve leur état. Un processus peut être en attente d'exécution ou en exécution. Le répartiteur s'assure du bon enchaînement des processus à exécuter. La figure 1.10 illustre la séquence des états de deux processus, A et B.

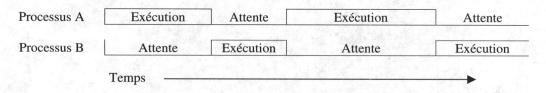

Figure 1.10 Partage du temps entre les processus A et B.

Interface réseau. L'interface réseau est un ensemble de logiciels et d'outils nécessaires à l'échange d'information. Ces logiciels doivent souvent interpréter divers protocoles de communication. La section 1.4 présente quelques notions de base concernant les réseaux.

1.4 RÉSEAU

Afin de faciliter les échanges et de diminuer les coûts liés aux logiciels, il arrive souvent qu'on partage les ressources entre plusieurs utilisateurs. Pour ce faire, il faut relier entre eux plusieurs ordinateurs de manière qu'un ordinateur ou un usager puisse utiliser ce qu'un autre possède. On parle alors de réseau informatique.

Un réseau est principalement un ensemble d'ordinateurs reliés entre eux et pouvant partager certaines ressources matérielles ou logicielles. Les fonctionnalités nécessaires à l'utilisation d'un réseau se trouvent en partie dans les systèmes d'exploitation. Par exemple, les composantes logicielles qui servent à l'utilisation du protocole de communication TCP/IP (*Transmission Control Protocol/Internet Protocol*) sont inscrites dans le système d'exploitation UNIX.

Les réseaux se divisent en deux catégories: les réseaux locaux (LAN, *Local Area Network*) et les grands réseaux (WAN, *Wide Area Network*). Les ordinateurs d'une université qui sont reliés entre eux forment un réseau local. Le réseau de plusieurs universités à travers le monde forme, quant à lui, un grand réseau.

Une autre façon de classer les réseaux est suivant leur topologie, soit la manière dont les ordinateurs sont reliés. La figure 1.11 présente les topologies les plus courantes: en anneau, où les ordinateurs sont reliés de façon circulaire; en bus, où les ordinateurs sont tous connectés à une ligne commune nommée bus; en étoile, où un serveur se trouve au centre avec les ordinateurs qui lui sont tous liés; commune aux grands réseaux et dite irrégulière, où les topologies en anneau et en bus se succèdent au gré de l'ajout de nouveaux réseaux.

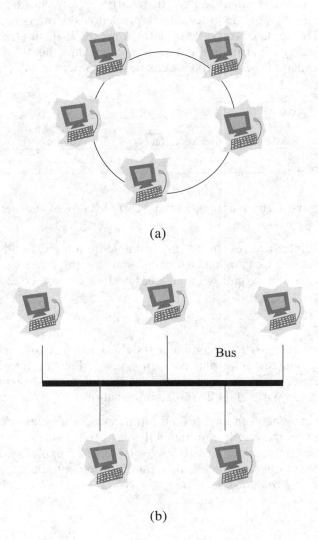

(a)

(b)

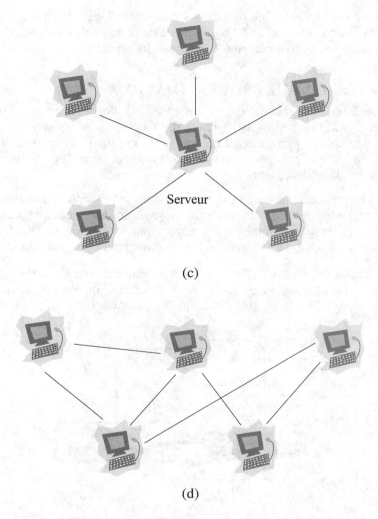

(c)

(d)

Figure 1.11 Topologie: a) en anneau; b) en bus; c) en étoile; d) irrégulière.

L'Internet est un exemple de réseau constitué de nombreux réseaux et qui ne cesse de s'accroître et d'évoluer. Il provient d'un programme de recherche mis sur pied en 1973 par une agence de la défense américaine nommée DARPA (*Defense Advanced Research Projects Agency*). Le projet visait à développer un réseau liant différents types d'ordinateurs de sorte qu'il fonctionne comme un réseau simple et fiable. Aujourd'hui, l'Internet est une combinaison de grands réseaux et de réseaux locaux qui couvrent une bonne partie de la planète et dont on compare l'épine dorsale à une autoroute de grande capacité. Un réseau est connecté à cette autoroute à l'aide d'autres ordinateurs, nommés «routeurs». De cette façon, il se forme une toile de réseaux d'ordinateurs, chacun appelé un hôte, qui a évolué et continue d'évoluer chaque jour.

D'un point de vue conceptuel, l'Internet est un ensemble d'agglomérats de réseaux appelés domaines. Un domaine correspond à l'agglomérat de réseaux d'une entreprise, d'une compagnie, d'une institution gouvernementale ou d'une université.

1.5 ENVIRONNEMENT DE PROGRAMMATION

Un environnement de programmation est un ensemble de programmes destinés au programmeur pour mettre au point des logiciels dans un langage de programmation donné. Avant d'être exécutable, un programme en langage source doit subir plusieurs transformations. Les opérations qui permettent ces transformations sont des parties intégrantes de l'environnement de développement.

Pour créer un programme exécutable, il faut lui faire subir quatre transformations qui le font passer de sa forme initiale, écrite en un langage donné et compréhensible par l'être humain, à sa forme finale, compréhensible par un ordinateur (fig. 1.12). Ces transformations sont l'édition, la compilation, la liaison et le chargement et l'exécution.

Édition. Le programme est d'abord enregistré en mémoire vive à mesure que le programmeur le compose au clavier. À ce stade, le programme, appelé programme source, est généralement sauvegardé sur disque ou disquette dans un fichier appelé fichier source.

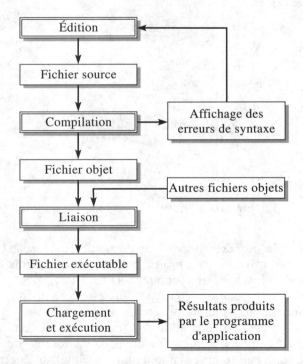

Figure 1.12 Processus de création d'un programme d'application, de l'édition à l'exécution.

Le programmeur réalise cette première opération à l'aide d'un programme d'édition faisant partie de l'environnement de programmation, communément appelé éditeur de texte. C'est la phase d'édition.

Compilation. Un programme appelé compilateur traduit ensuite le fichier source en langage machine et crée le fichier objet. C'est la phase de compilation. Il arrive régulièrement que le programmeur fasse des erreurs de syntaxe; en d'autres mots, les instructions du programme source sont erronées parce qu'elles ne sont pas conformes aux règles de syntaxe du langage de programmation utilisé. Dans ce cas, le compilateur affiche un message d'erreur tout en désignant l'instruction fautive. Tant qu'il reste des erreurs de syntaxe, le compilateur ne crée pas le fichier objet. Le programmeur doit alors retourner à la phase d'édition pour corriger les erreurs signalées dans le fichier source. Il faut reprendre cette itération entre l'édition et la compilation jusqu'à la correction de toutes les erreurs. Quand il n'en reste plus, le compilateur crée le fichier objet.

Liaison. La troisième phase consiste à relier entre eux le fichier objet et d'autres fichiers nécessaires au bon fonctionnement du programme, par exemple les librairies graphiques qui offrent des fonctions préprogrammées. Cette opération est réalisée par un programme de chaînage appelé éditeur de liens. La liaison des programmes objets produit un programme exécutable qui est enregistré dans un fichier exécutable.

Chargement et exécution. Finalement, un programme appelé programme de chargement place en mémoire vive le fichier exécutable, prêt à fonctionner. L'exécution du programme peut alors commencer.

L'éditeur de texte, le compilateur, l'éditeur de liens et le chargeur sont quelques-uns des programmes faisant partie d'un environnement de programmation.

Dans un environnement de développement classique, le programmeur a en tout temps, à sa disposition, les ressources et les possibilités suivantes:

- un éditeur de texte puissant;
- un compilateur, un éditeur de liens et un chargeur unifiés;
- un système d'aide;
- des fenêtres multiples superposables;
- un accès aux menus, aux fenêtres et aux boîtes de dialogue;
- un système élaboré de débogage;
- un mécanisme de sauvegarde et de restauration automatiques de la zone de travail.

1.6 PARADIGME PROCÉDURAL: RÉDACTION D'UN ALGORITHME

Rédiger un programme, c'est décrire une tâche à informatiser à l'aide d'un ensemble d'opérations définies dans un langage de programmation. Le processus de programmation vise avant tout à trouver la séquence d'opérations la plus appropriée. Avant de commencer à programmer, il faut développer cette habileté à décomposer, à décortiquer une tâche en opérations programmables.

Pour réaliser un programme, on peut envisager plusieurs stratégies ou méthodes de conception. Parmi les plus courantes, mentionnons la conception procédurale, la conception transactionnelle, la conception en temps réel, la conception de systèmes répartis, la conception de systèmes parallèles et la conception par objets.

Chaque méthode est adaptée à un domaine d'application spécifique. Ainsi, la conception procédurale convient à la décomposition en sous-problèmes, ce qui facilite l'implantation de calculs scientifiques. Si on veut réaliser des applications de simulation, on aura plutôt recours à la conception en temps réel. La conception transactionnelle est plus appropriée à des applications bancaires. La conception de systèmes répartis s'avère un choix judicieux si des applications exigent la répartition de données entre plusieurs ordinateurs. La conception de systèmes parallèles est appropriée à la résolution de problèmes complexes de calcul au moyen de plusieurs processeurs. Enfin, la conception par objets vise à créer un modèle du «monde» réel. Les interfaces usagers, la robotique et l'animation par ordinateur ne sont que quelques exemples d'applications implantées à l'aide de la conception par objets.

De la même façon, les familles de langages de programmation se développent en fonction des méthodes de conception. Les langages à consonance algorithmique et procédurale, tels PASCAL et C, ont été mis au point selon la conception procédurale, tandis que les langages orientés par objet, tels SMALLTALK et C++, permettent de répondre aux besoins de la conception par objet.

Dans ce livre, nous n'aborderons que deux méthodes de conception. Nous présenterons tout d'abord la conception procédurale et ensuite la conception par objets.

À la base, l'informatique se définit comme la science du traitement automatique de l'information. Ce traitement repose essentiellement sur les trois étapes suivantes: la collecte des données, le traitement des données et la présentation des résultats, qui sont le point de départ de la majorité des séquences d'opérations décrivant une tâche. Il suffit, par la suite, de déterminer les opérations propres à la collecte des données, au traitement des données et à la présentation des résultats.

Prenons l'exemple du guichet automatique. Au départ, l'application demande au client d'introduire sa carte de guichet et de composer son numéro d'identification personnel; il s'agit de la collecte des données. Ensuite, l'exactitude de l'information reçue est vérifiée, ce qui correspond au traitement des données. Enfin, le client reçoit ou non l'autorisation de poursuivre la transaction; il s'agit de la présentation des résultats. L'application ne fait que commencer et il y a déjà eu une première utilisation des trois étapes. Poursuivons l'application. Une fois que les informations transmises par le client sont validées, l'application affiche à l'écran un menu des fonctions possibles et le client doit préciser son choix. Cette étape correspond à la collecte des données. L'application se poursuit en exécutant la fonction sélectionnée pendant que s'affiche un message tel que «traitement en cours». Il s'agit bien évidemment de l'étape du traitement des données. Finalement, le client est informé du résultat du traitement et de l'action qu'il doit poser pour obtenir le montant d'argent retiré, mettre à jour son livret bancaire, etc. Il s'agit de l'étape de la présentation des résultats. Pour une seconde fois, le cycle des trois étapes a été complété.

D'une certaine façon, tenter de décrire une tâche de manière à l'informatiser revient à déterminer les opérations propres à chacune des trois principales étapes. Pour le débutant, la difficulté réside dans sa méconnaissance de ces opérations. Nous tenterons donc de décrire une tâche uniquement à l'aide des opérations élémentaires présentées au tableau 1.2.

Tableau 1.2   Opérations élémentaires de programmation

	Opération	**Utiliser pour décrire**
Séquentielle	`Lire`	la lecture d'une donnée
	`Afficher`	l'affichage d'une donnée
	`Affecter « = »`	l'attribution d'une valeur ou d'un résultat à une entité
	`Additionner`	l'opération arithmétique d'addition
	`Soustraire`	l'opération arithmétique de soustraction
	`Multiplier`	l'opération arithmétique de multiplication
	`Diviser`	l'opération arithmétique de division
Répétition	`TANT QUE condition est vraie` `    FAIRE Opération(s)`	qu'une ou plusieurs opérations doivent être répétées tant que la condition est vraie
Décision	`SI condition est vraie ALORS` `    Opération(s)`	qu'une ou plusieurs opérations doivent être réalisées uniquement si la condition est vraie

	`SI condition est vraie ALORS`
	`    Opération(s)`
	`SINON`
	`    Autre(s) Opération(s)`
		qu'une ou plusieurs opérations doivent être effectuées si la condition est vraie ou qu'une ou plusieurs autres opérations doivent être effectuées si la condition est fausse

L'objectif est de décrire une tâche de manière à ce qu'elle soit facilement programmable; on appelle cette description un algorithme. Pour atteindre l'objectif, il faut:

– déterminer les opérations et préciser la séquence qui explicite la tâche;
– préciser les répétitions en regroupant les opérations à répéter;
– préciser les décisions en regroupant les opérations dépendantes d'une condition à vérifier.

À l'aide d'opérations élémentaires, décrivons le problème qui consiste à lire un nombre et à afficher la valeur absolue de ce nombre, en utilisant les trois étapes: la collecte des données, le traitement des données et la présentation des résultats.

Collecte des données.   La collecte des données concerne la valeur à lire, alors l'opération s'énonce: `Lire le Nombre`. Or, avant d'effectuer une opération de lecture, il est essentiel de demander cette information à l'usager en l'avisant de la nature de la donnée à saisir.

Traitement des données. Le traitement des données consiste à obtenir la valeur absolue d'un nombre. Rappelons que la valeur absolue d'un nombre négatif est son équivalent positif, et la valeur absolue d'un nombre positif est lui-même. Le traitement à effectuer consiste à exprimer correctement la définition d'une valeur absolue. Pour ce faire, il suffit d'utiliser l'opération conditionnelle `SI la condition est vraie ALORS Opération(s) SINON Autre(s) Opération(s)`. La condition vérifie si le nombre est positif ou négatif. S'il est négatif, l'opération d'affectation `ValeurAbsolue = -1 * Nombre` se réalisera. À l'inverse, s'il est positif, l'opération sera `ValeurAbsolue = Nombre`.

Présentation des résultats. La présentation des résultats consiste à afficher la valeur absolue du nombre. Cette étape comprend deux opérations: la première donne un message à l'usager pour l'informer de la nature de la donnée affichée et la deuxième correspond à la valeur absolue obtenue. À noter qu'il est possible de fusionner ces deux opérations en une seule.

On obtient l'algorithme qui suit:

```
Afficher "Entrer un Nombre"          } Collecte des données
Lire le Nombre

SI le Nombre est négatif ALORS
    ValeurAbsolue = -1 * Nombre      } Traitement des données
SINON
    ValeurAbsolue = Nombre

Afficher " la valeur absolue du nombre est"
Afficher ValeurAbsolue               } Présentation des résultats
```

À gauche des opérations, on ajoute une droite verticale. Cette verticale met en évidence l'algorithme et délimite la séquence des opérations. Cette façon de procéder s'inspire d'une méthode formelle d'écriture d'algorithmes qu'on nomme le pseudo-code schématique. Dans ce livre, la description des algorithmes se fait conformément aux normes de cette méthode.

Dans un souci de clarté, on décale ou indente l'opération située juste en dessous du test, `SI le Nombre est négatif ALORS`, afin de préciser sa dépendance. En effet, cette opération, `ValeurAbsolue= -1 * Nombre`, aura lieu uniquement si le test, `Nombre est négatif`, est vrai.

Le pseudo-code schématique suit un schéma particulier, ce qui permet de mettre en évidence les opérations conditionnelles SI ou SI-SINON. Ce schéma se compose d'une ligne horizontale qui sert à marquer le décalage. À l'extrémité de cette ligne se greffe une délimitation verticale qui s'étale suivant toutes les opérations dépendantes du test.

L'opération du SINON s'accompagne d'une ligne pointillée d'environ cinq points.

L'algorithme précédent s'écrit alors:

```
Afficher "Entrer un Nombre"  ⎫
Lire le Nombre               ⎬  Collecte des données

SI le Nombre est négatif ALORS   ⎫
    ValeurAbsolue  = -1 * Nombre ⎪
SINON                            ⎬  Traitement des données
    ValeurAbsolue  =  Nombre     ⎭

Afficher "la valeur absolue du nombre est" ⎫
Afficher la ValeurAbsolue                  ⎬  Présentation des résultats
```

Le prochain exemple présente une application qui consiste à deviner un nombre qu'une personne a choisi préalablement. Cette application suppose l'intervention de deux personnes: une première qui choisit un nombre et une deuxième qui tente de le deviner, de façon itérative.

Collecte des données. La collecte des données concerne le nombre choisi par la première personne et les nombres entrés par la deuxième personne. Comme dans l'exemple précédent et selon le principe qu'il faut faire une demande pour obtenir une information, une demande de données précède ces deux opérations.

Traitement des données. Le traitement des données consiste à deviner le nombre entré par la première personne. Afin d'orienter la deuxième personne vers la solution, nous l'informons de la proximité de la solution en lui précisant si le nombre entré est plus petit ou plus grand que le nombre à deviner. Pour bien informer la personne qui tente de deviner le nombre, nous devons utiliser des opérations conditionnelles qui comparent le nombre lu et le nombre à deviner. Ces opérations s'énoncent: SI le nombre lu est plus petit que le nombre à deviner ALORS Afficher que le nombre lu est trop petit SINON Afficher que le nombre lu est trop grand. Ce processus se poursuit tant que l'usager n'a pas trouvé le nombre. Cette dernière phrase souligne clairement l'utilisation d'une structure de répétition qui peut s'énoncer ainsi: TANT QUE le nombre lu est différent du nombre à deviner FAIRE.

Présentation des résultats. La présentation des résultats s'inscrit dans le résultat des comparaisons du nombre lu et du nombre à deviner. L'algorithme se présente comme suit:

```
Afficher "Entrer le nombre à deviner"
Lire le nombre à deviner

Afficher "Entrer un nombre"
Lire un nombre

TANT QUE le nombre lu est différent du nombre à deviner FAIRE
    SI nombre lu est plus petit que le nombre à deviner ALORS
        Afficher "le nombre lu est trop petit"
    SINON
        Afficher "le nombre lu est trop grand"
    Afficher "Entrer un nombre"
    Lire un nombre
Afficher "BRAVO, vous avez trouvé le nombre à deviner"
```

> Le décalage met en évidence la dépendance de ces opérations envers le *TANT QUE le nombre lu est différent du nombre à deviner FAIRE*. En effet, elles seront exécutées uniquement si le test est vrai.

Le pseudo-code schématique suit également un schéma particulier pour l'opération de répétition TANT QUE. Ce schéma se compose d'une ligne horizontale servant à marquer le décalage. À l'extrémité de cette ligne s'ajoutent deux droites verticales qui s'étalent sur toutes les opérations dépendantes de la structure de répétition. L'emplacement du TANT QUE est marqué d'un astérisque inscrit entre les deux droites verticales qui indiquent la condition de sortie de la boucle.

L'algorithme précédent s'écrit alors:

```
Afficher "Entrer le nombre à deviner"
Lire le nombre à deviner

Afficher "Entrer un nombre"
Lire un nombre

* TANT QUE le nombre lu est différent du nombre à deviner FAIRE
      SI nombre lu est plus petit que le nombre à deviner ALORS
          Afficher "le nombre lu est trop petit"
      SINON
          Afficher "le nombre lu est trop grand"
  Afficher "Entrer un nombre"
  Lire un nombre

Afficher "BRAVO, vous avez trouvé le nombre à deviner"
```

Il n'y a pas qu'une seule façon de résoudre ce problème. Voici un deuxième algorithme qui permet de trouver le nombre choisi par une personne. Il a la particularité de faire appel à une entité (variable) qui indique si le nombre à deviner est trouvé ou non. Cette entité se nomme `Devinee` et peut prendre deux valeurs: vrai ou faux. Comme son nom l'indique, `Devinee` sera `Faux` si la valeur devinée est incorrecte et `Vrai` si elle est juste. Initialement, `Devinee` est `Faux`. La boucle de traitement pour deviner le nombre s'énonce alors: TANT QUE Devinee est Faux FAIRE. Dans cette boucle, il faut prévoir une opération de test qui modifiera la valeur de `Devinee`. Cette opération s'énonce: SI le nombre lu est le nombre à deviner ALORS Devinee = Vrai. La dernière différence entre les deux algorithmes est l'emplacement de la lecture du nombre. Dans le premier algorithme, cette opération est à la fin de la structure de répétition, alors que dans le deuxième algorithme, elle est au début. Voici le deuxième algorithme:

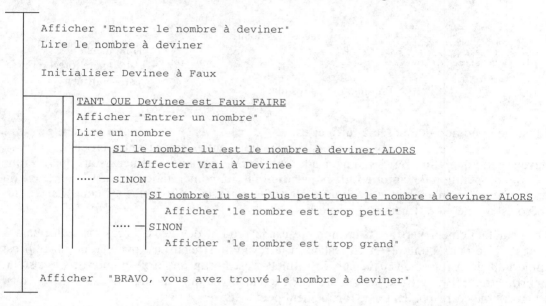

```
Afficher "Entrer le nombre à deviner"
Lire le nombre à deviner

Initialiser Devinee à Faux

    TANT QUE Devinee est Faux FAIRE
    Afficher "Entrer un nombre"
    Lire un nombre
        SI le nombre lu est le nombre à deviner ALORS
            Affecter Vrai à Devinee
..... SINON
            SI nombre lu est plus petit que le nombre à deviner ALORS
                Afficher "le nombre est trop petit"
..... SINON
                Afficher "le nombre est trop grand"

Afficher  "BRAVO, vous avez trouvé le nombre à deviner"
```

Précisons que, dans la très grande majorité des cas, plusieurs algorithmes permettent de résoudre le même problème. De plus, un programmeur peut trouver un algorithme complexe tandis qu'un autre le jugera simple. Il en va de même lorsqu'il faut rédiger des algorithmes. Le raisonnement algorithmique de plusieurs personnes peut être différent; l'essentiel est que tous ces algorithmes réalisent correctement la tâche.

Raffinement graduel.   Jusqu'à maintenant, nous avons tenté de décrire des applications ou tâches à l'aide des opérations élémentaires décrites précédemment. Dans certaines situations, il devient extrêmement difficile de déterminer les opérations élémentaires propres à une tâche. Une façon de procéder est de décomposer la tâche en sous-tâches et de raffiner successivement les sous-tâches jusqu'à ce que chacune d'elles soit facile à traduire par des opérations élémentaires. En d'autres mots, il s'agit d'énumérer les «opérations composées», c'est-à-dire les sous-tâches qui réalisent la tâche. Une fois ces opérations identifiées, il suffit de les détailler, l'une après l'autre, à l'aide d'opérations élémentaires. Ce processus correspond au raffinement graduel.

Supposons qu'on veuille rédiger l'algorithme de l'application qui consiste à lire trois entiers et à vérifier si l'un de ces nombres est le produit des deux autres. Par exemple, si 2, 10 et 5 sont lus, alors le deuxième nombre (10) est le résultat de la multiplication du premier (2) et du troisième (5).

Par rapport aux trois opérations de base, la collecte des données correspond à demander et à lire les trois nombres, le traitement des résultats, à déterminer si l'un des nombres est le produit des deux autres et la présentation des résultats, à en informer l'usager par un affichage.

L'algorithme est:

```
  Afficher "Entrer trois nombres"  ⎫
  Lire les trois nombres           ⎬ Collecte des données
                                   ⎭
  .[01] Vérifier si l'un des nombres est le produit des deux autres.  ⎫ Traitement
                                                                       ⎬ Cette opération composée
                                                                       ⎭ reste à raffiner
  Afficher le résultat  ⎫ Présentation du résultat
```

La seule opération composée à raffiner est : `Vérifier si l'un des nombres est le produit des deux autres`. Un nombre entier inscrit entre crochets et placé devant cette opération sert à indiquer que cette dernière reste à raffiner. Nous qualifierons ce type d'opération de **commentaire opérationnel**. La numérotation permet le repérage du commentaire, principalement lorsqu'un algorithme possède plusieurs raffinements. Ce numéro est ajouté au raffinement associé.

On peut facilement vérifier si un nombre est le produit des deux autres en multipliant à tour de rôle deux nombres et en testant si le résultat est égal au troisième nombre. Il est important de préciser qu'au départ, le résultat n'est aucun des trois nombres. Ce résultat pourra être, s'il y a lieu, le nombre correspondant au produit des deux autres. Ainsi, l'algorithme correspondant à ce raffinement peut s'écrire:

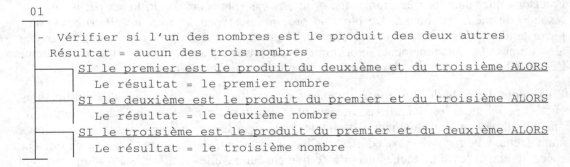

```
01
⌐
 - Vérifier si l'un des nombres est le produit des deux autres
   Résultat = aucun des trois nombres
       SI le premier est le produit du deuxième et du troisième ALORS
          Le résultat = le premier nombre
       SI le deuxième est le produit du premier et du troisième ALORS
          Le résultat = le deuxième nombre
       SI le troisième est le produit du premier et du deuxième ALORS
          Le résultat = le troisième nombre
```

Cet algorithme est fort simple mais peu efficace. En effet, il devra effectuer les deux tests suivants même s'il a trouvé le résultat dès le premier test. Il effectuera aussi le troisième test peu importe s'il a trouvé le résultat au deuxième test.

On peut améliorer cette portion d'algorithme en utilisant efficacement l'opération SI-SINON. Après le test de l'opération SI, on passe soit à l'opération associée au résultat Vrai, soit aux opérations associées au résultat Faux. Si le premier nombre est le produit des deux autres (résultat Vrai), il suffit de conserver ce nombre. Par contre, s'il n'est pas le produit des deux autres (résultat Faux), on poursuit avec d'autres vérifications. Le deuxième nombre est-il le produit des deux autres? De nouveau, si le résultat est Vrai, on conserve ce nombre, sans plus. Sinon, on vérifie si le troisième nombre est le produit des deux autres. Si oui, on conserve ce nombre. Autrement, on doit conclure qu'aucun des trois nombres n'est le produit des deux autres. Voici la portion d'algorithme améliorée:

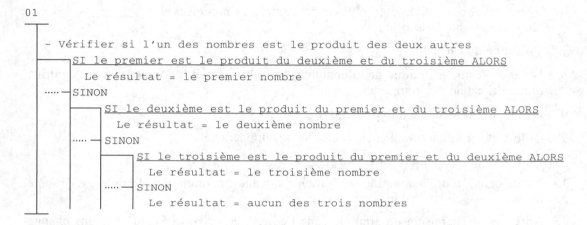

```
01

   - Vérifier si l'un des nombres est le produit des deux autres
    SI le premier est le produit du deuxième et du troisième ALORS
       Le résultat = le premier nombre
    SINON
        SI le deuxième est le produit du premier et du troisième ALORS
           Le résultat = le deuxième nombre
        SINON
            SI le troisième est le produit du premier et du deuxième ALORS
               Le résultat = le troisième nombre
            SINON
               Le résultat = aucun des trois nombres
```

La première ligne de l'algorithme est précédée d'un tiret. Cette notation sert à préciser qu'il ne s'agit pas d'une opération, mais d'un **commentaire narratif**. Ce genre de commentaire sert à décrire brièvement l'utilité des opérations qui le suivent.

En résumé, la description d'une tâche fait intervenir quatre types d'opération, dont les trois premiers sont: l'opération élémentaire ou l'énoncé exécutable, l'opération composée ou le commentaire opérationnel, et le commentaire narratif. Nous verrons plus loin un autre type d'opération, l'action. Définissons ces termes.

Opération élémentaire ou énoncé exécutable. C'est la verbalisation ou la description d'une instruction ou d'une série d'instructions, sans structure de contrôle, à inscrire dans le programme.

Opération composée ou commentaire opérationnel. Le commentaire opérationnel sert à annoncer et à résumer un ensemble d'opérations qu'on explicitera ultérieurement. Il permet de mettre en évidence les structures de décision ou les structures de répétition. Il est intimement lié au processus de raffinement graduel.

Commentaire narratif. Le commentaire narratif fournit une information ponctuelle et complète en soi. Il vient expliquer certaines étapes de l'algorithme.

Action. On utilise l'action pour résumer une séquence d'opérations n'exigeant pas de structure de décision ou de structure de répétition.

1.7 QUESTIONS

1. Par quelle unité exprime-t-on la capacité de la mémoire d'un micro-ordinateur?

2. Quels sont les trois types de mémoire qu'on retrouve dans un micro-ordinateur?

3. Quelles sont les trois composantes essentielles d'un micro-ordinateur?

4. Quel est le dispositif le plus souvent utilisé: a) pour l'entrée de données? b) pour la sortie de données?

5. De quelle façon peut-on protéger contre l'écriture une disquette rigide de 3 1/2 po?

6. Une disquette est divisée en régions concentriques nommées a) _____ qui sont elles-mêmes subdivisées en b) _____.

7. Qu'est-ce qu'un fichier?

8. Écrire la forme générique de la dénomination d'un fichier, en expliquant la signification de chacune des composantes.

9. À quoi sert le système d'exploitation?

10. Qu'est-ce qu'un environnement unifié de développement?

11. Qu'est-ce qu'un fichier source?

12. Placer dans l'ordre habituel les opérations suivantes: compilation, édition, exécution et liaison.

13. Après avoir chargé un programme dans l'éditeur et y avoir effectué certains changements, peut-on retrouver le programme original, c'est-à-dire tel qu'il était avant les modifications? Si oui, comment faire?

Chapitre 2

PROGRAMMES SIMPLES

2.1 APERÇU D'UN PROGRAMME EN LANGAGE C

La structure de base d'un programme écrit en langage C se compose de quatre parties. Chaque partie a une fonction particulière et doit se situer au bon emplacement par rapport aux autres. Ces quatre parties sont, dans l'ordre, l'en-tête du programme, les inclusions de fichiers, les déclarations et les instructions.

L'exemple 2.1 présente la structure de base d'un programme écrit en langage C. L'en-tête comprend le titre du programme ainsi que des commentaires qui contiennent généralement le nom de l'auteur, la date de création du programme et une description sommaire du programme. Dans la partie inclusions de fichiers, on précise les fichiers qui renferment certaines fonctions qu'on utilise dans le programme. Par exemple, pour se servir des

Exemple 2.1   Structure de base d'un programme en langage C

```
                /* PARTIE EN-TÊTE DU PROGRAMME */
/*-----------------------------------------------------*/
/* FICHIER:     Nom du fichier où se trouve le programme  */
/* AUTEUR:      Nom du programmeur                        */
/* DATE:        Date de création du programme             */
/* DESCRIPTION: Description de la fonction du programme    */
/*-----------------------------------------------------*/
            /* PARTIE INCLUSIONS DE FICHIERS */
#include Nom_Du_Fichier
#include Nom_Autre_Fichier
using namespace std;
void main (void)
{
            /* PARTIE DÉCLARATIONS */
    déclarations de variables
    déclarations de constantes

            /* PARTIE INSTRUCTIONS */
    énoncés exécutables manipulant les entités déclarées
}
```

fonctions trigonométriques sinus et cosinus d'un angle, il faut, dans un énoncé d'inclusions, préciser le fichier qui contient leur déclaration: `cmath`. Dans la partie déclarations, le programmeur définit toutes les entités auxquelles il a recours dans le programme: les constantes, les variables, les fonctions, etc. Finalement, dans la partie instructions, le programmeur décrit les opérations qui agiront, au moment de l'exécution du programme, sur les entités déclarées précédemment.

Dans la partie déclarations, le programmeur doit donner un nom à chaque entité. On appelle également ce nom l'identificateur de l'entité. Ce dernier commence obligatoirement par une lettre et il se compose de lettres sans accent, de chiffres ou de caractères soulignés qui indiquent la nature de son usage. Mentionnons que le langage C différencie les lettres minuscules et majuscules. Ainsi, les expressions TP1, tP1, Tp1 et tp1 correspondent à quatre identificateurs différents. Les deux identificateurs auxquels nous nous attarderons sont ceux des variables et des constantes. Les variables sont des quantités qui peuvent changer de valeur en cours d'exécution, tandis que les constantes demeurent fixes.

L'exemple 2.2 permet d'étudier un programme simple en langage C/C++ et d'illustrer quelques-unes des possibilités offertes par ce langage. Au moment de l'exécution, ce programme demande d'abord à l'usager d'entrer un nombre. Une fois le nombre entré, le programme calcule la factorielle du nombre et en affiche le résultat à l'écran. Rappelons que:

$$0! = 1$$
$$n! = n\,(n-1)!$$

Par exemple:

$$4! = 4 \times 3!$$
$$= 4 \times 3 \times 2 \times 1 \times 1$$
$$= 24$$

Exemple 2.2   Programme simple en langage C/C++

```
              /* EN-TÊTE DU PROGRAMME */
/*---------------------------------------------------------*/
/*  FICHIER:     FACTOR.CPP                                */
/*  AUTEUR:      Yves Boudreault                           */
/*  DATE:        17 mai 2000                               */
/*               dernière édition: 27 mai 1994             */
/*  DESCRIPTION: Ce programme calcule et affiche la        */
/*               factorielle d'un nombre lu du clavier.    */
/*---------------------------------------------------------*/

            /* PARTIE INCLUSIONS DE FICHIERS */
#include <iostream>      // Pour l'utilisation de cin et cout
using namespace std;
void main(void)          // Fonction principale, début du programme
```

```
{
                   /* PARTIE DÉCLARATIONS */
   const int NombreMax = 8;
   int Nombre,                          // Variable de lecture
       Factorielle,                     // Variable du résultat
       Produit;                         // Variable pour les calculs intermédiaires

                   /* PARTIE INSTRUCTIONS */
   cout << "ENTRER UN NOMBRE INFERIEUR A "<< NombreMax <<" : ";
   cin >> Nombre;                       // Lecture d'un nombre
   if (Nombre == 0)                     // Si le nombre lu est zéro
      Factorielle = 1;
   else                                 // Sinon
   {
      Produit = Nombre;
      while (Nombre > 1)                // Répéter tant que le nombre > 1
      {
         Nombre = Nombre - 1;           // Soustraire 1 à la variable Nombre
         Produit = Produit * Nombre;    // Calculer le produit
      }
      Factorielle = Produit;
   }  // Fin du sinon
   cout << "LA FACTORIELLE EST: "<< Factorielle; // Afficher les résultats
}
```

À l'exécution, on obtient:

> ENTRER UN NOMBRE INFERIEUR A 8: <u>5</u>
> LA FACTORIELLE EST: 120

Dans cet exemple, l'usager a entré la valeur 5 et le programme a calculé la factorielle de 5, soit 120. Dans ce chapitre, nous expliquons en détail les différents éléments de ce programme. Retenons pour le moment les principes de base suivants:

- Certains mots écrits en minuscules sont des identificateurs spéciaux du langage C. Ce sont des mots réservés. Le programmeur ne peut les utiliser comme identificateurs. Chacun ne peut servir qu'à la seule fin à laquelle il a été conçu. Il en est ainsi, notamment, des mots main, include, const, if et else. Voir l'annexe A pour la liste des mots réservés.

- Un programme en langage C contient toujours une fonction appelée main() qui constitue le point d'entrée du programme. Le mot void avant la fonction main() signifie que cette fonction ne retourne pas de valeur. Le deuxième void placé entre parenthèses indique que la fonction main() ne recevra aucun paramètre.

- On place les commentaires entre «/*» et «*/» ou encore sur une même ligne à la suite d'un double oblique, «//». Le langage C/C++ ne traite pas ces commentaires; ils servent seulement à ajouter des explications, des justifications ou des remarques pertinentes et ainsi à accroître la lisibilité du programme pour le programmeur.

- Le décalage des lignes vers la droite, appelé indentation, sert également à rendre le programme plus facile à lire, car il permet d'en exposer le niveau d'imbrication des structures de programmation utilisées.
- Dans la partie en-tête, l'énoncé `#include <iostream>` est une directive qui indique au compilateur d'inclure la bibliothèque `iostream` dans le programme, lors de la compilation et de l'édition des liens. Le programmeur utilise ici cette bibliothèque parce qu'elle contient les entités `cin` et `cout` permettant la lecture et l'affichage de données. Ces entités sont directement accessibles à partir de l'énoncé `using namespace std;`.
- Dans la partie déclarations, l'énoncé `const` sert à déclarer les constantes, ici `NombreMax`, tandis que l'énoncé `int` sert à déclarer les variables entières, ici `Nombre`, `Factorielle`, `Produit`, qui seront utilisées au moment de l'exécution. Le programmeur a avantage à choisir des identificateurs significatifs et évocateurs qui faciliteraient la lecture et la modification du programme.
- Le début de la partie instructions est marqué par une accolade ouvrante, «{», alors que l'accolade fermante, «}», en marque la fin.
- Les instructions sont séparées les unes des autres par «;».
- Les valeurs des expressions placées à droite de l'opérateur d'affectation «=» sont assignées aux variables apparaissant à gauche du symbole.

Voyons quelques-unes des possibilités offertes par le langage C/C++ et mises à profit dans le court programme de l'exemple 2.2.

- Les instructions `cin >>` et `cout <<` sont des procédures prédéfinies dans la bibliothèque `iostream`; on utilise `cout <<` pour l'affichage à l'écran et `cin >>` pour la saisie d'information entrée au clavier, ce qu'on appelle couramment la lecture du clavier.
- Le programme peut prendre des décisions au moment de l'exécution. Dans l'exemple 2.2, si l'usager entre un nombre nul, `if (Nombre == 0)`, l'instruction suivante sera exécutée: `Factorielle = 1`. Sinon, ce sont les instructions comprises entre `else {` et `} // Fin du sinon` qui seront exécutées.
- Le programme peut répéter plusieurs fois un même groupe d'instructions au moment de l'exécution. Dans l'exemple 2.2, tant que la variable `Nombre` est plus grande que 1, les deux instructions comprises entre les deux accolades, `{ }`, après le `while (Nombre > 1)` seront répétées.
- On peut faire des opérations de soustraction, «−», de multiplication, «*», et d'autres encore avec des quantités numériques.

2.2 TYPES ÉLÉMENTAIRES

Lorsqu'on déclare une variable dans la partie déclarations, le compilateur lui réserve un espace d'un ou plusieurs octets en mémoire et conserve un lien vers son emplacement. Par la suite, on pourra accéder à cet emplacement pour mémoriser une valeur qui a été attribuée à la variable. Ce processus se répète chaque fois que le contenu de la variable doit être modifié. La dimension de l'espace mémoire nécessaire pour la variable ainsi que les opérations qui lui sont appliquées sont dépendantes de la sorte de variable ou plus précisément de son type.

L'information contenue en mémoire ou sur disque peut être de divers types: du texte, des nombres, etc. Pour chacun de ces types, la représentation de l'information dans la mémoire de l'ordinateur est différente. C'est pourquoi on doit assigner un type à chaque variable dans la partie déclarations. Dans cette section, nous décrivons les types de variables les plus usuels, les types élémentaires, ainsi que les opérations qu'on peut effectuer avec les variables de chacun de ces types.

2.2.1 Types entiers: `int`, `long`, `short`, `unsigned`

Lorsqu'on a besoin de compter des objets ou de traiter des nombres entiers, on utilise un des types entiers suivants: `int`, `long`, `short` ou `unsigned`. Dans la majorité des situations que nous rencontrerons, le type `int` sera le choix adéquat. Le tableau 2.1 donne l'étendue des types entiers et l'espace que chacun occupe en mémoire.

Tableau 2.1 Types entiers

Type	Étendue	Espace occupé en mémoire
`int`	-2 147 000 … 2 147 000	4 octets
`long` ou `long int`	-2 147 483 648 … 2 147 483 647	4 octets
`short` ou `short int`	-32 768 … 32 767	2 octets
`unsigned` ou `unsigned int`	0 … 4 294 967 295	4 octets
`unsigned long`	0 … 4 294 967 295	4 octets

Note: Pour les types `int` et `unsigned`, l'espace occupé en mémoire peut varier d'un compilateur à l'autre. Par exemple, pour certains compilateurs, ces types occupent quatre octets tandis que pour d'autres, ils occupent deux octets.

Type `int`. Une variable ou une constante de type `int` est une expression numérique entière, c'est-à-dire sans partie fractionnaire, qui occupe deux ou quatre octets en mémoire. Les expressions de type `int` peuvent prendre des valeurs comprises entre `-(MAXINT+1)` et `+MAXINT`, où `MAXINT` est une constante prédéfinie dans le fichier `values.h` et qui vaut 2 147 483 647. Voyons à l'exemple 2.3 comment on déclare des variables de type `int` et comment on les utilise par la suite.

Exemple 2.3 Variables de type `int`

```
int Annee, Benefices;
Annee      =    1987;
Benefices  = -1000 + 5000;
```

Une variable ou une constante de type `int` se compose d'une suite de chiffres qui peut être précédée d'un signe + ou −. Signalons qu'un nombre entier, peu importe le type, peut également s'écrire sous une forme hexadécimale, c'est-à-dire dans la base 16. Le symbole «`0x`» précède alors le nombre exprimé en base 16. Toutefois, nous n'utiliserons pas cette base dans cet ouvrage.

Le langage C évalue d'abord une expression et en affecte ensuite le résultat à la variable. Ainsi, dans l'exemple 2.3, l'expression `-1000 + 5000` est d'abord évaluée et le résultat est ensuite affecté à la variable `Benefices`. On doit s'assurer que les variables de type `int` ne prendront pas de valeurs hors limites au cours de l'exécution du programme. Par exemple, il faut s'assurer qu'en aucun temps le programme n'aura à affecter à la variable `Benefices` une somme de 2 200 000 000 puisque ce résultat dépasserait alors la valeur de `MAXINT`.

Signalons qu'en langage C on peut initialiser le contenu d'une variable dans la partie déclarations. Par exemple:

```
int Annee = 1995, Benefices = 200;
```

Type `long` ou `long int`. Si les variables entières occupent deux octets, il se peut que la valeur absolue d'une variable entière dépasse la valeur de `MAXINT`. Dans ce cas, le langage C offre le type prédéfini `long` ou `long int` qui peut contenir une quantité numérique entière, sans partie fractionnaire, comprise entre `-(MAXLONG+1)` et `+MAXLONG`, et dont les valeurs apparaissent au tableau 2.1. `MAXLONG` est une constante prédéfinie dans le fichier `values.h`. Une variable de type `long` occupe quatre octets en mémoire. Voyons à l'exemple 2.4 un cas d'utilisation de variables de type `long`.

Exemple 2.4   Variables de type `long`

```
int Annee,Pertes,Gains;
long Total;
Annee = 1988;
Pertes = -10000;
Gains = 5000;
Total = Pertes+Gains;
```

Le langage C doit d'abord évaluer l'expression `Pertes+Gains` avant d'affecter le résultat à la variable `Total`. Les variables `Pertes` et `Gains` doivent avoir une valeur définie, sinon le résultat dans `Total` sera indéterminé.

Type `short` ou `short int`. Une variable de type `short` ou `short int` occupe deux octets en mémoire. On l'utilise surtout lorsqu'on travaille avec des compilateurs de 32 bits puisque, dans ce cas, le type `int` occupe 4 octets. L'exemple 2.5 illustre un bon emploi du type `short`.

Exemple 2.5   Variables de type `short`

```
int Masse,Force;
short Acceleration;
Masse = 300;
Acceleration = -10;
Force = Masse*Acceleration;
```

Les variables `Masse` et `Acceleration` ont une valeur au moment où on les utilise dans l'expression de la variable `Force`. En conséquence, `Force` a aussi une valeur. On dit également que les variables `Masse`, `Acceleration` et `Force` sont déterminées.

Type `unsigned`. Une variable de type `unsigned` ou `unsigned int`, qui occupe 2 ou 4 octets en mémoire, doit avoir une valeur positive (non signée) comprise entre 0 et 65 535 ou 0 et 4 294 967 296. Le type `unsigned` peut aussi s'appliquer au type `long` (`unsigned long`); les variables occupent alors 4 octets et varient de 0 à 4 294 967 296. L'exemple 2.6 comporte une variable de type `unsigned`.

Exemple 2.6　Variables de type `unsigned`

```
unsigned Argent_En_Banque;
int Dettes;
long Actif;
Argent_En_Banque = 46000;
Dettes = -8000;
Actif = Argent_En_Banque+Dettes;
```

Opérateurs arithmétiques sur les entiers. Le tableau 2.2 présente les opérateurs arithmétiques sur les entiers.

Tableau 2.2　Opérateurs arithmétiques sur les entiers

Opérateur	Opération	Exemple	
		Expression	Résultat
-	Inverse additif	-2	-2
+	Addition	2 + 3	5
−	Soustraction	7 - 3	4
*	Multiplication	3 * 4	12
/	Division	11 / 5	2
%	Modulo	11 % 5	1

La division entière est l'opération par laquelle on cherche, à partir de deux nombres entiers appelés dividende et diviseur, deux nombres entiers appelés quotient et reste, de sorte que le dividende soit égal au produit du quotient par le diviseur, augmenté du reste. Par exemple, on a:

$$11 \div 5 = 2, \text{reste } 1$$

où　11 = dividende
　　 5 = diviseur
　　 2 = quotient, résultat de `11 / 5`
　　 1 = reste, résultat de `11 % 5`

Ainsi, l'opération modulo est directement liée à la division entière puisqu'elle en donne le reste. Ainsi, on a:

$$m \ \% \ n = m - (m \ / \ n) \ * \ n$$

Le signe du résultat du modulo est le même que le signe du dividende m. Le langage C signale une erreur si la valeur de n est nulle. Voici quelques exemples d'utilisation des opérateurs «/» et «%»:

m	n	m / n	m % n
11	4	2	3
-11	4	-2	-3
11	-4	-2	3
-11	-4	2	-3

Opérateurs relationnels sur les entiers. Les opérateurs relationnels (tabl. 2.3) permettent d'établir la relation d'ordre entre deux entiers. Le résultat d'une opération relationnelle est soit vrai, soit faux. Selon le langage C, un résultat est vrai si sa valeur est différente de zéro; autrement, le résultat est faux et sa valeur égale zéro.

Signalons que le langage C qualifie d'un type toute expression formée d'opérateurs et d'opérandes et l'évalue pour déterminer sa valeur. Un résultat faux signifie que l'expression obtient la valeur zéro, alors qu'un résultat vrai signifie que l'expression est évaluée à une valeur non nulle.

Tableau 2.3 Opérateurs relationnels sur les entiers

Opérateur relationnel	Équivalent mathématique	Exemple	
		Expression	Résultat
==	=	2 == 2	Vrai
!=	≠	3 != 5	Vrai
<	<	-1 < -5	Faux
>	>	4 > 4	Faux
<=	≤	4 <= 4	Vrai
>=	≥	8 >= 3	Vrai

Opérateurs unaires d'incrément et de décrément sur les entiers. L'opérateur d'incrément «++» permet d'ajouter la valeur 1 à la variable concernée, tandis que l'opérateur de décrément «−−» permet de lui enlever la valeur 1. En fait, il s'agit d'une forme condensée pour les instructions d'ajout ou de retrait de la valeur 1 qui concernent une variable. Le tableau 2.4 présente ces deux opérateurs de même que leur instruction équivalente.

Tableau 2.4   Opérateurs d'incrément et de décrément

Opérateur	Opération	Exemple	Instruction équivalente
++	Ajouter 1 à la variable entière	`++variable;`	`variable=variable+1;`
--	Enlever 1 à la variable entière	`--variable;`	`variable=variable-1;`

Ces opérateurs ne s'appliquent pas aux constantes ni aux expressions. Par exemple:

```
12++;
(Jour % 31 - 1)++;
```

sont des énoncés erronés.

Les opérateurs «++» et «--» ont la même priorité que l'opérateur de signe «-». Cependant, ils peuvent se retrouver avant la variable, en position préfixe, ou après la variable, en position postfixe. Le tableau 2.5 présente quelques exemples d'affectations qui renferment ces deux opérateurs. Dans ce tableau, nous avons recours aux déclarations suivantes:

```
int  i=1, j=2, k=3, m=4;
```

Tableau 2.5   Évaluation d'expressions d'affectations dans lesquelles les opérateurs «++» et «--» sont en position postfixe ou préfixe

Instruction	Instruction équivalente
`++i;` ou `i++`	`i=i+1;`
`--i;` ou `i--;`	`i=i-1;`
`i=j+++4;`	`i=j+4;` `j=j+1;`
`i=++j-7;`	`j=j+1;` `i=j-7;`
`k=(--j)+(m++);`	`j=j-1;`

Lorsque l'opérateur est en position préfixe, l'opération s'effectue avant l'évaluation de l'expression. À l'inverse, lorsque l'opérateur est en position postfixe, l'opération s'effectue après l'évaluation de l'expression. Une façon de déterminer la position de l'opérateur dans une expression consiste à se demander si on désire conserver le contenu actuel de la variable ou plutôt obtenir un contenu augmenté ou diminué de 1.

On peut inscrire les opérateurs «++» et «−−» dans différentes expressions. On doit s'assurer que leur utilisation est correcte et, au départ, miser de préférence sur la clarté des instructions plutôt que sur la concision.

En fait, les opérateurs unaires «++» et «−−» retournent un résultat différent selon que l'opérateur est en position préfixe ou postfixe. Dans le cas préfixe, le résultat retourné correspond à la valeur décrémentée ou incrémentée. Dans le cas postfixe, le résultat retourné est la valeur initiale, c'est-à-dire la valeur avant l'application de l'incrément ou du décrément.

La figure 2.1 illustre l'évaluation d'une expression comportant l'opérateur «++». Au départ, les variables x, y et z contiennent respectivement les valeurs 3, 7 et -5. Les valeurs de ces variables apparaissent dans des rectangles. Les termes ++x et z++ sont évalués en premier selon l'ordre de priorité des opérateurs (tabl. 2.16). La variable x prend la valeur 4 et la variable *z*, la valeur -4. Par contre, le terme ++x a comme résultat 4 et z++, -5. Ces résultats, inscrits dans des nuages, sont mémorisés à l'aide de variables temporaires et seront pris en compte au moment de l'évaluation de l'expression.

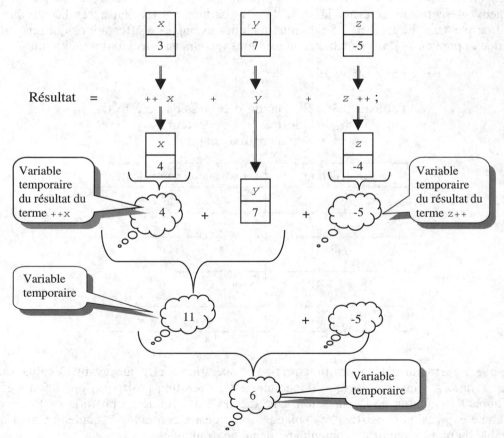

Figure 2.1   Évaluation d'une expression comportant l'opérateur «++».

Opérateurs servant à la manipulation de bits. Certains opérateurs utilisent les bits ou agissent directement sur eux. Ces opérateurs sont au nombre de six (tabl. 2.6).

Les décalages vers la droite sont moins «portables» que ceux vers la gauche, car certains compilateurs peuvent agir différemment. Certains compilateurs interprètent les décalages comme des opérations logiques et insèrent toujours des 0 à gauche, tandis que d'autres les interprètent comme des décalages arithmétiques et insèrent des copies du bit de signe à gauche.

L'utilisation de ces opérateurs vise à améliorer l'efficacité d'un programme. Par exemple, un décalage d'un bit vers la droite sur une donnée correspond à diviser celle-ci par 2, et le décalage d'un bit vers la gauche correspond à la multiplier par 2. Il existe de nombreuses

Tableau 2.6 Opérateurs servant à la manipulation de bits

Opérateur	Description	Exemple	

~	Effectue le complément à 1 en inversant tous les bits	`~12`	`~12 = ~(00001100)`
			`= (11110011)`
			`= 243 ou −115`

&	Réalise un ET binaire sur les bits:
	    1&1 donne 1
	    1&0 donne 0
	    0&1 donne 0
	    0&0 donne 0
		`7 & 2`	` 7         00000111`
			`&      &`
			` 2         00000010`
			` 2         00000010`

¦	Réalise un OU binaire sur les bits:
	    1¦1 donne 1
	    1¦0 donne 1
	    0¦1 donne 1
	    0¦0 donne 0
		`7 ¦ 3`	` 7         00000111`
			`¦      ¦`
			` 3         00000011`
			` 7         00000111`

^	Réalise un OU-EXCLUSIF binaire sur les bits:
	    1^1 donne 0
	    1^0 donne 1
	    0^1 donne 1
	    0^0 donne 0
		`5 ^ 12`	` 5        000000101`
			`^      ^`
			`12        000001100`
			` 9        000001001`

>>	Réalise un décalage à droite du nombre de bits spécifié	`7 >> 2`	` 7      >>       2`
			`00000111>>       2`
			
			`    00000001`

<<	Réalise un décalage à gauche du nombre de bits spécifié	`9 << 3`	` 9      <<       3`
			`00001001<<       3`
			
			`    01001000`

applications pour lesquelles les opérateurs sur les bits sont utiles. À titre d'exemple, on peut connaître la représentation binaire d'un nombre en utilisant l'opérateur ET binaire, «&», et la valeur 1. Lorsque la valeur du bit du nombre est 0, le résultat est 0; autrement, il est 1. On peut examiner chaque bit du nombre en utilisant le décalage vers la droite. L'exemple 2.7 détermine les valeurs des trois premiers bits d'un nombre entier.

Exemple 2.7   Détermination des trois premiers bits d'un nombre entier

```
/*-------------------------------------------------------*/
/* FICHIER:      3BITS.CPP                          */
/* AUTEUR:       Yves Boudreault                    */
/* DATE:         8 février 2000                     */
/* DESCRIPTION: Ce programme détermine la valeur des    */
/*              trois premiers bits d'un nombre entier. */
/*-------------------------------------------------------*/
#include <iostream>        // Pour l'utilisation de cin et cout
using namespace std;
void main (void)
{
    int Nombre = 28;
    int Lebit;

    cout << "Les trois premiers bits du nombre 28 sont: ";
    Lebit = Nombre & 1;   // Application du ET binaire; le résultat est 1 ou 0
    cout << Lebit;
    Nombre = Nombre >> 1; // Décalage d'un bit vers la droite, nombre = 14
    Lebit = Nombre & 1;
    cout << Lebit;
    Nombre = Nombre >> 1; // Décalage d'un bit vers la droite, nombre = 7
    Lebit = Nombre & 1;
    cout << Lebit;
}
```

À l'exécution, on obtient:

```
Les trois premiers bits du nombre 28 sont: 001
```

2.2.2 Types réels: `float`, `double`, `long double`

On utilise les types réels pour des entités physiques telles que la distance, la température ou le voltage; pour des entités mathématiques telles que la racine carrée ou le sinus; ou, plus généralement, pour toute entité comportant une partie entière et une partie fraction-naire. Il y a trois types réels prédéfinis (tabl. 2.7): `float`, `double` et `long double`.

Tableau 2.7 Types réels

Type	Étendue	Espace occupé en mémoire
float	$8{,}43 \times 10^{-36} \ldots 3{,}37 \times 10^{38}$	4 octets
double	$2{,}225\ 074 \times 10^{-308} \ldots 1{,}797\ 694 \times 10^{308}$	8 octets
long double	$3{,}362\ 10 \times 10^{-4932} \ldots 1{,}189\ 73 \times 10^{4932}$	10 octets

Note: Le type `long double` peut être implanté comme un type `double` dans certains compilateurs.

Type `float`. On a recours au type `float` pour les nombres comportant une partie fractionnaire. Un nombre de type `float` s'écrit avec un point décimal et peut être suivi d'un exposant. Le symbole `E` ou `e`, qu'on utilise en notation scientifique, signifie la multiplication par une puissance de 10. Les opérations sur les nombres de types réels donnent parfois lieu à des erreurs parce qu'on arrondit les nombres. Par exemple, 2,0 + 2,0 peut donner 3,999999999999999 plutôt que 4,0. L'exemple 2.8 montre comment utiliser le type `float`.

Exemple 2.8 Variables de type `float`

```
#define    PI    3.1415926535   // Il faut éviter le ";" à la fin d'un énoncé
                                 // #define car il risque de générer des erreurs
                                 // lors de son emploi

float  Circonference, Diametre;
Diametre      = 5.4E2;          // Note: 5.4E2 = 5,4 x 10² = 540
Circonference = PI * Diametre;
```

Opérateurs arithmétiques sur les réels. Le tableau 2.8 présente les opérateurs arithmétiques sur les réels.

Tableau 2.8 Opérateurs arithmétiques sur les réels

Opérateur	Opération	Type du résultat	Exemple	
			Expression	Résultat
-	Signe négatif	Réel	-12.5	-12.5
+	Addition	Réel	12.5 + 1.3	13.8
-	Soustraction	Réel	12.5 - 1.3	11.2
*	Multiplication	Réel	12.5 * 2.0	25.0
/	Division	Réel	10.0 / 2.0	5.0

Opérateurs relationnels sur les réels. Les opérateurs relationnels sur les réels (tabl. 2.9) sont les mêmes que ceux sur les entiers. Il faut toutefois faire une mise en garde quant à la relation d'égalité entre deux réels. Cette égalité peut être déclarée fausse, même si les deux valeurs sont théoriquement identiques. Cette anomalie est due à une marge d'imprécision dans la représentation des nombres réels en mémoire.

Tableau 2.9   Opérateurs relationnels sur les réels

Opérateur relationnel	Équivalent mathématique	Exemple	
		Expression	Résultat
$==$[†]	$=$	2.7 == 2.7	Vrai
$!=$	$\neq$	3.25 != 5.25	Vrai
$<$	$<$	-1.0 < -5.0	Faux
$>$	$>$	4.0 > 4.0	Faux
$<=$	$\leq$	4.0 < = 4.0	Vrai
$>=$	$\geq$	8.0 > = 3.0	Vrai

† Éviter de tester l'égalité de deux variables réelles: vérifier plutôt si leur différence est en deçà d'un certain seuil.

Expressions algébriques. L'écriture d'expressions algébriques en langage C ressemble à l'écriture mathématique. Les expressions algébriques sont évaluées suivant l'ordre de priorité des opérateurs arithmétiques: les multiplications et les divisions en premier, suivies des additions et des soustractions. L'utilisation des parenthèses est fortement recommandée, voire nécessaire dans certains cas. Le tableau 2.10 présente des exemples d'expressions algébriques, selon l'écriture mathématique et l'écriture en langage C.

Tableau 2.10   Exemples d'expressions algébriques

Écriture mathématique	Écriture en langage C
$(4+5) \times 7$	$(4 + 5) * 7$
$2xy - x + y$	$(2*x*y) - x + y$
$2[a + (b - c)]$	$2 *(a + (b - c))$
$\dfrac{a + b}{c - d}$	$(a + b) / (c - d)$

Fonctions mathématiques. Le langage C comprend une panoplie de fonctions mathématiques usuelles (tabl. 2.11). Ces diverses fonctions permettent d'écrire la majorité des formules mathématiques et sont très utiles pour le traitement des valeurs numériques. Généralement, ces fonctions s'appliquent au type `double`. On peut créer des fonctions équivalentes pour le type `long double` en ajoutant la lettre «l» au nom des fonctions (p. ex. `cos()` et `cosl()`).

2.2.3 Type booléen

Au chapitre 4, nous verrons comment on peut contrôler le déroulement d'un programme à l'aide de variables booléennes. Il n'existe pas de type booléen proprement dit en langage C. Toutefois, ce langage considère fausse toute variable, constante ou expression qui vaut 0 et vraie toute variable, constante ou expression différente de 0. L'exemple 2.9 illustre comment on peut utiliser une variable entière comme type booléen.

Exemple 2.9   Variables de type booléen

```
#define   VRAI    1
#define   FAUX 0
int       PasFini;
PasFini = VRAI;
while (PasFini) // Tant que ce n'est pas fini, faire les instructions suivantes
{
   // Contrôle le déroulement du programme par une structure de répétition
}
```

Par contre, le type booléen existe en langage C++. Il est représenté par l'identificateur `bool`. Une variable de type `bool`, qui occupe un octet en mémoire, peut prendre l'une des deux valeurs booléennes `true` ou `false` (ex. 2.10).

Exemple 2.10   Variable de type `bool`

```
bool Continuer;
Continuer = true;
while ( Continuer ) // Tant qu'il faut continuer, exécuter les instructions suivantes
{
// Contrôle le déroulement du programme par une structure de répétition
}
```

Tableau 2.11 Fonctions mathématiques usuelles

Fonction	Description	Syntaxe
Arctangente	Détermine l'arctangente de l'argument, en radians. argument = argument_*y* / argument_*x*	*atan(argument)* *atan2(argument_y,argument_x)*
Arrondie à l'entier inférieur	Arrondit l'argument au plus grand entier inférieur à l'argument.	*floor(argument)*
Arrondie à l'entier supérieur	Arrondit l'argument au plus petit entier supérieur à l'argument.	*ceil(argument)*
Cosinus	Détermine le cosinus de l'argument, en radians.	*cos(argument)*
e à l'argument	Calcule $e^{argument}$ où $e = 2{,}718\,281$.	*exp(argument)*
Puissance	Met un argument à une puissance donnée.	*pow(argument,puissance)*
Logarithme	<u>Naturel:</u> Calcule le logarithme en base *e* de l'argument. <u>Base 10:</u> Calcule le logarithme en base 10 de l'argument.	*log(argument)* *log10(argument)*
Partie entière	Isole la partie entière d'un argument de type réel.	*int(argument)* Si argument $\geq$ 0 *int(argument)* est le plus grand entier $\leq$ argument Sinon *int(argument)* est le plus petit entier $\geq$ argument
Sinus	Détermine le sinus de l'argument, en radians.	*sin(argument)*
Racine carrée	Détermine la racine carrée de l'argument.	*sqrt(argument)*
Valeur absolue	Détermine la valeur absolue de l'argument.	*fabs(argument)*

Tableau 2.11   (suite)

Bibliothèque	Type des arguments	Type du résultat	Exemple
<cmath>	*double, double, double*	*double*	*atan(12.0) = 1.4876550949* *atan2(3.0,2.0) = 0.98279372325*
<cmath>	*double*	*double*	*floor(5.2) donne 5.0* *floor(-5.7) donne -6.0*
<cmath>	*double*	*double*	*ceil(5.3) donne 6.0* *ceil(-5.8) donne -5.0*
<cmath>	*double*	*double*	*cos(0.785398) = 0.7071068967*
<cmath>	*double*	*double*	*exp(4.0) = 54.598150033* *exp(-4.0) = 0.018315638891*
<cmath>	*double, double*	*double*	*pow(4.0,2.0) = 16* *pow(2.5,3.0) = 15.625*
<cmath>	*double*	*double*	*log(1.0) = 0.0* *log(12.2) = 2.5014359517* *log10(1.0) = 0.0* *log10(12.2) = 1.086359831*
	char, float, double, long double, unsigned,…	*int*	*int(12.156) = 12* *int(12.999) = 12* *int(-12.156) = -12* *int(-12.999) = -12*
<cmath>	*double*	*double*	*sin(0.5) = 0.479425538* *sin(-2.0) = -0.909297426*
<cmath>	*double*	*double*	*sqrt(16.0) = 4.0* *sqrt(18.2) = 4.26614580215*
<cmath>	*double*	*double*	*fabs(-2.0) = 2.0* *fabs(2.0) = 2.0*

Opérateurs booléens. Les opérateurs booléens permettent de composer une expression booléenne suivant l'algèbre de Boole. Ces opérateurs utilisent, comme opérandes, des propositions qui sont elles-mêmes des expressions booléennes. Le tableau 2.12 présente les opérateurs booléens. Les identificateurs P et Q représentent des propositions dont la valeur est VRAI ou FAUX.

Tableau 2.12   Opérateurs booléens

Opération	Opérateur	Expression
Négation (NON)	!	! P
Conjonction (ET)	&&	P & & Q
Disjonction inclusive (OU)	||	P || Q
Disjonction exclusive (OUE)	^	P ^ Q

Le tableau 2.13 présente les valeurs d'expressions booléennes selon l'algèbre de Boole.

Tableau 2.13   Évaluation d'expressions booléennes

P	Q	P ET Q	P OU Q	P OUE Q	NON P
VRAI	VRAI	VRAI	VRAI	FAUX	FAUX
VRAI	FAUX	FAUX	VRAI	VRAI	FAUX
FAUX	VRAI	FAUX	VRAI	VRAI	VRAI
FAUX	FAUX	FAUX	FAUX	FAUX	VRAI

Note: VRAI signifie une valeur différente de zéro et FAUX, une valeur égale à zéro.
Pour le type bool, VRAI correspond à true et FAUX, à false.

Si on considère que P vaut VRAI et que Q vaut FAUX, l'expression suivante:

$$(P \ \&\& \ Q) \ || \ (P \ \&\& \ !Q)$$

s'évalue comme suit:

```
(VRAI ET FAUX)  OU  (VRAI ET NON FAUX)
   (FAUX)       OU     (VRAI ET VRAI)
   (FAUX)       OU         (VRAI)
             (VRAI)
```

2.2.4 Type char

L'information que vous avez présentement sous les yeux est en fait une série de caractères: lettres, chiffres, ponctuation, etc. La variable associée à un caractère doit être de type char. Une variable de type char est une expression conservée en code ASCII (*American Standard Code for Information Interchange*) qui peut contenir les caractères d'un texte: a...z, A...Z, 0...9, signe de ponctuation, espace, caractère graphique, caractère de contrôle, etc.

Il y a 256 caractères dans l'ensemble étendu des caractères ASCII. Ces caractères sont ordonnés, par exemple a < b, et chacun a une valeur ordinale de 0 à 255. L'annexe B donne la liste des 256 caractères ASCII.

Une variable de type `char`, également appelée variable caractère, occupe un octet en mémoire. Elle ne peut contenir qu'un seul caractère à la fois! Dans un programme en langage C, une constante de type `char` se présente sous la forme d'un caractère encadré par deux apostrophes, par exemple 'S'. On peut également identifier un caractère par son code ASCII; par exemple, 120 correspond au caractère x. L'exemple 2.11 illustre l'utilisation de variables de type `char`.

Exemple 2.11 Variables de type `char`

```
char Note, NoteFinale;
Note = 65;
// Instruction équivalente à Note = 'A';
NoteFinale = Note;
```

Fonctions sur les expressions de type `char`. On peut effectuer sur le type `char` toutes les opérations qu'on effectue sur les types entiers. De plus, on peut utiliser plusieurs fonctions avec les expressions de type `char` (tabl. 2.14).

Tableau 2.14 Fonctions sur les expressions de type `char` incluses dans le fichier `<cctype>`

Fonction	Description	Exemple
isalpha(int argument)	Teste si l'argument est compris entre 'A' et 'Z' ou 'a' et 'z'.	isalpha('d') vaut VRAI
isdigit(int argument)	Teste si l'argument est compris entre '0' et '9'.	isdigit('1') vaut VRAI
isalnum(int argument)	Teste si l'argument est alphanumérique.	isalnum('X') vaut VRAI
islower(int argument)	Teste si l'argument est compris entre 'a' et 'z'.	islower('l') vaut VRAI
isupper(int argument)	Teste si l'argument est compris entre 'A' et 'Z'.	isupper('R') vaut VRAI
tolower(int argument)	Convertit un caractère en minuscule.	tolower('S') vaut 's'
toupper(int argument)	Convertit un caractère en majuscule.	toupper('w') vaut 'W'

Utilisation d'un caractère comme un entier.   On peut utiliser une variable de type caractère pour manipuler des valeurs entières non signées. Étant donné qu'un caractère n'utilise qu'un seul octet, il est parfois avantageux d'avoir recours à ce type plutôt qu'à un type `int`. Le type `unsigned char` permet de mémoriser les valeurs entières de l'intervalle compris entre 0 et 255. Dans l'exemple 2.12, on se sert de variables de type `unsigned char` pour mémoriser le nombre de roues de différents véhicules.

Exemple 2.12   Utilisation de variables de type `unsigned char` pour mémoriser des entiers

```
#include <iostream>
using namespace std;
void main(void)
{
    unsigned char Nb_Pneus_Auto, Nb_Pneus_Camions, Nb_Pneus_Bicyclette;
    int Pneus;
    Nb_Pneus_Auto = 4;
    Nb_Pneus_Camion = Nb_Pneus_Auto * 2 + 2;
    Nb_Pneus_Bicyclette = Nb_Pneus_Auto / 2;
    Pneus = Nb_Pneus_Auto;
}
```

Les opérateurs sur les entiers, c'est-à-dire les opérateurs arithmétiques, relationnels, d'incrément et de décrément, s'appliquent de la même façon au type `char`.

2.2.5 Type chaîne de caractères

Une variable de type chaîne de caractères prend comme valeur une suite de caractères, eux-mêmes éléments de type `char`. La déclaration `char Var_Chaine[L]` permet de spécifier le nombre maximal de caractères, `L`, que peut contenir la chaîne. Parmi ces caractères, il faut toujours penser que le dernier est réservé au caractère de fin de chaîne, soit le caractère NULL ou «\0». Ainsi, la déclaration `char Var_Chaine[L]` est équivalente à la déclaration d'un vecteur de `L-1` caractères, plus le dernier caractère «\0». Une constante de type chaîne de caractères se présente sous la forme d'une chaîne inscrite entre des guillemets, "je suis une chaîne de caractères". Si un guillemet doit lui-même faire partie de la chaîne de caractères, on le préfixera d'un oblique inversé, «\», pour le représenter. Si une chaîne de caractères contient le mot "bonjour", sa représentation en mémoire sera celle-ci :

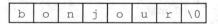

Fonctions appliquées sur les chaînes de caractères. Il existe plusieurs fonctions qui permettent d'effectuer des opérations sur les chaînes de caractères. Ces fonctions sont définies dans la bibliothèque `<cstring>`. Le tableau 2.15 présente les fonctions les plus utilisées.

Tableau 2.15 Fonctions sur les chaînes de caractères

Fonction	Description	Exemple
strcpy(dest,source)	Copier la chaîne source dans la chaîne destination.	*strcpy(chaine,"bonjour");* => *chaine* contient *"bonjour"*
strncpy(dest,source,nbcar)	Copier *nbcar* de la chaîne source à la chaîne destination.	*strncpy(chaine,"bonjour",3);* => *chaine* contient *"bon"*
strcat(dest,source)	Concaténer la chaîne source à la chaîne destination.	*chaine* contient *"bonjour"* *strcat(chaine," les amis");* => *chaine* contient *"bonjour les amis"*
strncat(dest,source,nbcar)	Concaténer *nbcar* de la chaîne source à la chaîne destination.	*strncat(chaine," les amis",4);* => *chaine* contient *"bonjour les"*
strcmp(chaine1,chaine2) *strncmp(chaine1,chaine2,nbcar)*	Comparer *chaine1* à *chaine2*. Comparer *nbcar* de *chaine1* à *chaine2*. Retourne: un entier < 0 si *chaine1* < *chaine2* 0 si *chaine1* = *chaine2* un entier > 0 si *chaine1* > *chaine2*	*chaine1* contient *"bonjour"* *chaine2* contient *"bonsoir"* *strcmp(chaine1,chaine2)* vaut un entier < 0 *strcmp(chaine2,chaine1)* vaut un entier > 0 *strncmp(chaine1,chaine2,3)* vaut 0
strlen(chaine)	Retourner la longueur de la chaîne.	*strlen("bonjour les amis");* vaut 16
strlwr(chaine)	Convertir une chaîne de caractères en caractères minuscules.	*chaine* contient *"BonJour LES Amis"* *strlwr(chaine);* => *chaine* contient *"bonjour les amis"*
strupr(chaine)	Convertir une chaîne de caractères en caractères majuscules.	*chaine* contient *"BonJour LES Amis"* *strupr(chaine);* => *chaine* contient *"BONJOUR LES AMIS"*
strset(chaine,carac)	Initialiser tous les caractères d'une chaîne à *carac*.	*chaine* contient *"bonjour les amis"* *strset(chaine,'x');* => *chaine* contient *"xxxxxxxxxxxxxxxx"*
strnset(chaine,carac,nbcar)	Initialiser *nbcar* d'une chaîne de caractères à *carac*.	*strnset(chaine,'x',5);* => *chaine* contient *"xxxxxur les amis"*

La fonction `strlen()` prédéfinie dans `<cstring>` donne la longueur d'une variable de type chaîne de caractères. En outre, on peut joindre entre elles des chaînes de caractères avec la fonction `strcat()`. On appelle cette opération la concaténation de chaînes de caractères. L'exemple 2.13 illustre l'utilisation de variables et de constantes de type chaîne de caractères.

Exemple 2.13   Variables de type chaîne de caractères

```
char Ciel [15], Soleil [15];
strcpy(Ciel,"bleu d'azur");
cout  << Ciel  << endl;
strcpy(Soleil,"jaune");
strcat(Soleil," orange");
cout  <<  Soleil  << endl;
cout  <<  strlen(Ciel);
```

À l'exécution, on obtient:

```
bleu d'azur
jaune orange
11
```

On peut aussi accéder à chacun des caractères d'une chaîne en spécifiant sa position dans la chaîne. Ainsi, dans l'exemple 2.12, `Ciel[0]` vaut `b` et `Ciel[1]` vaut `l`. Il faut bien prendre note que le premier élément d'une chaîne est à la position 0 (fig. 2.2).

Ciel[0]	Ciel[1]	Ciel[2]	Ciel[3]	Ciel[4]	Ciel[5]	Ciel[6]	Ciel[7]	Ciel[8]	Ciel[9]	Ciel[10]	Ciel[11]	Ciel[12]	Ciel[13]	Ciel[14]
b	l	e	u		d	'	a	z	u	r	\0			

Figure 2.2   Accès à chaque élément de la variable `Ciel`.

Notons que toute manipulation sur les chaînes de caractères doit se faire au moyen de la fonction appropriée. Par exemple, l'affectation d'une variable chaîne de caractères à une autre ne peut se faire à l'aide de l'opérateur d'affectation «=», mais plutôt au moyen de la fonction `strcpy()`. Il en est de même pour la comparaison de chaînes de caractères qui doit se faire non pas avec les opérateurs relationnels usuels, mais bien avec la fonction `strcmp()`.

Cependant, il est possible d'initialiser une chaîne de caractères lors de sa déclaration au moyen de l'opérateur d'affectation «=».

Par exemple:

```
char Mot1[10] = "voilier";
```

initialise la variable `Mot1` avec la chaîne de caractères `"voilier"`. La déclaration:

```
char Mot2[12] = {'v','e','n','t','\0'};
```

initialise la variable `Mot2` avec la chaîne de caractères `"vent"` précisée caractère par caractère. Dans ce cas, il faut ajouter explicitement le caractère de terminaison «\0». Enfin, la déclaration:

```
char Mot3[ ] = "ecoute";
```

initialise la variable `Mot3` avec la chaîne de caractères `"ecoute"`. L'initialisation fixe la dimension de la variable `Mot3` à 7. Cette déclaration est équivalente à :

```
char Mot3[7] = "ecoute";
```

2.2.6 Type pointeur

Un pointeur est un type simple qu'on doit manipuler avec précaution. En fait, il s'agit d'une variable contenant l'adresse mémoire d'une donnée. Une variable de type pointeur occupe 4 octets en mémoire dans un ordinateur dont le bus d'adresse est de 32 bits. Puisque la variable pointeur se réfère à une donnée, on dit communément que le pointeur pointe vers une donnée.

Les pointeurs sont très utiles en langage C et on les utilise souvent de façon implicite. On y a obligatoirement recours pour effectuer la transmission de paramètres (chap. 5). Ils peuvent également servir à la déclaration de chaînes de caractères ou, plus généralement, à la déclaration de tableaux de diverses dimensions. Finalement, on peut accéder aux éléments d'un tableau à l'aide des pointeurs, et ce de la même façon qu'avec les indices.

Il est possible de déclarer des pointeurs pour n'importe quel type de donnée. Pour déclarer un pointeur, on précise le type de la donnée qu'on fait suivre du caractère astérisque «*» et de l'identificateur de la variable pointeur. L'exemple 2.14 présente des déclarations de variables de type pointeur.

Exemple 2.14 Déclarations de variables de type pointeur

```
int *Ptr_Entier;   // Pointeur à un entier
float *Ptr_Reel;   // Pointeur à un réel
char *Ptr_Char;    // Pointeur à un caractère ou à une chaîne de caractères
```

Les déclarations de l'exemple 2.14 définissent trois variables de type pointeur. À noter que ces variables contiennent les adresses des données qu'on qualifie communément de données pointées. Ces déclarations réservent de l'espace mémoire pour les adresses que contiendront les pointeurs et non pour l'entier, le réel et le caractère vers lesquels ils pointent.

La dernière déclaration, `char  *Ptr_Char;`, permet de déclarer un caractère ou une chaîne de caractères. Comme nous l'avons vu précédemment, le pointeur `Ptr_Char` contient l'adresse d'un caractère. Si, à l'adresse suivante, on y inscrit un caractère puis un autre et un autre, et qu'on termine cette séquence par «\0», on compose une chaîne de caractères. Le pointeur `Ptr_Char` contiendra alors l'adresse du premier caractère de la chaîne, ce qui permettra de manipuler correctement le reste de cette dernière.

L'opérateur «*», appelé opérateur d'adressage indirect, se distingue de l'opérateur de multiplication par le contexte d'utilisation.

Opérateur «&», «adresse de». L'opérateur «adresse de», qu'on identifie au moyen du caractère «&», s'utilise comme préfixe de l'identificateur d'une variable et spécifie l'adresse d'une variable de n'importe quel type. Avec l'opérateur «&», il est possible d'affecter à un pointeur d'un type donné l'adresse d'une variable du même type. L'exemple 2.15 présente divers cas d'utilisation de l'opérateur «adresse de».

Exemple 2.15   Utilisation de l'opérateur «&», «adresse de»

```
int *Ptr_Entier, *Ptr_Int, V_Entier=3, V_Int=1;
```

Après cette déclaration, nous aurions en mémoire:

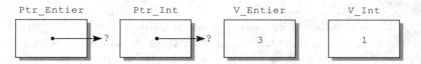

Puisque les deux variables pointeurs pointent vers un point d'interrogation, elles pointent donc vers une adresse indéterminée.

Pour affecter à la variable pointeur `Ptr_Entier` l'adresse de la variable entière `V_Entier`, on aura recours à l'instruction suivante:

```
Ptr_Entier = &V_Entier;
```

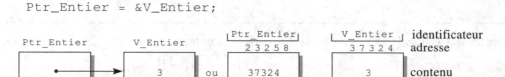

De la même façon, on affectera à la variable `Ptr_Int` l'adresse de la variable entière `V_Int` à l'aide de l'instruction suivante:

```
Ptr_Int = &V_Int;
```

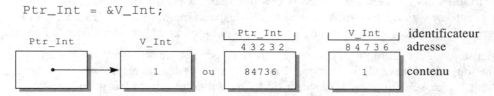

Comme le pointeur `Ptr_Entier` pointe vers la variable `V_Entier`, on peut modifier le contenu de la variable `V_Entier` à l'aide de l'instruction d'affectation suivante:

```
*Ptr_Entier = 5;
```

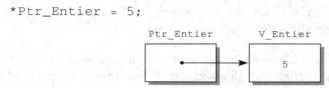

L'expression `*Ptr_Entier` correspond ici à la donnée située à l'adresse `Ptr_Entier`.

De façon similaire, on peut changer le contenu de la variable `V_Int` en lui affectant le contenu de la variable `V_Entier` avec l'instruction suivante:

```
*Ptr_Int = *Ptr_Entier - 2;
```

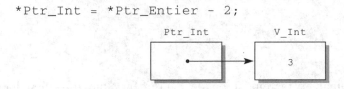

L'affectation de la valeur 0 à la variable `V_Int` peut se faire comme suit:

```
*Ptr_Int = 0;
```

Il est possible d'affecter à un pointeur un autre pointeur:

```
Ptr_Entier = Ptr_Int;
```

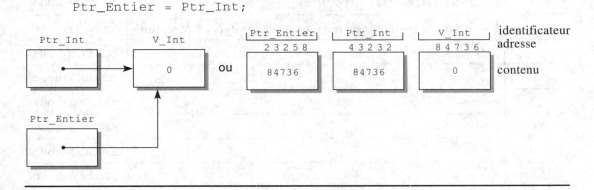

2.2.7 Priorité des opérateurs

Dans une expression, on peut combiner des variables, des fonctions ou des constantes à l'aide de différents opérateurs pour obtenir une valeur unique. Le tableau 2.16 donne toutes les opérations admises dans une expression en langage C selon un ordre de priorité décroissant. En effet, lorsque plusieurs opérateurs apparaissent dans une expression, le langage C l'évalue en fonction de la priorité des opérations. Par exemple, il effectue les multiplications avant les additions et il exécute les opérations de priorité équivalente de gauche à droite. De plus, il évalue d'abord les expressions entre parenthèses. Nous encourageons l'utilisation de parenthèses, car ces dernières facilitent grandement la lecture des expressions et n'augmentent pas le temps d'exécution ni la taille du programme compilé. L'exemple 2.16 illustre l'évaluation d'une expression en fonction de la priorité des opérateurs.

Une associativité de gauche à droite signifie qu'on doit prendre parmi tous les opérateurs de même priorité celui situé le plus à gauche dans l'expression à évaluer, et vice-versa lorsque l'association se fait de droite à gauche. Par exemple:

```
a = b/c++ + d*e - 5
```

équivaut à

```
a = ((b/(c++)) + (d*e)) - 5
```

ATTENTION!   Les opérateurs d'incrément ou de décrément, une fois bien identifiés selon les règles d'associativité, sont évalués selon leur ordre de priorité. Rappelons que le résultat de l'opérateur placé en position préfixe est la variable incrémentée ou décrémentée, tandis que le résultat de l'opérateur en position postfixe correspond à la valeur de la variable *avant* l'incrément ou le décrément.

Tableau 2.16 Priorité des opérateurs et leur associativité

Priorité	Opérateur	Associativité
1	[ ] ( ) –> . ++(postfixe)−−(postfixe)	gauche à droite
2	! ~ ++(préfixe)−−(préfixe)−(unaire) +(unaire) (type) * & sizeof()	droite à gauche
3	* / %	gauche à droite
4	+ −	gauche à droite
5	<< >>	gauche à droite
6	< > <= >=	gauche à droite
7	== !=	gauche à droite
8	&	gauche à droite
9	^	gauche à droite
10	¦	gauche à droite
11	&&	gauche à droite
12	¦¦	gauche à droite
13	?:	droite à gauche
14	= += -= *= /= %= >>= <<= &= ^= ¦=	droite à gauche
15	,	gauche à droite

Exemple 2.16   Priorité des opérateurs

```
VRAI && (-1.4 > (3.0  -  40 / 3  -  40 % 3 ))
VRAI && (-1.4 > (3.0  -    13    -  40 % 3 ))
VRAI && (-1.4 > (3.0  -    13    -    1    ))
VRAI && (-1.4 > (3.0  -  13.0    -   1.0   ))
VRAI && (-1.4 >          -11.0             )
VRAI &&        VRAI
VRAI
```

L'étude de cas qui suit fait la synthèse de plusieurs notions que nous avons vues jusqu'à présent.

Étude de cas: Conversion de température

Définition du problème.   Écrire un programme qui convertit en degrés Celsius une température donnée en degrés Fahrenheit.

Analyse.   L'opération de conversion est très simple. Il s'agit de soustraire 32 de la température donnée, de diviser le résultat par 9 et de le multiplier par 5. Il faut toutefois prendre soin de représenter les températures avec un type réel pour ne pas accumuler d'erreurs, parce qu'on arrondit les nombres dans les opérations de conversion. Ainsi, dans le programme suivant, l'utilisation du type `int` aurait donné 20 °C plutôt que 22 °C comme équivalent de 72 °F.

On a recours à deux constantes qui correspondent à des chaînes de caractères pour mémoriser respectivement les termes degrés Celsius et degrés Fahrenheit.

Algorithme

```
-Auteur        :Pierre Savard
-Description  :Effectue la conversion en degrés Celsius d'une température
               donnée en degrés Fahrenheit

01 Description des identificateurs

IDENTIFICATEUR    TYPE                    DESCRIPTION
-Fahrenheit       réel          Température en degrés Fahrenheit
-Celsius          réel          Température en degrés Celsius

->>>> STRUCTURE DES OPÉRATIONS <<<<

Demander la température en degrés Fahrenheit.
Lire la température entrée au clavier en degrés Fahrenheit.
Convertir la température lue de Fahrenheit à Celsius.
Afficher la température en degrés Celsius.
```

Programme

```
/*---------------------------------------------------------*/
/* FICHIER:     CELSIUS.CPP                                */
/* AUTEUR:      Yves Boudreault                            */
/* DATE:        17 mai 2000                                */
/* DESCRIPTION: Effectue la conversion en degrés Celsius   */
/*              d'une température donnée en degrés         */
/*              Fahrenheit.                                 */
/*---------------------------------------------------------*/
#include <iostream>  // Pour l'utilisation de cin cout
#include <iomanip>   // Pour l'utilisation de setw() setprecision()
using namespace std;

void main (void)
{
    const char Degre_Celsius[] = " degrés Celsius"; // Constantes pour l'affichage
    const char Degre_Fahrenheit[]= " degrés Fahrenheit";

    float Fahrenheit, Celsius;     // Déclaration des variables locales

    cout  << "Entrer une température en"  << Degre_Fahrenheit  << ": ";
    cin  >> Fahrenheit;
    Celsius = (5.0 / 9.0) * (Fahrenheit - 32.0);
    cout  << "Vaut " << setw(5)  << setprecision(1)  << Celsius;
    cout  << Degre_Celsius;

    /* NOTE: Ici, les fonctions setw(5) et setprecision(1)   */
    /* veulent dire que la température en degrés Celsius     */
    /* sera affichée sur 5 colonnes avec un chiffre après    */
    /* le point.                                             */
}
/*---------------------------------------------------------*/
```

À l'exécution, on obtient:

```
Entrer une température en degrés Fahrenheit: 72
Vaut 22.2 degrés Celsius
```

2.2.8 Conversions arithmétiques implicites

Une expression arithmétique comme $x + y$ possède une valeur et un type. Par exemple, si les deux variables x et y sont de type int, alors l'expression $x + y$ est également de type int. Par contre, si x et y sont de type short, alors l'expression $x + y$ est de type int et non short. Ceci est dû au fait que les variables de type short sont converties, ou promues, en type int. Nous présentons ici les règles de conversion.

Promotion de type. On peut utiliser une variable de type char, short, signed et unsigned de même que de type énumération (sect. 4.2) dans toute expression qui peut contenir une variable de type int ou unsigned. Si on peut représenter toutes les valeurs d'une expression à l'aide d'un int, alors les valeurs sont converties en type int; autrement, elles sont converties en type `unsigned int`. C'est ce qu'on appelle la promotion de type. Par exemple, prenons les déclarations suivantes:

```
char Car ='a';
short Valeur = 0;
```

Si on applique la règle de la promotion de type, l'expression (`Car + Valeur`) est de type `int`.

Règles. Des conversions implicites peuvent s'effectuer lors de l'évaluation d'une expression arithmétique. Par exemple, prenons le cas où `Nb_Int` est une variable de type `int` et `Nb_Float`, une variable de type `float`. Lors de l'évaluation de l'expression `Nb_Int + Nb_Float`, la variable `Nb_Int` est convertie en type `float` et l'expression résultante est alors de type `float`.

Voici les règles régissant les conversions arithmétiques implicites:

- si l'un des opérandes est de type `long double`, alors l'autre opérande est converti en `long double`;
- autrement, si l'un des opérandes est de type `double`, alors l'autre opérande est converti en `double`;
- autrement, si l'un des opérandes est de type `float`, alors l'autre opérande est converti en `float`;
- autrement, la promotion de type se produit et les règles suivantes s'appliquent:
  - si un opérande est de type `unsigned long`, l'autre opérande est converti en `unsigned long`;
  - autrement, si un opérande est de type `long` et l'autre, de type `unsigned`, alors l'un des deux cas suivants se produit:
    - si un `long` peut représenter toutes les valeurs d'un `unsigned`, alors l'argument de type `unsigned` est converti en type `long`;
    - si un `long` ne peut pas représenter toutes les valeurs d'un `unsigned`, alors les deux opérandes sont convertis en type `unsigned long`;
  - autrement, si l'un des opérandes est de type `long`, alors l'autre est converti en `long`;
  - autrement, si l'un des opérandes est de type `unsigned`, alors l'autre est converti en `unsigned`;
  - autrement, les deux opérandes sont de type `int`.

Le tableau 2.17 résume les règles de conversions implicites. La première colonne représente le type du premier opérande et la première rangée, celui du deuxième opérande. Le résultat de la conversion apparaît dans la zone correspondant à l'intersection d'une rangée et d'une colonne. Par exemple, un opérande de type `float` jumelé à un opérande de type `long double` résulte en une conversion en `long double` du premier, et un opérande de type `float` avec un opérande de type `long` donne à une conversion en `float` du deuxième.

Tableau 2.17 Règles de conversions implicites

	long double	double	float	unsigned long	long	unsigned	int short char
long double	long double						
double		double					
float			float				
unsigned long				unsigned long			
long					long	(ou unsigned long)	
unsigned						unsigned	
int short char							int

Le tableau 2.18 illustre différents cas de conversions implicites. Dans ce tableau, nous utilisons les déclarations suivantes:

```
char        c;      unsigned long   u_long;
short       s;      float           f;
int         i;      double          d;
unsigned    u;      long double     long_d;
```

Une conversion implicite peut également se produire lors d'une affectation. Par exemple, soit le cas où:

```
d = i;
```

Ici, la variable `i` est convertie en type `double` et le type de l'expression est aussi un `double`. Une promotion réalisée pour `d = i;` s'effectue donc sans problème. Par contre, une rétrogradation telle `i = d;` entraîne une perte d'information, car elle pourrait retirer la partie fractionnaire de `d`. En fait, l'ajustement d'une rétrogradation dépend du système.

Tableau 2.18 Cas de conversions implicites

Expression	Type	Expression	Type
c - s / i	int	u + c - i	unsigned
c - 5	int	u + c - i - u_long	unsigned long
u / 2.0 - i	double	7 * 5 * u_long	unsigned long
c + 1.24	double	long_d + c - 24	long double
d * 3	double	f + 3*s - i	float
4 + i / u_long	u_long	long_d - f*2	long double

2.2.9 Conversion explicite (type `casting`)

Outre la conversion implicite, il existe la conversion explicite, ou transtypage, qui permet de spécifier de façon précise des conversions. Par exemple, si `i` est une variable de type `int`, alors le terme `(double) i` convertira la valeur de `i` en un type `double`. Toutefois, la variable `i` elle-même demeurera de type `int`. Une conversion explicite peut également s'appliquer à des expressions.

À partir des déclarations suivantes:

```
float Valeur;
char Car;
```

on peut composer les trois expressions ci-dessous:

`(long) ('A' + 5.4)`	Le résultat de l'expression est de type `long`.
`Valeur = (float) ((int) Car + 1)`	La variable `Car` est convertie en `int`. L'expression `(int)Car + 1`, de type `int`, est convertie explicitement en `float`.
`(int) (Valeur = 23)`	L'expression `Valeur = 23` de type `float` est convertie explicitement en `int`.

Le langage C++ accepte une autre syntaxe pour la conversion explicite. Il s'agit de préciser le type dans lequel on veut convertir l'expression et de faire suivre l'expression entre parenthèses. Les trois expressions précédentes peuvent également prendre la forme :

```
long ('A' + 5.4)
Valeur = float (int(Car) + 1)
int (Valeur = 23)
```

La conversion explicite peut s'avérer très utile et même nécessaire dans certains cas. Par exemple, la division de deux variables entières donne un résultat de type entier. Pour obtenir la division réelle, il suffit de préciser la conversion explicite d'un des opérandes de la division de telle sorte que le résultat soit de type réel.

2.3 STRUCTURE D'UN PROGRAMME EN LANGAGE C

Un programme en langage C se compose de quatre parties:

- l'en-tête du programme,
- les clauses d'inclusion,
- les déclarations,
- les instructions.

Le programmeur doit idéalement placer ces quatre parties dans cet ordre.

2.3.1 En-tête du programme

L'en-tête d'un programme se compose d'une série de commentaires qui décrivent le programme. Dans cet ouvrage, ces commentaires comportent toujours les informations suivantes: le nom du fichier où se trouve le programme, le nom de l'auteur ou des auteurs, la date de conception et une brève description de ce que réalise le programme. De plus, nous avons adopté une disposition visuelle de ces informations. Nous encourageons fortement le programmeur débutant à adopter une telle forme de présentation en vue de rendre ses programmes plus lisibles.

2.3.2 Clauses d'inclusion

Les clauses d'inclusion s'écrivent ainsi:

```
#include <fichier>      // Pour les bibliothèques fournies
#include "fichier.h"    // Pour les bibliothèques personnelles dans le répertoire
                           courant
```

Les fichiers placés au début de la partie inclusions contiennent les déclarations des constantes et des fonctions utilisées. Plusieurs de ces fichiers sont fournis avec le compilateur et permettent d'effectuer, par exemple, les opérations sur les chaînes de caractères `<cstring>`, les opérations mathématiques `<cmath>`, etc. Dans le cas d'inclusion d'un fichier de bibliothèque standard, il faut ajouter l'énoncé `using namespace std;` (voir l'annexe E pour plus de détail).

2.3.3 Déclarations

Rappelons qu'un des principes de base du langage C, contrairement à d'autres langages de programmation, est que tout identificateur doit avoir été déclaré *avant* d'être utilisé. Idéalement, il faut donc déclarer les identificateurs au début du programme dans une partie appelée couramment déclarations. La partie déclarations peut contenir plusieurs sortes d'entités du langage:

- les définitions,
- les constantes,
- les définitions de types,
- les variables,
- les déclarations des prototypes de sous-programmes.

Définitions. L'énoncé `#define` permet de définir des identificateurs qui n'ont pas de type et auxquels peut se substituer une valeur ou une expression lors de la compilation. Ceci peut s'avérer utile lorsqu'on désire manipuler des noms au lieu des chiffres ou des expressions complexes. L'énoncé `#define` ne réserve aucun espace mémoire pour l'identificateur déclaré.

À noter qu'il faut éviter de mettre des «;» à la fin de l'énoncé `#define`. Par exemple:

```
#define   PI 3.14159
```

Constantes. Les constantes sont des identificateurs auxquels on assigne des valeurs au moyen de l'opérateur «=». Les constantes peuvent être des nombres, des chaînes de caractères ou d'autres entités. Elles ont une valeur fixe et unique, on ne peut donc pas leur associer une expression ni changer leur valeur en cours d'exécution. On peut nommer les constantes pour améliorer la lisibilité du programme et pour en permettre une meilleure utilisation. Les constantes sont identifiées par le mot réservé `const` dans la partie déclarations. Par exemple:

```
const float Epsilon = 5E-10;
const int Max = 50;
const char Ecole[] = "Polytechnique";
```

Définitions de types. Les types élémentaires peuvent servir à construire de nouveaux types de variables, à partir des types offerts dans le langage ou des types préalablement construits par le programmeur. Cette possibilité de définir des types de variables, ou plus généralement des types de données, est l'un des grands attraits des langages de programmation dits évolués. La définition de type débute par l'énoncé `typedef` à côté duquel on énumère les identificateurs de types associés. Par exemple:

```
typedef  float    reel;
typedef  char[80] chaine;
```

Ici, les types `reel` et `ligne` étant équivalents respectivement aux types `float` et `char[80]`, on peut déclarer des variables de type `reel` ou `chaine`.

Variables. Dans cette section, on déclare l'identificateur et le type de chacune des variables utilisées dans le programme. La variable a une valeur qui peut changer. On peut énumérer les variables d'un même type en les séparant par «,» et en ne mentionnant le type qu'une fois. Il en est ainsi, par exemple, des variables `CarLu` et `Reponse` ci-dessous, toutes deux de type `char`. Par exemple:

```
int       Nombre;
char      CarLu, Reponse;
chaine    Phrase;
```

On peut aussi déclarer une variable et lui donner une valeur initiale. C'est ce qu'on appelle l'initialisation de variables. Dans ce cas, l'identificateur de la variable est précédé d'un type défini ou prédéfini, puis il est suivi de l'opérateur «=», de la valeur initiale et de «;». Par exemple:

```
int Annee = 1990, Mois;
char Message[] = "Prêt à débuter";
```

Il faut noter que, dans le cas des chaînes de caractères, l'initialisation ne peut se faire que lors de la déclaration au début du programme. Le compilateur décidera alors combien de caractères il faut réserver pour la variable `Message`.

Déclarations des prototypes de sous-programmes. On recommande fortement de toujours déclarer les prototypes de tous les sous-programmes qu'on utilise dans un programme. Le prototype correspond à l'en-tête du sous-programme. Il doit comprendre le nom de la fonction utilisée, le type de tous les paramètres et le type de la valeur de retour de cette fonction. Lorsque la fonction ne retourne pas de valeur ou ne fait pas appel à des paramètres, on inscrit le mot réservé `void`. Voici deux prototypes de sous-programmes:

```
void Affiche(void);
int Somme(int,int);
```

2.3.4 Instructions

Les instructions constituent le coeur du programme. C'est dans cette partie que commence l'action! On y trouve des instructions d'affectation, des instructions de contrôle qui sélectionnent les instructions à effectuer ou à répéter et les appels de sous-programmes. La partie des instructions qui appartient à la fonction principale `main()` est toujours comprise entre une accolade ouvrante, «`{`», et une accolade fermante, «`}`».

Instruction simple. Une instruction est simple si elle s'écrit en un seul énoncé. Un exemple d'une telle instruction est celle qui permet d'affecter à une variable une valeur, soit l'instruction d'affectation. L'opérateur d'affectation, «`=`», permet d'attribuer à une variable une valeur qui doit être compatible avec le type de la variable. La syntaxe de l'instruction d'affectation est la suivante:

```
Identificateur_De_Variable = Constante ou Expression;
```

Si la valeur à affecter à la variable est une constante, elle s'inscrit directement dans la zone mémoire de la variable lors de l'affectation. S'il s'agit d'une expression, elle doit d'abord être évaluée avant que le résultat s'inscrive dans la zone mémoire de la variable. Dans l'exemple 2.17, la variable `Age` prend la valeur 12, puis le langage C évalue l'expression `Age >= 18`. Ici, l'expression est fausse puisque `Age` vaut 12. La variable `Adulte` prendra alors la valeur `FAUX` qui est 0.

Exemple 2.17 Instruction simple d'affectation

```
void main(void)
{
    int  Adulte,Age;
    Age = 12;
    Adulte = (Age >= 18);
}
```

C'est lors de la compilation qu'a lieu la validation des instructions d'affectation. Le langage C signale une erreur ou donne un avertissement si le type du membre de droite de l'instruction est incompatible avec le type du membre de gauche, soit la variable. Il faut surveiller de près la cohérence des types dans les instructions d'affectation. Par exemple, on peut affecter un entier à un réel, mais l'inverse se fait au détriment de l'information représentée.

De plus, il faut bien saisir que l'opérateur d'affectation, «=», ne correspond pas à l'opérateur mathématique d'égalité, «=». Ainsi, mathématiquement, l'expression $x = x + 1$ est illogique, alors que l'instruction d'affectation $x = x + 1$; est sensée; elle indique d'inscrire dans la zone mémoire de x la valeur qui s'y trouve présentement, plus 1. On peut lire cette instruction de la façon suivante: la nouvelle valeur de x est égale à l'ancienne valeur de x, augmentée de 1.

Par ailleurs, on peut se servir de l'opérateur d'affectation dans une expression, ce qui a pour effet d'exprimer plusieurs opérations dans une instruction. Par exemple, l'instruction suivante est correcte:

```
Nb_Jours = (Mois=4)*30 + (Jour=14);
             (4)   *30 +     (14)
```

Dans cette dernière, la variable `Mois` reçoit la valeur 4 et l'expression d'affectation correspondante est égale à 4. De même, la variable `Jour` reçoit la valeur 14 et l'expression d'affectation correspondante est de 14. Le résultat final est donc de 134 et il est affecté à la variable `Nb_Jours`.

Une autre utilisation courante de cet opérateur est l'affectation multiple:

```
Nbre1 = Nbre2 = Nbre3 = 0;
```

L'associativité des opérateurs d'affectation s'effectuant de la droite vers la gauche, l'expression précédente est équivalente à:

```
Nbre1 = (Nbre2 = (Nbre3 = 0));
```

Tout d'abord, la constante 0 est affectée à la variable `Nbre3` et l'expression `Nbre3=0` prend la valeur 0. Ensuite, la valeur 0 est affectée à la variable `Nbre2` et l'expression `Nbre2 =(Nbre3=0)` est égale à 0. Finalement, la valeur 0 est affectée à la variable `Nbre1`.

En plus de l'opérateur «=», il existe en langage C d'autres opérateurs d'affectation qui s'expriment sous la forme <opérateur>= (tabl. 2.19).

Tableau 2.19 Opérateurs d'affectation

Opérateur	Description	Exemples	
		Instructions	**Instructions équivalentes**
=	Affecte la valeur de l'expression de droite à la variable de gauche.	*Age = 25;* *Heure = Min/60;*	
+=	Additionne la valeur de l'expression de droite à la variable de gauche et affecte le résultat à la variable de gauche.	*Somme += 2;* *Valeur +=* *Angle/360;*	*Somme = Somme+2;* *Valeur =Valeur+(Angle/360);*
-=	Soustrait la valeur de l'expression de droite à la variable de gauche et affecte le résultat à la variable de gauche.	*Pas -= 2;* *Haut -= Bas +1;*	*Pas = Pas-2;* *Haut = Haut-(Bas +1);*
*=	Multiplie la valeur de l'expression de droite à la variable de gauche et affecte le résultat à la variable de gauche.	*Pair *= 2;* *Produit *= Val -3;*	*Pair = Pair * 2;* *Produit = Produit*(Val-3);*
/=	Divise la valeur de l'expression de droite par la variable de gauche et affecte le résultat à la variable de gauche.	*Part /= 5;* *Bris /= Nb_Cpu-1;*	*Part = Part / 5;* *Bris = Bris / (Nb_Cpu-1);*
%=	Détermine le reste de la division entière entre la variable de gauche et l'expression entière de droite, et affecte le résultat à la variable de gauche.	*Sec % 60;* *Carte % = 52 - 7/3;*	*Sec = Sec % 60;* *Carte = Carte % (52 - (7/3));*
>>=	Réalise un décalage vers la droite des bits de la variable de gauche équivalent au nombre de positions spécifié par la valeur de l'expression de droite, et affecte le résultat à la variable de gauche.	*Nombre >>= 2;*	*Nombre = Nombre >>2;*
<<=	Réalise un décalage vers la gauche des bits de la variable de gauche équivalent au nombre de positions spécifié par la valeur de l'expression de droite, et affecte le résultat à la variable de gauche.	*Valeur <<=4;*	*Valeur = Valeur <<4;*
&=	Réalise un ET logique entre la variable de gauche et le résultat de l'expression de droite, et affecte le résultat à la variable de gauche.	*Bon &= 1;*	*Bon = Bon & 1;*
^=	Réalise un OU EXCLUSIF logique entre la variable de gauche et le résultat de l'expression de droite, et affecte le résultat à la variable de gauche.	*Simple ^=3;*	*Simple = Simple ^3;*
¦=	Réalise un OU logique entre la variable de gauche et le résultat de l'expression de droite, et affecte le résultat à la variable de gauche.	*Poids ¦= 2;*	*Poids = Poids ¦ 2;*

Tout comme les opérateurs «++» et «−−», ceux qui ont la forme `<opérateur>=` permettent de ne pas répéter le même identificateur dans l'expression.

Instruction composée. Une instruction composée est constituée de plusieurs instructions simples. Celle de l'exemple 2.18 comporte trois instructions simples d'affectation. Une instruction composée débute par une accolade ouvrante, «{», se poursuit par une série d'instructions séparées par «;» et se termine par une accolade fermante, «}». Pour accroître la lisibilité du programme, il est d'usage de décaler à droite la série d'instructions faisant partie d'une instruction composée. Cette convention d'écriture permet d'éviter bien des ennuis, car on oublie souvent une accolade et cet oubli provoque une erreur difficile à retracer sans les décalages ni les commentaires. Il est également d'usage d'ajouter un commentaire vis-à-vis de l'accolade fermante pour décrire l'instruction composée qui s'y termine.

Exemple 2.18   Instruction composée

```
{
    Numero = 12345;
    strcpy(Alliage,"aluminium");
    EnStock= 3.45e12;
} // Fin du stock d'aluminium
```

Le langage C offre la possibilité de déclarer une variable à l'intérieur de l'instruction composée. Cependant, on ne peut avoir recours à cette variable qu'à l'intérieur de l'instruction composée dans laquelle on l'a déclarée. Dans l'exemple 2.19, on ne peut utiliser la variable `No_Code` de type `int` que dans les deux autres instructions qui suivent.

Exemple 2.19   Déclaration d'une variable dans une instruction composée

```
{
    int No_Code;
    cout << "Donner votre numéro de code";
    cin >> No_Code;
} //No_Code sera un identificateur inconnu après cette instruction
```

2.4   QUESTIONS

1. Comment peut-on écrire des commentaires dans un programme en langages C et C++?

2. Qu'est-ce qu'un mot réservé? Donner un exemple.

3. Dans quelle partie d'un programme se situe l'«action» du programme?

4. À quoi sert le point-virgule en langage C?

5. Quel opérateur permet de donner une valeur à une variable?

6. Quelle partie d'un programme sert à définir les identificateurs nécessaires à l'écriture des instructions du programme?

7. La partie déclarations des variables dans un programme est:
   a) selon le besoin
   b) obligatoire
   c) une vieille habitude des programmeurs
   d) aucune de ces réponses

   Expliquer et justifier votre réponse.

8. Lesquels de ces identificateurs sont valides en langage C?

   a) `Tp1`
   b) `Rayon`
   c) `Pi/2`
   d) `$Dollars`
   e) `Domino_les_Hommes_ont_chaud`
   f) `X`
   g) `RayonX`
   h) `PointUn`
   i) `RX7`
   j) `1 Tp`
   k) `main`
   l) `Point1`
   m) `"Rx7"`
   n) `cOoRdonne`
   o) `Rayon-X`
   p) `Section2.3`
   q) `Ok`

9. À quoi sert la clause `#include` dans un programme en langage C?

10. Quels sont les types entiers en langage C?

11. Déclarer les constantes suivantes à partir de l'énoncé `#define`:
    a) le caractère espace (ou blanc)
    b) la valeur zéro
    c) la valeur de pi, c'est-à-dire 3,14159...
    d) epsilon à 0,00000001
    e) le nombre d'Euler, *e*, c'est-à-dire 2,71828...

12. Dans la déclaration des constantes, déclarer les variables suivantes selon le type et la valeur initiale spécifiés:
    a) `Taxe_TPS` de type réel et initialisée à 0,09
    b) `Vitesse` et `Acceleration`, toutes deux de type réel et initialisées à 0,0
    c) `Trace` de type chaîne de caractères et initialisée à «Trace provenant de =>»
    d) `Continuer` de type booléen et initialisée à vrai

13. Comment doit-on déclarer les variables représentant:
    a) le nombre de voitures dans un stationnement (maximum de 300 voitures)?
    b) la masse totale de toutes ces voitures?
    c) la température maximale d'une journée?
    d) la distance entre la Terre et la Lune en kilomètres?
    e) le type d'un échantillon de sang (ex.: O-, AB+, A-)?
    f) la présence ou l'absence d'une bactérie dans un échantillon quelconque?

14. Quels sont le type et le résultat de chacune des expressions suivantes dans lesquelles les variables A et B de type `float` valent 9,9 et 3,3, tandis que C et D de type `int` valent 2 et 4?

    a) `(D - C) % 3`   f) `(B * C)`
    b) `(A - B) < (C * D)`   g) `(A + D)`
    c) `(C / D)`   h) `! (A == B)`
    d) `12 && 14`   i) `'A' < 'a'`
    e) `3 + 2 * 5`   j) `C ^ D`

15. Soit les déclarations suivantes:

    ```
    #define PI 3.141592654
    const int Max_Couleur = 10;
    const char Bleu[] = "Bleu";
    const char Brun[] = "Brun";
    const char Vert[] = "Vert";
    const char Feminin = 'M';
    char Sexe;
    float Rayon, Perimetre;
    char  Yeux[11], Cheveux[11];
    int   Etudiant, Age bool Adulte;
    ```

    Parmi les affectations suivantes, déterminer lesquelles sont valides.

    a) `Sexe = 'M';`   k) `Adulte = Age >= 18;`
    b) `Feminin = 'F';`   l) `strcpy (Brun, Yeux);`
    c) `Perimetre = 2 * PI * Rayon;` m) `Perimetre = 160 % Rayon;`
    d) `Etudiant = 60;`   n) `Rayon = 17;`
    e) `Adulte = 1;`   o) `Enfant = !Adulte;`
    f) `Cheveux = "Blond";`   p) `Max_Couleur = 3;`
    g) `Adulte = '0';`   q) `strcpy (Cheveux, "Beaux");`
    h) `Etudiant = -3;`   r) `Age = 3650/365;`
    i) `strcat (Yeux, "Bleu");`   s) `Adulte = Feminin;`
    j) `strcat (Yeux, Vert);`   t) `Etudiant = Age;`

16. Répondre par `true` ou `false`.

    L'énoncé `char Phrase[] = "Bonjour";` est équivalent à l'énoncé:

    a) `char Phrase[] = {'B', 'o', 'n', 'j', 'o', 'u', 'r'};`
    b) `char Phrase[] = {"B","o","n","j","o","u","r"};`
    c) `char Phrase[7] = {'B', 'o', 'n', 'j', 'o', 'u', 'r', '\0'};`
    d) `char Phrase[] = {'B', 'o', 'n', 'j', 'o', 'u', 'r', '\0'};`

17. Si A et B sont des variables déclarées `bool` et qu'on ne connaît pas la valeur de A, que vaut B dans les affectations suivantes?

    a) `B = A || !A;`
    b) `B = A && !A;`
    c) `B = false && A;`
    d) `B = false || A;`
    e) `B = true || A;`

18. Quelle fonction permet de compter le nombre de caractères contenus dans une chaîne?

19. Comment peut-on concaténer deux chaînes de caractères?

20. Déterminer l'affichage qu'on obtient lors de l'exécution des énoncés suivants:

    a) ```
    cout << "ABC" << endl;
    cout << "DEFGH";
    cout << "IJK";
    cout << "LMNOP" << endl;
    ```

    b) ```
    cout << "Ma soeur ";
    cout << "a un beau ";
    cout << "bateau blanc " << endl;
    cout << "et ";
    cout << endl;
    cout << "bleu";
    ```

    c) ```
    cout << '*';
    cout << "*";
    cout << '*';
    cout << "*" << endl;
    cout << "*   *" << endl;
    cout << '*';
    cout << ' ';
    cout << " *" << endl;
    cout << "****";
    ```

21. Donner le type et le résultat des expressions suivantes:

    a) `"3 + 4 * 12"`   e) `6 - 7 + 8`
    b) `50 / 2`         f) `6 - (7 + 8)`
    c) `5 + 3 * 2`      g) `'2' + '7'`
    d) `(5 + 3) * 2`

22. Si `Resultat` est une variable de type `int`, donner sa valeur lorsque chacune des instructions suivantes est exécutée:

    a) `Resultat = 33 / 5;`
    b) `Resultat = 5 / 33;`
    c) `Resultat = 33 % 5;`
    d) `Resultat = 5 % 33;`

    Pour chaque instruction suivante, considérer que `Resultat` vaut 15 initialement.

    e) `Resultat + = 5;`
    f) `Resultat / = 3;`
    g) `Resultat - = 20;`
    h) `Resultat * = 4;`
    i) `Resultat % = 2;`

23. Écrire l'énoncé qui permet d'affecter le logarithme en base 10 de $x$ à une variable $y$.

24. Écrire les énoncés qui permettent de calculer la sécante de $x$, la cosécante de $x$ et la cotangente de $x$.
    ```

25. Écrire l'énoncé qui permet de calculer l'arc sinus de *x*.

26. Écrire les énoncés qui permettent de calculer le résultat des formules suivantes:

a) $5 + 10 \times \dfrac{5 - 1}{4 + 5}$

b) $5 \times 3 + 2 + \dfrac{20}{6} \times 10^2$

c) $\dfrac{\text{tg}(x) + \cos^2(x)}{e^x - x^7}$

27. Qu'est-ce qu'une instruction composée? À quoi sert-elle?

2.5   EXERCICES

1. Que valent les variables A et B après l'exécution des instructions suivantes (les variables ont été initialement déclarées)?

```
int A = 28;
int B = 96;
A = B;
B = A;
```

2. Que valent A, B, C, D et E après l'exécution des lignes suivantes?

```
int A, B, C, D, E;
A = 3;
B = 5;
C = 8;
D = A*(B + C*3) - 7;
E = A - B - C;
A = A + 1;
B = (4*A + 1) / 10;
C = (4*A + 1) % 10;
```

3. Si A et B sont des variables de type entier et que Reponse est une variable de type booléen, quelle sera la valeur de cette dernière après les instructions suivantes?

```
bool Reponse;
int A = 3;
int B = 4;
Reponse = true && ((A + B) < (2 * A));
Reponse = Reponse || (B >= A);
```

4. Un programme doit calculer la vitesse tangentielle, *v*, et l'accélération tangentielle, *a*, de différentes meules à partir de la vitesse angulaire, *ω*, de l'accélération angulaire, *α*, et du rayon, *r*, de celles-ci. Dans la partie déclarations du programme, écrire la section des constantes, en choisissant avec attention les identificateurs pour les valeurs connues des trois meules suivantes, et ce 5 s après leur départ.

	Meule A	Meule B	Meule C
r (m)	0,10	0,20	0,20
ω (rad/s)	6,0	6,0	12,0
α (rad/s^2)	3,0	3,5	2,0

5. Écrire les instructions en langage C, en prenant soin de déclarer les constantes et les variables nécessaires, qui permettent de calculer les formules suivantes. Choisir des identificateurs évocateurs et appropriés.

a) La force attractive F agissant le long de la droite reliant deux corps de masse m_1 et m_2 séparés d'une distance r est:

$$F = g\,\frac{m_1 m_2}{r^2}$$

où g est la constante de gravitation universelle ($6{,}67 \times 10^{-11}$ m^3/s$^2 \cdot$kg).

b) L'énergie de rayonnement E émise par un corps noir, pour une longueur d'onde λ et à la température absolue T, est:

$$E = \frac{2\pi ch}{\lambda^5 \left(e^{ch/B\lambda T} - 1\right)}$$

où c = vitesse de la lumière ($2{,}997\,924 \times 10^8$)
    h = constante de Planck ($6{,}6252 \times 10^{-34}$)
    B = constante de Boltzmann ($5{,}6687 \times 10^{-8}$)

c) La résistance R en ohms (Ω) d'un fil électrique peut se calculer à l'aide de la formule suivante:

$$R = \rho\,\frac{l}{\pi r^2}$$

où ρ = résistivité mesurée à 20 °C (Ω-m)
    l = longueur (m)
    r = rayon de la section (m)

6. Soit un échiquier conventionnel:

a) Si Ligne et Colonne sont deux variables de type entier contenant la position d'une pièce sur le jeu (une contient la ligne, l'autre la colonne) et si Valide est une variable de type booléen, écrire une expression qui sera vraie si la pièce est sur une case blanche et fausse si elle est sur une case noire.

```
Valide = ...
```

b) Si la pièce à déplacer est un Cavalier et que les variables NouvelleLigne et NouvelleColonne sont de type entier, écrire une expression qui sera vraie si le déplacement de la pièce est valide et fausse autrement.

```
Valide = ...
```

7. Écrire un programme qui calcule et affiche la surface d'un cercle de rayon donné.

8. Sachant que le volume d'une sphère, V, est égal à 4/3 πr^3, écrire un programme qui calcule et affiche le volume d'une sphère de rayon donné.

9. Écrire un programme qui calcule et affiche le temps de chute d'un corps au repos tombant d'une hauteur donnée.

10. Écrire un programme qui demande à l'usager d'entrer cinq nombres au clavier et qui calcule la moyenne de ceux-ci.

11. La densité de l'eau est de 1000 g/L. Écrire un programme qui lit le nombre de litres et affiche la masse du volume donné. Utiliser une constante pour décrire la relation entre la masse et le volume. Le programme doit accepter les fractions de litres (ex.: 5,76 L ou 10,56 L).

12. L'or a une densité de 19,28 g/cm^3 et une masse atomique de 196,967. Écrire un programme qui demande la longueur en centimètres du côté d'un cube d'or et qui calcule puis affiche la masse en grammes du cube d'or, le nombre d'atomes dans le cube, la masse en grammes d'un atome d'or et le volume moyen d'un atome d'or. Utiliser des constantes pour représenter le nombre d'Avogadro (6,022 17 $\times 10^{23}$) et la densité de l'or.

13. Pour chaque 300 m au-dessus du niveau de la mer, l'eau bout à 1 °C de moins que 100 °C. Écrire un programme qui calcule la température d'ébullition de l'eau à n'importe quelle altitude.

14. Une entreprise reçoit en moyenne 40 appels téléphoniques par heure. Si chaque appel dure exactement 5 minutes:

a) écrire l'équation permettant de déterminer le nombre de réceptionnistes nécessaires pour répondre à tous les appels;

b) écrire l'équation permettant de calculer le nombre d'appels reçus par chaque réceptionniste.

15. Un sprinter olympique réalise un record mondial en parcourant le 100 m en 9,77 s.

a) Nommer l'instruction qui permettra de déterminer sa vitesse moyenne.

b) Nommer l'instruction qui permettra d'indiquer la position de l'athlète à chaque seconde.

c) Nommer l'instruction qui permettra d'indiquer la vitesse du coureur à chaque seconde.

16. En électricité, lorsque trois résistances sont reliées en parallèle, la résistance équivalente est:

$$R_{équiv} = \cfrac{1}{\cfrac{1}{R_1} + \cfrac{1}{R_2} + \cfrac{1}{R_3}}$$

Écrire un programme, en prenant soin de choisir des identificateurs évocateurs, qui permet de calculer la résistance équivalente et d'afficher le résultat à l'écran pour les valeurs suivantes: $R_1 = 200 \ \Omega$, $R_2 = 280 \ \Omega$ et $R_3 = 310 \ \Omega$.

17. Transcrire les équations algébriques suivantes en langage C:
    a) $y = ax^2 + bx + c$
    b) $y = e^x$
    c) $\lambda = \ln(x + y)$

18. Écrire un programme qui compte le nombre de caractères contenus dans une chaîne donnée et qui affiche le résultat à l'écran.

19. Soit le programme incomplet suivant:
```
#include...
void  main(void)
{
    const char Celebrite1[] = "Leonardo";
    const char Celebrite2[] = "DaVinci";
    char Nom[100];

}
```

Quelles instructions permettront d'inscrire dans la variable `Nom` la chaîne de caractères `"Leonardo DaVinci"` à l'aide des constantes `Celebrite1` et `Celebrite2` ?

Utiliser des fonctions qui agissent sur les chaînes de caractères.

20. Écrire un programme qui demande à l'usager d'entrer 10 caractères à l'aide du clavier, qui transforme les 5 derniers caractères de la chaîne en majuscules et qui les affiche à l'écran.

21. Un programme doit demander à un usager d'entrer, à l'aide du clavier, le nom d'un article de magasin ainsi que son prix. Le programme doit ensuite afficher la phrase suivante:
```
L'article [nom de l'article] coûte [prix] $.
```

Les mots entre crochets doivent être remplacés par le nom et le prix de l'article tels que l'usager les a entrés. Écrire ce programme en choisissant avec attention le nom des identificateurs.

22. Un triangle est un triangle rectangle si les longueurs des côtés rendent vraie la formule de Pythagore: $c^2 = a^2 + b^2$, où le côté c est appelé l'hypoténuse. Écrire un programme qui demande la longueur de deux côtés d'un triangle rectangle, qui calcule la longueur de l'hypoténuse puis l'affiche.

23. Créer un canevas sous forme de commentaires en prévoyant un espace pour le nom de l'auteur, la date et toute autre information pertinente. Ce canevas, sauvegardé dans un fichier, pourra ensuite être utilisé après l'en-tête de chaque nouveau programme; il permettra d'identifier aisément ce dernier et de rappeler sa fonction. Ce canevas se présente comme suit:

```
/*------------------------------------------------------*/
/*  FICHIER:                                            */
/*  AUTEUR:                                             */
/*  DATES :        création:                            */
/*                 révision:                            */
/*                                                      */
/*  DESCRIPTION:                                        */
/*                                                      */
/*  REMARQUES:                                          */
/*                                                      */
/*------------------------------------------------------*/
```

2.6 TRAVAIL DIRIGÉ

Nous avons préparé ce travail de façon à permettre à l'étudiant de faire ses premiers pas en programmation en langage C. Il apprendra à manipuler la structure de base d'un programme, les types de base ainsi que les entrées et les sorties par défaut.

1. Écrire un programme qui demande à l'usager d'entrer deux nombres au clavier et qui affiche leur somme à l'écran.

2. Écrire un programme qui lit deux nombres entiers, en fait la moyenne, conserve celle-ci dans une variable et l'affiche à l'écran.

3. Écrire un programme qui lit un mot à l'aide d'une chaîne de caractères entrée au clavier et qui en construit une nouvelle contenant la chaîne lue augmentée de trois astérisques, «*», de chaque côté. La nouvelle chaîne devra être affichée à l'écran.

Ex.: Chaîne lue: Bonjour les amis!
      Chaîne affichée: ***Bonjour les amis!***

NOTE: Vous devez composer la chaîne à afficher avec les fonctions agissant sur les chaînes de caractères.

4. En physique, la théorie de la relativité stipule que la masse d'un corps augmente en fonction de sa vitesse. Évidemment, à des vitesses «de tous les jours», l'augmentation est négligeable, mais à des vitesses qui approchent celle de la lumière (3×10^8 m/s), elle est très importante. Cet effet se vérifie tous les jours dans le cas notamment des accélérateurs de particules.

    On obtient comme suit la masse «relativiste» d'un corps:

    $$m_r = \frac{m_0}{\sqrt{1 - \dfrac{v^2}{c^2}}}$$

    où m_r = masse relativiste (kg)
    m_0 = masse du corps au repos (kg)
    v = vitesse du corps (m/s)
    c = vitesse de la lumière (approximativement 3×10^8 m/s)

    Écrire un programme qui demande à l'usager la masse d'un corps au repos et sa vitesse, puis qui calcule et affiche la masse relativiste de ce corps. Il est à noter que la bibliothèque `<cmath>` fournit la fonction `sqrt(nombre)` qui donne la racine carrée d'un nombre (ex.: `sqrt(4.0)=2.0`). De plus, la fonction `pow(nombre,puissance)` génère comme résultat le nombre élevé à la puissance désirée (ex.: `pow(4.0,2.0)= 16.0`).

    Voici les masses de certains corps; elles donnent une idée de l'ordre de grandeur des masses dont le programme doit tenir compte:

    -   masse de l'électron = $9,109\ 558\ 5 \times 10^{-31}$ kg
    -   masse du proton   = $1,672\ 614\ 1 \times 10^{-27}$ kg
    -   masse du neutron = $1,674\ 920\ 1 \times 10^{-27}$ kg

    La vitesse à laquelle l'effet de l'augmentation de la masse commence à se faire sentir de façon significative se situe entre 0,7 et 0,999 fois la vitesse de la lumière.

5. Écrire un programme qui «fait la monnaie»: l'usager inscrit un montant en dollars et le programme lui propose la combinaison minimale de billets de 100, 50, 20, 10 et 5 \$ ainsi que de pièces de 2 \$ et de 1 \$ qui a la même valeur. Par exemple, si l'usager inscrit 533 \$, le programme lui dit qu'il peut réunir ce montant avec 5 billets de 100 \$, 1 billet de 20 \$, 1 billet de 10 \$, 1 pièce de 2 \$ et 1 pièce de 1 \$ (le programme aurait pu préciser 0 billet de 50 \$ et 0 billet de 5 \$, mais cela importe peu).

6. On lance un projectile à une vitesse initiale $\vec{v}_0$ selon un angle θ avec l'horizontale. On détermine la position (x, y) du projectile à un temps t donné à l'aide des équations suivantes:

    $$x = x_0 + (v_0 \cos\theta)t$$
    $$y = y_0 + (v_0 \sin\theta)t - \frac{1}{2}g t^2$$

Écrire un programme qui demande et lit la position initiale (x_0, y_0), la vitesse initiale v_0 et l'angle de tir θ, en degrés, d'un projectile. Le programme demande ensuite un temps t donné, puis calcule et affiche la position du projectile à cet instant. Finalement, le programme demande l'élément x des coordonnées du point où est rendu le projectile, puis calcule et affiche le temps nécessaire pour atteindre cette distance.

NOTE: Les fonctions trigonométriques de la bibliothèque `<cmath>` utilisent comme argument un angle en radians. Convertir les degrés en radians.

7. Écrire un programme qui demande à l'usager d'entrer au clavier la valeur de deux angles intérieurs d'un triangle et qui affiche à l'écran la valeur du troisième angle. Les angles demandés et fournis par l'usager sont en degrés, minutes et secondes. La valeur de l'angle affichée par le programme est aussi en degrés, minutes et secondes.

Voici un exemple d'exécution du programme. Les données entrées par l'usager apparaissent en caractères gras.

> Entrez le premier angle en degrés, minutes et secondes séparés par des espaces
> **43 22 52**
> Entrez le deuxième angle en degrés, minutes et secondes séparés par des espaces
> **22 16 43**
> Le troisième angle du triangle mesure 114 degrés 20 minutes 25 secondes

Rappel:

- La somme des angles intérieurs d'un triangle est de 180°.
- Soixante minutes (60') équivalent à un degré (1°).
- Soixante secondes (60") équivalent à une minute (1').

ENTRÉES ET SORTIES

Dans un langage de programmation, les fonctions qui permettent à un programme d'entrer en contact avec le monde extérieur sont très importantes. On appelle fonctions de lecture ou fonctions d'entrée les fonctions utilisées pour prendre des informations à partir du clavier, d'une disquette ou d'un disque. On nomme fonctions d'écriture ou fonctions de sortie celles servant à afficher les résultats à l'écran, à les sauvegarder ou à les imprimer. Dans ce chapitre, nous allons voir quelles sont les fonctions d'entrée et de sortie du langage C et de son extension, le langage C++.

3.1 LECTURE DE L'UNITÉ STANDARD: `scanf()`, `cin >>` ET `getchar()`

3.1.1 Fonction `scanf()` et opérateur «>>»

La fonction `scanf()` et l'opérateur «>>» précédé du terme `cin` permettent de lire les données nécessaires à un programme à partir de l'unité standard d'entrée de données. Pour qu'un programme puisse lire ce qu'un usager entre au clavier, le programmeur dispose des instructions suivantes:

C	C++
`#include <stdio.h>`	`#include <iostream>` `using namespace std;`
`scanf(Format,Liste_Des_Adresses_Des_Variables);`	`cin >> Var1 >> Var2 >>…>> VarN;`

Lorsque le programme parvient à une de ces instructions, il s'arrête temporairement et attend que l'usager entre au clavier toutes les valeurs destinées aux variables de la liste. S'il y a plusieurs valeurs, on doit les séparer par des espaces. Les valeurs entrées au clavier ne sont affectées aux variables que lorsque l'usager appuie sur la touche <Enter>. Les caractères entrés sont temporairement placés dans un tampon pour permettre la correction d'erreurs de frappe. On se sert des touches <Backspace> et <Del> pour effacer un caractère erroné.

Il doit y avoir correspondance de types entre la variable du programme et la donnée entrée au clavier. Par exemple, si le programmeur utilise une variable de type réel et que l'usager entre une valeur numérique au clavier, la fonction d'entrée place automatiquement un point à la suite du dernier chiffre entré si l'usager ne l'a pas explicitement entré. L'exemple 3.1 montre l'utilisation de la fonction `scanf()` et de l'expression `cin >>`.

Exemple 3.1 Lecture par la fonction `scanf()` et l'expression `cin >>` de données entrées au clavier

C	C++

```#include <stdio.h>```
 ```float Voltage1, Voltage2, Voltage3;```
 ```printf("Entrer 3 voltages : ");```
 ```scanf("%f %f %f",&Voltage1,&Voltage2,&Voltage3);```
	```#include <iostream>```
	 ```using namespace std;```
	 ```float Voltage1, Voltage2, Voltage3;```
	 ```cout << "Entrer 3 voltages: ";```
	 ```cin >> Voltage1 >> Voltage2 >> Voltage3;```

À l'exécution, on obtient:

```
Entrer 3 voltages : 1.5 120 12E3<Enter>
```

La fonction `scanf()` et l'expression `cin >>` affectent chacune la valeur 1,5 à la variable `Voltage1`, la valeur 120 à `Voltage2` et la valeur 12 000 à `Voltage3`.

En langage C++, la lecture s'effectue à l'aide de l'opérateur «>>» qui permet de lire à partir de différents endroits. Le terme qui précède l'opérateur précise l'emplacement où doit se faire la lecture. Ainsi, `cin` précise que la lecture doit se faire à partir du clavier.

Il faut être attentif lorsqu'on utilise la fonction `scanf()` puisqu'on doit spécifier le format des données qu'on désire lire. Les principaux formats de données sont:

% c	Lecture d'un caractère (`char`)
% d	Lecture d'un entier décimal (`int`)
% ld	Lecture d'un entier décimal (`long`)
% u	Lecture d'un entier non signé (`unsigned`)
% f	Lecture d'un réel (`float`)
% lf	Lecture d'un réel (`double`)
% s	Lecture d'une chaîne de caractères (`char[]`)

De plus, dans le cas de la lecture de caractères, d'entiers ou de réels, sauf dans le cas des chaînes de caractères, on doit placer l'opérateur «&» avant chaque variable pour indiquer un mode de transmission par adresse (chap. 5).

3.1.2 Fonctions `get()` et `getchar()`

La fonction `getchar()` suspend l'exécution du programme jusqu'à ce que l'usager appuie sur une touche suivie de <Enter> pour poursuivre l'exécution du programme. Dès lors, la fonction `getchar()` lit le caractère entré et le retourne comme une donnée de type `int` par l'entremise de l'affectation à une variable. Si la variable est de type `char`, la conversion implicite a lieu. La fonction `getchar()` est une fonction standard du langage C et est déclarée dans le fichier d'en-tête `<stdio.h>`. La fonction `get()` appartient au langage C++ et son prototype est dans le fichier `<iostream>`. La forme générale de ces deux fonctions est la suivante:

C	C++

```#include <stdio.h>```
```Var_Caractere = getchar();```
	```#include <iostream>```
	```using namespace std;```
	```Var_Caractere = cin.get();```
	ou
	```cin.get(Var_Caractere);```

L'exemple 3.2 montre comment utiliser la fonction `get()`.

Exemple 3.2 Lecture d'une touche par la fonction `get()`

```
#include <iostream>
using namespace std;
char CarLu;
cout <<  "Appuyer sur une touche :";
CarLu = cin.get();          // ou cin.get (CarLu);
```

À l'exécution, on obtient:

```
Appuyer sur une touche  : X<ENTER>
```

Après que l'usager a appuyé sur une touche, le caractère X puis <Enter>, la fonction `get()` affecte à la variable `CarLu` le caractère entré.

3.1.3 Fonctions `getline()` et `gets()`

Les fonctions `getline()` et `gets()` permettent la lecture de chaînes de caractères qui contiennent plusieurs mots. La fonction `gets()` est une fonction standard du langage C dont le prototype est inscrit dans le fichier `<stdio.h>`. La fonction `getline()` appartient au langage C++ et son prototype est dans le fichier `<iostream>`. La forme générale de ces deux fonctions est la suivante:

C	C++

`#include <stdio.h>`
`gets(Var_Chaine);`
	`#include <iostream>`
	`using namespace std;`
	`cin.getline(Var_Chaine,Nb_Max_Car,Car_Special);`

La fonction `gets()` exige un argument correspondant à une variable de type chaîne de caractères. La lecture s'effectue à partir des caractères qu'on entre au clavier. La fonction lit ces caractères et les mémorise dans la variable précisée comme argument. La lecture se poursuit jusqu'à la rencontre des caractères de fin de ligne ou de fin de fichier. Si la lecture est interrompue par un caractère de fin de ligne, ce dernier est alors écarté et c'est celui de terminaison de chaîne de caractères, «\0», qui s'inscrit comme dernier caractère de la chaîne.

L'utilisation de la fonction `getline()` exige la précision de trois paramètres. De façon générale, on a:

```
cin.getline(Var_Chaine, Nb_Max_Car, Car_Special);
```

Le premier paramètre, `Var_Chaine`, est une variable de type chaîne de caractères. Le deuxième, `Nb_Max_Car`, est un entier qui précise le nombre maximal de caractères à lire moins un (`Nb_Max_Car-1`) et correspond habituellement au nombre maximal de caractères que la chaîne peut contenir. Le troisième argument, `Car_Special`, est facultatif et permet de spécifier un caractère dont la rencontre interrompra la lecture. L'omission de ce troisième argument implique que le caractère de fin de ligne sera le caractère de fin de lecture de chaîne. Pour exécuter la lecture des caractères entrés au clavier, il faut préfixer la fonction `getline()` du terme `cin`. Par exemple:

```
char Phrase[81];
cin.getline(Phrase,81);
```

Ici, la lecture de la chaîne de caractères `Phrase` s'effectue jusqu'à la rencontre du caractère de fin de ligne ou jusqu'à ce qu'il y ait 80 caractères lus. Dans le premier cas, le caractère de fin de ligne est rejeté et c'est celui de fin de chaîne, «\0», qui s'inscrit dans la chaîne `Phrase`. Dans le deuxième cas, la lecture s'interrompt et le caractère de fin de chaîne s'inscrit dans la chaîne `Phrase`.

Si on utilise un troisième argument dans la fonction `getline()`, la rencontre de celui-ci interrompra la lecture. Par exemple:

```
char Phrase[81];
cin.getline(Phrase,81,'%');
```

Ici, les règles énoncées auparavant s'appliquent, mais c'est la rencontre du caractère pourcentage, «%», qui mettra fin à la lecture plutôt que les caractères de fin de ligne. Le caractère «%» est rejeté; il ne sera donc pas inscrit à la fin de la chaîne lue et mémorisée dans la variable `Phrase`. La prochaine opération de lecture débute après le caractère pourcentage.

3.2 OPÉRATIONS DE LECTURE

Dans la présente section, nous tenterons d'élucider par des exemples les «mystères» du processus de lecture. Les seules valeurs qui peuvent être lues sont les variables numériques, les caractères et les chaînes de caractères. Voyons chacun de ces trois cas.

3.2.1 Variables numériques

Les données qu'on entre au clavier sont temporairement placées dans un tampon. Lorsque l'usager appuie sur la touche <Enter>, deux caractères sont automatiquement ajoutés au tampon, soit «CR» (*carriage return*), représenté ici par «←», et «LF» (*line feed*), représenté ici par «↓». Ensuite débute le traitement des données contenues dans le tampon par l'affectation aux variables des valeurs qu'on entre au clavier.

Si on entre au clavier les données:

```
103 205.2 1.3<Enter>
```

en réponse au message suivant: *Donner le numéro de la solution, le volume et la concentration :_*, on aura comme tampon d'entrée:

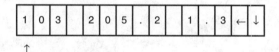

où «←↓» indique la fin de ligne et «↑» représente le pointeur de lecture.

Considérons les déclarations suivantes:

```
int NoSolution;
float Volume, Concentration;
```

L'exécution de l'instruction:

```
cin >> NoSolution >> Volume >> Concentration;
```

s'effectuera de la façon suivante: la valeur entrée pour la variable `NoSolution` est 103 et le pointeur de lecture se positionne sur le caractère qui suit, c'est-à-dire l'espace:

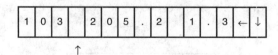

La valeur entrée pour la variable `Volume` est 205,2 et le pointeur de lecture se positionne sur le caractère qui suit, soit l'espace:

Finalement, la valeur pour la variable `Concentration` est 1,3 et le pointeur se positionne sur «←»:

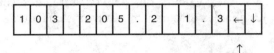

Ainsi, lorsqu'on entre une donnée numérique, la fonction `scanf()` et l'opérateur «>>» appliquent les règles suivantes pour la lire. Premièrement, ils ignorent les espaces, les tabulateurs et les caractères de fin de ligne du début; la lecture commence donc après ces caractères. Deuxièmement, les caractères suivants sont lus jusqu'à la rencontre d'un espace, d'un tabulateur ou des caractères de fin de ligne ou de fin de fichier. Finalement, les caractères lus sont traduits en une valeur numérique du type de la variable à laquelle ils sont affectés.

Nous aurions les mêmes résultats si nous avions entré les données comme suit:

```
103<Enter>
205.2<Enter>
1.3<Enter>
```

Le tampon d'entrée serait alors:

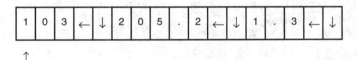

Comme les caractères de fin de ligne sont ignorés et correspondent ni plus ni moins à des séparateurs de valeurs numériques, les valeurs affectées aux variables par l'opérateur «>>» seront les mêmes.

3.2.2 Variables de type `char`

Tout d'abord, rappelons que le tampon d'entrée se compose de caractères. Ensuite, considérons l'entrée `a b c d<Enter>` qui correspond au tampon d'entrée suivant:

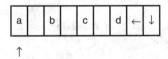

et l'instruction `cin >> Car1 >> Car2 >> Car3 >> Car4;` où `Car1`, `Car2`, `Car3` et `Car4` sont des variables de type `char`. La variable `Car1` prend la valeur `a` et le pointeur se positionne au caractère suivant le dernier caractère lu:

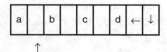

L'opérateur «>>» saute tous les espaces, les tabulateurs et les caractères de fin de ligne. Le deuxième caractère lu dans la variable `Car2` est `b`. Il en va de même pour `Car3`, qui reçoit le caractère `c` et `Car4`, le caractère `d`.

Lecture avec `get()`. Cette fonction permet de lire tous les caractères alphanumériques y compris l'espace, tabulateur, fin de ligne, fin de fichier. Par contre, elle ne permet pas de lire les caractères étendus tels les caractères d'édition <PageDown>, <PageUp>, <Home>, <End>, etc.

Le caractère <Enter> génère deux caractères dans le tampon de lecture: retour du chariot <←> et saut de ligne <↓>. La fonction `get()` lit les deux caractères générés par <Enter> à l'aide d'un seul énoncé. Le caractère affecté à la variable de lecture est le deuxième caractère lu, soit <↓>.

Supposons que l'usager entre au clavier les caractères suivants:

    x y<Enter>z<Enter>

Le tampon d'entrée correspondant est:

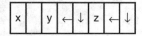

Avec les déclarations suivantes:

```
char Car1, Car2, Car3, Car4, Car5;
```

on exécute les instructions:

```
Car1 = cin.get();
cin.get(Car2);
Car3 = cin.get();
cin.get(Car4);
Car5 = cin.get();
```

> Notons que la fonction `get()` peut s'utiliser de deux façons, soit
>
>   Car1 = cin.get();
>   ou
>   cin.get(Car1);

La première instruction, `Car1 = cin.get();`, affecte le caractère `x` à la variable `Car1` et positionne le pointeur de lecture sur le caractère suivant. La deuxième instruction, `cin.get(Car2);`, affecte le caractère espace à la variable `Car2` et positionne le pointeur de lecture sur le caractère suivant. La troisième instruction, `Car3 = cin.get();`, affecte le caractère `y` à la variable `Car3` et fait avancer le pointeur de lecture au caractère suivant. La quatrième instruction, `cin.get(Car4);`, lit les caractères <←> et <↓>. Le caractère <↓> est affecté à la variable `Car4` et le pointeur de lecture se positionne après cette dernière. Le caractère <←> ne peut être mémorisé. La dernière et cinquième instruction, `Car5 = cin.get();`, affecte le caractère z à la variable `Car5` et place le pointeur de lecture vis-à-vis le caractère suivant.

3.2.3 Variables de type chaîne de caractères

Lorsqu'on entre au clavier une chaîne de caractères, la lecture débute à la position courante du pointeur de lecture et se poursuit jusqu'à la rencontre du caractère espace ou fin de ligne. De plus, s'il y a plus de caractères à lire que le nombre spécifié dans la définition de la variable, des problèmes graves peuvent survenir puisque les caractères lus en trop sont stockés dans des espaces qui ne leur sont pas réservés. Nous conseillons fortement d'entrer des chaînes de caractères sur des lignes distinctes, ce qui permet d'éviter de nombreux problèmes. Supposons qu'un usager entre les informations suivantes:

```
Dufour<Enter>
Marc<Enter>
```

Le tampon d'entrée correspondant est:

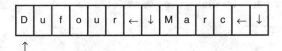

Considérons les déclarations et les instructions suivantes:

```
char Nom[10], Prenom[10];
cin >> Nom;
cin >> Prenom;
```

La première instruction `cin` affecte la valeur `Dufour` à la variable `Nom` et positionne le pointeur de lecture à la suite du dernier caractère lu:

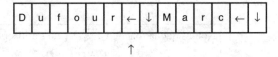

La deuxième instruction `cin` affecte la valeur `Marc` à la variable `Prenom` et positionne aussi le pointeur à la suite du dernier caractère lu:

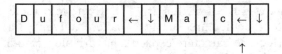

Supposons maintenant les données ci-dessous:

```
Charbonneau<Enter>
Georges-Etienne<Enter>
```

qui correspondent au tampon d'entrée suivant:

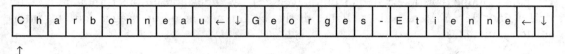

L'opérateur «>>» affecte la valeur `Charbonneau` à la variable `Nom` qui ne peut mémoriser qu'un maximum de 9 caractères (10 moins le caractère de fin de chaîne «\0»), comme l'indique la déclaration de la variable. Les caractères `u` et «\0» seront donc stockés dans des espaces qui ne leur sont pas réservés. Cette situation peut causer des erreurs dont les conséquences sont difficiles à prévoir et oblige souvent le programmeur à redémarrer l'ordinateur.

Finalement, si l'usager entre les données suivantes:

```
El Chami<Enter>
Ahmed<Enter>
```

nous aurions alors comme tampon d'entrée:

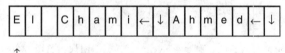

La première instruction `cin` affecte la valeur `El` à la variable `Nom` et positionne le pointeur de lecture à la suite du dernier caractère de la chaîne, soit l'espace. Rappelons que l'espace délimite ou sépare les chaînes de caractères dans le cas de leur lecture avec `cin >>`.

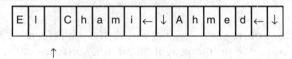

La deuxième instruction `cin` affecte la valeur `Chami` à la variable `Prenom` et positionne le pointeur à la suite du dernier caractère lu:

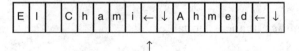

Dans ce cas, le véritable prénom ne sera malheureusement pas lu. La valeur `Ahmed` restera dans le tampon jusqu'à la prochaine lecture. Pour la lecture de chaînes de caractères qui comportent des caractères espaces, il est préférable de se servir de la fonction `getline()`.

Lecture avec `getline()`. Lorsqu'on entre une chaîne de caractères au clavier, la lecture débute à la position courante du pointeur de lecture et se poursuit jusqu'aux caractères de fin de ligne ou de fin de fichier ou jusqu'à ce que le nombre maximal de caractères moins un soit lu. S'il y a plus de caractères à lire que le nombre maximal spécifié dans l'appel de la fonction, le pointeur de lecture se positionne sur le prochain caractère non lu dans le tampon. Comme dans le cas de la lecture avec `cin >>`, nous conseillons fortement d'entrer des chaînes de caractères sur des lignes distinctes. Supposons qu'un usager entre les informations suivantes:

```
Berger<Enter>
Jean<Enter>
```

Le tampon d'entrée correspondant est:

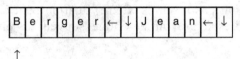

Avec les mêmes déclarations que précédemment:

```
char Nom[10], Prenom[10];
```

on exécute les instructions suivantes:

```
cin.getline(Nom,10);
cin.getline(Prenom,10);
```

La première instruction, `cin.getline(Nom,10);`, affecte la valeur `Berger` à la variable `Nom` et positionne le pointeur de lecture à la suite des caractères de fin de ligne:

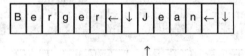

La deuxième instruction, `cin.getline(Prenom,10);`, affecte la valeur `Jean` à la variable `Prenom` et positionne le pointeur également à la suite des caractères de fin de ligne:

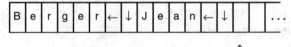

Supposons maintenant les données suivantes:

```
Bourbonnière<Enter>
Jean-Christophe<Enter>
```

correspondant au tampon d'entrée suivant:

| B | o | u | r | b | o | n | n | i | è | r | e | ← | ↓ | J | e | a | n | - | C | h | r | i | s | t | o | p | h | e | ← | ↓ |

↑

La première instruction, `cin.getline(Nom,10);`, affecte la valeur `Bourbonni` à la variable `Nom` qui ne peut mémoriser qu'un maximum de 9 caractères, puisque le dixième sert au caractère de fin de chaîne. Le pointeur de lecture se positionne sur le dixième caractère du tampon d'entrée:

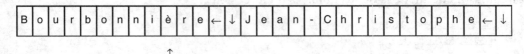

La lecture se poursuit à partir de cette position. La deuxième instruction, `cin.getline(Prenom,10);`, affecte la valeur `ère` à la variable `Prenom`, puisque la rencontre des caractères de fin de ligne interrompt la lecture. Le pointeur de lecture se positionne à la suite des caractères de fin de ligne:

Si l'usager entre les données suivantes:

    El Chami<Enter>
    Ahmed<Enter>

on a alors comme tampon d'entrée:

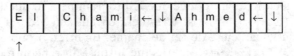

La première instruction, `cin.getline(Nom,10);`, affecte la valeur `El Chami` à la variable `Nom` et positionne le pointeur de lecture à la suite des caractères de fin de ligne. Ici, contrairement à ce qui se passe avec `cin >>`, le caractère espace ne délimite pas les chaînes de caractères. Il est donc introduit comme tout autre caractère dans la chaîne lue:

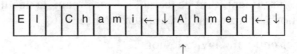

La deuxième instruction, `cin.getline(Prenom,10);`, affecte la valeur `Ahmed` à la variable `Prenom` et positionne le pointeur à la suite des caractères de fin de ligne:

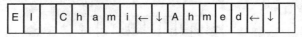

Ce cas illustre la grande différence entre la lecture avec `cin >>` et celle avec `cin.getline()`. Tandis que l'opérateur «>>» ne permet pas d'inscrire un espace dans une chaîne lue, la fonction `cin.getline()` le permet.

Examinons un dernier cas où les données d'entrée sont:

> <u>Ouellette\<Enter></u>
> <u>Francine\<Enter></u>

Le tampon d'entrée correspondant est:

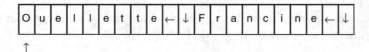

La première instruction, `cin.getline(Nom,10);`, affecte la valeur `Ouellette` à la variable `Nom`. La lecture s'interrompt ici parce qu'il y a 9 caractères, soit le nombre maximal que peut contenir la variable `Nom` outre le caractère de fin de chaîne. Le pointeur de lecture se positionne au caractère suivant, soit le premier caractère de fin de ligne:

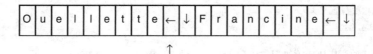

Lors de la prochaine lecture, étant donné que le programme a lu une fin de ligne, l'instruction `cin.getline(Prenom,10);` se terminera en laissant vide la variable `Prenom`, qui aura pour seul contenu le caractère de fin de chaîne. En effet, n'oublions pas que la lecture d'une chaîne avec `cin.getline()` s'effectue jusqu'à la rencontre des caractères de fin de ligne ou de fin de fichier ou jusqu'à ce que soit atteint le nombre maximal de caractères que peut contenir la chaîne.

Il est possible de préciser un caractère autre qu'un caractère de fin de ligne ou de fin de fichier pour mettre fin à une lecture avec la fonction `getline()`. Pour ce faire, il suffit de préciser un troisième argument, soit le caractère terminant la lecture s'il y a moins de caractères lus que le nombre maximal de caractères à lire.

Supposons que l'usager entre au clavier le nom:

> <u>Bastien\<Enter></u>

Le tampon d'entrée correspondant est:

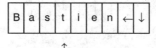

L'instruction `cin.getline(Nom, 10, 's');` affecte la valeur `Ba` à la variable `Nom`. Elle lit le caractère `s` mais ne l'introduit pas dans la chaîne lue. Le pointeur de lecture se positionne au caractère suivant, soit `t`.

La fonction `get()` permet de lire également une chaîne de caractères de la même façon que la fonction `getline()`. Par exemple, l'instruction `cin.get(Mot,10,'\n');` exécute la lecture d'une chaîne de caractères. La lecture s'interrompt à la rencontre du caractère de fin de ligne ou après la lecture de 9 caractères. Par contre, puisque la fonction `get()` ne prend pas en compte le caractère de terminaison, la prochaine lecture débutera à la position de ce caractère, ce qui entraînera une lecture de chaîne vide. Pour réaliser une lecture correcte, il faut faire suivre l'instruction `cin.get(Mot,10, '\n');` de l'instruction `cin.ignore()`, qui a pour effet de positionner le pointeur de lecture au caractère suivant le caractère de terminaison.

Précédemment, un exemple de l'utilisation de la fonction `getline()` présentait une situation de lecture d'une chaîne de caractères vide qui exigerait un appel à cette fonction pour éviter ce problème.

3.2.4 Utilisation de la fonction `ignore()`

La fonction `ignore()` permet de sauter ou d'ignorer un certain nombre de caractères du tampon d'entrée. Le saut correspond au nombre de caractères à omettre ou s'arrête à la rencontre d'un caractère préétabli, selon la première des deux conditions qui est satisfaite.

Supposons que l'usager entre au clavier les caractères suivants:

> x<espace>y<espace>z<espace><Enter>

Le tampon d'entrée correspondant est:

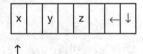

et on exécute l'instruction:

```
cin.ignore(5);
```

Cette instruction déplace le pointeur de lecture au sixième caractère du tampon, soit l'espace suivant le caractère `z`:

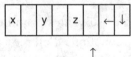

L'appel de la fonction `ignore()` peut se faire grâce à deux arguments. Le premier argument précise le nombre de caractères à sauter, alors que le deuxième paramètre spécifie un caractère dont la rencontre mettra fin au saut de caractères. Notons que ce dernier caractère est inclus dans le saut. Le saut de caractères prend fin dès qu'une des deux conditions est satisfaite.

Supposons que l'usager entre au clavier les caractères suivants:

    C'est<Enter>fait<Enter>

Le tampon d'entrée correspondant est :

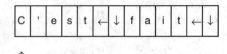

et on exécute l'instruction:

    cin.ignore(10,'\n');

Le pointeur de lecture se positionne après la première fin de ligne rencontrée puisqu'il s'agit de la première condition rencontrée.

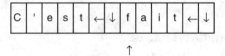

Si le programmeur ne désire lire qu'un caractère et un seul, autre que <Enter>, il devra utiliser la fonction ignore() en plus de cin.get() pour faire la lecture au clavier. La présence de l'instruction de lecture cin.get() interrompt l'exécution du programme jusqu'à l'obtention d'un caractère issu du clavier suivi du caractère <Enter>. Après la lecture du caractère entré, le programmeur doit retirer du tampon de lecture le caractère <Enter> pour éviter sa lecture lors de la prochaine instruction de lecture avec cin.get(). Les instructions sont:

```
char CarLu;
cout << "Entrer un caractère : ";
cin.get(CarLu);  // Lecture du caractère entré au clavier
cin.ignore();    // Saut pour ne pas lire le caractère ENTER
cin.get(CarLu);  // Lecture du caractère entré au clavier
cin.ignore();    // Saut pour ne pas lire le caractère ENTER
```

3.2.5 Résumé

Pour la lecture des variables, les règles suivantes s'appliquent:

1. Pour les valeurs numériques, les fonctions d'entrée ignorent les espaces, les tabulateurs et les caractères de fin de ligne qui les précèdent.

2. Les valeurs numériques doivent être suivies d'espaces, de tabulateurs ou de caractères de fin de ligne pour en indiquer la fin. Après la lecture de la valeur numérique, le pointeur se positionne au caractère qui indique la fin de la valeur.

3. Pour les chaînes de caractères, la lecture avec l'opérateur «>>» débute à la position courante du pointeur de lecture. Ce sont les espaces, les tabulateurs et les caractères de fin de ligne qui délimitent les chaînes de caractères.

4. Pour les chaînes de caractères, la lecture avec la fonction `getline()` débute à la position du pointeur de lecture. La lecture d'une chaîne s'effectue jusqu'à la rencontre des caractères de fin de ligne ou de fin de fichier ou jusqu'à ce que le nombre maximal de caractères à lire soit atteint.

5. Après la lecture d'une chaîne de caractères avec l'opérateur «>>», le pointeur se positionne au caractère qui indique la fin de la chaîne. Après cette lecture avec la fonction `getline()`, le pointeur se positionne après les caractères de fin de ligne ou à la suite du dernier caractère lu.

6. Pour un caractère, la lecture débute à la position courante du pointeur de lecture. Après la lecture, le pointeur se positionne sur le caractère suivant.

7. L'opérateur `>>` et la fonction `get()` n'ont pas le même comportement. L'opérateur ignore les espaces, les tabulateurs et les caractères de fin de ligne, alors que la fonction considère tous ces caractères lors de la lecture.

La lecture est une opération cruciale lorsqu'on élabore un programme. Généralement au début d'un processus, la lecture permet d'introduire ponctuellement l'information nécessaire à son déroulement. On doit donc procéder avec minutie afin de s'assurer de son exactitude. En langage C, de graves problèmes surgissent lorsque la valeur lue ne peut être mémorisée dans un espace suffisant. Dans ce cas, l'espace mémoire adjacent est utilisé et on se trouve à écraser le contenu d'une autre entité. Cette erreur peut causer des ennuis qui vont d'un résultat erroné à l'échec de l'exécution du programme. Un autre type d'erreur consiste à avoir une valeur de type incompatible avec la variable utilisée. Généralement, cette erreur provoque l'annulation de toutes les lectures subséquentes.

3.3 AFFICHAGE: `printf()` ET `cout <<`

La fonction `printf()` et l'expression `cout <<` servent à écrire (on dit également afficher) les résultats ou les messages d'un programme sur l'unité de sortie standard, soit l'écran. Les résultats ou les messages à afficher peuvent être de type `int` (ou tout autre type d'entier), `float` (ou tout autre type de réel), `char` ou chaîne de caractères. Le programmeur dispose des instructions suivantes pour afficher les résultats:

C	C++

`#include <stdio.h>`
`printf(Format,Liste_De_Variables);`
	`#include <iostream>`
	`using namespace std;`
	`cout << Var1 << Var2 <<…<< VarN;`

Certaines séquences de caractères ont une signification particulière lorsqu'elles sont placées dans une chaîne de caractères à afficher. Le tableau 3.1 présente ces séquences qui débutent toutes par le caractère oblique inversé.

Tableau 3.1   Séquences spéciales de caractères pour l'affichage

Séquence	Signification
\a	Provoque un bip sonore
\b	Recule d'un caractère
\f	Positionne à la page suivante (*form feed*)
\n	Positionne au début de la ligne suivante
\r	Retourne au début de la ligne (*carriage return*)
\t	Déplacement au prochain tabulateur horizontal
\u	Déplacement au prochain tabulateur vertical
\\	Affiche le caractère oblique inversé
\'	Affiche le caractère apostrophe
\"	Affiche le caractère guillemet
\Ooo	Affiche une valeur en format octal (oo représente un nombre octal)
\xhh	Affiche une valeur en format hexadécimal (hh représente un nombre hexadécimal)

En langage C++, l'opérateur d'écriture «<<» permet d'écrire à différents endroits. Le terme qui le précède détermine l'emplacement où sera acheminée l'information à écrire. Ainsi, le terme `cout` précise que l'information sera affichée à l'écran.

La fonction `printf()` et l'opérateur «<<» laissent le curseur à la fin de la ligne affichée. Afin de disposer clairement les résultats, le programmeur utilisera la syntaxe suivante pour les quantités numériques et les chaînes de caractères:

C	C++
`#include <stdio.h>`	`#include <iostream>`
	`#include <iomanip>`
`printf("%Card",Entier);`	`using namespace std;`
`printf("%Car.Decf",Reel);`	
	`cout << setw(Car) << Entier;`
`printf("%Carc",Caractere);`	`cout << setw(Car) << setprecision(dec) << Reel;`
`printf("%Cars",Chaine_De_Carac);`	`cout << setw(Car) << Caractere;`
	`cout << setw(Car) << Chaine_De_Carac;`

où `setw(Car)`   = le nombre total de colonnes, soit `Car` colonnes, utilisées pour l'affichage de la donnée

`setprecision(Dec)` = le nombre de décimales, soit `Dec` décimales, à afficher pour un nombre réel

L'affichage est justifié à droite dans une largeur de `Car` colonnes à partir de la position courante du curseur. En plus des fonctions `setw()` et `setprecision()`, il existe d'autres fonctions essentielles pour la composition d'affichage en langage C++. Le tableau 3.2 présente les principaux termes et fonctions qui sont utiles lors de la présentation d'un affichage. Ces utilitaires se trouvent dans le fichier d'en-tête *iomanip*.

Tableau 3.2 Expressions utiles pour la présentation d'un affichage

Expression	Description	Exemple

`setiosflags (ios::mode1¦ios::mode2¦ ios::mode3)` ou `setf()`	• Précise un ou des modes d'affichage.
	• Le mode d'affichage demeure actif tant qu'un autre mode n'est pas précisé.
	• L'opérateur «¦» permet de préciser plusieurs modes d'affichage.
	• Le mode d'affichage est précisé par l'expression `ios::mode_d_affichage`.
		`cout << setiosflags (ios::showpoint¦`
		`                     ios::fixed);`
		ou
		`cout.setf(ios::showpoint¦ios::fixed);`

`setw(Nb_Col)`	• Précise le nombre de colonnes sur lequel la prochaine donnée sera affichée. • Actif uniquement pour la prochaine donnée affichée.	`cout << setw(5) << Valeur;`

`setprecision(Nb_Dec)`	• Précise, pour une donnée réelle, le nombre de décimales à afficher.
	• Cette précision, en nombre de décimales à afficher, demeure jusqu'au prochain appel à `setprecision()`.
		`float Reelle1, Reelle2;`
		`cout.setf(ios::showpoint¦ios::fixed);`
		
		`cout << setprecision(2);`
		`cout << setw(10) << Reelle1;`
		`cout << setw(10) << Reelle2;`

`fixed`	Mode d'affichage en point flottant, ex.: -12.345.	`cout << setiosflags(ios::fixed);`
`scientific`	Mode d'affichage en notation scientifique, ex.: 1.2345000876E+03.	`cout.setf(ios::scientific);`
`showpoint`	Assure l'affichage du point en notation point flottant et ajoute des zéros s'il y a lieu.	`cout << setiosflags(ios::showpoint);`
`endl`	Indique le début d'une nouvelle ligne.	`cout << endl;` `cout << "Titre" << endl;`

L'exemple 3.3 montre l'utilisation de la fonction `printf()` et de l'opérateur «<<».

Exemple 3.3   Affichage de résultats à l'écran par la fonction `printf()` et l'opérateur «`<<`»

C	C++
`#include <stdio.h>`	`#include <iostream>`
	`#include <iomanip>`
`const int NbWagons = 120;`	`using namespace std;`
`const float Poids = 12.3456;`	
`const char Unites[7] = "tonnes";`	`const int NbWagons = 120;`
	`const float Poids = 12.3456;`
`printf("%4d wagons de %5.1f",`	`const char Unites[7] = "tonnes";`
`        NbWagons, Poids);`	
`printf("%8s\n",Unites);`	`cout << setiosflags(ios::showpoint |`
	`                     ios::fixed);`
`printf("\n");`	`cout << setw(4) << NbWagons;`
`printf("Poids total:%8.2f%8s\n"`	`cout << " wagons de ";`
`        NbWagons*Poids,Unites);`	`cout << setw(5) << setprecision(1)`
	`        << Poids;`
	`cout << setw(8) << Unites <<endl;`
	`cout << endl;`
	`cout << "Poids total:";`
	`cout << setw(8) << setprecision(2)`
	`        << NbWagons*Poids;`
	`cout << setw(8) << Unites << endl;`

À l'exécution, on obtient:

```
120 wagons de 12.3  tonnes
Poids total: 1481.47  tonnes
```

3.4 OPÉRATIONS D'AFFICHAGE

Il est essentiel de soigner la présentation des résultats afin d'en faciliter la lecture. Un affichage soigné est l'apanage d'un programme bien réalisé. Lorsque l'instruction d'affichage comporte une expression, celle-ci est évaluée et c'est le résultat obtenu qui est affiché. Il est donc utile de connaître le type d'une expression pour l'afficher correctement: types numérique, `char`, chaîne de caractères ou multiples. Voyons chacun de ces cas. Dans les exemples suivants, nous avons choisi d'utiliser les nouvelles fonctions du langage C++ plutôt que celles fournies dans les bibliothèques standard du langage C. Toutefois, on peut faire tous les exemples présentés ci-dessous avec les fonctions des deux langages de programmation.

3.4.1 Variables numériques

Les variables numériques peuvent être de type entier ou réel. Dans chacun de ces cas, on peut spécifier le nombre de colonnes utilisées pour en afficher la valeur. De plus, comme une variable de type réel comporte une partie fractionnaire, il est pratique de spécifier le nombre de décimales désiré.

Examinons le cas des valeurs numériques entières. Les instructions qui comportent une spécification sont:

```
cout << setw(Car) << QuantiteEntiere;
```

L'exemple 3.4 illustre plusieurs cas d'utilisation de l'opérateur «<<» avec spécification du nombre de colonnes pour des valeurs numériques entières. On ne doit pas oublier d'inclure dans le programme les fichiers d'en-tête `iostream` et `iomanip`.

Pour simplifier notre présentation, nous avons choisi d'afficher des constantes dans les exemples 3.4 à 3.8. En réalité, les instructions d'affichage d'un programme comportent généralement des variables, des constantes ou des expressions.

Exemple 3.4 Affichage d'entiers avec spécification du nombre de colonnes

Instruction **Affichage**

Instruction	1	2	3	4	5	6	7	8	9	0	1	2	3	4	5	6	7	8	9	0
cout << 12;	1	2																		
cout << setw(1) << 12;	1	2																		
cout << setw(2) << 12;	1	2																		
cout << setw(3) << 12;		1	2																	
cout << setw(7) << 12;						1	2													
cout << -12;	-	1	2																	
cout << setw(1) << -12;	-	1	2																	
cout << setw(3) << -12;	-	1	2																	
cout << setw(7) << -12;					-	1	2													

L'affichage s'effectue à partir de la position courante du curseur. Ainsi, l'instruction `cout << 12;` inscrit le nombre 12 à partir de la première colonne. Pour s'assurer d'un certain décalage, il faut spécifier le nombre de colonnes de l'affichage. Par exemple, l'instruction `cout << setw(7) << 12;` permet d'inscrire 5 espaces devant le 12. Si une spécification est insuffisante, par exemple `cout << setw(1) << 12;`, elle sera ignorée et la valeur sera affichée sur le nombre nécessaire de colonnes, sans décalage. Si l'entier est négatif, le signe négatif occupe une colonne supplémentaire qu'on doit compter.

Voyons maintenant le cas des valeurs numériques réelles. L'affichage d'un réel peut se faire en mode point flottant, `fixed` (ex.: 3.1415) ou en notation scientifique, `scientific` (ex.: 3.1415 E-00). On spécifie le mode d'affichage d'un réel dans l'appel de la fonction `setiosflag()`. L'expression `ios::fixed` inscrite comme argument précise le mode point flottant. On obtient l'affichage en notation scientifique en inscrivant l'expression `ios::scientific` dans l'argument. Pour afficher six décimales après le point même si le nombre à afficher n'en comporte pas autant dans sa partie fractionnaire, on a recours à l'expression `ios::showpoint` comme argument. On peut préciser plus d'une expression en argument en les séparant par l'opérateur OU BINAIRE, «¦». Les instructions qui comportent une spécification du nombre de colonnes sont:

```
cout << setiosflags(ios::showpoint¦ios::fixed);
cout << setw(Car) << setprecision(Dec) << QuantiteReelle;
                        ou
cout.setf(ios::showpoint¦ios::fixed);
cout << setw(Car) << setprecision(Dec) << QuantiteReelle;
```

L'exemple 3.5 illustre des cas d'utilisation de l'opérateur «<<» avec spécification du nombre de colonnes pour des valeurs numériques réelles. Il est à noter que, si aucun mode d'affichage n'est activé, la notation en point flottant avec ajout de 0 est employée par défaut.

On utilise l'affichage en notation scientifique surtout dans des applications exigeant une grande précision, là où une infime variation est significative et doit être détectée. Ces applications sont dans le domaine scientifique et orientées vers le calcul de précision. La notation scientifique, qui présente la partie entière suivie d'un point et de la partie fractionnaire d'un nombre réel, est celle qu'on utilise le plus souvent. Elle offre concision et simplicité de lecture. Pour obtenir cette notation, il suffit d'ajouter une deuxième spécification qui indique le nombre de décimales désiré, ce qu'on désigne communément comme le nombre de chiffres après le point.

3.4.2 Variables de type `char`

Dans le cas des variables de type `char`, l'instruction avec spécification est:

```
cout << setw(Car) << QuantiteCaractere;
```

La seule spécification pour les quantités de ce type est le nombre de colonnes. Voyons à l'exemple 3.6 des cas d'affichage de quantités de type `char`.

Exemple 3.5   Affichage de réels avec spécification du nombre de colonnes

Instruction   **Affichage**

cout.setf(ios::fixed);

Instruction	1	2	3	4	5	6	7	8	9	0	1	2	3	4	5	6
cout << 3.14;	3	.	1	4	0	0	0	0								
cout << setw(1) << setprecision(1) << 3.14159;	3	.	1													
cout << setw(4) << setprecision(1) << 3.14159;		3	.	1												
cout << setw(6) << setprecision(2) << 3.14159;			3	.	1	4										
cout << setw(2) << setprecision(6) << 3.14159;	3	.	1	4	1	5	9	0								
cout << setw(15) < setprecision(2) << 3.14159;												3	.	1	4	

cout.setf(ios::showpoint ¦ ios::fixed);

Instruction	1	2	3	4	5	6	7	8	9	0	1	2	3	4	5	6
cout << 3.14;	3	.	1	4	0	0	0	0								
cout << setw(3) << setprecision(1) << 3.14159;	3	.	1													
cout << setw(2) << setprecision(6) << 3.14159;	3	.	1	4	1	5	9	0								

cout.setf(ios::scientific);

Instruction	1	2	3	4	5	6	7	8	9	0	1	2	3	4	5	6
cout << 3.14;	3	.	1	4	0	0	0	0	e	+	0	0				
cout << setw(1) << setprecision(1) << 3.14159;	3	.	1	e	+	0	0									
cout << setw(4) << setprecision(1) << 3.14159;	3	.	1	e	+	0	0									
cout << setw(6) << setprecision(2) << 3.14159;	3	.	1	4	e	+	0	0								
cout << setw(2) << setprecision(6) << 3.14159;	3	.	1	4	1	5	9	0	e	+	0	0				
cout << setw(15) << setprecision(2) << 3.14159;								3	.	1	4	e	+	0	0	

cout.setf(ios::showpoint ¦ ios::scientific);

Instruction	1	2	3	4	5	6	7	8	9	0	1	2	3	4	5	6
cout << 3.14;	3	.	1	4	0	0	0	0	e	+	0	0				
cout << setw(3) << setprecision(1) << 3.14159;	3	.	1	e	+	0	0									
cout << setw(2) << setprecision(6) << 3.14159;	3	.	1	4	1	5	9	0	e	+	0	0				

Note: Pour la notation scientifique, certains compilateurs utilisent trois chiffres pour l'exposant plutôt que deux.

Exemple 3.6   Affichage de quantités de type `char`

Instruction   **Affichage**

1	2	3	4	5	6	7	8	9	0	1	2	3	4	5	6	7	8	9	0
a																			
a																			
				a															

cout << 'a';
cout << setw(1) << 'a';
cout << setw(5) << 'a';

Dans ce cas, pour obtenir une indentation, il suffit de spécifier un nombre de colonnes supérieur à un.

Utilisation de la fonction `put()`. Il est possible d'afficher un caractère à l'aide de la fonction `put()`, qui possède comme paramètre le caractère à afficher. Ainsi, l'instruction:

```
cout.put('Z');
```

affiche la lettre Z majuscule à l'écran.

3.4.3 Variables de type chaîne de caractères

Dans le cas des variables de type chaîne de caractères, l'instruction avec spécification est:

```
cout << setw(Car) << Chaine_de_Caracteres;
```

Lors de l'affichage d'une chaîne de caractères, cette dernière préserve l'intégrité de son contenu, c'est-à-dire que, si le nombre de colonnes spécifié est insuffisant pour que s'inscrivent tous les caractères, l'opérateur «<<» ignore ce nombre et écrit la chaîne au complet. Pour obtenir une indentation, il faudra spécifier un nombre de colonnes supérieur à la longueur de la chaîne. L'exemple 3.7 présente de tels cas.

Exemple 3.7   Affichage de chaînes de caractères

Instruction   **Affichage**

1	2	3	4	5	6	7	8	9	0	1	2	3	4	5	6	7	8	9	0
P	r	o	j	e	t														
P	r	o	j	e	t														
									P	r	o	j	e	t					

cout << "Projet";
cout << setw(5) << "Projet";
cout << setw(15) << "Projet";

Les instructions `cout << "Projet";` et `cout << setw(5) << "Projet";` sont équivalentes puisqu'une spécification de cinq colonnes est insuffisante pour une chaîne de longueur six. On peut utiliser l'astuce suivante pour s'assurer d'avoir des espaces avant la chaîne: à l'aide de la fonction `strlen(Chaine)` (déclarée dans le fichier d'en-tête `<cstring>`), on indique la longueur de la chaîne plus le nombre d'espaces désiré. Par exemple:

```
cout << setw(strlen(Chaine)+1) << Chaine;
```

3.4.4 Types multiples

Une même instruction d'affichage peut comporter des expressions de plusieurs types. Il importe alors de choisir attentivement les spécifications du nombre de colonnes et de décimales. L'exemple 3.8 présente des cas d'affichage de types multiples.

Exemple 3.8   Affichage d'expressions de types multiples

Instruction   **Affichage**

```
cout << "Cas #" << setw(3) << 1
     << setw(5) << setprecision(2) << 1.2;
cout << "Cas #" << setw(1) << 2
     << setw(10) << setprecision(1) << -15.12;
cout << "Cas #" << setw(3) << 3
     << setw(4) << setprecision(2) << 0.123;
cout << "Cas #" << setw(1) << 4
     << setw(10) << setprecision(2) << 14.251;
```

1	2	3	4	5	6	7	8	9	0	1	2	3	4	5	6	7
C	a	s		#			1			1	.	2				
C	a	s		#	2						-	1	5	.	1	
C	a	s		#		3	0	.	1	2						
C	a	s		#	4					1	4	.	2	5		

La première instruction utilise 13 colonnes réparties comme suit: 5 colonnes pour la chaîne de caractères, 3 colonnes pour l'entier et 5 colonnes pour le réel qui, par ailleurs, ne comporte qu'une seule décimale. La troisième instruction illustre le cas d'un affichage mal défini qui donne l'impression de résultats erronés ou tout à fait différents de ce que le programmeur voulait obtenir.

3.5 FICHIERS TEXTES

Jusqu'à présent, nous avons considéré que les données nécessaires au fonctionnement d'un programme étaient entrées au clavier par l'usager. Dans ce cas, les données sont acheminées dans un tampon d'entrée et sont affectées aux variables par les instructions de lecture. Cette façon de procéder se révèle rapidement inadéquate s'il y a une quantité importante de données à saisir ou s'il faut conserver les données de manière permanente. Dans ces cas, il faut inscrire préalablement dans un fichier les données essentielles au programme. À l'exécution, le programme lira ces données dans ce fichier. Il en est de même pour l'écriture.

Dans cette section, nous verrons comment le programmeur peut utiliser les fonctions de lecture et d'écriture pour accéder à des fichiers qui permettent de conserver de l'information d'une façon permanente sur disquette ou sur disque rigide. Ces fichiers gardent l'information sous forme de caractères. Ils sont dits séquentiels parce que les caractères se trouvent dans l'ordre exact où ils ont été écrits et que, pour accéder à un caractère qui se trouve à une position quelconque, il faut lire tous les caractères qui le précèdent. Par exemple, les programmes écrits avec un éditeur quelconque sont sauvegardés dans des fichiers textes.

Considérons un fichier texte, nommé RETRAIT.DAT, dans lequel on a enregistré les numéros de compte bancaire de clients, suivis du nombre de retraits que chacun a réalisés au guichet automatique au cours d'une semaine:

```
23423 2
21234 1
32451 1
12321 3
45621 1
   .
   .
   .
76548 2
83475 1
```

Cette information est mémorisée en une suite de caractères dans laquelle les fins de ligne sont marquées par les deux caractères de fin de ligne et la fin du fichier est marquée par le caractère spécial de fin de fichier, «Ctrl-Z», représenté ici par «■». Ainsi, on peut représenter le fichier RETRAIT.DAT comme suit:

L'usager peut créer ce fichier à partir d'un éditeur de texte ou d'un programme conçu à cet effet. Dans un cas comme dans l'autre, les fins de ligne et la fin du fichier sont automatiquement inscrites dans le fichier. Précisons que ces caractères sont bel et bien présents dans le fichier même s'ils n'apparaissent pas à l'écran ou lors de l'impression.

3.5.1 Lecture

Tout d'abord, pour qu'un programme puisse lire les données contenues dans un fichier comme le fichier RETRAIT.DAT, il doit comporter les déclarations suivantes:

C	C++
| ```
#include <stdio.h>
FILE *Fic_Retrait;
long No_Compte;
unsigned Nbre_Retrait;
``` | ```
#include <fstream>
using namespace std;
ifstream Fic_Retrait;
long No_Compte;
unsigned Nbre_Retrait;
``` |

La déclaration des variables de type fichier est très différente en langage C et en langage C++. En langage C standard, la variable de type fichier doit être un pointeur du type `FILE` défini dans le fichier d'en-tête `<stdio.h>`. En langage C++, on fait la distinction entre les types de fichiers d'entrée et de sortie. La variable de type fichier d'entrée est de type `ifstream` et la variable de type fichier de sortie est `ofstream`. Ces deux types sont déclarés dans le fichier d'en-tête `<fstream>`.

Ensuite, le programmeur doit préciser le nom du fichier à lire. Cette opération consiste à ouvrir le fichier en mode lecture et à positionner le pointeur de lecture de données au début du fichier. En langage C, l'ouverture se fait grâce à la fonction `fopen()` dans laquelle on doit préciser le nom du fichier et le mode d'ouverture – dans notre exemple, il s'agit du mode lecture (read: `"r"`). Le tableau 3.3 présente les différents modes d'ouverture de fichier avec la fonction `fopen()`. En langage C++, la fonction `open()` appliquée à la variable de type fichier d'entrée permet de faire la même chose. Il est à noter qu'il faut toujours tester si l'ouverture du fichier a réussi (fichier existe). En langage C standard, on effectue ce test en vérifiant si le pointeur du fichier est différent de `NULL`. En langage C++, on se sert plutôt de la fonction `fail()` qu'on applique au nom du fichier d'entrée qui retourne 1 si l'opération d'ouverture a échoué et 0 autrement. Les instructions suivantes résument ces opérations:

C	C++
| ```
#include <stdio.h>
FILE *Fic_Retrait;
Fic_Retrait=fopen("RETRAIT.DAT","r");
if(Fic_Retrait == NULL)
    printf("Problème d'ouverture");
``` | ```
#include <fstream>
using namespace std;
ifstream Fic_Retrait;
Fic_Retrait.open("RETRAIT.DAT");
if(Fic_Retrait.fail())
    cout<< "Problème d'ouverture";
``` |

Tableau 3.3 Différents modes d'ouverture d'un fichier texte avec la fonction `fopen()` en langage C

Mode d'ouverture	Description
`"r"`	Ouvre le fichier texte en lecture.
`"w"`	Ouvre le fichier texte en écriture. Efface le contenu du fichier s'il existe ou le crée s'il n'existe pas.
`"a"`	Ouvre le fichier texte en écriture. Ajoute à la fin du fichier les nouvelles inscriptions si le fichier existe ou le crée s'il n'existe pas.
`"r+"`	Ouvre le fichier texte pour des modifications. Il est impossible de lire et d'écrire dans le fichier.
`"w+"`	Ouvre le fichier texte pour des modifications. Il est possible de lire et d'écrire dans le fichier. Efface le contenu du fichier s'il existe ou le crée s'il n'existe pas.
`"a+"`	Ouvre le fichier texte pour des modifications. Il est possible de lire entièrement le fichier, mais l'écriture se fait uniquement à la fin du fichier.

On peut effectuer des lectures de données dans le fichier à l'aide de la fonction `fscanf()` en langage C standard et de l'opérateur «>>» en langage C++.

Fonction `fscanf()` et opérateur «>>». Les instructions de lecture des fichiers textes sont similaires à celles relatives à la lecture de données entrées au clavier, sauf qu'elles prennent les formes suivantes:

C	C++

```#include <stdio.h>```
```fscanf(FicEntree,Format,```
`        Liste_Des_Adresses_Des_Variables);`
	```#include <fstream>```
	```using namespace std;```
	```FicEntree >> Var1 >>…>> VarN;```

Ici, la variable `FicEntree` indique dans quel fichier les valeurs doivent être lues. Le format de lecture utilisé pour la fonction `fscanf()` est le même que celui utilisé pour `scanf()`.

Lors de l'exécution d'une instruction de lecture, le programme lit une suite de caractères contenus dans le fichier spécifié. Ensuite, si c'est nécessaire, il les convertit en un type numérique identique à celui de la variable à lire et assigne les valeurs aux variables de lecture. Le pointeur de lecture se déplace de la même façon dans un fichier texte que dans le tampon d'entrée au clavier.

La lecture d'une ligne du fichier RETRAIT.DAT est exécutée selon les instructions suivantes:

C	C++
`fscanf(Fic_Retrait,"%ld%ud",` `&No_Compte&Nbre_Retrait);`	`Fic_Retrait  >> No_Compte` `>> Nbre_Retrait;`

Ici, la variable `No_Compte` prendra la première valeur qui se trouve sur la ligne et `Nbre_Retrait`, la deuxième.

3.5.2 Écriture

Avant d'écrire des données dans un fichier texte, il faut obligatoirement en aviser le système d'exploitation à l'aide des instructions d'ouverture. En langage C standard, les variables fichier d'entrée et fichier de sortie sont du même type, soit des pointeurs du type `FILE`. L'opération d'ouverture distingue les fichiers d'entrée des fichiers de sortie (`write:` `"w"` pour les fichiers de sortie; `read:` `"r"` pour les fichiers d'entrée). En langage C++, les types de fichiers de sortie et d'entrée sont respectivement `ofstream` (`output file stream`) et `ifstream` (`input file stream`). C'est donc le type de fichier qui détermine si ce dernier s'ouvrira en mode lecture ou en mode écriture:

C	C++
`#include <stdio.h>` `FILE *Fic_Depot;` `Fic_Depot=fopen("DEPOT.DAT","w");` `if(Fic_Depot == NULL)` `   printf("Problème d'ouverture");`	`#include <fstream>` `using namespace std;` `ofstream Fic_Depot;` `Fic_Depot.open("DEPOT.DAT");` `if(Fic_Depot.fail())` `    cout<< "Problème d'ouverture";`

L'opération d'ouverture de fichier en mode écriture crée le fichier s'il n'existe pas et le nomme suivant la spécification de l'énoncé d'ouverture. Si un fichier du même nom existe déjà, son contenu est *effacé*. Les énoncés d'ouverture positionnent le pointeur d'écriture au début du fichier et permettent la réécriture.

Les instructions d'écriture de données dans un fichier texte sont équivalentes à celles qui concernent l'affichage à l'écran, sauf qu'elles prennent les formes suivantes:

C	C++
`#include <stdio.h>` `fprintf(FicSortie,Format,Liste_De_Variables);`	`#include <fstream>` `using namespace std;` `FicSortie << Var1 <<…<< VarN;`

Ici, `FicSortie` indique dans quel fichier les valeurs doivent être écrites.

À l'inverse de ce qui se produit lors de la lecture, la quantité à écrire dans le fichier est convertie en caractères. Point important à ne pas oublier, on doit séparer les données qui figurent sur une même ligne. On facilite grandement cette opération en utilisant les mêmes spécifications de format que pour l'écran et en remplaçant `cout` par l'identificateur de la variable fichier.

Positionnement à la ligne suivante. Rappelons que la séquence «\n» inscrite dans une chaîne de caractères positionnera l'écriture de ce qui suit à la première colonne de la ligne suivante. Il en est de même avec l'expression `endl` en langage C++.

3.5.3 Résumé

Pour utiliser les fichiers textes, le programmeur doit procéder selon les étapes suivantes, qui sont illustrées à l'exemple 3.9.

1. Déclarer une variable de type fichier texte qu'il utilisera dans le programme pour représenter le fichier:

C	C++

`#include <stdio.h>`
`FILE FicEntree,FicSortie;`
	`#include <fstream>`
	`using namespace std;`
	`ifstream FicEntree;`
	`ofstream FicSortie;`

   De plus, il doit déclarer toutes les variables nécessaires au traitement de l'information contenue dans le fichier.

2. Pour lire dans un fichier, ouvrir la variable de type fichier texte en lui associant le chemin d'accès et le nom de fichier en mode lecture:

C	C++

`#include <stdio.h>`
`FILE *FicEntree;`
`Fic_Entree=fopen("C:\\INFO\\FIC.DAT","r");`
`if (FicEntree == NULL)`
`    printf("Problème d'ouverture");`
	`#include <fstream>`
	`using namespace std;`
	`ifstream FicEntree;`
	`Fic_Retrait.open("RETRAIT.DAT");`
	`if (FicEntree.fail())`
	`    cout<< "Problème d'ouverture";`

3. Pour écrire dans un fichier, ouvrir la variable de type fichier texte en lui associant le chemin d'accès et le nom de fichier en mode écriture:

C	C++

```#include <stdio.h>```
 ```FILE *FicSortie;```
 ```FicSortie=fopen("C:\\INFO\\FIC.DAT","r");```
 ```if (FicSortie == NULL)```
 ```   printf("Problème d'ouverture");```
	```#include <fstream>```
	 ```using namespace std;```
	 ```ofstream FicSortie;```
	 ```FicSortie.open("C:\\INFO\\FIC.DAT");```
	 ```if (FicSortie.fail())```
	 ``` cout<< "Problème d'ouverture";```

ATTENTION!

L'ouverture d'un fichier en mode écriture efface automatiquement son contenu s'il existe déjà.

4. Pour lire dans un fichier, utiliser la fonction `fscanf()` en langage C ou l'opérateur «>>» en langage C++ en ayant comme arguments suivants toutes les variables nécessaires au traitement de l'information contenue dans le fichier:

C	C++

```#include <stdio.h>```
 ```fscanf(FicEntree,Format,Liste_De_Variables);```
	```#include <fstream>```
	 ```using namespace std;```
	 ```FicEntree >> Var1 >>…>> VarN;```

5. Pour écrire dans un fichier, utiliser la fonction `fprintf()` ou l'opérateur «<<»:

C	C++

```#include <stdio.h>```
 ```fprintf(FicSortie,Format,Liste_De_Variables);```
	```#include <fstream>```
	 ```using namespace std;```
	 ```FicSortie << Var1 <<…<< VarN;```

6. Fermer le fichier avec la fonction `fclose()` en langage C ou la fonction `close()` appliquée à la variable de type fichier en langage C++, après avoir terminé les entrées ou les sorties:

C	C++

```#include <stdio.h>```
 ```fclose(FicEntree);```
 ```fclose(FicSortie);```
	```#include <fstream>```
	 ```using namespace std;```
	 ```FicEntree.close();```
	 ```FicSortie.close();```

La fermeture des fichiers est essentielle si on veut s'assurer que tout le contenu du tampon en mémoire est transféré sur le disque rigide ou la disquette lors des opérations d'écriture dans le fichier.

7. Il est aussi possible de savoir si le pointeur de lecture est rendu à la fin d'un fichier à l'aide des fonctions `feof()` en langage C et `eof()` en langage C++:

C	C++

`#include <stdio.h>`
`if (feof (FicEntree))`
    `printf("Fin de fichier atteinte");`
	`#include <fstream>`
	`using namespace std;`
	`if (FicEntree.eof());`
	    `cout << "Fin de fichier atteinte";`

Exemple 3.9 Lecture et écriture dans des fichiers textes

```
/*------------------------------------------------------------*/
/* FICHIER:      FICHIER.CPP                          */
/* AUTEUR:       Yves Boudreault                      */
/* DATE:         15 février 2000                      */
/* DESCRIPTION: Ce programme illustre l'utilisation de    */
/*              fichiers pour la lecture et l'écriture.   */
/*------------------------------------------------------------*/

#include <fstream>                    // Pour l'utilisation de ifstream et ofstream
using namespace std;
void main (void)
{
    ifstream Entree;                  // Fichier qui sera lu
    ofstream Sortie;                  // Fichier qui sera créé
    char Mot [128];                   // Nécessaire pour lire dans le fichier

    Entree.open("a:original.dat");    // Ouverture du fichier Entree
    Sortie.open("b:copie.dat");       // Ouverture du fichier Sortie

    Entree >> Mot;                    // Lecture d'une chaîne de car. dans le
                                      // fichier Entree
    Sortie << Mot;                    // Écriture de la chaîne de car. dans le
                                      // fichier Sortie
    Entree.close();                   // Fermeture du fichier Entree
    Sortie.close();                   // Fermeture du fichier Sortie
}
```

3.6 QUESTIONS

1. Que se passe-t-il quand un programme rencontre l'instruction `cin >> Variable;` en cours d'exécution?

2. Quelles touches permettent de corriger les caractères entrés au clavier lors de l'exécution de l'instruction `cin >>`?

3. Est-il obligatoire d'ajouter un point à la suite du dernier chiffre saisi quand on entre une valeur réelle qui n'a pas de partie fractionnaire (ex.: 10.00)?

4. Quelles sont les valeurs qui peuvent être lues du clavier?

5. Un programme pose la question suivante:

   ```
   Entrer la catégorie et le prix de l'article:
   ```

   Dessiner le tampon d'entrée si les valeurs suivantes sont données en réponse à la question posée:

   ```
   45 134.99<ENTER>
   ```

6. Lors de la lecture d'une chaîne de caractères, quelles sont les conditions d'arrêt de la lecture:

   a) avec `cin >>`?   b) avec `getline()`?

7. Qu'advient-il des espaces et des tabulations lors de la lecture d'une chaîne de caractères:

   a) avec `cin >>`?   b) avec `getline()`?

8. Que se passe-t-il si le nombre de caractères entrés au clavier dépasse la longueur maximale de la chaîne?

9. Que se passe-t-il si le nombre de caractères entrés au clavier est inférieur à la longueur de la chaîne?

10. Indiquer ce que valent les variables `Marque` et `Modele` après l'exécution de l'instruction:

    ```
    char Marque[10], Modele[10];
    cin >> Marque >> Modele;
    ```

    et après que l'usager a entré les données suivantes:

    ```
    Toyoroc<ENTER>
    Rouleroc<ENTER>
    ```

    Dessiner le tampon d'entrée et illustrer à l'aide du pointeur de lecture.

11. Comment appelle-t-on les caractères qui ne font pas partie des 256 caractères standard? Qu'ont-ils de particulier? Donner quelques exemples.

12. Voici un court programme:

    ```
    void main(void)
    {
        int Carac;
        cin.get(Carac);
    }
    ```

    a) Si l'usager appuie sur la touche <A>, quel sera l'aspect du tampon de lecture lors de l'exécution du programme? Que vaudra `Carac` après la seule instruction du programme?

    b) Si l'usager appuie plutôt sur la touche <Enter>, quel sera l'aspect du tampon de lecture? Quelle sera alors la valeur de `Carac`?

13. Quels types peut-on afficher à l'écran?

14. Lorsqu'on effectue une opération d'affichage, à quel endroit de l'écran se produit-elle?

15. Qu'arrive-t-il si le nombre de colonnes spécifié pour formater une quantité dans une opération d'affichage est inférieur à l'espace qu'occupera cette quantité?

16. Quelle est la différence entre `cout << 5000;` et `cout << setw(4) << 5000;`?

17. Quelle est la différence entre `cout << 100;` et `cout << setw(6) << 100;`?

18. Quelles sont les spécifications d'affichage d'une quantité réelle avec `cout <<`?

19. Quel est l'effet de l'instruction suivante?

    ```
    cout << setw(1) << setprecision(1) << 2.71828182;
    ```

    Quel principe explique cet effet?

20. On désire que l'affichage d'une chaîne de caractères débute toujours à la onzième colonne, peu importe la longueur de la chaîne. Comment fait-on avec l'instruction `cout <<`?

21. Comment peut-on conserver de l'information de façon permanente sur disquette ou sur disque rigide?

22. Donner deux exemples de fichier texte.

23. À l'aide de quels outils peut-on créer des fichiers textes?

24. Quelles sont les déclarations essentielles à la lecture d'un fichier texte?

25. Lorsqu'on utilise la fonction `open()`, qu'arrive-t-il si le fichier n'existe pas?

26. Quelles sont les déclarations essentielles à l'écriture dans un fichier texte?

27. Lorsqu'on ouvre un fichier en mode écriture, qu'arrive-t-il si le fichier n'existe pas? Qu'arrive-t-il si le fichier existe déjà?

28. Quelle fonction peut s'avérer très utile lorsqu'on veut savoir si la fin d'un fichier est atteinte lors de la lecture de celui-ci?

29. Quelle est l'opération la plus importante lorsqu'on a fini de lire ou d'écrire dans un fichier? Qu'arrive-t-il si on omet cette opération?

3.7 EXERCICES

Le caractère «•» représente l'espace.

1. Qu'affichera le programme suivant si on entre au clavier 1.23E-2 10 4<ENTER>?

    ```
    #include <iostream>
    #include <iomanip>
    using namespace std;
    void  main(void)
    {
        float A;
        int B, C;
        cout  <<"Donner trois valeurs, une réelle et deux entières:";
        cin   >>A >> B >> C;
        cout  <<setw(B) << setprecision(C) << A;
    }
    ```

2. Soit les déclarations suivantes:

```
char Nom[20];
int Age;
char Choix;
float Poids;
```

À l'aide du tampon de lecture, déterminer le contenu de la variable servant à la lecture pour chacune des trois entrées proposées.

Note: Le caractère • correspond à un espace.

a) `cin >> Nom;`
1. `Jean-Charles•Bernard<ENTER>`
2. `2001<ENTER>`
3. `Marc-Aurèle-Fortin-Simard<ENTER>`

b) `cin >> Age;`
1. `12<ENTER>`
2. `12•14<ENTER>`
3. `i2<ENTER>`

c) `cin >> Choix;`
1. `S<ENTER>`
2. `•••S<ENTER>`
3. `8<ENTER>`

d) `cin >> Poids;`
1. `105<ENTER>`
2. `10•102.02<ENTER>`
3. `•••••105.15<ENTER>`

e) `cin >> Nom >> Age;`
1. `Nathalie•25<ENTER>`
2. `Jean-Sébastien•Bach37<ENTER>`
3. `Marie-Curie•••••••53<ENTER>`

f) `cin >> Choix >> Age >> Poids >> Nom;`
1. `1•23•50.5•Bin•Minh<ENTER>`
2. `s•12•45•Alfredo<ENTER>`
3. `B•231•-4•Oméga<ENTER>`

3. Soit le tampon d'entrée suivant :

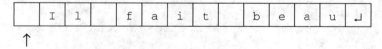

Quel sera l'affichage obtenu après l'exécution des instructions suivantes ?

```
char  Mot1[30];
cin >> Mot1 ;
cout << Mot1 ;
```

NOTE: Dans ces réponses, le caractère • correspond à un espace.

    A. `Il`

    B. `I`

    C. `•Il`

    D. `Il•fait•beau`

    E. `Il•fait•`

4.   Soit le tampon d'entrée suivant:

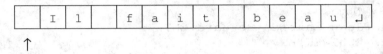

    ↑

Quel sera l'affichage obtenu après l'exécution des instructions suivantes ?

```
char Mot2[10] ;
cin.getline(Mot2,10) ;
cout << Mot2 ;
```

NOTE: Dans ces réponses, le caractère • correspond à un espace.

    A. `Il`

    B. `Il•fait•beau`

    C. `•Il•fait•b`

    D. `•Il•fait•`

    E. `Il•fait•b`

5.   Soit les déclarations suivantes:

```
char Lu1[15], Lu2[15], Lu3[15], Lu4[15];
```

Quel est le contenu des variables `Lu1`, `Lu2`, `Lu3` et `Lu4` après l'exécution des instructions suivantes ? Le caractère «•» correspond à un espace.

```
cin >> Lu1;
    // l'usager entre: ••••J'aime•le•jambon<ENTER>
cin.ignore(80);
cin.getline(Lu2,3);
    // l'usager entre: et•le•fromage.<ENTER>
cin.ignore(80);
cin.getline(Lu3,15,'l');
    // l'usager entre: J'aime•le•jambon<ENTER>
cin.ignore(80);
cin >> Lu4 >> Lu4 >>Lu4;
    // l'usager entre: c'est•bon!!!<ENTER>
```

6. On a le fichier ENTREE.TXT qui contient la ligne suivante :

```
An:     2010     Montant:   3800
```

Nous désirons utiliser deux variables entières, `Annee` et `Benefices`, qui contiendront respectivement 2010 et 3800 après avoir lu ces valeurs dans le fichier.

Les déclarations suivantes sont communes à tous les choix.

```
ifstream  Entree;
ofstream  Sortie;
int  Annee, Benefices;
char  Mot [80];
```

Quelle est la bonne portion de programme ?

a)
```
Entree.open("Entree.txt") ;
Entree >> Annee >> Benefices;
Entree.close();
```

b)
```
Entree.open("Entree.txt") ;
Entree >> Mot >> Annee >> Mot >> Benefices;
Entree.close();
```

c)
```
Sortie("Entree.txt") ;
Sortie << Annee << Benefices;
Sortie.close();
```

d)
```
Sortie ("Entree.txt") ;
Sortie << Mot << Annee
       << Mot << Benefices;
Sortie.close();
```

e)
```
Entree ("Entree.txt") ;
Entree.getline(Mot,80);
Entree  >>  Annee ;
Entree.getline(Mot,80);
Entree  >>  Benefices;
Entree.close();
```

7. Soit les déclarations suivantes:

```
int NbIteration = 50;
float Valeur  = 12.34;
char Lettre = 'A';
```

Donner l'affichage qu'on obtient lors de l'exécution des instructions suivantes:

a) `cout  << "Nombre d'itérations" << NbIteration;`

b) `cout  << setw(5) << NbIteration;`

c) `cout  << "Après " << NbIteration << " itérations, la valeur est"`
   `        << setw(5) << setprecision(1) << Valeur;`

```
d) cout << setw(5) << Lettre;
e) cout << Lettre << endl << setw(6) << setprecision(2) << valeur;
f) cout << endl << "Valeur" << 2*NbIteration;
```

8. Écrire un programme qui demande et lit un mot de quatre lettres, puis qui l'écrit à l'envers.

9. Écrire un programme qui demande et lit une chaîne de cinq caractères, puis qui l'affiche en insérant des espaces entre chaque caractère.

10. Écrire un programme qui demande et lit deux nombres entiers. Le programme doit afficher 1 si le second est un multiple du premier ou 0 dans le cas contraire.

11. Un fichier contient deux lignes d'un message à transmettre par télex en Europe. Écrire un programme qui calcule le coût de la transmission de ce message si le taux est de 3 ¢ par caractère (on compte les espaces comme des caractères) et qui affiche le résultat à l'écran. Précisons qu'une ligne contient au maximum 120 caractères.

12. Écrire un programme qui demande et lit deux nombres entiers positifs inférieurs à 180, puis qui affiche à l'écran leur multiplication et leur division comme suit:

```
       120            120 ¦11
    x   11                ¦- - - -
    - - - -               ¦10      r  10
      1320
```

13. Le fichier NOTE.DAT contient les notes d'un étudiant. La ligne compte 5 informations: le nom et le prénom de l'étudiant (max. 20 caractères), sa note au quiz 1 sur 20 (pondération 25 %), sa note au quiz 2 sur 20 (pondération 25 %) et sa note à l'examen final sur 20 (pondération 50 %).

    Écrire un programme qui demande à l'usager le nom d'un fichier de résultat et qui écrira dans celui-ci le nom de l'étudiant suivi de sa moyenne sur 20.

    Voici un exemple du fichier NOTE.DAT:

```
Léo Leblanc        14.7    15.6    14.9
```

    Le fichier de résultat (c'est l'usager qui doit fournir le nom) aura la forme suivante:

```
Léo Leblanc        15.1
```

14. On enregistre dans des fichiers textes nommés INFR0001.ENV pour la compagnie 1, INFR0002.ENV pour la compagnie 2, et ainsi de suite, l'information concernant les compagnies qui ont enfreint la loi sur l'environnement au cours de l'année. Le fichier contient le numéro de la compagnie (un nombre entier de 1 à 9999), la région agricole où se situe la compagnie (un entier de 1 à 5) et le montant de l'amende.

Écrire un programme qui lit les fichiers INFR0001.ENV, INFR0002.ENV et INFR0003.ENV, puis qui affiche la région agricole, le montant de l'amende ainsi que le total des amendes.

15. Une grande entreprise dispose d'un fichier qui contient sur chaque ligne les nom et prénom d'un employé (max. 20 caractères chacun) suivis de son salaire. Écrire un programme qui calcule l'impôt à payer pour les 3 premiers employés selon la formule de 15 % du salaire. Le programme doit afficher les résultats à l'écran.

16. Afin d'aider les écoliers du niveau primaire, une école vous demande d'écrire un programme qui conjugue les verbes du premier groupe (terminaison en **er**) au présent de l'indicatif. Le programme doit: demander le verbe à l'infinitif; retirer de ce verbe les deux dernières lettres (c.-à-d. **er**) pour obtenir le radical; ajouter, pour chaque personne, la terminaison correspondante; puis afficher la conjugaison à l'écran.

    Par exemple, pour le verbe CHANTER, la terminaison est ER et le radical est CHANT. Il suffit d'ajouter les terminaisons correspondantes (E, ES, E, ONS, EZ et ENT) pour obtenir la conjugaison complète au présent de l'indicatif:

    ```
    Je          CHANT-E
    Tu          CHANT-ES
    Il/Elle     CHANT-E
    Nous        CHANT-ONS
    Vous        CHANT-EZ
    Ils/Elles   CHANT-ENT
    ```

    Dans un but de simplification, ne pas tenir compte du fait que certains verbes débutent par une voyelle et que, par conséquent, la première personne du singulier devrait être **J'** plutôt que **Je**.

17. Un organisme de surveillance des rejets industriels dans l'environnement a décidé de vous confier la création d'un petit programme qui permettra d'écrire, dans un fichier texte, un ensemble de mesures prises dans des sites à risque. Les données environnementales qui seront recueillies par l'équipe et qui doivent figurer dans le fichier sont les suivantes; elles apparaissent ici dans l'ordre d'écriture, pour une ligne du fichier:

    – la date du relevé en format JJ/MM/AA;
    – le nom de l'équipe désignée pour prendre les mesures, nom écrit en format alphanumérique et d'une longueur d'au plus 10 caractères (on ne permet aucune espace à l'intérieur du nom);
    – la température exprimée en degrés Celsius, en format numérique avec une décimale;
    – le taux d'humidité dans l'air (degré hygrométrique), exprimé en pourcentage et en format numérique avec deux décimales;
    – les trois principales concentrations de gaz dans l'air:
        – indice de monoxyde de carbone, noté ICO,
        – indice de soufre, noté IS,
        – indice de CFC, noté ICFC.

À la fin de la journée, on interrompra la prise des mesures pour entrer les données dans le fichier texte. Vous devez concevoir un programme interactif qui demandera à l'usager les données expérimentales recueillies par une équipe et qui écrira ces informations, en respectant leur format, dans un fichier texte dont le nom sera donné par l'utilisateur. En voici un exemple:

```
01/04/93 Equipe4 72.50 34.68 2.56 0.10 0.04
02/04/93 Equipe2 69.60 45.00 1.25 0.09 0.03
```

18. Un institut de mesures physiques vous confie le mandat de réaliser un programme qui demande à un usager les informations nécessaires à l'évaluation de la relation d'Einstein pour un ensemble de particules données. Ce programme doit également écrire chacun des résultats dans un fichier texte selon le format suivant: les premiers caractères représentent le nom de la particule suivi de 10 espaces et les valeurs suivantes sont la masse au repos ainsi que l'énergie au repos séparées par 5 espaces.

Voici un exemple de ce fichier:

```
électron    9.1.10-31        0.5110
```

La relation d'Einstein est la suivante:

$$E = mc^2$$

où E = énergie au repos (ou énergie de masse ou encore énergie propre) (MeV)
   m = masse; le format requis est $9,9 \times 10^{-\text{exposant}}$ et l'exposant est un entier naturel non nul à deux chiffres significatifs (kg)
   c = vitesse de la lumière; cette valeur est invariante par changement de référentiel $(3,0 \times 10^8$ m/s)

19. Un groupe de jeunes de votre quartier, Les Rigolos, aimerait crypter le nom de son club de façon à pouvoir le garder secret. Un moyen simple de crypter une chaîne de caractères est d'ajouter une certaine constante à la valeur ordinale de chaque caractère et de retrouver ensuite sa valeur ASCII.

Ces jeunes font donc appel à vous pour écrire un programme qui demande à l'usager d'entrer une chaîne de sept caractères et qui écrit la chaîne cryptée dans un fichier qu'ils pourront employer plus tard. Utiliser le nombre 26 comme constante de codage.

20. Les étoiles *Rigil Centaurus* et *Sirius*, qui comptent parmi les plus proches de la Terre, se situent respectivement à 4,3 et à 8,7 années-lumière. Ces informations composent les deux premières lignes d'un fichier texte, ETOILES.DAT, qui contient une banque de données sur la distance qui sépare les étoiles de la Terre.

On vous demande d'écrire un programme qui lit les deux premières lignes de ce fichier et qui affiche à l'écran l'éloignement en mètres à l'aide de la vitesse de la lumière, soit $3,0 \times 10^8$ m/s.

3.8 TRAVAIL DIRIGÉ

Ce travail vise à amener l'étudiant à manipuler les fonctions d'entrée et de sortie et à l'initier à l'utilisation des fichiers textes.

1. Écrire un programme qui lit les informations suivantes entrées au clavier: le nom d'une personne, son âge (entier), son poids (réel) et sa taille (réel). Ce programme doit aussi sauvegarder les informations dans un fichier texte.

2. Écrire un programme qui permet de relire, à partir du fichier créé à l'exercice précédent, les informations sauvegardées.

3. Écrire un programme qui va créer le fichier TEST.CPP contenant les informations suivantes:

```cpp
#include <iostream>
using namespace std;
void main(void)
{
    char Message[] = "Bonjour";
    cout << Message;
}
```

On devrait pouvoir exécuter ce fichier.

4. Une agence de voyages met à jour quotidiennement un fichier de données. Ce fichier indique une destination sur la première ligne et le numéro du vol, le prix, le temps en minutes et l'heure de départ sur la deuxième. Ces deux lignes se répètent pour toutes les destinations de la journée.

Voici un exemple de fichier:

```
ACAPULCO
154-998    450.00  300• • • 08h30
PARIS
154-999    780.00  500• • • 10h50
IXTAPA
099-185    450.00  300• • • 22h30
NEW YORK
281-811    190.00   75• • • 23h40
```

Écrire un programme qui demande et lit le nom du fichier de l'agence. Le programme lit et affiche ensuite la destination du premier vol du fichier et sa description de la façon suivante:

```
------------------------------------------------

  Destination :

  Prix        :        Vol   :
  Départ      :        Durée :
------------------------------------------------
```

5. Une bactériologiste a recueilli des données sur certains micro-organismes et leur crois-sance de population. Dans un premier fichier, dont le nom correspond au nom d'un micro-organisme et de l'extension .POP, elle a inscrit la population initiale de l'échan-tillon. Dans un second fichier, identique au premier à l'exception de l'extension .FAC, elle a inscrit le facteur de croissance quotidien en pourcentage.

    Comme elle est débordée par son travail, elle vous demande d'écrire un programme qui s'enquiert du nom d'un micro-organisme, lit la population initiale ainsi que le facteur de croissance dans les fichiers appropriés et calcule la population à la fin de la journée. Le programme doit mettre à jour le fichier de la population initiale.

6. À partir d'un éditeur de texte, créer un premier fichier, nommé ARTICLE.PRI, et y inscrire sur chaque ligne le nom d'un article scolaire suivi de son prix. Par exemple:

    ```
    Crayon 1.44
    Règle 0.35
    Mines 1.59
    ```

    Toujours à partir d'un éditeur de texte, créer un deuxième fichier, nommé MAJORAT.PRI, et y inscrire sur chaque ligne la majoration en pourcentage de l'arti-cle correspondant à la même ligne du fichier ARTICLE.PRI. Par exemple:

    ```
    0.15
    0.10
    0.21
    ```

    Finalement, écrire un programme qui lit l'information inscrite sur chaque ligne du fichier ARTICLE.PRI de même que celle du fichier MAJORAT.PRI, puis qui inscrit le nom de l'article et son nouveau prix majoré dans un nouveau fichier nommé NOUVEAU.PRI. L'inscription dans le nouveau fichier sera alors celle-ci:

    ```
    Crayon 1.66    { 1.66 correspond à 1.44*(1+0.15) }
    Règle 0.39     { 0.39 correspond à 0.35*(1+0.10) }
    Mines 1.92     { 1.92 correspond à 1.59*(1+0.21) }
    ```

STRUCTURES DE PROGRAMMATION

Dans toute résolution de problème, il est nécessaire de poser des questions et de faire des tests afin de décider du traitement approprié. Par exemple, on traite une transaction bancaire en fonction de sa nature: on additionne au solde bancaire tout dépôt et on en soustrait tout retrait. Il importe donc de vérifier le type de transaction afin d'effectuer l'opération appropriée, soit l'addition ou la soustraction. Dans un programme, certaines instructions permettent de déterminer le traitement en fonction de la situation: ce sont les instructions de décision.

De plus, il est fréquent qu'on doive reprendre un même traitement pour plusieurs jeux de valeurs. Par exemple, pour mettre un solde bancaire à jour, on doit traiter plusieurs transactions les unes à la suite des autres, mais le traitement reste le même. Les instructions qui permettent la répétition d'un même traitement s'appellent les instructions de répétition.

La modification du déroulement d'un programme en cours d'exécution et la répétition d'un même groupe d'instructions sont des aspects fondamentaux de tout langage de programmation. Le choix judicieux des instructions de décision et de répétition facilite la conception d'un programme informatique. Dans ce chapitre, nous verrons les différentes instructions du langage C grâce auxquelles il est possible de réaliser ces fonctions.

Dans les schémas de ce chapitre et dans la présentation des instructions de décision et de répétition, le mot instruction désigne soit une instruction simple, soit une instruction composée. Rappelons la syntaxe d'une instruction composée: l'accolade ouvrante, «{», est suivie d'une série d'instructions simples séparées par des «;» puis de l'accolade fermante, «}». L'exemple 4.1 rappelle la syntaxe d'une instruction simple et celle d'une instruction composée.

Exemple 4.1   Syntaxe d'une instruction simple et d'une instruction composée

Instruction simple

```
cin >> Prenom >> Nom;
```

Instruction composée

```
{
    cout << "Indiquez votre prénom:":
    cin  >> Prenom;
    cout << "Demeurez-vous chez vos parents?";
    cin  >> Reponse;
    cout << "suite à deviner...";
}
```

4.1 INSTRUCTIONS DE DÉCISION

Les schémas de la figure 4.1 permettent de comparer les différentes instructions de décision if, if-else et switch (f: Faux; v: Vrai).

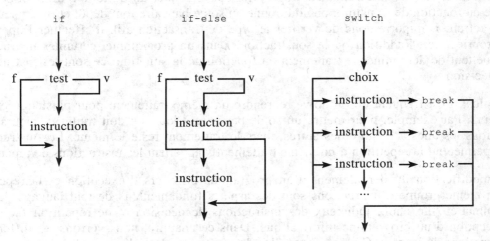

Figure 4.1 Instructions de décision.

4.1.1 Instructions if et if-else

Les instructions if et if-else sont très proches l'une de l'autre: la première permet de sauter par-dessus une instruction et la seconde permet de choisir entre deux instructions selon la valeur d'une expression logique ou booléenne. La syntaxe de l'instruction if est la suivante:

```
if (expression_booleenne)
    instruction;
```

L'expression booléenne doit obligatoirement être entre parenthèses. Si l'expression booléenne est vraie (différente de 0), alors le langage C exécute l'instruction, ou le bloc d'instructions, qui suit la condition. Dans le cas contraire, il n'exécute pas cette instruction et poursuit le déroulement du programme avec l'instruction suivante. L'exemple 4.2 montre un cas d'utilisation de l'instruction `if`.

Exemple 4.2 Instruction `if`

```
int A, B;
cout << "Préciser deux entiers :" ;
cin >> A >> B;
if (A == B)
   cout << A << " est égal à " << B;
```

L'instruction `if-else` prend la forme suivante:

```
if (expression_booleenne)
    instruction_1;
else
    instruction_2;
instruction_3;
```

Si le résultat de l'expression booléenne est vrai (différent de 0), l'`instruction_1` qui suit la condition est exécutée, et le déroulement du programme se poursuit avec l'instruction placée après celle liée à `else`, soit l'`instruction_3` qui ne fait pas partie du `if-else`. Sinon, l'`instruction_2` qui suit `else` est exécutée. L'exemple 4.3 présente une utilisation de l'instruction `if-else`.

Il est aussi possible d'imbriquer plusieurs instructions `if-else`; dans ce cas, un `else` se rapporte toujours au premier `if` qui le précède et qui n'est pas déjà couplé.

Exemple 4.3 Instruction `if-else`

```
int A, B;
cout << "Préciser deux entiers :" ;
cin >> A >> B;
if (A == B)
   cout << A << " est égal à " << B;
else
  if (A < B)
    cout << A << " est plus petit que " << B;
  else
    cout << A << " est plus grand que " << B;
```

4.1.2 Instruction `switch`

On utilise l'instruction `switch` s'il faut choisir d'exécuter une instruction ou un bloc d'instructions parmi plusieurs en fonction de la valeur d'une variable ou d'une expression. La syntaxe de cette instruction est la suivante:

```
switch (expression)
{
    case constante_1 : instruction_1;
                       break;
    case constante_2 :
    case constante_3 : instruction_2_3;
                       break;
    ...
    case constante_X : instruction_X;
                       break;
    default          : instruction;
}
```

La valeur donnée à l'expression qui détermine la sélection d'une instruction doit être du même type que les constantes. Puisque la sélection doit se faire sur un ensemble dénombrable de valeurs, l'expression peut être des types entier, caractère ou énumération (sect. 4.2). Par contre, l'expression ne peut être des types chaîne de caractères ou réel. Le langage C exécute l'instruction dont la ou les constantes correspondent à la valeur de l'expression. Si aucune des constantes n'y correspond, il exécute alors l'instruction par défaut. L'énoncé `default` est facultatif, mais nous recommandons de l'utiliser afin d'y associer tout cas omis. Après l'exécution de l'instruction choisie, le déroulement du programme se poursuit avec l'instruction placée à la suite de l'accolade fermante, «}». On trouve un cas d'utilisation de l'instruction `switch` à l'exemple 4.4.

Exemple 4.4   Instruction `switch`

```
char Note;
int Points;
cout << "Quelle est la note ? " ;
cin >> Note;
switch (Note)
{
    case 'A' : Points = 4;
               break;
    case 'B' : Points = 3;
               break;
    case 'C' : Points = 2;
               break;
    case 'D' : Points = 1;
               break;
    default : Points = 0;
}
cout << "Points =" << Points;
```

Rôle de l'énoncé *break*. La rencontre de l'instruction break, inscrite dans un énoncé switch, arrête aussitôt l'exécution de l'instruction switch. L'exécution se poursuit avec la première instruction qui suit l'instruction switch. Ainsi, dans l'exemple 4.5, l'instruction cout<<"Points = " << Points; sera exécutée. L'exécution des instructions inscrites dans un switch débute à partir de la première instruction de la valeur du sélecteur et se termine à la rencontre d'un break ou lors de l'exécution de la dernière instruction du switch. Une instruction switch dont aucun des énoncés case ne contient l'instruction break fera en sorte que toutes les instructions inscrites dans le switch seront exécutées si ce dernier commence à la première instruction. Le deuxième énoncé case permettra d'exécuter les instructions inscrites à partir de celui-ci et toutes celles qui suivent, et ainsi de suite pour les autres énoncés case.

Dans l'exemple 4.5, qui illustre le rôle de l'énoncé break, une note 'A' fait exécuter les instructions Points +=4;, Points +=3; et Points +=2; break;. La variable Points vaut ainsi 9. Une note 'B' fait exécuter les instructions Points +=3; et Points +=2; break;. La variable Points vaut ainsi 5. Une note 'C' fait exécuter les instructions Points +=2; break;, et une note 'D' fait exécuter les instructions Points =1; break;. Autrement, c'est l'instruction Points =0; qui est exécutée.

Exemple 4.5 Rôle de l'énoncé break dans l'instruction switch

```cpp
char Note;
int Points =0;
cout << "Quelle est la note? ";
cin >> Note;
switch (Note)
{
    case 'A' : Points += 4;   // S'exécute pour le cas A

    case 'B' : Points += 3;   // S'exécute pour les cas A et B

    case 'C' : Points += 2;   // S'exécute pour les cas A, B et C
               break;
    case 'D' : Points = 1;    // S'exécute uniquement pour le cas D
               break;
    default  : Points = 0;    // S'exécute dans tout autre cas
}
cout<<"Points = " << Points;
```

L'exemple 4.6 illustre l'imbrication d'instructions de décision qui permettent de déterminer si une année est bissextile, c'est-à-dire si elle comprend 366 jours. Pour qu'une année soit bissextile, son expression numérale doit être divisible par quatre. En outre, l'expression numérale d'une année qui est divisible par 100 doit également être divisible par 400: l'an 2000 a été bissextile, contrairement aux ans 1700, 1800 et 1900.

Exemple 4.6 Imbrication d'instructions de décision: l'année bissextile

```
                  /* EN-TETE DU PROGRAMME */
/*-----------------------------------------------------------*/
/* FICHIER:      BISSEXTIL.CPP                               */
/* AUTEUR:       Yves Boudreault                             */
/* DATE:         17 mai 2000                                 */
/*               dernière édition: 10 juin 2000              */
/* DESCRIPTION: Ce programme détermine si une année lue au   */
/*              clavier est bissextile.                      */
/*-----------------------------------------------------------*/
#include <iostream>      // Pour l'utilisation de cin et cout
#include <cstring>       // Pour l'utilisation de strcpy()
using namespace std;

void main (void)
{
   const char Bissextile[] = " est une année bissextile. ";
   const char PasBissextile[] = " n'est pas une année bissextile. ";

   int    Annee;
   char   Statut[35];

   cout << "Inscrire l'année dont vous désirez" << endl;
   cout << "connaître la nature (bissextile ou non) => ";
   cin >> Annee;

   if (Annee % 4 !=0)      // Année non un multiple de 4
      strcpy(Statut, PasBissextile);
   else
      if (Annee % 100 != 0)              // Année multiple de 4 mais
         strcpy(Statut, Bissextile);   // pas un multiple de 100
      else
         if (Annee % 400 != 0)// Année multiple de 4 et de 100
            strcpy(Statut, PasBissextile);// mais pas un multiple de 400
         else
            strcpy(Statut, Bissextile);// Multiple de 4, de 100 et de 400

   cout << endl << Annee << Statut;
}
/*-----------------------------------------------------------*/
```

À l'exécution, on obtient:

```
Inscrire l'année dont vous désirez
connaître la nature (bissextile ou non) => 2016
2016 est une année bissextile.
```

4.2 TYPE ÉNUMÉRATION

L'analyse d'un problème révèle souvent que certaines variables ne peuvent prendre qu'un nombre limité de valeurs distinctes. Par exemple, la variable «mois de l'année» ne peut recevoir que 12 valeurs différentes. Elle peut être de type entier ou de type caractère; toutefois, il faut établir quelle valeur servirait à identifier chaque mois, comme la valeur 0 pour janvier, 1 pour février, etc. Un programme qui comporte plusieurs variables de ce genre, chacune ayant sa propre convention, est difficile à mettre au point et nécessite une documentation imposante.

Pour pallier cette difficulté, le langage C offre au programmeur le type énumération, qui permet de décrire le jeu de valeurs possibles d'une variable, et ce au moyen d'une liste d'identificateurs explicites et évocateurs. Une variable de type énumération a la forme générique suivante:

```
enum type_enum {Identificateur_1, Identificateur_2,…, Identificateur_N}; //valide en C++
                                                                         //uniquement

type_enum    Var_Enum;
```

L'exemple 4.7 illustre la déclaration d'une variable de type énumération.

Exemple 4.7 Déclaration d'une variable de type énumération

```
enum type_mois {JAN, FEV, MAR, AVR, MAI, JUN, JUI, AOU, SEP, OCT, NOV, DEC};
type_mois    Date_Emploi, Autre_Date;
// Affectation d'une valeur à une variable de type énumération
Date_Emploi = FEV;
Autre_Date  = NOV;
```

Le compilateur considère les éléments énumérés comme des constantes de type entier, c'est la raison pour laquelle ils sont écrits entièrement en majuscules. Il attribue une valeur scalaire ordinale à chaque identificateur de l'énumération, qui peut en comporter au maximum 65 536. Par défaut le premier, JAN, reçoit la valeur 0, le deuxième, FEV, la valeur 1, etc. Chaque fois qu'un identificateur apparaît dans un énoncé du programme, il est remplacé par sa valeur correspondante. On peut toutefois modifier les valeurs attribuées en spécifiant la valeur désirée et, si on omet une valeur, l'énumération prend alors celle du prédécesseur + 1. Par exemple, pour la déclaration suivante:

```
enum type_couleur {BLEU=1, VERT, ROUGE=4, JAUNE=14, BLANC};
```

les valeurs associées aux identificateurs de l'énumération sont:

BLEU	vaut	1
VERT	vaut	2
ROUGE	vaut	4
JAUNE	vaut	14
BLANC	vaut	15

Rappel pour le langage C++. Il est possible d'affecter à une variable de type entier une valeur de type énumération. Par contre, il n'est pas permis d'affecter directement à une variable de type énumération une valeur entière. Par exemple, avec les déclarations:

```
enum  type_couleur {BLEU, BLANC, ROUGE};
type_couleur Couleur;
int Entier;
```

l'instruction:

```
Couleur = Entier;
```

provoque une erreur à la compilation, puisqu'il n'y a pas de conversion implicite d'un entier vers le type énumération.

Par contre, l'instruction:

```
Entier = Couleur;
```

affecte correctement la valeur entière de la valeur de `type_couleur`. Dans ce cas, la conversion implicite du type énumération en un entier permet d'affecter un entier à un entier.

4.2.1 Opérateurs sur les variables de type énumération

L'énumération des éléments suit un ordre de grandeur ou d'importance indiqué par la valeur de chacun. Par conséquent, il devient possible d'utiliser les opérateurs relationnels pour établir la relation d'ordre existant entre certains éléments. Le tableau 4.1 indique les opérateurs relationnels sur les variables de type énumération.

Tableau 4.1 Opérateurs relationnels sur les variables de type énumération

Opérateur relationnel	Équivalent mathématique	Exemple	
		Expression	Résultat
==	=	JAN == JAN	Vrai
!=	≠	JUI != JUN	Vrai
>	>	AVR > MAI	Faux
<	<	AVR < FEV	Faux
>=	≥	DEC >= JAN	Vrai
<=	≤	JAN <= AOU	Vrai

4.2.2 Lecture et affichage de variables de type énumération

Lors de la lecture ou de l'affichage de variables de type énumération, le programmeur doit se rappeler qu'il ne peut pas afficher directement l'identificateur d'une variable de type énumération, mais plutôt la valeur qu'elle contient. Toutefois, il peut réaliser l'affichage en ayant recours à une instruction `switch` qui associera une chaîne de caractères à chaque élément de l'énumération. L'exemple 4.8 illustre comment afficher une variable de type énumération.

Le programme du fichier CARTES.CPP utilise deux fonctions qui sont inscrites dans le fichier `<cstdlib>` et qui travaillent de concert pour l'obtention de nombres aléatoires. La fonction `srand()` initialise le générateur de nombres aléatoires en lui fournissant une première valeur calculée à partir d'un appel à l'horloge. Cet appel nécessite l'inclusion du fichier `<ctime>`. La fonction `rand()` retourne un nombre entier positif aléatoire compris dans l'intervalle [0,32767]. Pour obtenir un nombre entier aléatoire dans l'intervalle [0,N−1], il suffit d'utiliser l'opérateur `modulo` : `rand() % N`.

Exemple 4.8   Affichage d'une variable de type énumération

```
            /* EN-TETE DU PROGRAMME */
/*-------------------------------------------------------------*/
/* FICHIER:     CARTES.CPP                                     */
/* AUTEUR:      Yves Boudreault                                */
/* DATE:        17 mai 2000                                    */
/*              dernière édition: 10 juin 2000                 */
/* DESCRIPTION: Ce programme choisit aléatoirement une carte   */
/*              et affiche la sorte et la valeur de celle-ci.  */
/*-------------------------------------------------------------*/
#include <iostream>  // Pour l'utilisation de cin et cout
#include <cstring>    // Pour l'utilisation de strcpy()
#include <cstdlib>    // Pour l'utilisation de srand() et rand()
#include <ctime>      // Pour l'utilisation de randomize()

void main (void)
{
    enum  valeur_carte { VALET, DAME, ROI, AS };
    enum  sorte_carte { PIQUE, TREFLE, CARREAU, COEUR };

    srand((unsigned)time(NULL));  // Préciser un germe pour le générateur
    cout << "Choix aléatoire d'une carte: ";

    switch (rand() % 4)  // Choix aléatoire de la valeur
    {
        case VALET : cout << " Valet de"; break;
        case DAME  : cout << " Dame de";  break;
        case ROI   : cout << " Roi de";   break;
        case AS    : cout << " As de";
    }

    switch (rand() % 4)  // Choix aléatoire de la sorte
    {
        case PIQUE   : cout << " Pique";   break;
        case TREFLE  : cout << " Trèfle";  break;
        case CARREAU : cout << " Carreau"; break;
        case COEUR   : cout << " Coeur";
    }
}
/*-------------------------------------------------------------*/
```

À l'exécution, on obtient:

```
Choix aléatoire d'une carte: Dame de Coeur
```

L'instruction `switch` ne peut servir à la lecture d'un identificateur associé à une variable de type énumération. Nous verrons à l'article 4.4.3 comment y arriver.

Selon les standards de la norme ANSI du langage C, il est possible d'utiliser des variables de type énumération dans les instructions de répétition et l'instruction `switch`. Quant au langage C++, il le permet également, mais en générant un avertissement. La variable de type énumération sert aussi dans certaines situations où on ne peut pas utiliser de constantes (`const`) non initialisées, par exemple dans la déclaration d'un tableau, lors de la sélection d'un `switch` et lors de l'initialisation d'une variable de type énumération. Dans ces cas, il est possible de spécifier l'une des valeurs d'une énumération.

L'énumération est un type qui exprime différents aspects ou états d'une entité. Cependant, en langage C++, on utilise l'énumération pour spécifier de 1 à *n* indicateurs, tels ceux qui apparaissent dans les instructions d'affichage ou de lecture. Par la suite, on peut composer des expressions en ayant recours à l'opérateur binaire OU (¦), ce qui permet d'activer ou de désactiver certains états.

Dans ce volume, nous privilégions la lisibilité et la compréhensibilité du code. Conformément aux anciennes normes ANSI du langage C, nous utiliserons la variable de type énumération lorsqu'elle nous permettra de faciliter les traitements et, par le fait même, d'éviter des erreurs de programmation.

4.3 INSTRUCTIONS DE RÉPÉTITION

Le langage C offre trois instructions différentes qui permettent de répéter une séquence d'instructions donnée (fig. 4.2): `while`, `do-while` et `for`.

4.3.1 Instruction `while`

La première instruction de répétition, `while` (fig. 4.2), présente la syntaxe suivante:

```
while (expression_booleenne)
    Instruction;
```

Au moment de l'exécution du programme, on réexécute l'instruction, ou le bloc d'instructions, qui suit la condition tant que l'expression booléenne demeure vraie. Si l'expression se révèle fausse dès le départ, l'instruction n'est pas du tout exécutée.

Le programmeur doit s'assurer que l'expression devient fausse à un moment donné au cours de l'exécution. Par exemple, il peut utiliser un indice qui s'incrémente à l'intérieur de la boucle. Autrement, le programme peut entrer dans une boucle infinie, c'est-à-dire qui se répète continuellement. L'exemple 4.9 illustre un cas d'utilisation de l'instruction `while`.

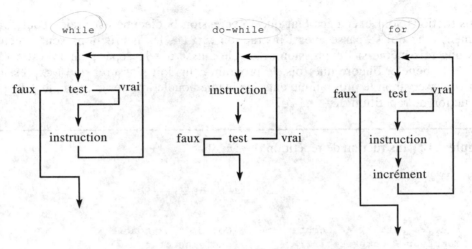

Figure 4.2 Instructions de répétition.

Exemple 4.9 Instruction de répétition `while`

```
int Compteur;
Compteur = 2;                    // Initialisation
while (Compteur <= 20)           // Test de sortie
{                                // Corps de la boucle
    cout << setw(3) << Compteur;
    Compteur = Compteur + 2;     // Incrémentation du while
}
```

À l'exécution, on obtient:

```
 2   4   6   8  10  12  14  16  18  20
```

De façon générale, on réserve l'instruction `while` aux cas où il faut d'abord vérifier si les conditions sont remplies avant de commencer l'exécution des instructions à l'intérieur de la boucle.

4.3.2 Instruction `do-while`

La deuxième instruction de répétition, `do-while`, ressemble à la première, car elle dépend également d'une expression booléenne pour sortir de la boucle. En voici la syntaxe:

```
do
    Instruction;
while (expression_booleenne);
```

Les instructions sont exécutées tant que l'expression booléenne est vraie. Toutefois, contrairement à ce qui se passe avec l'instruction `while`, les instructions sont exécutées au moins une fois même si l'expression se révèle fausse dès le départ, car le test est placé à la fin de la boucle. Encore une fois, le programmeur doit s'assurer que l'expression peut devenir fausse, sinon le programme entre dans une boucle infinie. L'exemple 4.10 présente l'instruction de répétition `do-while`.

Exemple 4.10   Instruction de répétition `do-while`

```
int Compteur;
Compteur = 2;                    // Initialisation
do
{
    cout << setw(3) << Compteur;     // Corps de la boucle
    Compteur = Compteur + 2;         // Incrémentation
}
while (Compteur <= 20);          // Test de sortie
```

À l'exécution, on obtient:

```
  2   4   6   8  10  12  14  16  18  20
```

Le programmeur utilise l'instruction `do-while` s'il veut faire exécuter la séquence d'instructions à l'intérieur de la boucle au moins une fois avant de tester les conditions de la répétition.

4.3.3 Instruction `for`

La troisième et dernière instruction de répétition, `for`, est différente des deux premières, car elle permet l'exécution d'un nombre prédéterminé de répétitions. Sa syntaxe est la suivante:

```
for (initialisation; expression_booleenne; mise_a_jour)
    Instruction;
```

Pour que l'instruction soit exécutée, il faut que l'expression booléenne soit vraie. Si cette condition n'est pas remplie, l'instruction ne s'exécutera pas. Il existe plusieurs façons d'utiliser l'instruction `for`; la plus courante consiste à initialiser une variable de contrôle dans la partie initialisation et à la mettre à jour à chaque itération, en l'incrémentant ou en la décrémentant dans la partie mise à jour. Les instructions qui forment le corps de la boucle ne doivent pas changer la valeur de la variable de contrôle, sinon des résultats difficiles à prévoir peuvent se produire. L'exemple 4.11 montre l'utilisation de l'instruction `for` en progression ascendante par pas unitaire, et l'exemple 4.12, en progression descendante par pas unitaire.

Exemple 4.11 Instruction `for` en progression ascendante par pas unitaire

```
int Compteur, Affiche;
                                               // Initialisation, test et
for (Compteur=1; Compteur<=10; Compteur++) // incrémentation
{                                              // Corps de la boucle
   Affiche = 2 * Compteur;
   cout << setw(3) << Affiche;
}
```

À l'exécution, on obtient:

```
 2  4  6  8 10 12 14 16 18 20
```

Exemple 4.12 Instruction `for` en progression descendante par pas unitaire

```
char Indice;

for (Indice = 'Z'; Indice >= 'A'; Indice--)
   cout << Indice;
```

À l'exécution, on obtient:

```
ZYXWVUTSRQPONMLKJIHGFEDCBA
```

Comme dans le cas des instructions de décision, il est possible d'employer une instruction de répétition à l'intérieur d'une autre, c'est-à-dire des répétitions imbriquées. Les exemples 4.13, 4.14 et 4.15 illustrent ce principe.

Exemple 4.13 Deux instructions `for` imbriquées; évaluation de la somme partielle des cinq premiers termes d'une série

Une étudiante veut évaluer la série suivante:

$$\sum_{i=1}^{\infty} \frac{1}{(i + 2)^i}$$

Elle choisit de faire une approximation à partir de la somme des cinq premiers termes de la série et conçoit un programme pour calculer cette somme.

```
                    /* EN-TETE DU PROGRAMME */
/*------------------------------------------------------------*/
/* FICHIER:      5TERMES.CPP                                  */
/* AUTEUR:       Yves Boudreault                              */
/* DATE:         17 mai 2000                                  */
/*               dernière édition: 14 juin 2000               */
/* DESCRIPTION: Ce programme calcule la somme des 5 premiers  */
/*              termes de la série [1/(i+2)^i], à l'aide de   */
/*              deux boucles «for» imbriquées.                */
/*------------------------------------------------------------*/
#include <iostream>        // Pour l'utilisation de cin et cout
#include <iomanip>         // Pour l'utilisation de setw()
using namespace std;

void main (void)
{
   float  Somme, Ajout, Valeur;
   int    NoTerme, Puissance;

   Somme = 0.0;
   for (NoTerme=1; NoTerme<=5; NoTerme++) // Pour les 5 termes de la série
   {
       Valeur = 1.0 / (NoTerme + 2);
              /* évaluation de Valeur exposant NoTerme */
       Ajout = 1.0;
       for (Puissance = 1; Puissance <= NoTerme; Puissance++)
          Ajout *= Valeur;
       Somme += Ajout;
   }

   cout << "La somme partielle des 5 premiers termes est: ";
   cout << setw(15) << setprecision(12) << Somme;
}
/*------------------------------------------------------------*/
```

À l'exécution, on obtient:

```
La somme partielle des 5 premiers termes est:   0.404664427042
```

Exemple 4.14   Instruction `for` imbriquée dans une instruction `do-while`; évaluation d'une
somme partielle jusqu'à la rencontre d'un terme non significatif

L'étudiante de l'exemple 4.13 décide d'employer une autre méthode, soit d'évaluer sa
série jusqu'à la rencontre d'un terme plus petit qu'une valeur donnée. Cette valeur indique
si la quantité à ajouter à la somme est significative selon la précision recherchée. Étant
donné que l'étudiante ne connaît pas le nombre de termes nécessaires, elle doit avoir
recours à une instruction de répétition avec un test qui détermine s'il faut répéter ou non
les instructions. Elle choisit d'utiliser une instruction `for` imbriquée dans une instruction
`do-while`.

```
                        /* EN-TETE DU PROGRAMME */
/*----------------------------------------------------------------*/
/* FICHIER:      TERMPREC.CPP                                      */
/* AUTEUR:       Yves Boudreault                                   */
/* DATE:         17 mai 2000                                       */
/*               dernière édition: 14 juin 2000                    */
/* DESCRIPTION: Ce programme donne une approximation de la         */
/*              série [1/(i+2)^i]. La série est évaluée            */
/*              jusqu'à la rencontre d'un terme jugé non           */
/*              significatif. Un terme est significatif s'il       */
/*              est supérieur à une valeur Epsilon indiquée        */
/*              par l'usager.                                      */
/*----------------------------------------------------------------*/
#include <iostream>       // Pour l'utilisation de cin et cout
#include <iomanip>        // Pour l'utilisation de setw()
using namespace std;

void main (void)
{
    float Somme, Ajout, Epsilon, Valeur;
    int NoTerme, Puissance;

    cout << "Quel est le plus petit ajout permis? ";
    cin >> Epsilon;
    Somme = 0.0;
    NoTerme = 0;
        /* Évaluation de la série jusqu'à la rencontre d'un terme */
        /* inférieur à Epsilon                                    */
    do
    {
        NoTerme++;
        Valeur = 1.0 / (NoTerme + 2);
        Ajout = 1.0;
        for (Puissance=1; Puissance<=NoTerme; Puissance++)
            Ajout *= Valeur;
        Somme += Ajout;
    }
    while (Ajout > Epsilon);   // Test qui détermine si le terme à ajouter
                               // est significatif

    cout <<"La somme partielle des " << NoTerme <<" premiers termes est: ";
    cout << setw(15) << setprecision(12) <<Somme;
}
/*----------------------------------------------------------------*/
```

À l'exécution, on obtient:

```
Quel est le plus petit ajout permis? 1e-10

La somme partielle des 10 premiers termes est:   0.404668450356
```

Exemple 4.15 Instruction `for` imbriquée dans une instruction `do-while`, elle-même imbriquée dans une instruction `while`; évaluation d'une somme partielle en fonction de bornes de précision spécifiées

Pour la même série, notre étudiante entreprend d'essayer différentes bornes de précision. Dans ce cas, elle doit ajouter au programme une boucle qui permet d'effectuer le calcul de la série, autant de fois que désiré, selon la méthode précédente. Elle obtient le programme suivant:

```
                    /* EN-TETE DU PROGRAMME */
/*-------------------------------------------------------------*/
/* FICHIER:     TERMSPR.CPP                                    */
/* AUTEUR:      Wacef Guerfali                                 */
/* DATE:        14 juin 2000                                   */
/*              dernière édition: 17 juin 2000                 */
/* DESCRIPTION: Ce programme donne une approximation de la     */
/*              série [1/(i+2)^i]. La série est évaluée         */
/*              jusqu'à la rencontre d'un terme jugé non        */
/*              significatif (ex. 4.13). L'usager peut          */
/*              spécifier différentes valeurs Epsilon et        */
/*              vérifier le nombre de termes nécessaires        */
/*              pour les atteindre.                            */
/*-------------------------------------------------------------*/
#include <iostream>  // Pour l'utilisation de cin et cout
#include <iomanip>   // Pour l'utilisation de setw()
#include <cctype>    // Pour l'utilisation de toupper()
using namespace std;

void main (void)
{
    float Somme, Ajout, Epsilon, Valeur;
    intNoTerme, bool Continue; Puissance;
    char Reponse;
    Continue = true;
    while (Continue)
    {
        cout << endl << "Quel est le plus petit ajout permis? ";
        cin >> Epsilon;
        Somme = 0.0;
        NoTerme = 0;
        /* Évaluation de la série jusqu'à la rencontre d'un terme */
        /* inférieur à Epsilon                                    */
        do
        {
            NoTerme++;
            Valeur = 1.0 / (NoTerme + 2);
            Ajout = 1.0;
            for (Puissance=1; Puissance<=NoTerme; Puissance++)
                Ajout *= Valeur;
            Somme += Ajout;
        }
```

```
        while (Ajout > Epsilon);  // Test qui détermine si le terme
                                  // à ajouter est significatif


        cout <<"La somme partielle des " << NoTerme;
        cout <<" premiers termes est: ";
        cout << setw(15) << setprecision(12) <<Somme;
        cout << endl << "Voulez-vous améliorer la précision (O/N)? ";
        cin  >> Reponse;
        Continue = bool('O' == toupper(Reponse));
    }
}
/*------------------------------------------------------------*/
```

À l'exécution, on obtient:

```
Quel est le plus petit ajout permis? 1e-10
La somme partielle des 10 premiers termes est:   0.404668450356

Voulez-vous améliorer la précision (O/N)? O

Quel est le plus petit ajout permis? 1e-20
La somme partielle des 16 premiers termes est:   0.404668450356

Voulez-vous améliorer la précision (O/N)? N
```

Le tableau 4.2 résume les critères de sélection des instructions de répétition.

Tableau 4.2   Critères de sélection des instructions de répétition

while	do-while	for
Il faut tester la condition avant l'exécution de l'instruction.	Il faut exécuter le bloc d'instructions au moins une fois avant que la condition soit testée.	Idéalement, l'instruction n'affecte pas la condition.
Le nombre de répétitions de l'instruction n'est pas connu d'avance.	Le nombre d'exécutions du bloc d'instructions n'est pas connu d'avance.	Le nombre de répétitions de l'instruction est généralement connu d'avance.

4.3.4 Instruction `break`

L'instruction `break` peut servir dans les instructions d'une structure de répétition ou dans l'instruction `switch`. Lorsqu'un énoncé `break` est exécuté, il provoque l'arrêt instantané de la structure dans laquelle il se trouve. L'exécution se poursuit avec la première instruction qui suit la structure dans laquelle se situe l'énoncé `break`.

On peut utiliser cet énoncé dans une instruction de répétition lorsqu'un deuxième point de sortie est nécessaire afin d'éviter certaines situations:

```
for(i = 1; i < n; i++)
{
    if(Valeur + i>=MAXINT)
        break;
     valeur = valeur + i;
}
afficher(Valeur);
```

On doit utiliser avec justesse l'instruction `break` parce qu'elle peut rendre un programme difficile à comprendre et parce que, dans la majorité des cas, on peut intégrer le test associé au `break` à celui de la structure de répétition. Dans l'exemple précédent, on aurait pu omettre l'instruction `break` en écrivant:

```
for (i = 1; (i < n) && (Valeur + i<=MAXINT); i++)
    valeur = valeur + i;
afficher(Valeur);
```

4.3.5 Instruction `continue`

On peut inscrire l'instruction `continue` dans une structure de répétition. Lors de son exécution, les instructions suivantes de la structure de répétition sont ignorées et la structure de répétition se poursuit en débutant à l'itération suivante:

```
for (i = 1; i < n; i++)
{
    if (valeur + i >= MAXINT)
        continue;
    valeur = valeur + i;
}
afficher(valeur);
```

Comme l'instruction `break`, l'instruction `continue` peut augmenter la difficulté à prévoir le comportement d'un programme. Heureusement, on peut généralement l'omettre et la remplacer par une structure de décision plus claire. Ainsi, l'exemple précédent peut prendre la forme suivante:

```
for (i = 1; i < n; i++)
{
    if (valeur + i < MAXINT)
        valeur = valeur + i;
}
afficher(valeur);
```

4.3.6 Instruction vide

L'instruction vide correspond à l'instruction de ne rien faire. Identifiée par un point-virgule, elle peut être placée n'importe où dans un programme. Voici quelques exemples:

a) `for (int i = 0; i < 100; i++) ;`

b)
```
if ( age >= 18)
    prix = 10.0;
else ;
```

c)
```
for ( ; i<10; )
{
    cout << i;
    i++;
}
```

L'instruction vide sert à marquer l'absence d'instruction. Dans nos exemples, nous l'utilisons très peu, car elle peut malheureusement être une source d'erreur. Par exemple, il est facile d'inscrire par mégarde un point-virgule à un emplacement non désiré, comme à la suite de la parenthèse fermante d'un `for`, ce qui annule l'effet de la boucle sur les instructions qui suivent.

4.4 TABLEAUX

Lorsqu'un programme doit traiter un grand nombre de variables, comme les températures quotidiennes de toute une année dans 10 villes différentes, il est très complexe de déclarer et d'utiliser chacune d'entre elles séparément. Heureusement, ce type de données possède généralement une structure qu'on peut facilement représenter par un tableau. Un tableau est une structure homogène constituée d'un nombre déterminé d'éléments de même type. On peut repérer chaque élément au moyen d'un indice qui sert à indiquer sa position. La déclaration de tableaux comprend les éléments suivants:

– type: le type des éléments suivi de l'identificateur de variable
– [dimension]:   la dimension ou les dimensions du tableau placées entre crochets

La forme générique de la déclaration d'un tableau est:

```
TypeDesElements UnTableau[dimension1] [dimension2]..[dimensionN];
```

Généralement, on ne peut pas effectuer de lectures, d'affichages, de comparaisons ni d'autres opérations sur des tableaux complets (sauf pour les tableaux de caractères qui forment une chaîne de caractères). On accède à un tableau par chacun de ses éléments, l'un après l'autre. On représente un élément d'un tableau par le nom du tableau suivi d'indices placés entre crochets, «[ ]». Un indice de tableau peut être toute expression dont le résultat est un entier positif (y compris un caractère ou une valeur d'une énumération) et ne peut pas être de type réel. Le premier élément d'un tableau est toujours *à l'indice 0*.

4.4.1 Dimensions d'un tableau

Lorsque le programmeur a établi qu'un tableau est la structure à utiliser pour les données d'un problème, il lui faut ensuite en déterminer la dimension. Les exemples 4.16, 4.17, 4.18 et 4.19 présentent des tableaux de dimensions différentes.

Exemple 4.16   Tableau à une dimension: une liste d'étudiants

Un professeur veut consigner sur support informatique la liste des notes de ses étudiants. Sachant que la forme générique d'un tableau à une dimension est:

```
TypeDesElements Tableau_1D[dimension];
```

il déclare son tableau de la façon suivante:

```
float NoteEtudiant[75];
```

Pour accéder à chaque élément de la liste, il entre le nom de la variable `NoteEtudiant` suivi de l'indice entre crochets (indice qui peut varier de 0 à 74):

	NoteEtudiant
NoteEtudiant[0]	14.2
NoteEtudiant[1]	17.0
NoteEtudiant[2]	12.7
NoteEtudiant[3]	19.1
NoteEtudiant[4]	17.6
⋮	⋮
NoteEtudiant[72]	10.3
NoteEtudiant[73]	18.4
NoteEtudiant[74]	13.5

Il peut arriver que le professeur n'ait pas à se servir de tous les éléments du tableau. Ainsi, dans le cas d'une classe de 50 étudiants, les 25 dernières entrées de ce tableau resteraient inutilisées.

Il peut arriver également que certaines entrées restent inutilisées, c'est-à-dire qu'elles ne contiennent aucune information, par exemple les entrées 25, 39 et 67. Toutefois, toute entrée d'un tableau possède une valeur quelconque au départ: il s'avère donc sage, dans ce cas, d'initialiser chaque entrée du tableau à une valeur spécifiant que l'emplacement est inutilisé.

Exemple 4.17 Tableau à deux dimensions: un agenda

Un programmeur entreprend la conception d'un agenda informatisé dans lequel il désire sauvegarder l'état de trois périodes des journées d'une semaine (libres ou occupées). Sachant que la forme générique d'un tableau à deux dimensions est:

```
TypeDesElements Tableau_2D[dimension1][dimension2];
```

il déclare son tableau de la façon suivante, en utilisant le type booléen pour indiquer si une période est libre ou occupée (occupée=true ou libre=false):

```
bool Agenda[7][3];
```

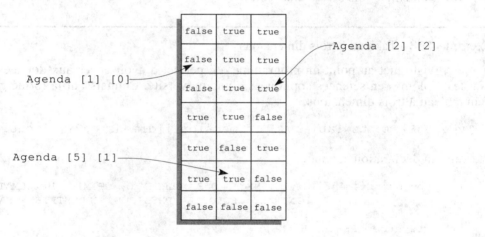

Ici, le premier indice correspond à la ligne et le deuxième, à la colonne; un autre programmeur aurait aussi bien pu choisir la convention inverse. Ce qui importe davantage, c'est d'abord de connaître le nombre maximal de données à mémoriser dans le tableau. Par la suite, il devient possible de déterminer quelle méthode favorise le plus l'accès aux données.

Le programmeur aurait pu déclarer ainsi la variable `Agenda`:

```
bool Agenda[21];
```

Les trois premières données auraient correspondu au premier jour, les trois suivantes au deuxième jour, et ainsi de suite. Cependant, il aurait fallu effectuer un certain calcul pour connaître l'emplacement de la deuxième période du cinquième jour. Un choix judicieux d'indices peut simplifier grandement la localisation d'un élément du tableau. Ainsi, il est avantageux de déclarer la variable `Agenda` comme suit:

```
enum type_jour {LUNDI, MARDI, MERCREDI, JEUDI, VENDREDI, SAMEDI, DIMANCHE};
enum type_periode {AM, PM, SOIR};
bool Agenda [DIMANCHE+1] [SOIR+1];
```

De cette façon, tout est explicite. Par exemple, pour savoir si la période du jeudi après-midi est libre, il suffit de tester:

```
if (Agenda[JEUDI][PM])
    cout << "Période déjà occupée";
else
    cout << "Période libre";
```

Dans la déclaration du tableau `Agenda`, les dimensions spécifiées sont `Dimanche+1` et `Soir+1`. Il faut ajouter un à chacun, puisque dans une énumération les éléments valent, par défaut, les entiers de 0 à $n - 1$. Ainsi, `Dimanche` vaut 6 et `Soir` vaut 2, ce qui correspondrait à un tableau de 6 fois 2 éléments, soit 12, tandis que le tableau `Agenda` doit en réalité contenir 7 fois 3 éléments, soit 21.

Exemple 4.18   Tableau à trois dimensions

Une archiviste met au point un programme qui permet d'avoir accès aux données concernant les diplômés en sciences appliquées d'une université. Connaissant la forme générique d'un tableau à trois dimensions:

```
TypeDesElements Tableau_3D[dimension1][dimension2][dimension3];
```

elle entre la déclaration suivante:

```
enum type_departement {CIVIL, MECANIQUE, ELECINFO, CHIMIE, METALMATERIAUX,
                        MINERAL, GEOLOGIE, PHYSIQUE, INDUSTRIEL, MATH};
enum type_grade {BING, MSCA, PHD};
enum type_sexe {FEMME, HOMME};

int GradueDept[MATH+1][PHD+1][HOMME+1];
```

Cette déclaration du tableau `GradueDept` illustre de nouveau l'importance d'un choix judicieux d'indices. Ainsi, pour afficher le nombre de diplômes de maîtrises en sciences appliquées décernés à des femmes par le département de mécanique, on entre l'instruction suivante:

```
cout << GradueDept[MECANIQUE][MSCA][FEMME];
```

Exemple 4.19   Tableau à *n* dimensions

Un tableau à *n* dimensions prend la forme générique suivante:

```
TypeDesElements UnTableau[dimension1][dimension2] .. [dimensionN];
```

Un programmeur déclare ainsi un tableau comportant de nombreuses données:

```
char Donnees[5][3][3][5][4];
```

Un tableau peut comporter autant de dimensions que nécessaire à condition qu'il n'excède pas l'espace mémoire libre. Nous verrons au chapitre 7 comment répartir la mémoire et la dimension de chaque portion. Le programmeur doit tenir compte de cette contrainte lors de la déclaration de gros tableaux.

4.4.2 Traitement des éléments d'un tableau

La valeur contenue dans un emplacement du tableau se traite comme toute autre quantité du même type. Ainsi, pour connaître le nombre de Ph.D. décernés par les départements de génie électrique et de génie informatique (ex. 4.18), on peut entrer:

```
int NbrePhD;
NbrePhD = GradueDept[ELECINFO][PHD][FEMME] +
          GradueDept[ELECINFO][PHD][HOMME];
```

Jusqu'à maintenant, pour accéder à un élément dans un tableau, nous avons utilisé comme indice une constante comprise dans l'intervalle des valeurs permises. Il peut également s'agir d'une expression en autant qu'elle soit entière. Rappelons qu'une expression est une constante, une variable, une fonction ou les trois reliées par des opérateurs.

Dans les instructions des boucles `for` des exemples qui suivent, nous avons utilisé la conversion explicite `Var_Enum = type_enumeration(Var_Enum + 1);` puisque l'opérateur `++` ne peut pas servir à incrémenter une variable de type énumération. Pour ce faire, il faut plutôt utiliser une conversion explicite.

Les programmeurs se servent couramment d'expressions comme indice d'un tableau, par exemple:

– pour initialiser le tableau `NoteEtudiant`:

```
int No;
for (No=0; No<75; No++)
   NoteEtudiant[No] = 0.0;
```

– pour connaître l'agenda de `Jeudi` et `Vendredi`:

```
cout << "AM    PM   SOIR" << endl << endl;
for (Jour=JEUDI; Jour<=VENDREDI; Jour = type_jour(Jour+1))
{
    for (Periode=AM; Periode<=SOIR; Periode = type_periode(Periode+1))
        cout << setw(6) << Agenda[Jour][Periode];
    cout << endl;
}
```

– pour obtenir le nombre de diplômes décernés en génie industriel:

```
int NbreDiplome;
NbreDiplome = 0;
for (Grade=BING; Grade<=PHD; Grade = type_grade(Grade+1))
    for (Sexe=FEMME; Sexe<=HOMME; Sexe = type_sexe(Sexe+1))
        NbreDiplome = NbreDiplome +
                        GradueDept[INDUSTRIEL][Grade][Sexe];
```

Lors de l'exécution du programme, si l'indice dépasse les limites fixées dans la déclaration, par exemple `NoteEtudiant[101]`, la valeur de l'élément du tableau est tirée d'une portion de la mémoire qui peut être attribuée à d'autres fins; cette valeur n'a donc pas de sens. C'est seulement ce résultat erroné qui indique que le programme présente une anomalie et, souvent, il passe inaperçu. De plus, même si le programmeur détecte effectivement une erreur, il lui est difficile d'en retracer la source.

L'exemple 4.20, qui traite de la multiplication de deux matrices, illustre l'emploi efficace des instructions de répétition dans le traitement des tableaux. Cet exemple résume également les traitements possibles sur un même tableau et entre des tableaux.

Exemple 4.20   Instructions de répétition dans le traitement des tableaux

```
                        /* EN-TETE DU PROGRAMME */
/*-----------------------------------------------------------*/
/* FICHIER:     MATMULT.CPP                                  */
/* AUTEUR:      Yves Boudreault                              */
/* DATE:        17 mai 2000                                  */
/*              dernière édition: 7 juillet 2000             */
/* DESCRIPTION: Ce programme permet de multiplier deux       */
/*              matrices réelles de dimension deux. Tout     */
/*              d'abord, il faut spécifier le                */
/*              nombre de lignes et de colonnes de chaque    */
/*              matrice. Une fois cette information connue, il */
/*              est possible par la suite de lire leur       */
/*              contenu. Finalement, le produit matriciel est*/
/*              réalisé, ce qui génère une nouvelle matrice. */
/*-----------------------------------------------------------*/
#include <iostream>  // Pour l'utilisation de cin et cout
#include <iomanip>   // Pour l'utilisation de setw()
using namespace std;

#define DIM_MAX 10

void main (void)
{
    float  Mat1[DIM_MAX][DIM_MAX], Mat2[DIM_MAX][DIM_MAX],
           MatProduit[DIM_MAX][DIM_MAX];
    int Ligne, Colonne, Indice,
        DimLigneMat1, DimColonneMat1,
        DimLigneMat2, DimColonneMat2;
```

```
cout<< setw(60) << "Multiplication de matrices à deux dimensions"
    << endl<< endl;

do
{
    cout << "Indiquez le nombre de lignes (≤";
    cout << DIM_MAX << ") de la matrice 1 => ";
    cin >> DimLigneMat1;
}
while (DimLigneMat1 > DIM_MAX);

do
{
    cout << "Indiquez le nombre de colonnes (≤";
    cout << DIM_MAX << ") de la matrice 1 => ";
    cin >> DimColonneMat1;
}
while (DimColonneMat1 > DIM_MAX);

cout << endl << endl;
DimLigneMat2 = DimColonneMat1;// Étant donné la règle du produit
                             // matriciel
cout << "Le nombre de lignes de la matrice 2 est égal " << endl;
cout << "au nombre de colonnes de la matrice 1, soit " << DimLigneMat2;
cout << endl << endl;

do
{
    cout << "Indiquez le nombre de colonnes (≤";
    cout << DIM_MAX << ") de la matrice 2 =>";
    cin >> DimColonneMat2;
}
while (DimColonneMat2 > DIM_MAX);

    /* Lecture des valeurs de la première matrice */
cout << "Entrez les valeurs de la matrice 1: " ;
cout << DimLigneMat1 << " x " << DimColonneMat1 << endl;
for (Ligne=0; Ligne<DimLigneMat1; Ligne++)
{
   for (Colonne=0; Colonne<DimColonneMat1; Colonne++)
   {
     cout << "Mat1[" << Ligne+1 << "][" << Colonne+1 << "] = ";
     cin >> Mat1[Ligne][Colonne];
   } // for (Colonne...)
   cout << endl;
} // for (Ligne...)
cout << endl <<endl;

      /* Lecture des valeurs de la deuxième matrice */
cout << "Entrez les valeurs de la matrice 2: " ;
cout << DimLigneMat2 << " x " << DimColonneMat2 << endl;
for (Ligne=0; Ligne<DimLigneMat2; Ligne++)
```

```
{
  for (Colonne=0; Colonne<DimColonneMat2; Colonne++)
  {
    cout <<"Mat2[" << Ligne+1 << "][" << Colonne+1 << "] = ";
    cin >> Mat2[Ligne][Colonne];
  } // for (Colonne...)
  cout << endl;
} // for( Ligne ...
cout << endl << endl;

        /* Calcul du produit matriciel */

cout << setw(50) << "La matrice produit est: " << endl << endl;
for (Ligne = 0; Ligne<DimLigneMat1;Ligne++)
  for (Colonne = 0; Colonne<DimColonneMat2; Colonne++)
  {
    MatProduit[Ligne][Colonne] = 0.0;
    for (Indice = 0; Indice<DimColonneMat1;Indice++)
      MatProduit[Ligne][Colonne] = MatProduit[Ligne][Colonne] +
                          Mat1[Ligne][Indice] * Mat2[Indice][Colonne];
  }

        /* Affichage de la matrice produit résultante */
cout << setiosflags(ios::showpoint | ios::fixed);
for (Ligne = 0; Ligne<DimLigneMat1; Ligne++)
{
  for  (Colonne = 0; Colonne<DimColonneMat2; Colonne++)
    cout << setw(5) << setprecision(1) << MatProduit[Ligne][Colonne];
  cout << endl;
}
}
/*-------------------------------------------------------------*/
```

À l'exécution, on obtient:

Écran 1

```
Multiplication de matrices à deux dimensions

Indiquez le nombre de lignes (≤ 10) de la matrice 1 ⇒ 2
Indiquez le nombre de colonnes (≤ 10) de la matrice 1 ⇒ 2

Le nombre de lignes de la matrice 2 est égal
au nombre de colonnes de la matrice 1, soit 2

Indiquez le nombre de colonnes (≤ 10) de la matrice 2 ⇒ 3
```

Écran 2

```
Entrez les valeurs de la matrice 1: 2 x 2
Mat1[1][1] = 1
Mat1[1][2] = 2

Mat1[2][1] = 1
Mat1[2][2] = 2

Entrez les valeurs de la matrice 2: 2 x 3
Mat2[1][1] = 1
Mat2[1][2] = 1
Mat2[1][3] = 1

Mat2[2][1] = 2
Mat2[2][2] = 2
Mat2[2][3] = 2

La matrice produit est:
   5.0  5.0   5.0
   5.0  5.0   5.0
```

4.4.3 Utilisation d'un tableau pour la lecture d'une variable de type énumération

Pour réaliser la lecture d'une variable de type énumération, il est possible de définir un tableau de chaînes de caractères, de dimension égale au nombre d'éléments compris dans la liste d'énumération, puis d'initialiser les chaînes avec un texte décrivant chaque identificateur. Ensuite, le programme demande à l'usager d'entrer le texte équivalent à la valeur de la variable et recherche dans le tableau l'indice correspondant. Ce tableau permet également d'afficher la variable de type énumération. On obtient d'abord l'indice correspondant à la valeur de la variable, puis on affiche la chaîne de caractères que l'indice représente dans le tableau. L'exemple 4.21 présente une procédure de lecture d'une variable de type énumération.

Exemple 4.21   Lecture d'une variable de type énumération

```
                /* EN-TETE DU PROGRAMME */
/*-------------------------------------------------------------*/
/* FICHIER:     CASSETTE.CPP                                   */
/* AUTEUR:      Yves Boudreault                                */
/* DATE:        17 mai 2000                                    */
/*              dernière édition: 10 juin 2000                 */
/* DESCRIPTION: Ce programme permet de comptabiliser le        */
/*              nombre de cassettes audio de types normal,     */
/*              chrome ou fer. L'usager doit indiquer, autant  */
/*              de fois qu'il est nécessaire, le type de       */
/*              cassette et la quantité correspondante. Cet    */
/*              inventaire est mémorisé à l'aide d'un tableau   */
/*              dont les indices sont de type énumération.     */
/*-------------------------------------------------------------*/
```

```cpp
#include <iostream>      // Pour l'utilisation de cin et cout
#include <iomanip>       // Pour l'utilisation de setw()
#include <cstring>       // Pour l'utilisation de strcpy()
using namespace std;
#define  LONGMOT  7      // Longueur maximale des mots utilisés

void main (void)
{
    enum  type_cassette  { NORMAL, CHROME, FER };

    const char Nom_Type_Cassette[FER+1][LONGMOT]={"NORMAL","CHROME","FER"};
    type_cassette LaSorte;
    bool Continue;
    char SorteLue[10];
    int  Nb_De [FER+1];
    int  Quantite;

        /* Initialisation du tableau d'inventaire Nb_De       */
    for (LaSorte = NORMAL; LaSorte <= FER; LaSorte = type_cassette (LaSorte+1))
      Nb_De[LaSorte] = 0;
        /* Effectuer l'inventaire en spécifiant le type de    */
        /* cassette et la quantité. L'inventaire se poursuit  */
        /* tant qu'il y a des cassettes à répertorier.        */
    do
    {
      Continue = false;
      cout <<"Indiquez le type de cassette (t: terminé) => ";
      cin >> SorteLue;
      strcpy(SorteLue,strupr(SorteLue));
      /* Boucle permettant d'associer la chaîne lue avec      */
      /* sa correspondance dans l'énumération                 */
     for (LaSorte = NORMAL; LaSorte<= FER; LaSorte = type_cassette(LaSorte+1))
       if (strcmp(Nom_Type_Cassette[LaSorte], SorteLue)==0)
         {
            Continue = true;
            cout <<"Indiquez la quantité => ";
            cin >> Quantite;
            Nb_De[LaSorte] += Quantite;
         }
    }
    while (Continue);
            // Affichage du résultat de l'inventaire
    cout << endl << "  Type de        Quantité" << endl;
    cout << " cassette"<< endl;
    cout << " --------        --------" << endl;
    for (LaSorte = NORMAL; LaSorte <= FER; LaSorte = type_cassette(LaSorte+1))
    {
        cout << setw(8) << Nom_Type_Cassette[LaSorte];
        cout << setw(14) << Nb_De[LaSorte] << endl;
    }
}
/*------------------------------------------------------------*/
```

À l'exécution, on obtient:

Écran 1

```
Indiquez le type de cassette (t: terminé) => normal
Indiquez la quantité => 120
```

Écran 2

```
Indiquez le type de cassette (t: terminé) => t
```

Écran 3

```
Type de        Quantité
cassette
---------      --------
NORMAL         1254
CHROME         1056
FER             876
```

4.5 UTILISATION DES ÉTATS D'UN FLOT D'ENTRÉE-SORTIE

En langage C++, les entrées-sorties s'appuient sur des flots (`stream`). Un flot est un flux de données abstrait qui part d'une source et qui va vers une cible. La source et la cible peuvent être des fichiers usuels, des périphériques ou des emplacements mémoires. L'objet `cout` représente le canal de sortie standard, alors que l'objet `cin` représente le canal d'entrée standard.

Chaque flot a un état qu'on peut déterminer par un test. Les états possibles sont définis dans le type `io_state`:

```
enum io_state {goodbit, eofbit, failbit, badbit};
```

La vérification de l'état du flot est essentielle pour s'assurer de la fiabilité des valeurs manipulées et du bon fonctionnement du programme. Un flot dans un bon état, `goodbit`, signifie que l'opération précédente s'est bien réalisée et qu'on peut exécuter la suivante. L'état `eofbit` indique que l'opération précédente a retourné une condition de fin de fichier. L'état `failbit` signale que l'opération précédente est erronée; toutefois, le flot pourra être utilisé après la réinitialisation du bit d'erreur. Enfin, un flot dans l'état `badbit` signifie que l'opération précédente est erronée, mais que le flot sera réutilisable une fois la condition d'erreur corrigée.

Lorsqu'une valeur d'erreur découle d'une opération d'entrée-sortie, l'une des fonctions présentées au tableau 4.3 peut servir à la détecter ou à la reconnaître.

Tableau 4.3   Valeur d'erreurs liées à des opérations d'entrées-sorties

Fonction ou opérateur d'état du flot	Valeur retournée (obtenue)
`int good()`	Valeur non nulle si EOF n'est pas atteint ou en l'absence d'autres erreurs de bits
`int eof()`	Valeur non nulle si `eofbit` est utilisé
`int fail()`	Valeur non nulle si `failbit` ou `badbit` sont utilisés
`int bad()`	Valeur non nulle si `badbit` est utilisé
`int rdstate()`	Retourne l'état de l'erreur
`void clear(int i=0)`	Réinitialise l'état de l'erreur
`int operator !`	Retourne `true` si `failbit` ou `badbit` sont utilisés
`operator void*`	Retourne `false` si `failbit` ou `badbit` sont utilisés

Il est possible de vérifier directement l'état du flot. La valeur obtenue est non nulle si le flot est en état `goodbit` ou `eofbit` :

```
int x;
cout << "Entrez une valeur entière";
if (cin >> x)    // Le flot d'entrée est correct, on peut poursuivre
   cout << "La valeur lue est :" << x;
else          // Le flot d'entrée est incorrect, il faut traiter cette erreur
   cout << "Erreur de lecture";
```

L'exemple 4.22 montre comment détecter et traiter une erreur de lecture. La fonction `fail()` permet de savoir qu'une erreur de lecture est survenue. L'exécution de toutes les instructions de lecture concernant le flot qui suivent est suspendue. Pour effectuer correctement la lecture subséquente à une erreur, il faut faire appel à la fonction `clear()`. Cette dernière réinitialise l'état du flot de lecture. Enfin, comme c'est le contenu du tampon de lecture qui a provoqué une erreur, on s'assure d'en retirer tous les caractères s'y trouvant à l'aide de la fonction `ignore()`.

Exemple 4.22   Détection et traitement d'une erreur de lecture

```
#include <iostream>
using namespace std;
void main()
{
   int Entier;
   for (int i=0;i<5;i++)        // Réalise 5 opérations de lecture
   {
      cout << endl <<"Essai #" <<i <<" Entrer un entier: ";
      cin >> Entier;          // Lecture d'un entier
      if (cin.fail())          // Détection d'une erreur de lecture
```

```
        {
            cout << "Erreur de lecture, cin est inutilisable" << endl;
            cin.clear();           // Réinitialise l'état de cin pour permettre de
                                   // nouveau la lecture
            cin.ignore(80,'\n');   // Nettoie le tampon de lecture jusqu'au premier
                                   // Enter rencontré ou fait un saut de 80 caractères
            cout << "cin est maintenant réinitialisé" << endl;
        }
      else
            cout << Entier << " lu correctement " << endl;
    }
  cout << endl<< "Fin des essais ";
}
```

À l'exécution, on obtient:

```
Essai #0  Entrer un entier: 12
12 lu correctement
Essai #1  Entrer un entier: 12,34
12 lu correctement
Essai #2  Entrer un entier: Erreur de lecture, cin est inutilisable
cin est maintenant réinitialisé
Essai #3  Entrer un entier: 98765432
98765432 lu correctement
Essai #4  Entrer un entier: un
Erreur de lecture, cin est inutilisable
cin est maintenant réinitialisé
Fin des essais
```

> Le programme a tenté de lire la virgule.

Il n'existe pas de fonction "flush()" pour le flot d'entrée. Cependant, il est possible d'enlever tous les caractères présents dans le flot d'entrée à l'aide de l'instruction:

```
        cin.ignore((cin.rdbuf())->in_avail());
```

4.6 EXEMPLES DE LECTURE DE FICHIER

La lecture d'un fichier est une opération importante dans l'exécution d'un programme, car c'est à cette étape que le programme s'approprie les valeurs qu'il devra manipuler par la suite. Si les valeurs inscrites dans un fichier sont mal lues, le programme manipulera des valeurs erronées et obtiendra, par le fait même, des résultats erronés.

Pour garantir la lecture adéquate d'un fichier, nous employons la séquence d'opérations suivantes:

```
        Ouvrir le fichier
        -Vérifier si le fichier s'est ouvert correctement
            SI le fichier est mal ouvert ALORS
                Afficher un message d'ouverture incorrecte du fichier
· · · · ·SINON
            Lire la première donnée
          *   TANT QUE la fin du fichier n'est pas atteinte
                Traiter les données lues
                Lire la donnée suivante
```

L'exemple 4.23 est un programme qui lit un fichier de nombres entiers selon la séquence d'opérations précédente. Le fichier, nommé DONNEES.DAT, contient trois valeurs entières sur chaque ligne.

Exemple 4.23   Lecture d'un fichier de nombres entiers

```cpp
#include <fstream>
using namespace std;
void main()
{
    ifstream Fichier;
    int Val1, Val2, Val3;
    int Somme=0;
    Fichier.open("Donnees.Dat");
    if (Fichier.fail())
        cout << "Problème d'ouverture du fichier";
    else
    {

        Fichier >> Val1 >> Val2 >> Val3;          Lecture
                                                   initiale

        while (!Fichier.eof())
        {
                                                   Traitement
            Somme += Val1 + Val2 + Val3;

            Fichier >> Val1 >> Val2 >> Val3;
                                                   Lecture
        }                                          suivante
        cout << "La somme est " << Somme;
        Fichier.close();
    }
}
```

Voici le contenu d'un fichier nommé TEST.TXT:

```
Il était un petit navire
qui n'avait jamais navigué

OH! HE! OH! HE!

14 + 17 = 31

FIN FIN
```

Il y a divers modes de lecture possibles pour un tel fichier: caractère par caractère avec l'opérateur >>, caractère par caractère avec la fonction `get()`, mot par mot avec l'opérateur >>, ou ligne par ligne avec la fonction `getline()`.

4.6.1 Lecture caractère par caractère avec l'opérateur >>

L'opérateur >> ne transmet pas de caractères de séparation − dont l'espace et le saut de ligne font partie − à la variable caractère; ainsi, les caractères lus seront affichés tels quels, sans espace ni saut de ligne. Avec le programme:

```cpp
#include <iostream>
#include <fstream>

void main()
{
   ifstream FicLu;
   char CarLu;

   FicLu.open("test.txt");

   if (FicLu.fail())        // Vérifie si l'ouverture du fichier se fait
      cout << " Problème d'ouverture ";

   else                     // L'ouverture du fichier s'est fait correctement
   {
      FicLu >> CarLu;       // Boucle de lecture du fichier
      while(!FicLu.eof())
      {
         cout << CarLu;
         FicLu >> CarLu;    // Lecture d'un caractère avec l'opérateur >>
      }
      FicLu.close();
   }
}
```

on obtient l'affichage suivant:

```
Ilétaitunpetitnavirequin'avaitjamaisnaviguéOH!HE!OH!HE!14+17=31FINFIN
```

4.6.2 Lecture caractère par caractère avec la fonction `get()`

La fonction `get()` permet de lire tous les caractères, y compris les caractères espace et saut de ligne. Le contenu du fichier peut s'afficher tel qu'on l'a sauvegardé. Avec le programme:

```cpp
#include <iostream>
#include <fstream>
using namespace std;

void main()
{
   ifstream FicLu;
   char CarLu;

   FicLu.open("test.txt");
   if (FicLu.fail())          // Vérifie si l'ouverture du fichier se fait
      cout << " Problème d'ouverture ";
   else                       // L'ouverture du fichier s'est fait correctement
   {
      FicLu.get(CarLu);       // Boucle de lecture du fichier
      while(!FicLu.eof())
      {
          cout << CarLu;
          FicLu.get(CarLu); // Lecture d'un car. avec la fonction get()
      }
      FicLu.close();
   }
}
```

on obtient l'affichage suivant:

```
Il était un petit navire
qui n'avait jamais navigué
OH! HE! OH! HE!
14 + 17 = 31
FIN FIN
```

4.6.3 Lecture mot par mot à l'aide de l'opérateur >>

Très similaire à la lecture caractère par caractère à l'aide de l'opérateur >>, la lecture d'une chaîne de caractères avec l'opérateur >> ne tient pas compte des caractères de séparation. Rappelons que le programme ignore tous les caractères de séparation précédant la prochaine chaîne à lire. La lecture de la chaîne débute au premier caractère qui n'est pas un séparateur et se termine à la rencontre d'un caractère de séparation. Les mots lus seront affichés sans espace et sans saut de ligne.

Avec le programme:

```
#include <iostream>
#include <fstream>
using namespace std;
void main()
{
    ifstream FicLu;
    char MotLu[25];

    FicLu.open("test.txt");
    if (FicLu.fail())   // Vérifie si l'ouverture du fichier se fait correctement
        cout << " Problème d'ouverture ";

    else
    {
        FicLu >> MotLu;   // Boucle de lecture du fichier
        while(!FicLu.eof())
        {
            cout << MotLu;
            FicLu >> MotLu;  // Lecture d'une chaîne avec l'opérateur >>
        }
        FicLu.close();
    }
}
```

on obtient l'affichage suivant:

```
Ilétaitunpetitnavirequin'avaitjamaisnaviguéOH!HE!OH!HE!14+17=31FINFIN
```

4.6.4 Lecture ligne par ligne à l'aide de la fonction `getline()`

L'utilisation de la fonction `getline()` permet de lire une chaîne de caractères dans un fichier soit jusqu'à la rencontre d'un saut de ligne, soit jusqu'à ce que le programme ait lu un nombre de caractères précisé à l'appel. Dans le cas présent, nous désirons que la lecture se fasse jusqu'à la rencontre du saut de ligne. À cet effet, nous précisons un nombre assez élevé à l'appel de la fonction `getline()`, soit 250. Nous supposons que, dans ce fichier, une ligne peut contenir un maximum de 249 caractères. Cette limite du nombre de caractères est très sûre puisque la plus longue ligne du fichier contient 26 caractères. L'affichage présentera la composition originale du fichier en ajoutant un saut de ligne à chaque ligne affichée.

Avec le programme:

```
#include <iostream>
#include <fstream>
using namespace std;
void main()
{
    ifstream FicLu;
    char   NomFichier[35];
           char LigneLue[250];
```

```
    FicLu.open("test.txt");
    if (FicLu.fail()) // Vérifie si l'ouverture du fichier se fait
        cout << " Problème d'ouverture ";

    else
    {
        FicLu.getline(LigneLue,250);
        while(!FicLu.eof())                  // Boucle de lecture du fichier
        {
            cout << LigneLue << endl;
            FicLu.getline(LigneLue,250);  // Lecture d'une chaîne de caractères
                                          // avec la fonction getline()
        }
        FicLu.close();
    }
}
```

on obtient l'affichage suivant:

```
Il était un petit navire
qui n'avait jamais navigué

OH! HE! OH! HE!

14 + 17 = 31

FIN FIN
```

Étude de cas: Analyse de données météorologiques

Définition du problème.   Un fichier texte portant le nom METEO.DAT contient les températures quotidiennes de tout un mois, à raison d'une valeur par ligne. On ignore le nombre de jours dans le mois, mais, comme le fichier se termine avec le dernier jour du mois, on sait qu'il ne comporte pas plus de 31 lignes. Le programme doit lire ces données, identifier la température maximale et la date correspondante, calculer la température moyenne et déterminer le premier jour de gel.

Analyse.   Le premier problème concerne le nombre de jours qu'il y a dans le fichier. Comme on ne connaît pas ce nombre au départ, on ne pourra pas utiliser une boucle for pour lire chacune des lignes. On utilisera donc la fonction eof() qui retourne 1 si elle rencontre la fin du fichier et 0 autrement, ainsi qu'une boucle de lecture basée sur l'instruction while dont le test placé en début de boucle permettra d'éviter la lecture d'un fichier vide. Pour rendre le programme plus clair, et surtout pour illustrer les différents types d'instructions vus dans cette section, nous effectuerons le traitement après avoir copié les données du fichier dans un tableau. Pour trouver la température moyenne, nous allons effectuer une sommation des températures quotidiennes dans une boucle `for` (on connaîtra alors le nombre de jours) et diviser la somme par le nombre de jours. Cette même boucle nous servira à comparer les températures quotidiennes avec une variable contenant la plus haute température déjà trouvée (cette variable sera initialisée à une valeur de -100 pour s'assurer de trouver le maximum). Si une température quotidienne dépasse la valeur contenue dans la variable maximum, on mettra à jour la variable maximum et on conservera la date. Pour trouver le premier jour de gel, une boucle `do-while` sera très efficace puisque, aussitôt que l'on trouvera une température nulle ou négative, on pourra sortir de la boucle sans avoir à tester le reste du mois. On devra également sortir de cette boucle si on a vérifié tout le mois sans trouver de jour de gel.

Algorithme

Niveau initial

```
-Auteur        : Yves Boudreault
-Description : Analyse de données météorologiques qui consiste
-                 à lire dans un fichier les températures quotidiennes
-                 pour un mois, à identifier la température maximale et
-                 sa date, et à trouver le premier jour de gel.

[01] Description des identificateurs

->>>>STRUCTURE DES OPÉRATIONS<<<<

Initialiser NbJour à 0
Initialiser la Somme à 0
Initialiser la TempMax à -100
Initialiser le fichier Entree
[02] Lecture du fichier
[03] Déterminer la température maximale du mois et le jour
  ... correspondant ainsi que la somme des températures du mois
Calculer la moyenne des températures du mois
Afficher le maximum et le jour correspondant
Afficher la moyenne du mois
[04] Déterminer le premier jour de gel
[05] S'il existe un jour de gel, l'afficher
```

Niveau détaillé

```
-Auteur        : Yves Boudreault
-Description : Analyse de données météorologiques qui consiste
-                 à lire dans un fichier les températures quotidiennes
-                 pour un mois, à identifier la température maximale et
-                 sa date, et à trouver le premier jour de gel.

-01 Description des identificateurs
-
```

```
-IDENTIFICATEUR      TYPE            DESCRIPTION
-
-Entree              Fichier texte   Fichier des températures du mois
-TempMax             Réel            Température maximale du mois
-TempMoy             Réel            Température moyenne du mois
-JourMax             Entier          Le jour du mois où a lieu le max.
-NbJours             Entier          Nombre de jours dans le mois
-Somme               Réel            La somme des températures du mois
-Temperature         Tableau de 31   Tableau qui permet de mémoriser
-                    éléments réels  toutes les températures du mois
-Jour                Entier          Indice pour parcourir le tableau
```

->>>>STRUCTURE DES OPÉRATIONS<<<<

Initialiser NbJour à 0
Initialiser la Somme à 0
Initialiser la TempMax à -100
Initialiser le fichier Entree

-02 Lecture du fichier
-avec une boucle <u>while</u>

> * <u>TANT QUE la fin du fichier n'est pas atteinte</u>
>
>   Incrémenter le compteur Jour
>   Lire une température et la conserver dans Temperature

-03 Déterminer la température maximale du mois et le jour correspondant
 ... ainsi que la somme des températures du mois
-avec une boucle <u>for</u>
-

> * <u>POUR tous les jours du mois</u>
>   Ajouter la température du jour à la Somme
>   **-06 Comparer TempMax et la température du jour présent**
>   <u>SI la température du jour > TempMax ALORS</u>
>   Actualiser TempMax
>   Actualiser JourMax

Calculer la moyenne des températures du mois
Afficher le maximum et le jour correspondant
Afficher la moyenne du mois

-04 Déterminer le premier jour de gel
-avec une boucle <u>do-while</u>
Initialiser Jour à 0

> REPETER
> Incrémenter LeJour
> Affecter (la température de LeJour <= 0) à GelExiste
> * <u>TANT QUE (il n'y a pas de gel) ET (On n'a pas atteint le dernier jour</u>
> <u>du mois)</u>

```
 -05 S'il existe un jour de gel, l'afficher
```

```
        SI il existe un jour de gel ALORS
        Afficher le Jour correspondant
.....  SINON
           Afficher qu'il n'y a pas de jour de gel
```

Programme

```
                     /* EN-TETE DU PROGRAMME */
/*------------------------------------------------------------*/
/* FICHIER:      METEO.CPP                                    */
/* AUTEUR:       Yves Boudreault                              */
/* DATE:         17 mai 2000                                  */
/*               dernière édition: 7 juillet 2000             */
/* DESCRIPTION: Ce programme lit dans un fichier les          */
/*               températures quotidiennes pour un mois,      */
/*               identifie la température maximale et sa date,*/
/*               calcule la moyenne et trouve le premier jour */
/*               de gel.                                      */
/*------------------------------------------------------------*/
#include <fstream>     // Pour l'utilisation des fichiers
#include <iostream>    // Pour l'utilisation de cin et cout
#include <iomanip>     // Pour l'utilisation de setw() et setprecision()
using namespace std;
void main (void)
{
   ifstream Entree;
   float Temperature[31];
   float temp, TempMax, TempMoy, Somme;
   int Jour, NbJours, JourMax;

   NbJours  =  -1;
   TempMax  = -1.0E2;
   Somme    =  0.0;
   Entree.open("c:\\meteo.dat");
   if (Entree.fail())
   {
      cout << " *** ERREUR: Impossible d'ouvrir le fichier" << endl;
   }
   else                      /* Lecture du fichier */
   {
      Entree>>temp;
      while (!Entree.eof())
      {
         NbJours = NbJours +1;
         temperature[NbJours]=temp;
         Entree >> Temp;
      }
```

```
                    /* Déterminer la température maximale du mois */
        for (Jour = 0; Jour < NbJours; Jour++)
        {
            Somme = Somme + Temperature[Jour];
            if (Temperature[Jour] > TempMax)
            {
                TempMax = Temperature[Jour];
                JourMax = Jour +1;
            }
        }
        TempMoy = Somme / NbJours;
        cout << "maximum: " << setw(5) << setprecision(1) << TempMax;
        cout << " le" << setw(3) << JourMax << endl;
        cout << "moyenne: " <<setw(5) << setprecision(1) << TempMoy << endl;
                        /* Déterminer le premier jour de gel */
        Jour = -1;
        do
            Jour = Jour + 1;
        while ((Temperature[Jour] > 0) && (Jour < NbJours));
                        /* S'il y a eu un jour de gel */
        if (Temperature[Jour] <= 0)
            cout << "premier jour de gel: " << setw(3) << Jour+1;
        else
            cout << "pas de gel durant le mois";
    } // else du if(!Entree.eof())
}
/*-------------------------------------------------------------*/
```

À l'exécution, on obtient:

```
maximum:  20.4  le 12
moyenne:  18.3
pas de gel durant le mois
```

4.7 QUESTIONS

1. Que sont les instructions décisionnelles?

2. Que sont les instructions de répétition?

3. Doit-on toujours mettre l'expression booléenne entre parenthèses dans une instruction de décision?

4. On désire tester l'égalité de deux variables et afficher le résultat selon le cas. Repérer les «anomalies» dans les instructions suivantes:

```
int Age, Nombre;
cin >> Age >> nombre;
if (Age = Nombre)
    cout << "Vous avez " << Nombre << "printemps";
else
    cout >> "Vous avez " >> Age >> "ans";
```

5. Dans quel cas utilise-t-on l'instruction `switch`?

6. Quels types d'expressions sont acceptés par l'instruction `switch`?

7. Pourquoi conseille-t-on d'utiliser le `default` dans l'instruction `switch`?

8. Dans une instruction du type:

    ```
    switch (expression)
    {
      case constante_1 : instruction_1;
                         break;
      case constante_2 : instruction_2;
                         break;
    }
    ```

    les constantes `constante_1` et `constante_2` peuvent-elles être de type chaîne de caractères ou de type réel? Pourquoi?

9. Que permet de faire le type énumération?

10. Comment le compilateur réagit-il face au type énumération?

11. Nommer les opérateurs relationnels du type énumération.

12. Comment peut-on lire une variable de type énumération?

13. Quelle précaution doit-on prendre pour éviter une boucle `while` à l'infini?

14. Donner le résultat de l'exécution du programme suivant:

    ```
    int Nbre, Livre;
    bool Livre;

    Nbre  = 0;
    Livre = true;
    while ((Nbre <= 10) && !Livre)
    {
        cout << setw(4) << Nbre;
        Nbre++;
    }
    cout << "Bonjour";
    ```

15. Quelle est la principale différence entre les instructions `while` et `do-while`?

16. Quelle est la principale différence entre l'instruction `for` et les deux autres instructions de répétition?

17. Donner un exemple simple qui représente la boucle répétitive `for` en progression descendante.

18. Dire si les énoncés suivants sont vrais ou faux.

    a) La lecture d'un tableau complet dans un fichier texte peut s'effectuer avec une seule lecture.
    b) Les indices des tableaux multidimensionnels sont séparés par des points-virgules.
    c) L'indice d'un tableau doit être de type ordinal.

19. Pourquoi conseille-t-on d'initialiser les tableaux?

20. Que se passe-t-il à l'exécution d'un programme si l'indice dépasse les limites du tableau? (Ex.: un tableau se limite à 25 éléments et le programme demande l'élément 50.)

4.8 EXERCICES

1. Étant donné les déclarations suivantes:

```
int I;
float X, Resultat;
```

   et en se limitant à celles-ci, écrire les instructions pour:

   a) affecter `Resultat` de `X` moins `I` dans le cas où `X` est supérieur à `I` et affecter `Resultat` de `X` plus `I` dans le cas où `X` est inférieur ou égal à `I`;
   b) afficher tous les nombres impairs inférieurs à `I` et supérieurs à 0;
   c) sans utiliser les fonctions mathématiques (comme `pow()`), calculer `X` à la puissance 5;
   d) demander et lire la valeur de `I` qui doit être positive et non nulle; si elle est négative, demander et lire de nouveau la valeur de `I`. Ce processus se poursuit tant que la valeur lue n'est pas positive et non nulle.

2. Soit les instructions suivantes:

```
NbMots = strlen(Mot);
if (Test=='N')
    Reste = Nombre % 2;
cin.getline(Phrase, Longueur) ;
```

   Quel doit être le type de: a) `Mot`? **b)** `Test`? **c)** `Nombre`? **d)** `Longueur`?

3. Quel affichage obtient-on à l'exécution des instructions suivantes?

```
{
  int x = 5;
  if (x>10)
     x++;
     x *=x;
     cout <<x;
}
```

   a) 5   b) 6   c) 25   d) 30   e) 36

4. Quel affichage produira le programme suivant si l'usager entre le chiffre 2?

```
{
    int Nombre;
    cout << "Entrer un nombre: ";
    cin >> Nombre;
    if (Nombre>=5)
        if (Nombre<=10)
            cout <<"Le nombre fourni est correct!";
    else
        cout <<"Le nombre fourni est trop petit!";
}
```

5. Quel affichage obtiendra-t-on à l'exécution du programme suivant?

```
#include <iostream>
using namesapce std;
void main(void)
{
    int N=7, I=0;
    char Chaine[10];

    while (N!=0)
    {
        if (N%2==0)
            Chaine[I] = '0';
        else
            Chaine[I] = '1';
        I++;
        N /= 2;
    }
    Chaine[I] = '\0';
    cout <<Chaine;
}
```

6. Si `int Somme, J;`, lequel des énoncés ci-après effectue le bon calcul pour la somme suivante?

$$Somme = 1 + 1/2 + 1/3 + 1/4 + \ ... + 1/20$$

a)
```
Somme=0;
for (J=1; J<=20; J++)
    Somme = 1/J;
```

b)
```
Somme = 0;
J = 1;
while (J<=20)
    Somme += 1/J;
```

c)
```
Somme = 0;
J = 1;
do
{
    Somme += 1/J;
    J++;
}
while (J>20);
```

d)
```
Somme = 0;
for (J=1; J<=20; J++)
    Somme += 1/J;
```

e)
```
Somme = 0;
while (Somme<=0)
{
    Somme += 1/J;
    J++;
}
```

7.   Donner l'affichage produit par le programme suivant:

```
#include <iostream>
using namespace std;
void main(void)
{
     int i,Somme;

     Somme = 0;
     for (i = 1; i <= 5; i++)
         Somme = i;
     cout << Somme << endl;

     Somme = 0;
     i= 1;
     do
     {
         Somme += i;
         i++;
     }
     while (i < 5);
     cout << Somme << endl;

     Somme = 0;
     i = 1;
     while (i < 1)
         Somme += i;
     cout << Somme << endl;
}
```

8.   Indiquer l'affichage produit par le programme suivant:

```
#include <iostream>
#include <iomanip>
using namespace std;
void main (void)
{
     int j, k;
     for (k = 1; k <= 3; k++)
     {
        for (j = k; j >= 1; j--)
            cout << setw(2) << j;
        cout << setw(2) <<k << endl;
     }
}
```

9.   Soit les déclarations suivantes:

```
     int Ligne, Colonne;
```

Parmi les instructions ci-dessous, trouver celle(s) qui donne(nt) l'affichage suivant:

```
7
78
789
```

```
a) for (Ligne = 1; Ligne <= 3; Ligne++)
      for (Colonne = 1; Colonne <= Ligne; Colonne++)
         cout<< Colonne + 6;
      cout << endl;
b) for (Ligne = 1; Ligne <= 3; Ligne++)
   {
      for (Colonne = 1; Colonne <= Ligne; Colonne++)
         cout << Colonne + 6;
      cout << endl;
   }
c) for (Ligne = 1; Ligne <= 3; Ligne++)
      for (Colonne = 1; Colonne <= Ligne; Colonne++)
         cout << Ligne + 6 << endl;
d) for (Ligne = 7; Ligne <= 9; Ligne++)
   {
      for (Colonne = 1; Colonne <= Ligne; Colonne++)
         cout << Ligne;
      cout << endl;
   }
e) for (Ligne = 7; Ligne <= 9; Ligne++)
      for (Colonne = 7; Colonne <= Ligne; Colonne++)
         cout << Colonne;
      cout << endl;
```

10. Donner l'affichage obtenu à l'exécution du programme suivant:

```
#include <iostream>
using namespace std;
void main(void)
{
   const int Tableau[7] = {2,7,5,4,10,3,14};

   int Valeur, I;

   Valeur = 0;
   for(I=0;I<7;I++)
      if (Tableau[I] % 2 == 0)
         Valeur++;
   cout << "a) " << Valeur << endl;

   Valeur = 0;
   I= 0;
   if ( I<6 && Tableau[I] > Tableau[I+1] )
      Valeur += Tableau[I];
   cout << "b) " << Valeur << endl;
```

```
    Valeur = 0;
    I = 0;
    while (Tableau[I]!=3)
    {
        I++;
        Valeur = I;
    }
    cout << "c) " << Valeur << endl;

    Valeur = 0;
    for (I=2; I<=4; I++)
        Valeur = Tableau[I];
    cout << "d) " << Valeur;
}
```

11. Soit les déclarations suivantes:

```
enum type_forme { TRIANGLE, RECTANGLE, PARALLELOGRAMME, LOSANGE };
type_forme Tab_Forme[]={RECTANGLE, PARALLELOGRAMME, LOSANGE, TRIANGLE};
int i;
```

Inscrire la lettre du groupe ou des groupes d'instructions qui produiront l'affichage suivant:

```
    Rectangle
    Parallélogramme
    Losange
    Triangle
```

a) for(i = 0; i < 4; i++)
   {
       switch(Tab_Forme[i])
       {
           case "Triangle":   cout << "Triangle" <<endl; break;
           case "Rectangle":   cout << "Rectangle" << endl; break;
           case "Parallelogramme": cout << "Parallélogramme" <<endl; break;
           case "Losange":   cout << "Losange" << endl; break;
           default: cout << "Inconnue" << endl;
       }
   }

b)
```cpp
for (i = 0; i < 4; i++)
{
    switch(type_forme)
    {
        case TRIANGLE:          cout << "Triangle" <<endl; break;
        case RECTANGLE:         cout << "Rectangle" << endl; break;
        case PARALLELOGRAMME:   cout << "Parallélogramme" << endl; break;
        case LOSANGE:           cout << "Losange" << endl; break;
    }
}
```

c)
```cpp
for (i = 0; i < 4; i++)
{
    switch(Tab_Forme[i])
    {
        case TRIANGLE:          cout << "Triangle" <<endl; break;
        case RECTANGLE:         cout << "Rectangle" << endl; break;
        case PARALLELOGRAMME:   cout << "Parallélogramme" << endl; break;
        case LOSANGE:           cout << "Losange" << endl; break;
        default:                cout << "Inconnue" << endl;
    }
}
```

d)
```cpp
for (i = 0; i < 4; i++)
{
    switch(Tab_Forme[i])
    {
        case TRIANGLE:          cout << Triangle <<endl; break;
        case RECTANGLE:         cout << Rectangle << endl; break;
        case PARALLELOGRAMME:   cout << Parallélogramme << endl; break;
        case LOSANGE:           cout << Losange << endl; break;
    }
}
```

12. Donner l'affichage obtenu après l'exécution du programme ci-dessous.

```cpp
#include <cstring>
#include <iostream>
using namespace std;

void main()
{                       // Pensée de Blaise Pascal
    char Phrase[]= "Le nez de Cléopâtre: s'il eût été plus court, toute
                la face de la terre aurait changé";
```

```
  char Terre[6]= "terre";
  int Pos, i;
bool Trouver;

for (Pos=0; Phrase[Pos]!='t'; Pos++) ;
Pos—;
cout << Phrase[Pos]<<Phrase[Pos+1]<<Phrase[Pos+2];
cout << Phrase[Pos+3]<<Phrase[Pos+4]<<endl;

Trouver = false;
for (Pos=0; Pos < strlen(Phrase) && !Trouver ; Pos++)
  if (Phrase[Pos] == Terre[Pos])
      Trouver = true;
Pos—;
cout << Phrase[Pos]<<Phrase[Pos+1]<<Phrase[Pos+2];
cout << Phrase[Pos+3]<<Phrase[Pos+4]<<endl;

Trouver = false;
for (Pos=0; !Trouver && Pos<strlen(Phrase)-
              strlen("terre");Pos++)
{
  Trouver = true;
  for   (i=0;i<strlen("terre");i++)
     if (Phrase[Pos+i]!=Terre[i])
        Trouver = false;
}
Pos—;
cout << Phrase[Pos]<<Phrase[Pos+1]<<Phrase[Pos+2];
cout << Phrase[Pos+3]<<Phrase[Pos+4]<<endl;

Trouver = false;
for (Pos=0; !Trouver && Pos<strlen(Phrase)-
              strlen("terre");Pos++)
{
  Trouver = true;
  for (i=0;i<strlen("terre");i++)
     if (Phrase[i]!=Terre[i])
        Trouver = false;
}
Pos—;
cout << Phrase[Pos]<<Phrase[Pos+1]<<Phrase[Pos+2];
```

```
cout << Phrase[Pos+3]<<Phrase[Pos+4]<<endl;

for (Pos=0; !Trouver && Pos<strlen(Phrase); Pos++)
{
   Trouver = false;
   for (i=0;i<strlen("terre");i++)
      if (Phrase[Pos+i]==Terre[i])
         Trouver = true;
}
Pos—;
cout << Phrase[Pos]<<Phrase[Pos+1]<<Phrase[Pos+2];
cout << Phrase[Pos+3]<<Phrase[Pos+4]<<endl;
}
```

13. Une exposition d'art contemporain de grande envergure se tient au Palais des congrès de Laville-des-Arts et occupe 10 étages de l'édifice. La superficie réservée à l'exposition est divisée en lots de tailles différentes; chacun des étages compte 50 de ces lots.

Les organisateurs de l'exposition ont confié à une équipe de consultants dont vous faites partie le soin de rédiger un programme qui permette de gérer efficacement l'occupation des lots.

Voici un fragment des déclarations:

```
const int Lots_Max_Par_Etage = 50;
const int Nb_Etage = 10;

...   Superficie_Lot ...
...
```

a) Compléter la déclaration de la variable `Superficie_Lot` pour qu'elle puisse conserver la superficie (exprimée en mètres carrés) de chacun des lots.

b) Donner l'instruction qui permettra de fixer à 200 m^2 la superficie du troisième lot au quatrième étage.

c) Un exposant aimerait louer un lot d'une superficie minimale de 60 m^2 et maximale de 100 m^2. On vous demande d'ajouter les déclarations nécessaires et d'écrire les instructions qui permettront de trouver l'emplacement du premier lot disponible qui satisfasse à la demande. La recherche débute par le premier étage de l'édifice; si rien n'est trouvé, elle se poursuit avec le deuxième étage, et ainsi de suite jusqu'à ce qu'on obtienne un résultat.

14. a) Soit les déclarations suivantes:

```
enum  type_service {CARDIOLOGIE,ENDOCRINOLOGIE,UROLOGIE,NEUROLOGIE};
enum  type_fonction {MEDECIN,INFIRMIER,ANESTHESISTE,CHIRURGIEN};
enum  type_sexe {HOMME,FEMME};

int Total_Personnel[NEUROLOGIE+1][CHIRURGIEN+1][FEMME+1], Total_Medecin;
```

Quelle instruction affectera le nombre total de médecins en urologie à la variable
`Total_Medecin`?

i • `Total_Medecin = Total_Personnel[UROLOGIE][1][HOMME] +`
    `Total_Personnel[UROLOGIE][1][FEMME];`

ii • `Total_Medecin = Total_Personnel{UROLOGIE}{MEDECIN}{HOMME} +`
    `Total_Personnel{UROLOGIE}{MEDECIN}{FEMME};`

iii• `Total_Medecin = Total_Personnel[UROLOGIE][MEDECIN][HOMME] +`
    `Total_Personnel[UROLOGIE][MEDECIN][FEMME];`

b) Soit les déclarations suivantes:

```
float Cumul;
int i;
```

Lequel des énoncés suivants réalise la sommation?

```
Cumul = (1+4+9+16+25+36+49+64+81+100)/10;
```

i •
```
Cumul = 0.0;
for (i=1;i<=10;i++)
    Cumul = i*i;
Cumul /= 10.0;
```

iii •
```
Cumul = 0.0;
i = 1;
while (i < 10)
{
    Cumul += i*i;
    ++i;
}
Cumul /= 10.0;
```

ii •
```
Cumul = 0.0;
for (i=1;i<=10;i++)
    Cumul += i*i;
Cumul /= 10.0;
```

iv •
```
Cumul = 0.0;
i = 1;
do
{
    ++i;
    Cumul += i*i;
}
while (i<10);
Cumul /= 10.0;
```

c) Quel est l'affichage produit par le programme suivant?

```
void main(void)
{
    int Matrice[3][3], Ligne, Colonne;

    for (Ligne=0; Ligne<3 ; Ligne++)
      for (Colonne=0; Colonne<3; Colonne++)
          Matrice[Ligne][Colonne]=0 ;
```

```
    for (Ligne=0; Ligne<3; Ligne++)
       for  (Colonne=Ligne; Colonne>=0; Colonne—)
          Matrice[Ligne][Colonne]=Ligne;

    for (Ligne=0; Ligne<3 ; Ligne++)
    {
       for  (Colonne=0; Colonne<3; Colonne++)
          cout<<Matrice[Ligne][Colonne] << ' ';
       cout << endl;
    }
 }
```

d) Quel est l'affichage produit par le programme suivant?

```
void main(void)
{
    char Mot[30];

    strcpy(Mot, "Ingénieure");
    if (Mot[9]!='e')
       cout << "Il faut penser à féminiser ce terme";
    else
       if (Mot[0]=='I' && Mot[strlen(Mot)-1]=='e')
          cout << "Enfin... " ;
       else
          cout<<"Communiquez avec le Conseil du statut de la femme";
}
```

15. Un tableau d'entiers renseigne sur le nombre de places disponibles dans chaque classe d'une grande école. On y a structuré l'information en utilisant l'identification de la section de l'école, l'étage et le numéro du local. L'école compte six étages.

Exemple de codage:

dans A429,   A représente la section de l'école,
                    4 identifie l'étage,
                    29 représente le local.

On vous demande d'écrire les instructions qui calculent le nombre de places disponibles dans tous les locaux des deuxième, troisième et quatrième étages de la section A de l'école, compte tenu qu'il y a 60 classes par section. Pour ce faire, on vous fournit le programme suivant duquel certains éléments sont absents:

```
#include <iostream>
using namespace std;

enum type_etage {ETAGE1, ETAGE2, ETAGE3, ETAGE4, ETAGE5, ETAGE6};
enum type_aile {A, B, C};
void main(void)
```

```
{
    int Nb_Places[C+1][ETAGE6+1][60];
    int Nb_Total;
    ...
/* Vous devez supposer que la suite d'instructions qui initialisent   */
/* le tableau Nb_Places aux nombres de places disponibles pour chacun */
/* des locaux de l'école est déjà écrite.                             */
    ...
    cout << " La somme des places disponibles est " << Nb_Total;
}
```

16. Écrire une fonction qui reçoit en paramètres un vecteur et sa dimension (un entier de 2 à 50) et qui retourne le vecteur normalisé.

Un vecteur x normalisé est défini comme suit:

$$x_i = \frac{v_i}{\sqrt{\sum_{i=1}^{n} v_i^2}} \quad i = 1, 2, ..., n$$

17. Plusieurs normes régissent l'écriture des vecteurs; par exemple, voici deux normes différentes pour un vecteur $x = (x_1, x_2, x_3, ..., x_n)$:

$$\|x\| = \left(\sum_{i=1}^{n} x_i^2 \right)^{\frac{1}{2}}$$

et

$$\|x\|_\infty = \max_{1 \le i \le n} |x_i|$$

Rédiger un programme qui, après avoir demandé la dimension d'un vecteur et lu les valeurs qui le composent, calcule les deux normes pour ce vecteur.

NOTE: Les vecteurs ne dépasseront pas 100 dimensions.

18. On désire déterminer si une suite de points S_i de coordonnées (x_i, y_i) débutant au point S_0 de coordonnées (x_0, y_0) est convergente ou divergente.

Les termes de la suite S_i sont définis de la façon suivante:

$$S_{i+1} = \left(x_{i+1}, y_{i+1} \right) = \begin{cases} x_{i+1} = \left(x_i \right)^2 - \left(y_i \right)^2 + x_c \\ y_{i+1} = 2 \times x_i \times y_i + y_c \end{cases}$$

où les points (x_c, y_c) et (x_0, y_0) sont établis au départ.

On dit qu'une suite est convergente si, après la génération de 100 points, on peut calculer la distance entre chaque paire de points adjacents (x_i, y_i) et (x_{i+1}, y_{i+1}), grâce à l'inéquation:

$$\sqrt{\left(x_{i+1} - x_i\right)^2 + \left(y_{i+1} - y_i\right)^2} \leq 10^{-3}$$

À l'inverse, si la distance croît par rapport à la paire de points précédente, on peut conclure que la suite est divergente.

Écrire un programme qui demande à l'usager d'entrer les deux coordonnées réelles, x_c et y_c, du point fixe C et celles du premier point initial, (x_0, y_0). Le programme doit déterminer si la suite est convergente ou divergente et afficher le résultat.

19. La définition de la suite de Syracuse est:

$$u_0 \in N^*$$

où N* représente l'ensemble des entiers strictement positifs.

$$\begin{cases} u_{n+1} = \dfrac{u_n}{2} & \text{si } u_n \text{ est pair} \\ u_{n+1} = 3u_n + 1 & \text{si } u_n \text{ est impair} \end{cases}$$

Si on choisit $u_0 = 1$, on obtient un cycle 1,4,2,1,4,2,1,4,2...

Une conjecture stipule que pour tout entier naturel u_0, cette suite donne un terme égal à 1 en un temps fini. On tient cette conjecture pour vraie jusqu'à preuve du contraire.

Écrire un programme qui lit du clavier le terme u_0 de la suite et s'assure que $u_0 > 0$. Ensuite, le programme affiche à l'écran les termes successifs de la suite de Syracuse jusqu'à l'obtention de la valeur 1. Pour terminer, le programme affiche le nombre de termes nécessaires pour obtenir le cycle.

Exemple d'affichage (à l'écran):

```
Entrez la valeur de u0 ? 3 ⏎ (L'utilisateur écrit 3 au clavier et appuie sur «Enter»)

u1 = 10
u2 = 50
u3 = 16
u4 = 8
u5 = 4
u6 = 2
u7 = 1

7 termes sont nécessaires pour obtenir un cycle.
```

20. Rédiger un programme capable de lire des caractères entrés au clavier afin de déterminer le nombre de mots contenus dans cette suite de caractères. Le programme reconnaît un nouveau mot lorsqu'il lit un caractère d'espacement: espace, « », tabulateur, «\t», ou fin de ligne, «\n» précédant un caractère qui n'est pas un caractère d'espacement. Tenir compte du fait que les premiers caractères lus constituent un mot même s'ils ne sont pas précédés d'un caractère d'espacement. La suite de caractères entrée doit se terminer par un dièse, «#». Le programme *devra obligatoirement effectuer une lecture caractère par caractère* et afficher le nombre de mots comptés.

    Par exemple, la suite de caractères: «`allô bonjour bonne nuit et à demain #`» contient sept mots et la suite «`allô 2546 bonjour#`» en contient trois.

    NOTE: La fonction `get()` permet de lire caractère par caractère tous les caractères du clavier.

21. Une équipe chargée du contrôle de la qualité veut vérifier la fiabilité d'une chaîne de montage qui effectue l'embouteillage de boissons gazeuses. Chaque bouteille doit contenir 750 mL et l'écart type est de 4 mL.

    Lors d'un examen quotidien, on sélectionne aléatoirement un échantillon de 100 bouteilles dont on vérifie le volume de boisson gazeuse. L'équipe pourra conclure à un niveau de signification de 0,05 que la chaîne est fiable si la moyenne de l'échantillon se situe dans un intervalle précis, soit [749,22, 750,78]. Si tel n'est pas le cas, il faudra l'ajuster au plus vite.

    Le responsable du contrôle de la qualité vous a demandé d'écrire un programme interactif qui affichera la décision à prendre.

    NOTE: Le programme génère les volumes de boisson gazeuse à l'aide de la fonction `rand()`.

22. Le code Morse, créé par Samuel Morse en 1832, a servi à la transmission télégraphique. Ce code remplace chaque lettre de l'alphabet, chaque chiffre et certains autres caractères de ponctuation par une série de points et de traits. Le tableau suivant présente le code Morse des chiffres de 0 à 9.

Chiffre	Code
0	-----
1	.----
2	..---
3	...--
4	....-
5	.....
6	-....
7	--...
8	---..
9	----.

Écrire un programme qui demande à l'usager d'entrer un nombre entier au clavier, qui le lit et l'affiche en code Morse en traduisant chaque chiffre du nombre par son code correspondant.

Par exemple, pour le nombre 147, on obtient en code Morse:

.----....--...

Pour faciliter la manipulation du nombre entier, il est préférable de le lire et de le mémoriser comme une chaîne de caractères plutôt que comme un entier.

23. Lorsqu'on fait une recherche dans une base de données ou sur Internet, il est souvent utile de ne pas tenir compte des accents. Le processus qui consiste à retirer les accents d'une chaîne de caractères s'appelle le filtrage.

Écrire un programme en langage C ou C++ qui va lire une chaîne de caractères d'une longueur maximale de 100 caractères, y compris les espaces, à partir du clavier. Le programme doit parcourir la chaîne de caractères et remplacer chaque caractère accentué par le caractère non accentué correspondant. Afin de simplifier le problème, se limiter aux lettres suivantes: à, é, è, ê, î et ù. Demander de plus à l'usager d'entrer la chaîne de caractères en minuscules. Pour terminer, le programme affiche à l'écran la chaîne filtrée.

24. Une agence de recrutement a convoqué un ensemble de candidats à un examen de placement rapide qui comporte 10 questions. Afin de faciliter la correction et surtout pour établir des statistiques en vue d'améliorer le test, l'agence a inscrit les réponses des candidats dans un fichier texte.

Le fichier texte se présente de la manière suivante:

```
Clé de correction     BCABDEABAC

Code permanent        12345

Test                  BCEBAEECBA

Code permanent        54321

Test                  ACABDEBBBC

. . .
```

La première ligne du fichier donne la clé de correction, c'est-à-dire le codage correspondant aux bonnes réponses. La deuxième ligne présente le code permanent d'un premier candidat, code composé d'au plus cinq entiers naturels. La troisième ligne correspond au test passé par le candidat. Le procédé se répète pour tous les candidats qui ont passé le test. On ne connaît pas le nombre de candidats; il peut varier d'une séance d'examen à l'autre, mais on a fixé à 80 le nombre maximal de candidats d'une promotion.

À l'aide de la correction du test, l'agence de recrutement désire établir les statistiques suivantes:

— la moyenne obtenue par la promotion;

— la note de chaque candidat, en attribuant un point pour chaque bonne réponse;

- la classe (au sens statistique) dans laquelle se situe chaque candidat selon la moyenne de la promotion (ex.: +2 => 2 de plus que la moyenne de la promotion; -4 => 4 de moins que la moyenne de la promotion);
- le meilleur candidat;
- la question la mieux réussie;
- la question la moins réussie.

Concevoir un programme qui lit le fichier des réponses des candidats et qui affiche les statistiques que désire obtenir l'agence de recrutement.

25. Un institut de recherches sur le traitement automatique des langues vous demande d'écrire un programme qui puisse:
- lire un texte, entré au clavier, caractère par caractère (la fin est indiquée par le marqueur spécial '*');
- compter le nombre de couples de lettres consécutives identiques (on suppose que le texte à lire contient au moins un caractère différent de '*' et qu'une lettre ne se répète pas plus d'une fois);
- afficher à l'écran ce nombre et la longueur du texte.

26. Écrire un programme dans lequel on définit deux tableaux: les voyelles et les consonnes. Le programme bouclera tant que les caractères saisis seront des lettres et déterminera si le caractère saisi est une voyelle ou une consonne.

27. Un fichier texte nommé GARDIEN.DAT contient le nombre de buts accordés et de tirs reçus par le gardien d'une équipe de hockey au cours de la saison. Le nombre maximal de rencontres est de 80. Chaque ligne du fichier contient, dans l'ordre, le nombre de buts accordés au cours d'une rencontre et le nombre de lancers reçus lors de la même rencontre.

Voici un exemple de son contenu:

2	31
2	35
1	28
...	...

En utilisant les variables `StatButs` et `StatLancers`, de type tableau de 80 éléments entiers, écrire les instructions qui permettent:
a) de calculer et d'afficher la moyenne de buts accordés par rencontre;
b) de calculer et d'afficher la somme des lancers reçus;
c) d'identifier et d'afficher le nombre de lancers reçus lors de la première rencontre pendant laquelle le gardien n'a accordé aucun but (s'il y a eu une telle rencontre).

28. Une manière simple de protéger les fichiers textes est de les crypter, c'est-à-dire de modifier leur contenu afin de le rendre illisible pour les intrus tout en gardant la possibilité de retrouver leur forme originale.

Un organisme de contre-espionnage vous demande secrètement d'écrire un programme qui permette de crypter un fichier dont le nom est spécifié par l'usager et de mémoriser le résultat sur disquette (dans un fichier texte) sous un nouveau nom, également fourni par l'usager. Pour ce faire, vous devez employer les tables de correspondance `TabMaj` pour les majuscules, `TabMin` pour les minuscules et `TabNum` pour les chiffres.

NOTES:

- Tout caractère qui n'est ni une majuscule, ni une minuscule, ni un chiffre (ex.: «;») est reproduit tel quel dans le fichier crypté.
- Deux caractères différents auront forcément deux cryptages différents.

Les déclarations des tables de correspondance `TabMaj`, `TabMin` et `TabNum` sont les suivantes:

```
const char TabMaj [] =
{'À','§','É','È','Ê','ô','Ë','Ï','û','ù','Ç','Ô','Ü',
 'ç','£','Ù','Û','ç','¡','í','ó','•','¨','¸','-','Î'};
const char TabMin [] =
{'1','z','2','y','3','x','4','w','5','v','6','u','7','t',
 '8','s','9','r','10','q','11','p','12','o','13','n'};
const char TabNum [] =
{'α','β','π','Σ','µ','τ','σ','Φ','Θ','Ω'};
```

29. Le propriétaire d'un grand restaurant a recours à un fichier texte, dont le nom est ADDITION.DAT, pour connaître le prix de chaque repas (c'est-à-dire l'addition) consommé durant la journée. À la fermeture du restaurant, un petit programme que vous devez écrire lit le contenu de ce fichier, à raison d'une addition par ligne du fichier, et affiche à l'écran et sur une même ligne:

- le message «Le total des ventes de la journée est de:»;
- la somme des prix des repas de la journée sous la forme numérique 9999,99, où la partie entière correspond aux dollars et la partie décimale, aux cents;
- la partie correspondant à la taxe, fixée à 15 %, est déjà comprise dans le montant du repas.

NOTES:

- On ne connaît évidemment pas le nombre de repas vendus et il arrive parfois que les journées très creuses se soldent par une absence totale de ventes. Vous devez tenir compte de ces éléments dans votre programme.
- Cependant, vous êtes certain que le fichier ADDITION.DAT existe et qu'il est sur le lecteur actif.

30. Soit une machine qui ne possède pas comme primitive la multiplication de deux entiers. La section de mathématiques vous demande d'écrire un programme qui puisse réaliser la multiplication de deux entiers, *A* et *B*, sans recourir à la multiplication et en n'utilisant que l'addition. D'ailleurs, la définition première de la multiplication de deux entiers correspond à une addition répétée.

Soit l'équation suivante de multiplication du facteur *A* par *B* (l'équation s'applique à tout entier naturel):

$A * B = A + A + ... + A$, *B* fois (le facteur *A* se retrouve *B* fois)

Au cours de l'exécution, le programme doit demander à l'usager les valeurs des opérandes A et B, qui restent positifs ou nuls. On demande deux versions du programme, l'une utilisant les structures de répétition `do-while` et `while` et l'autre, la structure `for`.

31. La société Boule de cristal inc. a retenu vos services de programmeur afin que vous réalisiez un programme interactif qui écrive dans un fichier, sur disquette, des informations confidentielles concernant certains clients jugés «intéressants».

Chaque ligne du fichier texte doit contenir les informations suivantes, qui sont données dans l'ordre d'écriture (de gauche à droite):

- Le prénom du client séparé de son nom par un espace. On prévoit 20 caractères au maximum pour le prénom et 20 pour le nom. Les prénoms et noms seront écrits entre deux apostrophes simples ('), l'une placée au début et l'autre à la fin.
- La date de naissance de chaque client, en format JJ/MM/AA.
- Le signe du zodiaque correspondant à la date de naissance du client. On donne plus loin une table de correspondance entre signes et périodes du calendrier.
- Un court commentaire, mis entre deux apostrophes, d'une longueur maximale de 40 caractères.

Voici un exemple de fichier de données sauvegardé sur disquette:

'Lobeau Joe'	18/04/75	Bélier	'Confond brosse à dents et fourchette'
'Fauve Alain'	07/03/65	Poissons	'Se prend pour un tigre les lundis'
'Labelle Julie'	10/02/68	Verseau	'A peur des chats noirs la nuit'
'Froment Corinne'	30/04/60	Taureau	'Ne mange plus de pain'
'Croissant Sylvie'	20/06/78	Gémeaux	'Sourit au boulanger depuis 10 ans'

NOTE:
Table de correspondance entre les signes du zodiaque et les périodes du calendrier:

Signe	Période
Verseau	du 21 janvier au 19 février
Poissons	du 20 février au 20 mars
Bélier	du 21 mars au 20 avril
Taureau	du 21 avril au 20 mai
Gémeaux	du 21 mai au 21 juin
Cancer	du 22 juin au 22 juillet
Lion	du 23 juillet au 23 août
Vierge	du 24 août au 22 septembre
Balance	du 23 septembre au 23 octobre
Scorpion	du 24 octobre au 22 novembre
Sagittaire	du 23 novembre au 21 décembre
Capricorne	du 22 décembre au 20 janvier

32. La multiplication égyptienne consiste à multiplier deux entiers positifs en n'utilisant que l'addition, la multiplication par deux et la division par deux.

    Pour rechercher un algorithme, on recommande de s'inspirer de l'exemple suivant:

    ```
    25 * 19  = 25*18 + 25
             = 50*9 + 25
             = (50*8 + 50) + 25  = 50*8   + 75
                                 = 100*4  + 75
                                 = 200*2  + 75
                                 = 400*1  + 75
                                 = 400*0  + 475 = 475
    ```

    Soit A et B, les deux entiers à multiplier, ainsi que X et Y, les deux variables qui vont recevoir respectivement A et B et qui vont évoluer ensuite comme suit:

    $X*Y = X*(Y-1) + X$ si Y est impair

    $X*Y = (2*X)*(Y/2)$ si Y est pair et non nul

    Concevoir un programme qui demande deux nombres entiers et qui affiche le résultat de la multiplication égyptienne de ces deux nombres.

33. Écrire un programme qui lit une phrase et qui compte le nombre d'occurrences de chaque lettre dans celle-ci. Pour chaque lettre présente dans la phrase, l'affichage précise la lettre et son nombre d'occurrences.

34. Un réseau d'aqueduc peut être modélisé comme suit:

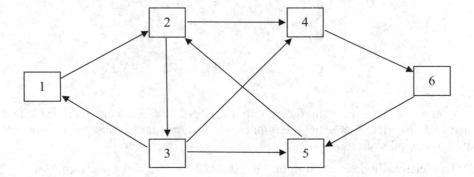

    Les carrés numérotés représentent des stations de pompage alors que les canalisations entre les stations sont illustrées par des flèches indiquant la direction du débit. On peut représenter ce réseau par une liste de liens entre station de départ et station d'arrivée. Ainsi, pour la figure ci-dessus, on a:

```
1 2
2 3
2 4
3 1
3 4
3 5
4 6
5 2
6 5
```

Il est aussi possible d'utiliser une matrice A de 0 et de 1 qui indique s'il y a une liaison entre une station et une autre: $Aij = 1$ s'il y a un lien de la station i vers la station j, $Aij = 0$ autrement. Par exemple, la matrice 6×6 suivante correspond au réseau précédent:

		ARRIVÉE					
		1	2	3	4	5	6
D	1	0	1	0	0	0	0
É	2	0	0	1	1	0	0
P	3	1	0	0	1	1	0
A	4	0	0	0	0	0	1
R	5	0	1	0	0	0	0
T	6	0	0	0	0	1	0

Écrire un programme qui lit un fichier nommé, RESEAU.TXT, contenant une liste de liens, construit la matrice A et affiche le nombre de stations dans le réseau. Il peut y avoir un maximum de 50 stations.

NOTE: Vérifier l'existence du fichier RESEAU.TXT lors de l'ouverture.

35. Écrire un programme qui crypte une chaîne de caractères. Ce programme demande une chaîne de caractères à l'usager pour ensuite la crypter et afficher la chaîne cryptée à l'écran. Le cryptage est un procédé qui consiste à modifier chaque caractère d'une chaîne. Procéder ainsi:

   – séparer la chaîne en paquets de 6 caractères; par exemple, une chaîne de 40 caractères contient 6 paquets de 6 caractères et un paquet de 4 caractères;

- inverser les caractères de chaque paquet (*uniquement pour les paquets de 6*), c'est-à-dire permuter le premier caractère et le sixième caractère, le deuxième et le cinquième, et ainsi de suite; par exemple, `soleil` devient `lielos`. Le paquet de moins de 6 caractères sera traité plus loin;
- convertir chaque caractère de la chaîne dans le caractère se trouvant deux positions plus loin dans la table ASCII. Par exemple, le caractère 'a' devient 'c' et le caractère 'z' devient '|'.

NOTE: L'instruction `Caractere = Caractere + 2;` permet d'affecter à la variable `Caractere` le caractère situé deux positions plus loin dans la table ASCII.

36. Une association désire déterminer les moments les plus propices pour réunir ses membres. Elle possède un fichier texte contenant le nom suivi de l'horaire, et ce pour chacun de ses membres. L'horaire se présente sous la forme d'un tableau à deux dimensions qui indique, pour une heure et un jour fixés, si le membre est libre ou non.

    Dans une résolution du conseil, l'association décide d'engager un programmeur afin qu'il lui transmette les informations suivantes à partir du fichier des membres:
    - le pourcentage de membres disponibles pour chaque case horaire correspondant à une heure et à un jour particuliers;
    - les cases horaires où tous les membres sont disponibles;
    - le nom des membres non disponibles lorsque des cases horaires indiquent moins de cinq membres non disponibles.

37. Certains types de serveurs Web peuvent exécuter le code *vbscript* (script en Visual Basic), d'autres non. Les instructions du code *vbscript* apparaissent en principe entre la balise de début, <%, et la balise de fin, %>. Pour simplifier le problème, on suppose que la balise de début et celle de fin sont seules sur une ligne du fichier.

    Par exemple, le fichier EXEMPLE.HTML contient du *vbscript* permettant d'afficher les entiers de 0 à 5.

```
<html>
<body>
exemple de page avec vbscript
<%
        for i=0 to 5
              print i
        next i
%>

</body>
</html>
```

Le *vbscript*

Écrire un programme qui crée un fichier équivalent au fichier HTML original sans les instructions en *vbscript*. Le programme demande le nom du fichier HTML original. Il lit le fichier et copie son contenu dans un deuxième fichier à l'exception des lignes concernant le *vbscript*. Cette copie porte le nom FILTRE.HTML.

À partir du fichier EXEMPLE.HTML, le programme doit créer le fichier FILTRE.HTML suivant:

```
<html>
<body>
exemple de page avec vbscript

</body>
</html>
```

4.9 TRAVAIL DIRIGÉ

Cette quatrième séance de travail permettra à l'étudiant de saisir le concept des structures alternatives et répétitives, et de maîtriser leur utilisation.

1. Écrire un programme qui demande à l'usager d'entrer le numéro d'un mois (ex.: janvier = 1, février = 2, etc.) et qui affiche le nombre de jours dans ce mois.

2. Écrire un programme qui affiche toutes les puissances de 2 comprises entre 1 et 32 000, sous le format suivant:

```
2^ 0  =     1      2^1  =    2
2^ 2  =     4      2^3  =    8
2^ 4  =    16      2^5  =   32
2^ 6  =    64      2^7  =  128
2^ 8  =   256      2^9  =  512
2^10  =  1024      ...
```

3. Écrire un programme qui demande à l'usager d'entrer cinq nombres entiers et qui les sauvegarde dans un tableau. Le programme devra afficher la moyenne ainsi que le plus petit et le plus grand de ces nombres.

4. Écrire un programme qui trouve tous les nombres premiers compris entre 50 et 100. Quelles structures répétitives devrait-on choisir? Pourquoi?

5. Écrire un programme qui demande à l'usager son revenu annuel, puis qui calcule l'impôt qu'il doit payer en fonction de la formule suivante: 5 % de la première tranche de 10 000 $ et 15 % du reste.

6. Écrire un programme qui lit 3 phrases d'une longueur maximale de 80 caractères et qui les conserve dans un tableau. Ensuite, l'usager doit demander de les revoir dans l'ordre de son choix (soit 1 2 3, 1 3 2, 1 1 1, 3 2 1, 2 2 2, 3 2 1, 3 3 3, 3 3 2, etc.).

7. La probabilité que deux personnes soient nées le même jour de l'année, parmi un groupe de n personnes, est:

$$p(n) = 1 - \frac{365}{365} \times \frac{364}{365} \times \frac{363}{365} \times ... \times \frac{365 - n + 1}{365}$$

Écrire un programme qui demande le nombre de personnes dans le groupe et qui affiche la probabilité que deux personnes du groupe soient nées le même jour.

8. Écrire un programme qui choisit aléatoirement un nombre entier X compris dans l'intervalle $[0, 50]$ et qui demande à l'usager de deviner ce nombre. L'usager est invité à entrer une valeur. L'ordinateur affichera que sa valeur est trop grande si elle est supérieure à X ou trop petite dans le cas inverse. L'usager doit entrer une valeur tant qu'il n'a pas trouvé X.

9. Le Département de mathématiques vous demande d'écrire un programme qui puisse calculer la racine carrée de A (A étant un réel strictement positif) au moyen de la méthode de Newton-Raphson et avec une précision de ε fixée par l'usager.

La méthode de Newton-Raphson permet de calculer par récurrence les éléments de la suite (X_i) à l'aide de l'algorithme suivant:

$$X_0 = \frac{A}{2}$$

Tant que $\dfrac{|X_i - X_{i-1}|}{X_{i-1}} > \varepsilon$, faire

$$X_i = \frac{1}{2}\left(X_{i-1} + \frac{A}{X_{i-1}}\right)$$

Le dernier terme de la suite (X_i) permet de trouver la valeur approximative de la racine carrée de A.

NOTE: Le programme devra traiter la suite (X_i) sans l'aide d'un tableau.

10. Écrire un programme qui effectue l'une des quatre opérations arithmétiques (+,-,* et /) sur deux nombres réels. Le programme reçoit les données dans l'ordre suivant: opérateur, espace, nombre, espace et nombre. Par exemple:

$$+ \quad 12.5 \quad -14.5$$

Pour l'opération de division, le programme doit vérifier s'il s'agit d'une division par 0. Le cas échéant, il doit afficher le message «Division par zéro».

Le programme lit les données, réalise l'opération et affiche le résultat, et ce tant que l'opérateur arithmétique lu est l'un des quatre opérateurs permis.

11. La librairie Champignon possède un fichier texte contenant les caractéristiques de tous les livres qu'elle a en inventaire. Ce fichier, nommé LIVRES.DAT, décrit, pour chaque livre:

– sur une ligne: le titre (chaîne d'au plus 80 caractères),

– sur la ligne suivante:
  – l'année d'édition,
  – le nombre de pages (moins de 10 000 pages),
  – le prix d'achat (prix que la librairie a payé à l'éditeur),
  – le prix de vente (prix auquel la librairie revend le livre à ses clients),
  – le nombre de copies achetées à l'éditeur (moins de 1 000 000 de copies),
  – le nombre de copies vendues (moins de 1 000 000 de copies).

Par exemple:

```
...

Le petit prince

1971 113 7.00 13.50 250000 108753

Let's face it Charlie Brown !

1959 97 5.75 9.45 12000 3421

Papillon

1969 698 3.10 8.75 190000 17690

...
```

Le nombre de livres contenus dans le fichier LIVRES.DAT est indéterminé mais très grand, ce qui empêche de mémoriser toutes les informations du fichier dans une variable de type tableau.

Un livre est un «bon vendeur» s'il rapporte assez d'argent à la librairie, ou, autrement dit, s'il satisfait à la condition suivante:

(prix de vente * nb. copies vendues) - (prix d'achat * nb. copies achetées) >= 10 000 $

Concevoir un programme qui réalisera les opérations suivantes:

– demander à l'usager d'entrer (au clavier) une année A;
– afficher (à l'écran) tous les titres de livres du fichier LIVRES.DAT édités pendant l'année A et considérés comme «bons vendeurs», selon la condition établie précédemment.

NOTE: Supposer que l'usager ne commet pas d'erreurs, c'est-à-dire qu'il entre bien une valeur numérique correspondant à une année. Il n'y a pas toujours au moins un «bon vendeur» par année d'édition.

12. En informatique, il arrive parfois que l'on doive traiter des signaux tels qu'une tension électrique, une pression, une température, etc. Il faut échantillonner ces signaux avant leur traitement. L'échantillonnage consiste à mesurer les valeurs d'un signal à des intervalles de temps constants. Après échantillonnage, le signal se compose d'une suite de valeurs numériques (S_0, S_1, S_2, S_3,..., S_j,..., S_{N-1}, S_N).

Une fois le signal échantillonné, il est possible d'effectuer le traitement des données. Un traitement fréquemment réalisé, le *filtrage*, a pour but d'atténuer les erreurs de mesure (les *bruits*, dans le jargon du métier) du signal brut. On passe donc les données mesurées (le signal) à travers un filtre. L'équation 4.1 permet de déterminer la valeur d'un filtre moyenneur avec une fenêtre mobile:

$$F_i = \frac{1}{k} \sum_{j=i-2}^{i+2} S_j \tag{4.1}$$

Dans cette équation, k représente le nombre de points valides de la fenêtre, c'est-à-dire appartenant au signal échantillonné:

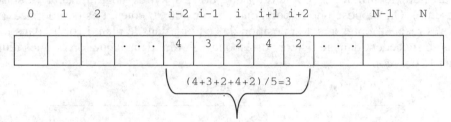

À partir de l'équation 4.1, on obtient le signal filtré:

Toutefois, si les échantillons considérés (S_j) n'appartiennent pas au signal, ils n'entreront pas dans le calcul de la moyenne. Par exemple, pour $i = 0$, puisque S_{-2} et S_{-1} ne sont pas valides, l'équation 4.1 conduit au calcul suivant:

$$F_0 = \frac{1}{3} \left(S_0 + S_1 + S_2 \right)$$

Signal échantillonné

-2	-1	0				

Signal filtré

		2				

Écrire un programme qui demande et lit un signal, puis qui détermine et affiche le signal filtré selon le filtre représenté par l'équation 4.1. Tenir compte du fait que dans le cas des limites (début et fin du signal), on fait la moyenne en fonction du nombre de points de la fenêtre qui correspondent à des échantillons du signal. Enfin, considérer qu'un signal possède au moins 10 valeurs et au plus 100 valeurs.

13. Rédiger un programme qui calcule et affiche le périmètre du polygone défini par le fichier POLYGONE.DAT. Le fichier texte POLYGONE.DAT regroupe l'information sur l'ensemble des points d'un polygone. Chaque ligne de ce fichier se présente sous le format:

```
Caractere_identifiant_le_point    Coordonnee_en_X    Coordonnee_en_Y
```

Le caractère identifiant le point est l'une des 26 lettres de l'alphabet (majuscule ou minuscule). On suppose que le polygone a moins de 26 côtés. Les coordonnées sont des nombres réels et représentent la position de ce point dans le plan. L'ordre dans lequel les points se succèdent dans le fichier correspond à l'ordre dans lequel on doit les réunir pour former le polygone.

Voici un fichier POLYGONE.DAT possible:

```
A      -1.0    -1.0

B      -1.0    1.0

C      1.0     1.0

D      1.0     -1.0
```

Dans cet exemple, le polygone représenté est un carré.

NOTES:

– Pour deux points A et B de coordonnées (X_A, Y_A) et (X_B, Y_B) respectivement, on détermine la distance entre eux par la formule:

$$D = \sqrt{(X_A - X_B)^2 + (Y_A - Y_B)^2}$$

– Pour évaluer le périmètre du polygone, il faut connaître la distance entre le dernier point et le premier point.
– Dans l'exemple précédent, le périmètre du carré est 8.
– Pour éviter les cas particuliers, supposer que le polygone a au moins trois côtés, donc que le fichier contient au moins trois lignes.

Le fichier existe et il ne contient pas d'erreur.

14. La toile électronique fournit une foule d'informations, du tutoriel pour apprendre un langage informatique jusqu'aux bulletins de météo mis à jour toutes les heures. Ces informations sont mémorisées dans des fichiers textes en format HTML, un format interprété par un fureteur qui affiche ensuite les informations. Le format HTML n'est toutefois pas directement compatible avec un éditeur de texte.

Par exemple, le fichier texte HTML suivant afficherait uniquement le titre du document et une phrase de texte.

```
<!Exemple d'un fichier texte en HTML><HTML>

<HEAD>

<TITLE>Titre du document</TITLE>

</HEAD>

<BODY>
Ceci est le texte visible d'une page electronique, affiche a l'ecran
par le fureteur de votre choix.

</BODY>

</HTML>
```

Les codes de contrôle, comme `<HTML>`, `<HEAD>` et `</TITLE>`, permettent au fureteur de procéder à l'affichage.

Écrire un programme destiné à lire un fichier texte en format HTML, nommé TEST.HTM, et à créer un nouveau fichier, nommé TEST.TXT, contenant uniquement le texte contenu entre les codes `<BODY>` et `</BODY>`, ce qui permettra sa lecture par un éditeur de texte conventionnel. Afin de simplifier le traitement, supposer que le code `<BODY>` est inscrit seul sur une ligne, de même que le code `</BODY>`. La copie vers le fichier de sortie doit donc commencer à la rencontre de la chaîne de caractères `<BODY>` et se terminer à la rencontre de la chaîne de caractères `</BODY>`.

Dans l'exemple, le fichier de sortie contiendrait uniquement la phrase suivante:

```
Ceci est le texte visible d'une page electronique, affiche a l'ecran
par le fureteur de votre choix.
```

NOTE: Vous pouvez utiliser la fonction `strcmp(chaine1, chaine2)` du fichier d'entête `<string.h >` pour déterminer si la chaîne lue est un code de contrôle. La fonction retourne la valeur 0 si `chaine1` et `chaine2` sont identiques.

Le fichier TEST.HTM existe et il ne contient pas d'erreur.

SOUS-PROGRAMMES

Dans ce chapitre, nous abordons une notion importante de la programmation structurée, soit la composition d'un programme à l'aide de sous-programmes. Un sous-programme se compose d'un ensemble d'instructions auxquelles le programme confie une tâche spécifique. Un échange d'information peut avoir lieu entre un sous-programme et un autre sous-programme ou le programme lui-même. L'information qui est échangée exige, dans certains cas, qu'on définisse au préalable un format de données. On peut spécifier ce format dans un énoncé qu'on nomme énoncé de type. Un type correspond tout simplement à la nature d'une variable. La déclaration de types fait l'objet du premier sujet de ce chapitre.

5.1 DÉCLARATION DE TYPES

Pour déclarer une variable, il suffit de la nommer à l'aide d'un identificateur et de spécifier son type. Le type d'une variable indique combien il faut d'espace mémoire pour stocker son contenu ainsi que la façon dont on doit la manipuler ou l'utiliser.

On appelle type nommé un type de variables que le programmeur définit. Il peut s'agir d'un type simple, d'un type construit ou d'un type pointeur.

Les types simples sont les types prédéfinis dont les identificateurs sont inclus dans le langage. Ce sont ceux à partir desquels on en construit d'autres, par exemple les types entiers, réels et caractères qui servent à identifier les quantités usuelles. Par opposition, les types construits définissent une organisation particulière d'un type déjà déclaré. La principale différence entre types simples et types construits concerne les propriétés des variables qu'ils caractérisent. Ainsi, les propriétés des types simples sont déterminées par le langage informatique et, dans une certaine mesure, par le compilateur et échappent donc au contrôle du programmeur, alors que les propriétés des types construits sont entièrement définies par ce dernier. Quant au type pointeur, il a la particularité de permettre au programmeur de gérer lui-même une portion de la mémoire appelée la région du monceau (heap). Nous verrons ce type en détail au chapitre 10.

Dans un programme, la structure de données qu'on emploie pour traiter un problème est très importante. Conçue avec soin à partir des types offerts par le langage, elle facilite grandement la rédaction des instructions. Ainsi, il revient au programmeur de structurer et de décrire les données à traiter en spécifiant leur forme, l'étendue des valeurs admissibles et les opérations applicables, ce qu'il fera en définissant les types de variables. Nous recommandons au programmeur de regrouper tous les types qu'il utilise dans un programme et, idéalement, de les incorporer à un fichier d'en-tête (ex.: `Entete.h`). Cette façon de faire comporte deux avantages. Premièrement, le programmeur peut repérer aisément les informations qu'il a spécifiées, ce qui facilite leur modification lors de la mise au point des programmes. Deuxièmement, ceci permet d'assurer la compatibilité entre les variables de même type. Par ailleurs, cette façon de faire devient essentielle quand on utilise comme paramètre d'un sous-programme une variable de types défini ou construit. Nous verrons, à la section 5.2, la théorie portant sur les sous-programmes.

En général, on déclare un type dans la partie déclarations d'un programme, soit en utilisant l'énoncé `enum` pour le type énumération, soit en inscrivant d'abord le mot réservé `typedef` puis, dans l'ordre, la définition du type, l'identificateur du type qui sera employé dans le programme et enfin «;». La définition du type peut consister en un type simple, construit ou pointeur, ou bien en un identificateur de type déjà déclaré. Le tableau 5.1 montre différentes façons de déclarer de nouveaux types.

Tableau 5.1   Déclaration de types

Forme générique	Exemple
`typedef type_prédéfini type1;`	`typedef int annee;`
`typedef type_construit type2;`	`enum jours {LUN,MAR,MER};`
`typedef construit_avec_un_type_défini type3;`	`typedef jours ens_jours[7];`

Par la suite, il est possible de déclarer des variables pour les types définis. L'exemple 5.1 illustre l'utilisation de types définis pour la déclaration de variables.

Exemple 5.1   Déclaration de variables à partir de types définis

```
typedef    int        annee;
enum       jours      {LUN,MAR,MER,JEU,VEN};
typedef    jours      ens_jours[5];

annee      Naissance;
jours      LeJour;
ens_jours  Conges;
```

Il est important de noter que cette façon de déclarer les variables équivaut à celle que nous avons employée jusqu'à présent.

Il faut être vigilant pour éviter de confondre, dans un programme, un identificateur de variable et un identificateur de type. De la même façon que l'instruction `int = 12;` n'a aucun sens, l'instruction `annee = 2002;` pourrait facilement se glisser dans un programme. Le compilateur décèle aisément une telle erreur, qu'on corrige simplement en remplaçant l'identificateur de type par l'identificateur de variable. Par contre, lorsque l'identificateur de type se trouve dans une expression, le compilateur annonce qu'il attend une parenthèse ouvrante, «(», après l'identificateur de type. Il faut faire preuve de prudence dans ce cas, surtout lorsque l'identificateur de type est confondu avec un tableau et que le programmeur a inscrit un crochet ouvrant, «[». On corrige l'erreur de la même façon, soit en remplaçant l'identificateur de type par l'identificateur de variable.

Une façon pratique d'éviter ce genre d'ennui est d'ajouter le préfixe `type` à l'identificateur de type et de l'écrire complètement en minuscules, comme dans l'exemple 5.2.

Exemple 5.2 Utilisation du préfixe `type` pour les identificateurs de type

```
typedef   int        type_annee;
enum      type_jours {LUN,MAR,MER,JEU,VEN};
typedef   type_jours type_ens_jours[5];


type_annee        Naissance;
type_jours        LeJour;
type_ens_jours    Conges;
```

Voyons maintenant d'autres exemples de déclarations de types. L'exemple 5.3 présente une déclaration de type assez simple, soit pour une matrice à deux dimensions.

Exemple 5.3 Déclaration simple d'un type; une matrice à deux dimensions

```
const int   MaxLigne = 20;
const int   MaxColonne = 30;

typedef float type_matrice[MaxLigne][MaxColonne];

type_matrice   Matrice_A, Matrice_B;
```

Selon ces déclarations, les variables `Matrice_A` et `Matrice_B` sont deux tableaux de réels de dimension 20×30.

L'exemple 5.4 illustre une déclaration plus complexe de types, qui définit une structure permettant de connaître les genres d'énergie disponibles pour un type d'automobile donné.

Exemple 5.4   Déclaration complexe de types; un tableau d'éléments

```
enum type_energie {ESSENCE, DIESEL, ELECTRIQUE, GAZ_NATUREL};
enum type_automobile {MONOPLACE, BIPLACE, FAMILIAL, FOURGONNETTE};

typedef  type_energie type_energie_automobile[FOURGONNETTE+1];

type_energie_automobile   EnergiePourAuto;
```

Dans ce cas, la variable `EnergiePourAuto` est un tableau dont les éléments sont des variables contenant des valeurs de type `type_energie`. Les indices du tableau sont de type `type_automobile`. Pour que le tableau puisse manipuler les quatre types d'automobiles, il faut préciser comme dimension `FOURGONNETTE+1` puisque `FOURGONNETTE` vaut 3. Une affectation valide pour la variable `EnergiePourAuto` est:

```
EnergiePourAuto[MONOPLACE] = ESSENCE;
```

Pour bien comprendre la façon de traiter la variable `EnergiePourAuto`, il faut décomposer sa structure à partir de sa déclaration et remonter dans la déclaration des types jusqu'à ce qu'on obtienne uniquement des types simples.

Ainsi, on prend la déclaration suivante:

```
type_energie_automobile   EnergiePourAuto;
```

et on remplace `type_energie_automobile` par sa définition, soit

```
type_energie   EnergiePourAuto[FOURGONNETTE+1];
```

La variable `EnergiePourAuto` est donc un vecteur de `FOURGONNETTE+1` éléments, soit 4 éléments, de type énumération `type_energie`.

5.2 SOUS-PROGRAMMES

Un sous-programme est un groupe d'instructions, qu'on appelle aussi fonctions, qui doit exécuter des tâches très spécifiques chaque fois qu'il est appelé dans le déroulement du programme. Les fonctions `sqrt()` et `pow()`, que nous avons utilisées dans les chapitres précédents, sont des sous-programmes fournis avec les bibliothèques standards du langage C. Dans cette section, nous verrons comment concevoir des sous-programmes. Le fonctionnement est le suivant: à partir d'un point d'appel situé dans le module appelant, dans le programme principal ou dans d'autres sous-programmes, l'exécution se poursuit dans le module appelé, le sous-programme, puis revient immédiatement après le point d'appel.

L'utilisation de sous-programmes est essentielle pour réduire la complexité des programmes. En règle générale, on regroupe en sous-programmes les instructions servant à exécuter des tâches particulières dans la résolution d'un problème. Chaque sous-programme peut être testé et mis au point indépendamment des autres. Une fois qu'il fonctionne correctement, on l'insère dans un programme principal qui se réduit souvent à une séquence d'appels de sous-programmes. Les programmes conçus de cette façon sont modulaires et faciles à modifier.

De plus, comme un sous-programme peut être appelé à partir de plusieurs endroits, on évite de répéter plusieurs fois un même groupe d'instructions. Finalement, signalons qu'il existe de nombreuses bibliothèques de sous-programmes déjà écrits par d'autres programmeurs et permettant de résoudre différents problèmes.

De façon formelle, on déclare une fonction dans le module appelant comme suit:

```
type_resultat Nom_fonction(liste de types et paramètres)
{
        partie déclarations de la fonction [au besoin]
        ...
        instructions de la fonction
        ...
        return (expression_de_retour);
}
```

Le nom de la fonction doit apparaître immédiatement après le type du résultat suivi d'une liste de paramètres placés entre parenthèses. Le nombre et le type de ces paramètres doivent correspondre à ceux qui suivront le nom de la fonction au moment de l'appel. Une liste consiste en une série de types et de paramètres séparés par des virgules. Si la fonction n'utilise pas de paramètre ou ne possède pas de valeur de retour, on le précisera à l'aide du type `void`.

La partie déclarations de la fonction sert à déclarer les constantes et les variables locales qui seront utilisées exclusivement à l'intérieur de la fonction. S'il n'y a pas de constantes ni de variables locales, on peut omettre cette partie. On doit obligatoirement inclure la partie instructions entre l'accolade ouvrante, «{», et l'accolade fermante, «}», même si elle ne comporte qu'une seule instruction. Cette partie peut comprendre n'importe quelle instruction ainsi que des appels à d'autres fonctions. Lorsqu'il n'y a aucune valeur de retour, l'énoncé `return` devient facultatif.

L'exemple 5.5 présente un programme qui englobe des sous-programmes prévus pour accomplir des tâches spécifiques et qui permet d'afficher un cadre à l'écran. On recommande d'ajouter le prototype des fonctions appelées dans la fonction appelante lorsque celui-ci n'est pas déjà inclus dans les fichiers d'en-tête. Le prototype correspond à l'en-tête qui décrit la fonction utilisée.

Exemple 5.5 Programme contenant des sous-programmes; affichage d'un cadre à l'écran

```
/*------------------------------------------------------------*/
/* FICHIER:     CADRE.CPP                                     */
/* AUTEUR:      Wacef Guerfali                                */
/* DATE:        11 juillet 2000                               */
/* DESCRIPTION: Ce programme permet d'afficher un cadre à     */
/*              l'écran.                                       */
/*------------------------------------------------------------*/
#include <iostream>   // Pour l'utilisation de cin et cout
#include <iomanip>    // Pour l'utilisation de setw()
using namespace std;
```

```
/*------------------------------------------------------------*/
/* DESCRIPTION:        Fonction Ligne_Etoilee()               */
/*                     Affiche une ligne étoilée à l'écran.   */
/* PARAMÈTRES:         Aucun.                                 */
/* VALEUR DE RETOUR:   Aucune.                                */
/* REMARQUE:           Aucune.                                */
/*------------------------------------------------------------*/
void Ligne_Etoilee(void)
{
   int Colonne;
   for (Colonne = 1; Colonne < 80; Colonne++)
      cout << '*';
}
/*------------------------------------------------------------*/
/* DESCRIPTION:        Fonction Saute_25_Lignes()            */
/*                     Affiche 25 lignes vides à l'écran, ce  */
/*                     qui produit un écran vide.             */
/* PARAMÈTRES:         Aucun.                                 */
/* VALEUR DE RETOUR:   Aucune.                                */
/* REMARQUE:           Aucune.                                */
/*------------------------------------------------------------*/
void Saute_25_Lignes(void)
{
   int Ligne;
   for (Ligne = 1; Ligne <= 25; Ligne++)
      cout << endl;
}
/*------------------------------------------------------------*/
/* DESCRIPTION:        Fonction Colonne_Sur_10_Lignes()      */
/*                     Affiche 10 lignes avec une étoile en   */
/*                     1re colonne et une étoile à la         */
/*                     79e colonne.                           */
/* PARAMÈTRES:         Aucun.                                 */
/* VALEUR DE RETOUR:   Aucune.                                */
/* REMARQUE:           Aucune.                                */
/*------------------------------------------------------------*/
void Colonne_Sur_10_Lignes(void)
{
   int Ligne;
   for (Ligne = 1; Ligne <= 10; Ligne++)
      cout << endl << '*' << setw(78) << '*';
   cout << endl;
}
/*------------------------------------------------------------*/
/* DESCRIPTION:        Fonction principale du programme.     */
/*                     Fait appel aux fonctions:             */
/*                     - Saute_25_Lignes()                   */
/*                     - Ligne_Etoilee()                     */
/*                     - Colonne_Sur_10_Lignes()             */
/*                     pour afficher un cadre à l'écran.     */
/* PARAMÈTRES:         Aucun.                                 */
/* VALEUR DE RETOUR:   Aucune.                                */
/* REMARQUE:           Aucune.                                */
/*------------------------------------------------------------*/
```

```
void main (void)
{
    // Prototypes des fonctions utilisées
    void Saute_25_Lignes(void);
    void Ligne_Etoilee(void);
    void Colonne_Sur_10_Lignes(void);
    void Ligne_Etoilee(void);

    // Instructions de la fonction main()
    Saute_25_Lignes();
    Ligne_Etoilee();
    Colonne_Sur_10_Lignes();
    Ligne_Etoilee();
}
/*------------------------------------------------------------*/
```

À l'exécution, on obtient:

```
    * * * * * * * * * .  . .  * * * * * * * * * *
    *                                          *
    *                                          *
    *                                          *
    *                                          *
    *                                          *
    *                                          *
    *                                          *
    *                                          *
    *                                          *
    * * * * * * * * * .  . .  * * * * * * * * *
```

Dans cet exemple, le programme consiste en une série d'instructions qui sont des appels à des sous-programmes. Le programme s'exécute à partir de la partie instructions, les sous-programmes étant situés dans la partie déclarations. La première instruction, `Saute_25_Lignes();`, est un appel du sous-programme du même nom auquel le contrôle de l'exécution du programme est confié. Ses instructions sont alors exécutées. Après la dernière instruction du sous-programme `Saute_25_Lignes()`, le contrôle revient au programme principal pour l'exécution de l'instruction suivante, `Ligne_Etoilee();`. Comme c'est aussi un appel à un sous-programme, le même processus se répète. Il en va de même pour les autres instructions correspondant à des appels de sous-programmes. De plus, on voit dans cet exemple qu'on peut utiliser plus d'une fois un sous-programme; ainsi, le programme principal appelle deux fois le sous-programme `Ligne_Etoilee()`.

5.2.1 Fonctions

Une fonction est un sous-programme qui se caractérise par le fait que son exécution résulte en une valeur unique. Lors de l'appel, le programme appelant traite alors son identificateur comme une expression booléenne ou arithmétique. L'exemple 5.6 illustre l'utilisation de fonctions dans un programme qui demande à l'usager d'entrer deux nombres entiers, détermine le plus grand à l'aide de la fonction `TrouverMax()` et additionne les deux nombres à l'aide de la fonction `Additionner()`.

Exemple 5.6   Utilisation de fonctions dans un programme

```
/*-------------------------------------------------------------*/
/* FICHIER:      MAXSOMME.CPP                                  */
/* AUTEUR:       Wacef Guerfali                                */
/* DATE:         11 juillet 2000                               */
/* DESCRIPTION: Ce programme demande à l'usager d'entrer deux */
/*              nombres entiers et affiche le plus grand des   */
/*              deux ainsi que leur somme.                     */
/*-------------------------------------------------------------*/
#include <iostream>    // Pour l'utilisation de cin et cout
#include <iomanip>     // Pour l'utilisation de setw()
using namespace std;

int  Nbr1, Nbr2;       // Variables dites globales


/*-------------------------------------------------------------*/
/* DESCRIPTION:      Fonction TrouverMax()                     */
/*                   Cette fonction détermine le plus grand    */
/*                   entre deux nombres entiers.               */
/* PARAMÈTRES:       Nbr1 et Nbr2: les deux entiers à          */
/*                   comparer.                                 */
/* VALEUR DE RETOUR: Le plus grand des deux nombres.           */
/* REMARQUE:         Il existe une fonction max() équivalente */
/*                   à celle-ci fournie dans la bibliothèque   */
/*                   <stdlib.h>. Utilise des variables         */
/*                   globales: Nbr1 et Nbr2.                   */
/*-------------------------------------------------------------*/
int TrouverMax(void)
{
   if (Nbr1 > Nbr2)
      return(Nbr1);
   else
      return(Nbr2);
}
```

```
/*------------------------------------------------------------*/
/* DESCRIPTION:       Fonction Additionner()                  */
/*                    Cette fonction détermine la somme de    */
/*                    deux nombres entiers.                   */
/* PARAMÈTRES:        Nbr1 et Nbr2: les deux entiers à        */
/*                    additionner.                            */
/* VALEUR DE RETOUR: La somme des deux nombres.               */
/* REMARQUE:          Utilise des variables globales: Nbr1 et */
/*                    Nbr2.                                    */
/*------------------------------------------------------------*/
int Additionner(void)
{
    return (Nbr1+Nbr2);
}
/*------------------------------------------------------------*/
/* DESCRIPTION:       Fonction principale du programme.       */
/*                    Fait appel aux fonctions:               */
/*                    - TrouverMax()                          */
/*                    - Additionner()                         */
/*                    pour afficher le plus grand et la somme */
/*                    des deux.                               */
/* PARAMÈTRES:        Aucun.                                  */
/* VALEUR DE RETOUR: Aucune.                                  */
/* REMARQUE:          Utilise des variables globales: Nbr1 et */
/*                    Nbr2.                                    */
/*------------------------------------------------------------*/
void main (void)
{
    // Prototypes des fonctions utilisées
    int TrouverMax(void);
    int Additionner(void);

    // Instructions de la fonction main()
    int PlusGrand;
    cout << "Entrez deux nombres entiers et nous indiquerons:";
    cout << endl << setw(40) << "  - le plus grand";
    cout << endl << setw(40) << "  - leur somme   ";
    cout << endl;
    cout << "Premier nombre >";
    cin >> Nbr1;
    cout << "Deuxième nombre >";
    cin >> Nbr2;
    cout << endl;
    PlusGrand = TrouverMax();
    cout << "Le plus grand est:" << PlusGrand << endl;
    cout << "Leur somme est:" << Additionner() << endl;
}
/*------------------------------------------------------------*/
```

À l'exécution, on obtient:

```
Entrez deux nombres entiers et nous indiquerons:
                    -  le plus grand
                    -  leur somme

Premier nombre > 10
Deuxième nombre > 21

Le plus grand est: 21
Leur somme est: 31
```

L'appel à la fonction `TrouverMax()` se fait lors de l'affectation à la variable `PlusGrand`. Après l'exécution, l'identificateur `TrouverMax()` correspond à la valeur recherchée et il est affecté à la variable `PlusGrand`. En fait, `TrouverMax()` est traité comme s'il s'agissait d'une expression. Quant à l'affichage de la somme des deux nombres, il illustre le fait qu'une valeur est retournée au point d'appel après l'exécution d'une fonction; en effet, l'appel à la fonction `Additionner()`, inscrit à l'intérieur de l'énoncé `cout`, affiche le résultat de la fonction `Additionner()`.

L'exemple 5.7 présente un programme dans lequel des fonctions qui exécutent les mêmes opérations sont répétées pour traiter différentes valeurs.

Exemple 5.7   Répétition de fonctions dans un programme; sommation des entiers compris dans un intervalle donné

Ce programme demande quatre nombres entiers en ordre strictement croissant et détermine la somme de nombres entiers compris entre eux:

$$\sum_{i=Nombre_s}^{Nombre_t} i \qquad \begin{matrix} s = 1, 2, 3 \\ t = 2, 3, 4 \end{matrix} \qquad \text{avec } s < t$$

Ainsi, si les quatre nombres sont 1, 5, 8 et 9, le programme donne le résultat des sommes suivantes:

somme de 1 à 5: $1 + 2 + 3 + 4 + 5 = 15$

somme de 1 à 8: $1 + 2 + 3 + 4 + 5 + 6 + 7 + 8 = 36$

somme de 1 à 9: $1 + 2 + 3 + 4 + 5 + 6 + 7 + 8 + 9 = 45$

somme de 5 à 8: $5 + 6 + 7 + 8 = 26$

somme de 5 à 9: $5 + 6 + 7 + 8 + 9 = 35$

somme de 8 à 9: $8 + 9 = 17$

```
/*--------------------------------------------------------------*/
/* FICHIER:      DESSOMME.CPP                                    */
/* AUTEUR:       Wacef Guerfali                                  */
/* DATE:         12 juillet 2000                                 */
/* DESCRIPTION:  Ce programme demande et lit quatre nombres      */
/*               entiers en ordre croissant et affiche toutes    */
/*               les sommes des valeurs entières comprises       */
/*               dans les intervalles composés à partir des      */
/*               des nombres lus.                                 */
/*--------------------------------------------------------------*/
#include <iostream>              // Pour l'utilisation de cin et cout
using namespace std;
int Nbr1, Nbr2, Nbr3, Nbr4;  // Variables globales


/*--------------------------------------------------------------*/
/* DESCRIPTION:       Additionner_1a2()                         */
/*                    Cette fonction calcule la somme des       */
/*                    entiers de Nbr1 à Nbr2 correspondant au   */
/*                    premier et au deuxième nombres entrés     */
/*                    par l'usager.                             */
/* PARAMÈTRES:        Aucun.                                    */
/* VALEUR DE RETOUR: Somme des entiers de Nbr1 à Nbr2.          */
/* REMARQUE:          Utilise les variables globales Nbr1 et    */
/*                    Nbr2.                                     */
/*--------------------------------------------------------------*/
int Additionner_1a2(void)
{
   int Ajout, Somme;
   Somme = 0;
   for (Ajout = Nbr1; Ajout <= Nbr2; Ajout++)
     Somme += Ajout;
   return(Somme);
}
/*--------------------------------------------------------------*/
/* DESCRIPTION:       Additionner_1a3()                         */
/*                    Cette fonction calcule la somme des       */
/*                    entiers de Nbr1 à Nbr3 correspondant au   */
/*                    premier et au troisième nombres entrés    */
/*                    par l'usager.                             */
/* PARAMÈTRES:        Aucun.                                    */
/* VALEUR DE RETOUR: Somme des entiers de Nbr1 à Nbr3.          */
/* REMARQUE:          Utilise les variables globales Nbr1 et    */
/*                    Nbr3.                                     */
/*--------------------------------------------------------------*/
int Additionner_1a3(void)
{
   int Ajout, Somme;
   Somme = 0;
   for (Ajout = Nbr1; Ajout <= Nbr3; Ajout++)
     Somme += Ajout;
   return(Somme);
}
```

```
/*-------------------------------------------------------------*/
/* DESCRIPTION:        Additionner_1a4()                       */
/*                     Cette fonction calcule la somme des     */
/*                     entiers de Nbr1 à Nbr4 correspondant au */
/*                     premier et au quatrième nombres entrés  */
/*                     par l'usager.                           */
/* PARAMÈTRES:         Aucun.                                  */
/* VALEUR DE RETOUR: Somme des entiers de Nbr1 à Nbr4.         */
/* REMARQUE:           Utilise les variables globales Nbr1 et  */
/*                     Nbr4.                                   */
/*-------------------------------------------------------------*/
int Additionner_1a4(void)
{
   int Ajout, Somme;
   Somme = 0;
   for (Ajout = Nbr1; Ajout <= Nbr4; Ajout++)
      Somme += Ajout;
   return(Somme);
}
/*-------------------------------------------------------------*/
/* DESCRIPTION:        Additionner_2a3()                       */
/*                     Cette fonction calcule la somme des     */
/*                     entiers de Nbr2 à Nbr3 correspondant au */
/*                     deuxième et au troisième nombres entrés */
/*                     par l'usager.                           */
/* PARAMÈTRES:         Aucun.                                  */
/* VALEUR DE RETOUR: Somme des entiers de Nbr2 à Nbr3.         */
/* REMARQUE:           Utilise les variables globales Nbr2 et  */
/*                     Nbr3.                                   */
/*-------------------------------------------------------------*/
int Additionner_2a3(void)
{
   int Ajout, Somme;
   Somme = 0;
   for (Ajout = Nbr2; Ajout <= Nbr3; Ajout++)
      Somme += Ajout;
   return(Somme);
}
/*-------------------------------------------------------------*/
/* DESCRIPTION:        Additionner_2a4()                       */
/*                     Cette fonction calcule la somme des     */
/*                     entiers de Nbr2 à Nbr4 correspondant au */
/*                     deuxième et au quatrième nombres entrés */
/*                     par l'usager.                           */
/* PARAMÈTRES:         Aucun.                                  */
/* VALEUR DE RETOUR: Somme des entiers de Nbr2 à Nbr4.         */
/* REMARQUE:           Utilise les variables globales Nbr2 et  */
/*                     Nbr4.                                   */
/*-------------------------------------------------------------*/
```

```
int Additionner_2a4(void)
{
    int Ajout, Somme;
    Somme = 0;
    for (Ajout = Nbr2; Ajout <= Nbr4; Ajout++)
      Somme += Ajout;
    return(Somme);
}
/*-------------------------------------------------------------*/
/* DESCRIPTION:        Additionner_3a4()                        */
/*                     Cette fonction calcule la somme des      */
/*                     entiers de Nbr3 à Nbr4 correspondant au  */
/*                     troisième et au quatrième nombres entrés */
/*                     par l'usager.                            */
/* PARAMÈTRES:         Aucun.                                   */
/* VALEUR DE RETOUR: Somme des entiers de Nbr3 à Nbr4.          */
/* REMARQUE:           Utilise les variables globales Nbr3 et   */
/*                     Nbr4.                                    */
/*-------------------------------------------------------------*/
int Additionner_3a4(void)
{
    int Ajout, Somme;
    Somme = 0;
    for (Ajout = Nbr3; Ajout <= Nbr4; Ajout++)
      Somme += Ajout;
    return(Somme);
}
/*-------------------------------------------------------------*/
/* DESCRIPTION:        Fonction principale du programme.        */
/*                     Demande et lit quatre entiers en ordre   */
/*                     croissant et fait appel aux fonctions:   */
/*                     - Additionner_1a2()                      */
/*                     - Additionner_1a3()                      */
/*                     - Additionner_1a4()                      */
/*                     - Additionner_2a3()                      */
/*                     - Additionner_2a4()                      */
/*                     - Additionner_3a4()                      */
/*                     pour afficher les différentes sommes.    */
/* PARAMÈTRES:         Aucun.                                   */
/* VALEUR DE RETOUR: Aucune.                                    */
/* REMARQUE:           Aucune.                                  */
/*-------------------------------------------------------------*/
void main (void)
{
    // Prototypes des fonctions utilisées
    int Additionner_1a2(void);
    int Additionner_1a3(void);
    int Additionner_1a4(void);
    int Additionner_2a3(void);
    int Additionner_2a4(void);
    int Additionner_3a4(void);
```

```
    // Instructions de la fonction main()
    cout << "Entrez 4 nombres entiers en ordre croissant=>";
    cin >> Nbr1 >> Nbr2 >> Nbr3 >> Nbr4;
    cout << endl;
    cout <<"La somme de "<<Nbr1<<" à "<<Nbr2<<" est "<<Additionner_1a2()<<endl;
    cout <<"La somme de "<<Nbr1<<" à "<<Nbr3<<" est "<<Additionner_1a3()<<endl;
    cout <<"La somme de "<<Nbr1<<" à "<<Nbr4<<" est "<<Additionner_1a4()<<endl;
    cout <<"La somme de "<<Nbr2<<" à "<<Nbr3<<" est "<<Additionner_2a3()<<endl;
    cout <<"La somme de "<<Nbr2<<" à "<<Nbr4<<" est "<<Additionner_2a4()<<endl;
    cout <<"La somme de "<<Nbr3<<" à "<<Nbr4<<" est "<<Additionner_3a4()<<endl;
}
/*-------------------------------------------------------------*/
```

À l'exécution, on obtient:

```
Entrez 4 nombres entiers en ordre croissant=> 2 5 7 9

La somme de 2 à 5 est 14
La somme de 2 à 7 est 27
La somme de 2 à 9 est 44
La somme de 5 à 7 est 18
La somme de 5 à 9 est 35
La somme de 7 à 9 est 24
```

Le programme de l'exemple 5.7 utilise les fonctions `Additionner_1a2()`, `Additionner_1a3()`, `Additionner_1a4()`, `Additionner_2a3()`, `Additionner_2a4()` et `Additionner_3a4()` qui effectuent exactement les mêmes opérations sur des valeurs différentes. Ce faisant, il n'exploite pas l'un des avantages de l'utilisation des sous-programmes qui est justement d'empêcher la répétition d'instructions. Cependant, pour n'utiliser qu'une seule fonction afin d'obtenir les sommes désirées, il faudrait être en mesure de spécifier les valeurs de début et de fin de somme lors de l'appel à la fonction. C'est possible si on utilise des paramètres. Un paramètre représente la valeur qui sera transmise à la fonction au moment de l'exécution du programme. Ainsi, on pourrait écrire les six fonctions nommées précédemment comme suit:

```
    int Additionner(int Debut, int Fin)
    {
        int Ajout, Som;
        Som = 0;
        for (Ajout = Debut; Ajout <= Fin; Ajout++)
        Som += Ajout;
        return (Som);
    }
```

où `Debut` et `Fin` sont les paramètres qui reçoivent leurs valeurs lors de l'appel à la fonction `Additionner()`. On trouve à l'exemple 5.8 le programme précédent réécrit à l'aide de paramètres.

Exemple 5.8   Utilisation de paramètres

```
/*-------------------------------------------------------------*/
/* FICHIER:      SOMMEPAR.CPP                                  */
/* AUTEUR:       Wacef Guerfali                                */
/* DATE:         12 juillet 2000                               */
/* DESCRIPTION: Ce programme demande et lit quatre nombres     */
/*              entiers en ordre croissant et affiche toutes   */
/*              les sommes des valeurs entières comprises      */
/*              dans les intervalles composés à partir des     */
/*              nombres lus.                                    */
/*-------------------------------------------------------------*/

#include <iostream>      // Pour l'utilisation de cin et cout
using namespace std;

/*-------------------------------------------------------------*/
/* DESCRIPTION:       Additionner()                            */
/*                    Cette fonction calcule la somme des      */
/*                    entiers de Debut à Fin inclusivement.    */
/* PARAMÈTRES:        Debut et Fin de l'intervalle.            */
/* VALEUR DE RETOUR: Somme des entiers de Debut à Fin.         */
/* REMARQUE:          N'utilise pas de variable globale.       */
/*-------------------------------------------------------------*/
int Additionner(int Debut, int Fin)
{
   int Ajout, Somme;
   Somme = 0;
   for (Ajout = Debut; Ajout <= Fin; Ajout++)
     Somme += Ajout;
   return(Somme);
}
/*-------------------------------------------------------------*/
/* DESCRIPTION:       Fonction principale du programme.        */
/*                    Demande et lit quatre entiers en ordre   */
/*                    croissant et fait appel à la fonction:   */
/*                    - Additionner()                          */
/*                    pour afficher les différentes sommes.    */
/* PARAMÈTRES:        Aucun.                                   */
/* VALEUR DE RETOUR: Aucune.                                   */
/* REMARQUE:          Aucune.                                  */
/*-------------------------------------------------------------*/
void main (void)
{
   int Additionner(int Debut, int Fin);  // Prototype de la fonction utilisée

   int Nbr1, Nbr2, Nbr3, Nbr4;
   cout << "Entrez 4 nombres entiers en ordre croissant=>";
   cin >> Nbr1 >> Nbr2 >> Nbr3 >> Nbr4;
   cout << endl;
```

```
    cout <<"La somme de "<<Nbr1<<" à "<<Nbr2<<" est "<<Additionner(Nbr1,Nbr2)<<endl;
    cout <<"La somme de "<<Nbr1<<" à "<<Nbr3<<" est "<<Additionner(Nbr1,Nbr3)<<endl;
    cout <<"La somme de "<<Nbr1<<" à "<<Nbr4<<" est "<<Additionner(Nbr1,Nbr4)<<endl;
    cout <<"La somme de "<<Nbr2<<" à "<<Nbr3<<" est "<<Additionner(Nbr2,Nbr3)<<endl;
    cout <<"La somme de "<<Nbr2<<" à "<<Nbr4<<" est "<<Additionner(Nbr2,Nbr4)<<endl;
    cout <<"La somme de "<<Nbr3<<" à "<<Nbr4<<" est "<<Additionner(Nbr3,Nbr4)<<endl;
}
/*------------------------------------------------------------*/
```

À l'exécution, on obtient:

```
Entrez 4 nombres entiers en ordre croissant=> 2 5 7 9

La somme de 2 à 5 est 14
La somme de 2 à 7 est 27
La somme de 2 à 9 est 44
La somme de 5 à 7 est 18
La somme de 5 à 9 est 35
La somme de 7 à 9 est 24
```

Ainsi, lors du premier appel à la fonction `Additionner()`, soit `Additionner(Nbr1,Nbr2);`, dans le premier affichage, la valeur de la variable `Nbr1` est transmise au paramètre `Debut` et la valeur de la variable `Nbr2` est transmise au paramètre `Fin`, ce qui permet d'effectuer la somme désirée, soit celle des entiers compris entre `Nbr1` et `Nbr2`. Ce même processus se répète pour tous les autres appels à la fonction.

Argument. Un argument est la variable utilisée dans l'appel d'un sous-programme. Il correspond au paramètre dans la déclaration du sous-programme. Par exemple, pour la fonction `Additionner()` du programme de l'exemple 5.8, `Debut` et `Fin` sont des paramètres, alors que `Nbr1` et `Nbr2` sont des arguments puisqu'ils se trouvent dans l'appel de la fonction.

Non seulement peut-on appeler une fonction de l'intérieur même d'une autre fonction, mais on peut également écrire une fonction qui s'appelle elle-même. On parle alors de récursivité ou fonctions récursives. Pour éviter des appels récursifs indésirés, le programmeur doit s'assurer que le nom de la fonction n'apparaît pas dans une expression placée à droite d'un symbole d'affectation dans la partie instructions de la fonction. Nous verrons le concept de récursivité à la section 5.4.

5.2.2 Transmission de paramètres par valeur, par adresse et par adresse référencée

En général, et plus spécifiquement pour le langage C, la transmission de paramètres entre un point d'appel et un sous-programme peut se faire de deux façons distinctes: par valeur ou par adresse.

Transmission par valeur. Transmettre une variable par valeur à une fonction permet à la fonction de recevoir une copie de la variable transmise, et non la variable originale. Ainsi, toute modification apportée à cette copie (variable locale de la fonction) n'aura aucun effet sur la variable d'origine (argument transmis). On rédige l'instruction de transmission par valeur ainsi:

```
// Lors de l'appel de la fonction (transmission par valeur)
val_retour = Nom_fonction(argument1,argument2);

// Lors de la déclaration de la fonction
type_retour Nom_fonction(type_param1 param1, type_param2 param2);
```

L'exemple 5.9 illustre le concept de transmission de paramètres par valeur. La fonction Permuter() reçoit deux paramètres, soit la variable A et la variable B, transmis par valeur. En dépit de ce que son nom laisse entendre, cette fonction ne réalise pas la permutation des arguments transmis lors de l'appel; la permutation concerne uniquement les copies de variables reçues dans ces paramètres locaux (fig. 5.1).

Exemple 5.9 Transmission de paramètres par valeur

```
/*------------------------------------------------------------*/
/* FICHIER:     TRVALEUR.CPP                                  */
/* AUTEUR:      Wacef Guerfali                                */
/* DATE:        12 juillet 2000                               */
/* DESCRIPTION: Démontre qu'une fonction dont les paramètres  */
/*              sont transmis par valeur ne change pas les    */
/*              valeurs des arguments.                        */
/*------------------------------------------------------------*/
#include <iostream>      // Pour l'utilisation de cin et cout
using namespace std;

/*------------------------------------------------------------*/
/* DESCRIPTION:      Fonction Permuter()                      */
/*                   Cette fonction permute les valeurs des   */
/*                   paramètres A et B.                       */
/* PARAMÈTRES:       A et B: paramètres à permuter.           /
/* VALEUR DE RETOUR: Aucune.                                  */
/* REMARQUE:         La transmission par valeur ne permet pas */
/*                   de modifier les paramètres reçus.        */
/*------------------------------------------------------------*/
void Permuter(int A, int B)
{
   int Tampon;
   Tampon = A;
   A = B;
   B = Tampon;
}
```

```
/*-------------------------------------------------------------*/
/* DESCRIPTION:       Fonction principale du programme.        */
/*                    Fait appel à la fonction:                */
/*                    - Permuter()                             */
/*                    pour permuter les valeurs de deux        */
/*                    variables.                               */
/* PARAMÈTRES:        Aucun.                                   */
/* VALEUR DE RETOUR:  Aucune.                                  */
/* REMARQUE:          Il n'y aura pas de permutation de A et B.*/
/*-------------------------------------------------------------*/
void main (void)
{
   void Permuter(int A, int B);   // Prototype de la fonction utilisée

   int I,J;
   I = 5;
   J = 3;
   cout << "I= " << I << " J= " << J << endl;
   Permuter(I,J);
   cout << "I= " << I << " J= " << J << endl;
}

/*-------------------------------------------------------------*/
```

À l'exécution, on obtient:

```
I = 5     J = 3
I = 5     J = 3
```

	I	J			
affectation:					
mettre 5 dans I	5	?	A, B et Tampon n'existent pas		
mettre 3 dans J	5	3			
			A	B	Tampon
appel (transmission des valeurs):					
mettre le contenu de I dans A	5	3	5	?	
mettre le contenu de J dans B	5	3	5	3	
exécution:					
mettre le contenu de A dans Tampon	5	3	5	3	5
mettre le contenu de B dans A	5	3	3	3	5
mettre le contenu de Tampon dans B	5	3	3	5	5
retour:					
pas de retransmission des valeurs lors			A, B et Tampon n'existent plus		
du retour	5	3			

Figure 5.1 Correspondance entre la variable et son adresse mémoire pour le programme de l'exemple 5.9.

Bien que cette façon de transmettre des données à une fonction soit souvent très utile, elle s'avère toutefois peu efficace pour la transmission de variables de grandes tailles telles que les structures complexes ou encore les tableaux. En effet, lors de la transmission par valeur, le programme doit transférer des copies de ces variables sur la pile du système, ce qui risque souvent d'encombrer la mémoire et de ralentir sensiblement la vitesse d'exécution. Il est alors préférable de recourir à un mode de transmission plus souple et plus efficace.

Transmission par adresse. La transmission d'une variable par adresse consiste à faire parvenir à la fonction non pas la valeur ou le contenu de la variable, mais plutôt son emplacement physique en mémoire, c'est-à-dire son adresse. L'opérateur «&» placé devant l'identificateur de la variable permet d'accéder à son adresse. La fonction recevant le paramètre se fait elle-même une copie de l'adresse de la variable transmise dans sa propre variable locale. La variable locale devient alors un pointeur à la variable transmise lors de l'appel, spécifié par l'opérateur «*» précédant l'identificateur du paramètre reçu par la fonction. Étant donné que ce type de transmission donne accès à l'adresse de la variable, tout changement du contenu de la variable pointé par le paramètre local de la fonction réceptrice affectera directement la variable transmise, puisqu'il agit physiquement sur le même espace mémoire. On rédige l'instruction de transmission par adresse comme suit:

```
// Lors de l'appel de la fonction (transmission par adresse)
val_retour = Nom_fonction(&argument1,&argument2);

// Lors de la déclaration de la fonction
type_retour Nom_fonction(type_param1 *param1, type_param2 *param2);
```

L'exemple 5.10 illustre le concept de transmission de paramètres par adresse. Lors de son appel, la fonction `Permuter()` reçoit les adresses des deux arguments I et J qui sont transmis aux paramètres A et B, et qui deviennent des pointeurs vers les espaces mémoire utilisés respectivement par I et J. Ainsi, tout changement de *A ou de *B affectera directement les variables I et J (fig. 5.2).

Exemple 5.10   Transmission de paramètres par adresse en langage C

```
/*-------------------------------------------------------*/
/* FICHIER:      TRADRES.C                               */
/* AUTEUR:       Wacef Guerfali                          */
/* DATE:         12 juillet 2000                         */
/* DESCRIPTION: Démontre qu'une fonction dont les paramètres */
/*              sont transmis par adresse change les valeurs */
/*              des arguments.                           */
/*-------------------------------------------------------*/
#include <cstdio>    /* Pour l'utilisation de printf   */
using namespace std;
```

```
/*------------------------------------------------------------*/
/* DESCRIPTION:        Fonction Permuter()                    */
/*                     Cette fonction permute les valeurs des */
/*                     paramètres A et B.                     */
/* PARAMÈTRES:         A et B: paramètres à permuter.         */
/* VALEUR DE RETOUR: Aucune.                                  */
/* REMARQUE:           La transmission par adresse permet de  */
/*                     modifier les paramètres reçus.         */
/*------------------------------------------------------------*/
void Permuter(int* A, int* B)
{
    int Tampon;  /* A correspond à l'adresse d'une valeur entière */
    Tampon = *A; /* *A correspond à la valeur entière             */
    *A = *B;       /* Même chose pour B et *B                     */
    *B = Tampon;
}
/*------------------------------------------------------------*/
/* DESCRIPTION:        Fonction principale du programme.      */
/*                     Fait appel à la fonction:              */
/*                     - Permuter()                           */
/*                     pour permuter les valeurs de deux      */
/*                     variables.                             */
/* PARAMÈTRES:         Aucun.                                 */
/* VALEUR DE RETOUR: Aucune.                                  */
/* REMARQUE:           Aucune.                                */
/*------------------------------------------------------------*/
void main (void)
{
    void Permuter(int* A, int* B);  /* Prototype de la fonction utilisée */
    int I,J;
    I = 5;
    J = 3;
    printf("I= %d J= %d \n", I, J);
    Permuter(&I,&J);          /* Il faut transmettre l'adresse   */
                              /* de deux valeurs entières d'où & */
    printf("I= %d J= %d \n", I, J);
}
/*------------------------------------------------------------*/
```

À l'exécution, on obtient:

```
I = 5      J = 3
I = 3      J = 5
```

	I	J	
affectations:			
mettre 5 dans I	5	?	A, B et Tampon n'existent pas
mettre 3 dans J	5	3	

	A=I	B=J	Tampon	
appel (transmission des adresses):				
A contient l'adresse de I				
et B l'adresse de J	5	3		
exécution:				
mettre le contenu de *A dans Tampon	5	3	5	N.B.: Les opérations sur A et B
mettre le contenu de *B dans *A	3	3	5	affectent directement I et J
mettre le contenu de Tampon dans *B	3	5	5	

	I	J	
retour:			(A, B et Tampon n'existent plus)
	3	5	

Figure 5.2 Correspondance entre la variable et son adresse mémoire pour le programme de l'exemple 5.10.

On peut constater que la transmission de variables par adresse est avantageuse lorsqu'on désire que la fonction réceptrice puisse modifier le contenu de la variable. De plus, elle est beaucoup plus rapide et plus efficace pour transmettre de grandes structures de données ou de tableaux. Toutefois, en langage C, la transmission de paramètres par adresse ajoute un élément de complexité pour les programmeurs débutants, puisqu'il s'agit de manipuler des pointeurs et des adresses qui, employés de façon inadéquate, risquent de causer des erreurs difficiles à cerner et à expliquer.

Transmission par adresse référencée. Le langage C++ offre une troisième option de transmission de paramètres, soit la transmission par adresse référencée. Ce mode de transmission de paramètres combine l'efficacité de la transmission par adresse à la simplicité syntaxique de la transmission par valeur. Sa syntaxe est similaire à la syntaxe de la transmission par valeur; toutefois, la fonction ne reçoit plus une copie de la valeur de l'argument mais plutôt un alias de la variable transmise, dénoté par l'opérateur «&» qui précède l'identificateur du paramètre de réception:

```
// Lors de l'appel de la fonction (transmission par adresse référencée)
val_retour = Nom_fonction(argument1,argument2);

// Lors de la déclaration de la fonction
type_retour Nom_fonction(type_param1 &param1, type_param2 &param2);
```

L'exemple 5.11 illustre le concept de transmission de paramètres par adresse référencée. Lors de l'appel de la fonction `Permuter()`, bien que la syntaxe soit similaire à la transmission de paramètres par valeur, la fonction reçoit plutôt les alias des deux arguments I et J qui sont transmis aux paramètres A et B, et qui deviennent des pointeurs vers les espaces mémoire utilisés respectivement par I et J. Ainsi, tout changement de A ou de B affectera directement les variables I et J, exactement comme dans la transmission par adresse.

Exemple 5.11   Transmission de paramètres par adresse référencée en langage C++

```
/*------------------------------------------------------------*/
/* FICHIER:      TRADRES.CPP                                  */
/* AUTEUR:       Wacef Guerfali                               */
/* DATE:         12 juillet 2000                              */
/* DESCRIPTION: Démontre qu'une fonction dont les paramètres  */
/*              sont transmis par adresse change les valeurs  */
/*              des arguments.                                */
/*------------------------------------------------------------*/
#include <iostream>      // Pour l'utilisation de cin et cout
using namespace std;


/*------------------------------------------------------------*/
/* DESCRIPTION:        Fonction Permuter()                    */
/*                     Cette fonction permute les valeurs des */
/*                     paramètres A et B.                     */
/* PARAMÈTRES:         A et B: paramètres à permuter.         */
/* VALEUR DE RETOUR: Aucune.                                  */
/* REMARQUE:           La transmission par adresse référencée */
/*                     permet de modifier les paramètres reçus. */
/*------------------------------------------------------------*/
void Permuter(int& A, int& B)
{
    int Tampon;
    Tampon = A;
    A = B;
    B = Tampon;
}
/*------------------------------------------------------------*/
/* DESCRIPTION:        Fonction principale du programme.      */
/*                     Fait appel à la fonction:              */
/*                     - Permuter()                           */
/*                     pour permuter les valeurs de deux      */
/*                     variables.                             */
/* PARAMÈTRES:         Aucun.                                 */
/* VALEUR DE RETOUR: Aucune.                                  */
/* REMARQUE:           Aucune.                                */
/*------------------------------------------------------------*/
```

```
void main (void)
{
   void Permuter(int& A, int& B);  // Prototype de la fonction utilisée
   int I,J;
   I = 5;
   J = 3;
   cout << "I= " << I << " J= " << J << endl;
   Permuter(I,J);
   cout << "I= " << I << " J= " << J << endl;
}
/*-----------------------------------------------------------*/
```

À l'exécution, on obtient:

```
I = 5    J = 3
I = 3    J = 5
```

On voit que la transmission par adresse référencée produit la permutation souhaitée.

La transmission d'une variable par adresse référencée équivaut donc à passer une variable par adresse, dans le sens où toute modification de la valeur du paramètre local de la fonction réceptrice affectera directement la variable originale qui a servi d'argument lors de l'appel de la fonction. L'avantage réside dans le fait qu'on y arrive par le biais d'instructions d'une grande simplicité syntaxique.

La transmission par adresse référencée simplifie la programmation, mais ce faisant introduit une ambiguïté intrinsèque. Le fait est qu'on ne peut plus déceler par inspection du programme, à partir de la syntaxe d'une fonction appelée, si cette dernière peut ou non modifier les arguments qu'elle reçoit. Malgré l'absence de contrainte syntaxique, l'application de la convention suivante, qui s'avère idéale, devrait prévenir les risques de confusion: si la fonction appelée modifie le contenu des variables transmises, il est préférable d'utiliser le mode de transmission par adresse (et d'éviter la transmission par adresse référencée). Toutefois, surtout par souci de simplicité, nous favoriserons dans cet ouvrage le mode de passage par adresse référencée du langage C++ au détriment de la transmission par adresse du langage C. Par ailleurs, on appelle souvent les deux passage par adresse, par abus de langage, en raison de la similarité de leur comportement.

Les règles suivantes s'appliquent à la transmission des paramètres, par valeur ou par adresse:

1. Il doit y avoir correspondance entre les arguments du module appelant et les paramètres du module appelé pour ce qui est de leur nombre et de leur type.

2. L'argument dans un appel doit absolument être une variable si le paramètre correspondant est transmis par adresse. Il ne peut pas être une constante ni une expression.

3. Si le paramètre est transmis par valeur, l'argument dans l'appel peut être une variable, une constante ou une expression.

Il existe une méthode pour établir si on doit effectuer une transmission de paramètres par valeur ou par adresse: il faut penser en fonction d'un transfert d'information. Ainsi, le programme transmettra un paramètre par valeur, si ce dernier correspond à une information que le sous-programme reçoit, et par adresse, s'il correspond à une information que le sous-programme doit retransmettre. L'exemple 5.12 illustre un choix judicieux du mode de transmission de paramètres. Notons que, dans le canevas de description de la fonction `Calculer_Stat()`, un paramètre transmis par valeur est identifié par le mot (`IN`) et un paramètre transmis par adresse est identifié par le mot (`OUT`).

Exemple 5.12   Choix du mode de transmission des paramètres

```
/*-------------------------------------------------------------*/
/* FICHIER:      TRAITENB.CPP                                  */
/* AUTEUR:       Wacef Guerfali                                */
/* DATE:         14 juillet 2000                               */
/* DESCRIPTION: Ce programme demande et lit trois valeurs      */
/*              entières et détermine leur moyenne ainsi que   */
/*              leur écart type.                               */
/*-------------------------------------------------------------*/
#include <iostream>    // Pour l'utilisation de cin et cout
#include <iomanip>     // Pour l'utilisation de setw() et setprecision()
#include <cmath>       // Pour l'utilisation de pow() et sqrt()
using namespace std;


/*-------------------------------------------------------------*/
/* DESCRIPTION:      Calculer_Stat()                           */
/*                   Cette fonction effectue le calcul de la   */
/*                   moyenne et de l'écart type des trois      */
/*                   valeurs reçues en paramètres.             */
/* PARAMÈTRES:       Un, Deux et Trois (IN): trois valeurs     */
/*                   entières.                                 */
/*                   Moyenne (OUT): la moyenne des trois       */
/*                   valeurs.                                  */
/*                   Ecart (OUT): l'écart type des trois       */
/*                   valeurs.                                  */
/* VALEUR DE RETOUR: Aucune.                                   */
/* REMARQUE:         La moyenne et l'écart type sont transmis  */
/*                   aux arguments correspondants puisque les  */
/*                   paramètres Moyenne et Ecart sont          */
/*                   transmis par adresse.                     */
/*-------------------------------------------------------------*/
void Calculer_Stat(int Un, int Deux, int Trois, double& Moyenne, double& Ecart)
{
   Moyenne = (Un + Deux + Trois) / 3.0;
   Ecart = pow(Un-Moyenne,2.0)+pow(Deux-Moyenne,2.0)+pow(Trois-Moyenne,2.0);
   Ecart = sqrt(Ecart/2.0);
}
```

```
/*------------------------------------------------------------*/
/* DESCRIPTION:        Fonction principale du programme.       */
/*                     Fait appel à la fonction:               */
/*                     - Calculer_Stat()                       */
/*                     pour calculer la moyenne et l'écart type*/
/*                     de trois valeurs entières.              */
/* PARAMÈTRES:         Aucun.                                  */
/* VALEUR DE RETOUR:   Aucune.                                 */
/* REMARQUE:           Aucune.                                 */
/*------------------------------------------------------------*/
void main (void)
{
    void Calculer_Stat(int Un, int Deux, int Trois, double& Moyenne,
          double& Ecart);   // Prototype de la fonction utilisée

    int Nbr1, Nbr2, Nbr3;
    double LaMoyenne, L_Ecart;

    cout << "Inscrire le nombre 1 > ";
    cin >> Nbr1;
    cout << "Inscrire le nombre 2 > ";
    cin >> Nbr2;
    cout << "Inscrire le nombre 3 > ";
    cin >> Nbr3;
    cout << "Les trois nombres sont: "<<Nbr1<<' '<<Nbr2<<' '<<Nbr3;
    cout << endl << endl;
    cout << "LES STATISTIQUES" << endl;
    Calculer_Stat(Nbr1,Nbr2,Nbr3,LaMoyenne,L_Ecart);
    cout <<setiosflags(ios::showpoint);
    cout <<endl<<"La moyenne est:"<<setw(7)<<setprecision(2)<<LaMoyenne;
    cout <<endl<<"L'écart type est:"<<setw(7)<<setprecision(2)<<L_Ecart;
}
/*------------------------------------------------------------*/
```

À l'exécution, on obtient:

```
Inscrire le nombre 1 > 5
Inscrire le nombre 2 > 11
Inscrire le nombre 3 > 23
Les trois nombres sont: 5  11  23

LES STATISTIQUES

La moyenne est: 13.00
L'écart type est:  9.17
```

La fonction `Calculer_Stat()` possède cinq paramètres dont les trois premiers sont transmis par valeur. Ceux-ci constituent l'information que la fonction doit recevoir pour être en mesure d'effectuer les calculs. Les deux derniers paramètres, `Moyenne` et `Ecart`, sont transmis par adresse puisqu'ils correspondent à l'information que la fonction doit retransmettre. Cette information revient au point d'appel par l'entremise des arguments associés, soit `LaMoyenne` et `L_Ecart`.

La figure 5.3 décrit l'utilisation de la mémoire par les paramètres et les arguments associés lors de l'appel de la fonction `Calculer_Stat()`. Cette figure permet de constater que, lors de la transmission par valeur, l'ordinateur réserve des emplacements mémoire différents pour les paramètres et les arguments associés, puisque chacun possède sa propre case. Les arguments `Nbr1`, `Nbr2` et `Nbr3` ont chacun une case mémoire; les paramètres correspondants `Un`, `Deux` et `Trois` ont également une case mémoire bien distincte de celle des arguments. Par contre, dans la transmission par adresse, on utilise un même emplacement mémoire à la fois pour le paramètre et l'argument associé, puisqu'ils partagent la même case. C'est le cas de l'argument `LaMoyenne` et du paramètre `Moyenne`, qui occupent la même case mémoire, ainsi que de l'argument `L_Ecart` et du paramètre `Ecart`.

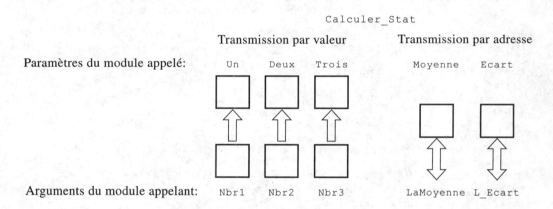

Figure 5.3 (ex. 5.12)   Utilisation de la mémoire par les paramètres et les arguments associés lors de l'appel de la fonction `Calculer_Stat()`.

La transmission par adresse sert à transmettre les résultats du module appelé vers le module appelant. Elle permet également d'économiser l'espace mémoire et de réduire le temps d'exécution, car le programme n'a pas besoin de transférer la valeur des arguments vers de nouveaux espaces en mémoire associés aux paramètres. C'est le cas d'un paramètre correspondant à un grand tableau.

5.2.3 Utilisation d'un tableau comme paramètre

Lorsqu'un des paramètres d'une fonction est un tableau, ce dernier est toujours transmis par adresse. Dans ce cas, il ne faut pas utiliser l'opérateur «&», qui indique une transmission par adresse. Ceci s'explique principalement par le fait que l'identificateur d'un tableau contient comme information l'adresse de son premier élément. Ajouter un «&» signifie que l'adresse du premier élément du tableau peut changer, ce qui est impossible puisqu'il s'agit d'une adresse constante. À l'appel de la fonction, l'adresse du premier élément de l'argument qui est un tableau s'inscrit dans le paramètre correspondant. Ainsi, il suffit de préciser, dans la déclaration de la fonction ou dans le prototype, qu'un paramètre est un tableau en ajoutant des crochets à la variable sans spécifier de dimension. Par exemple:

```
          void Afficher_1D (int Tableau[], int Dim);
```

Dans ce cas, le paramètre `Tableau[]` acceptera comme argument n'importe quel tableau d'entiers à une dimension suivi généralement d'un second paramètre entier qui indique la dimension du tableau.

Pour signaler qu'un paramètre est un tableau à plus d'une dimension, il faut inscrire un nombre de crochets, «[]», égal à la dimension voulue. Le premier crochet peut demeurer vide, c'est-à-dire sans valeur; par contre, les autres doivent obligatoirement contenir une valeur correspondant au nombre d'éléments que comporte chacune des dimensions. Par exemple, pour un tableau de dimension 2:

```
          void Afficher_2D (int Tableau[][5], int Dim1);
```

Les valeurs du paramètre `Tableau`, qui est une matrice à deux dimensions (ligne × colonne), sont mémorisées en réalité à l'aide d'un vecteur de la manière suivante: les cinq premières valeurs pour la première ligne, les cinq suivantes pour la deuxième ligne, etc. La première valeur de la septième ligne est donc la 31e valeur du vecteur, ou $6 \times 5 + 1$. Ainsi, pour accéder à une valeur d'une matrice, il suffit de connaître le nombre de colonnes par ligne.

Il va de soi que l'appel d'une fonction contenant un tableau de plusieurs dimensions doit se faire avec un argument correspondant à un tableau de même dimension.

Puisqu'un tableau est toujours transmis par adresse, il faut le manipuler avec minutie dans la fonction lorsqu'on désire le conserver intact. Le langage C offre une méthode simple pour prévenir les modifications indésirées relatives à un paramètre. Ainsi, pour s'assurer qu'un paramètre ne modifie pas la valeur d'un argument, il faut faire précéder la déclaration d'un paramètre du mot réservé `const`. Lorsqu'on emploie ce mot, toute modification du paramètre entraîne une erreur de compilation, ce qui peut s'avérer fort utile. Par exemple:

```
          void Additionner(int A[], int B[], const int C[]);
```

Dans cette fonction, les tableaux A et B peuvent être modifiés, mais non le tableau C.

5.3 DOMAINE DE VALIDITÉ DES IDENTIFICATEURS

Quelques règles fondamentales permettent de déterminer les identificateurs auxquels chaque sous-programme peut avoir accès:

1. Un sous-programme peut accéder à tous les identificateurs de sa propre partie déclarations.
2. Un sous-programme peut accéder à tous les identificateurs déjà déclarés avant lui ou dans les fichiers d'en-tête du programme (`#include <Fichier>`).
3. Un sous-programme peut accéder à tous les identificateurs de sous-programmes dont le prototype est inscrit dans sa propre partie déclarations.

4. Un sous-programme ne peut pas accéder aux identificateurs déclarés dans les autres sous-programmes.

5. Si des identificateurs locaux dans un sous-programme portent le même nom que des identificateurs d'une variable globale, la règle 1 prime sur la règle 2.

L'exemple 5.13 illustre l'application du domaine de validité des identificateurs selon ces cinq règles. On trouve dans les parties instructions respectives du programme et des sous-programmes la liste des identificateurs auxquels chacun a accès.

Exemple 5.13   Définition du domaine de validité d'identificateurs

```
#define ACONST  20
const int Aconst = 30;
typedef int atype[10];
atype  AVar;              // Variable globale accessible par toutes
                         // les fonctions
void B (atype BPar)
{
    int BVar;
        // Identificateurs accessibles:
        // ACONST, Aconst, atype,
        // AVar globale, B, BPar, BVar
}
/*-------------------------------------------------------------*/
void C (int& CPar)
{
    int CVar, AVar;
        // Identificateurs accessibles:
        // ACONST, Aconst, atype,
        // B, C, CPar, CVar, AVar de C
}
/*-------------------------------------------------------------*/
void main (void)
{
    int MVar;
        // Identificateurs accessibles:
        // ACONST, Aconst, atype,
        // AVar globale, MVar, B, C
}
/*------------------------------------------------------------- */
```

Blocs.   Un bloc correspond à une instruction composée qui contient une ou plusieurs déclarations. Le bloc est la notion sur laquelle repose la règle de base du domaine de validité d'un identificateur. Par conséquent, un identificateur est valide uniquement à l'intérieur du bloc dans lequel il est déclaré. Cette règle simple est facile à suivre, sauf dans le cas où on utilise le même identificateur dans des déclarations différentes, ce que nous déconseillons fortement. L'identificateur déclaré dans un bloc, dit externe, qui en contient un autre, dit interne, est valide à moins que le bloc interne ne le redéfinisse. Dans ce cas, il n'y a pas moyen d'utiliser l'identificateur du bloc externe, puisqu'il est caché ou masqué par l'identificateur du bloc interne. Par exemple:

```
{                          // le bloc externe
    int x, y = 1;          // x et y du bloc externe
    x = y + 5;             // x vaut 6
    {                      // le bloc interne
        int x = 3;         // x du bloc interne
        cout << x<< y;     // les valeurs 3 et 1 sont affichées
    }                      // retour au bloc externe
    cout << x;             // la valeur 6 est affichée
}
```

Un bloc peut se situer n'importe où dans un programme écrit en langage C.

L'exemple 5.14 présente un programme dans lequel on illustre les règles qui régissent le domaine de validité des identificateurs.

Exemple 5.14   Domaine de validité des identificateurs

```
/*-------------------------------------------------------------*/
/* FICHIER:      TRAITVEC.CPP                                  */
/* AUTEUR:       Wacef Guerfali                                */
/* DATE:         14 juillet 2000                               */
/* DESCRIPTION: Ce programme lit des données numériques d'un   */
/*              fichier, les mémorise à l'aide d'un tableau,   */
/*              trie les données du tableau et les transcrit   */
/*              dans le fichier une fois triées.               */
/*-------------------------------------------------------------*/
#include <iostream>     // Pour l'utilisation de cin et cout
#include <fstream>      // Pour l'utilisation de fichiers
#include <iomanip>      // Pour l'utilisation de setw()
using namespace std;

#define MAXELEMENT 50

typedef char    typemot[30];
typedef float   typevecteur[MAXELEMENT];

typemot    NomDuFichier;


/*-------------------------------------------------------------*/
/* DESCRIPTION:       TransfererFichierDansVecteur()           */
/*                    Cette fonction lit les données du        */
/*                    fichier, dont le nom est reçu en         */
/*                    paramètre (NomFichier), et les           */
/*                    mémorise dans le tableau Vecteur.        */
/*                    Elle donne le nombre de données          */
/*                    contenues dans le fichier.               */
```

```
/* PARAMÈTRES:       NomFichier (IN): nom du fichier de      */
/*                             données.                      */
/*                   NbrDonnee (OUT): nombre de données lues */
/*                             du fichier.                   */
/*                   Vec1 (OUT): tableau pour mémoriser les  */
/*                             données.                      */
/* VALEUR DE RETOUR: Aucune.                                 */
/* REMARQUE:         Aucune.                                 */
/*----------------------------------------------------------*/
void TransfererFichierDansVecteur(type_mot NomFichier, int& NbrDonnee,
                            type_vecteur Vec1)
{
   ifstream FichierDonnee;
   NbrDonnee = 0;
   FichierDonnee.open(NomFichier);
   if (!FichierDonnee.fail())
   {
       FichierDonnee >> Vec1[NbrDonnee];
       while (!FichierDonnee.eof())
       {
           NbrDonnee++;
           FichierDonnee >> Vec1 [NbrDonnee];
       }
       FichierDonnee.close();
   }
   else
       cout << endl << "Impossible d'ouvrir le fichier: " << NomFichier;
}
/*----------------------------------------------------------*/
/* DESCRIPTION:      TrierDonnee()                           */
/*                   Cette fonction trie les données du      */
/*                   tableau selon la méthode du tri par     */
/*                   sélection.                              */
/* PARAMÈTRES:       NbrDonnee (IN): nombre de données du    */
/*                   vecteur.                                */
/*                   Vec2 (IN): tableau des données à trier. */
/* VALEUR DE RETOUR: Aucune.                                 */
/* REMARQUE:         Si la fonction PosMin() utilisée par    */
/*                   TrierDonnee() est déclarée après celle-ci*/
/*                   (comme c'est ici le cas), on doit alors */
/*                   ajouter sa déclaration de prototype     */
/*                   avant de l'utiliser, soit               */
/*                   int PosMin(int, int);.                  */
/*                                                           */
/*----------------------------------------------------------*/
void TrierDonnee(int NbrDonnee, typevecteur Vec2)
{
   int TrouverMin(int, int, typevecteur); // Prototype de la fonction utilisée

   int PosDonnee, Min;
   float Tampon;
```

```
        for (PosDonnee=0; PosDonnee<NbrDonnee-1; PosDonnee++)
        {
            Min = TrouverMin(PosDonnee,NbrDonnee-1,Vec2);
            Tampon = Vec2[PosDonnee];
            Vec2[PosDonnee] = Vec2[Min];
            Vec2[Min] = Tampon;
        }
}
/*-----------------------------------------------------------*/
/* DESCRIPTION:       TrouverMin()                           */
/*                    Cette fonction détermine la plus petite */
/*                    valeur parmi celles situées entre      */
/*                    l'indice Debut et l'indice Fin du      */
/*                    tableau.                               */
/* PARAMÈTRES:        Debut (IN): indice où doit débuter le  */
/*                              balayage.                    */
/*                    Fin (IN):  indice où doit se terminer  */
/*                              le balayage.                 */
/*                    Vec3 (IN): le tableau des données à    */
/*                              trier.                       */
/* VALEUR DE RETOUR: Position de la plus petite valeur.      */
/* REMARQUE:          Aucune.                                */
/*-----------------------------------------------------------*/
int TrouverMin(int Debut, int Fin, typevecteur Vec3)
{
    int NoDonnee, PosPetit;

    PosPetit = Debut;
    for (NoDonnee=Debut+1; NoDonnee<=Fin; NoDonnee++)
        if (Vec3[NoDonnee] < Vec3[PosPetit])
            PosPetit = NoDonnee;
    return (PosPetit);
}
/*-----------------------------------------------------------*/
/* DESCRIPTION:       EcrireFichier()                        */
/*                    Cette fonction retranscrit le tableau  */
/*                    Vecteur dans le fichier.               */
/* PARAMÈTRES:        NomFile (IN): nom du fichier dans lequel */
/*                              sont inscrites les données.  */
/*                    NbrData (IN): nombre de données dans le */
/*                              vecteur.                     */
/*                    Vec4 (IN):   tableau des données triées.*/
/* VALEUR DE RETOUR: Aucune.                                 */
/* REMARQUE:          Aucune.                                */
/*-----------------------------------------------------------*/
void EcrireFichier(type_mot NomFile, int NbrData, type_vecteur Vec4)
{
    int PosDonnee;
    ofstream FileDonnee;
```

```
    FileDonnee.open(NomFile);
    if  (!FileDonnee.fail())
    {
        for  (PosDonnee=0; PosDonnee<NbrData; PosDonnee++)
        {
            cout << setw(15)<<setprecision(4)<<Vec4[PosDonnee]<<endl;
            FileDonnee <<setw(15)<<setprecision(4)<<Vec4[PosDonnee]<<endl;
        }
        FileDonnee.close();
    }
    else
        cout << endl << "Impossible d'ouvrir le fichier: " << NomFile;
}
/*------------------------------------------------------------*/
/* DESCRIPTION:       Fonction principale du programme.       */
/*                    Fait appel aux fonctions:               */
/*                    - TransfererFichierDansVecteur()        */
/*                    - TrierDonnee()                         */
/*                    - EcrireFichier()                       */
/*                    pour lire les données du fichier, les   */
/*                    trier et les sauvegarder dans le fichier.*/
/* PARAMÈTRES:        Aucun.                                  */
/* VALEUR DE RETOUR:  Aucune.                                 */
/* REMARQUE:          Aucune.                                 */
/*------------------------------------------------------------*/
void main (void)
{
    // Prototypes des fonctions utilisées
    void TransfererFichierDansVecteur(typemot, int&, typevecteur);
    void TrierDonnee(int, typevecteur);
    void EcrireFichier(typemot, int, typevecteur);

    typevecteur Vecteur;
    int  NbreDeDonnees;

    // Instructions de la fonction main()
    cout << "Indiquer le nom du fichier> ";
    cin >> NomDuFichier;
    TransfererFichierDansVecteur(NomDuFichier,NbreDeDonnees,Vecteur);
    TrierDonnee(NbreDeDonnees, Vecteur);
    EcrireFichier(NomDuFichier,NbreDeDonnees,Vecteur);
}
/*------------------------------------------------------------*/
```

La figure 5.4 illustre le domaine de validité des identificateurs du programme précédent déterminé à partir des règles déjà mentionnées.

```
┌─ TransfererFichierDansVecteur() ──────────────────────────────────────┐
│                                                                       │
│    MAXELEMENT, typemot, typevecteur, NomDuFichier, NomFichier, NbrDonnee, │
│    Vec1, FichierDonnee, TransfererFichierDansVecteur().               │
│                                                                       │
├─ TrierDonnee() ───────────────────────────────────────────────────────┤
│    MAXELEMENT, typemot, typevecteur, NomDuFichier, NbrDonnee, Vec2,   │
│    TrouverMin(), PosDonnee, Min, Tampon, TransfererFichierDansVecteur(), TrierDonnee(). │
├─ TrouverMin() ────────────────────────────────────────────────────────┤
│    MAXELEMENT, typemot, typevecteur, NomDuFichier, Debut, Fin, Vec3,  │
│    NoDonnee, PosPetit, TransfererFichierDansVecteur(), TrierDonnee(), TrouverMin(). │
├─ EcrireFichier() ─────────────────────────────────────────────────────┤
│    MAXELEMENT, typemot, typevecteur, NomDuFichier, NomFile, NbrData, Vec4, │
│    PosDonnee, FileDonnee, TransfererFichierDansVecteur(), TrierDonnee(), TrouverMin(), │
│    EcrireFichier().                                                    │
├─ Main() ──────────────────────────────────────────────────────────────┤
│    MAXELEMENT, typemot, typevecteur, NomDuFichier, Vecteur, NbreDeDonnee, │
│    TransfererFichierDansVecteur(), TrierDonnee(), TrouverMin(), EcrireFichier(). │
└───────────────────────────────────────────────────────────────────────┘
```

Figure 5.4 (ex. 5.14)   Domaine de validité des identificateurs du programme de l'exemple 5.14.

Les variables déclarées dans les fichiers d'en-tête ou à l'extérieur du programme principal et que tout le programme reconnaît, comme NomDuFichier dans l'exemple 5.14, se nomment variables globales. On peut donc s'en servir pour passer de l'information entre les différents modules.

Cependant il est recommandé, pour deux raisons, d'éviter l'emploi de variables globales pour transmettre de l'information entre les modules; il vaut mieux avoir recours aux paramètres. Premièrement, il est plus facile de comprendre le flot d'information entrant et sortant du sous-programme lorsqu'on utilise des paramètres. Deuxièmement, on évite ainsi qu'une instruction erronée d'un sous-programme modifie une variable globale, entraînant des effets secondaires très difficiles à déceler.

5.4 RÉCURSIVITÉ

La récursivité est la propriété qu'a un sous-programme de s'appeler lui-même. L'exemple 5.15 illustre l'utilisation d'une fonction récursive dans un programme.

Exemple 5.15 Fonction récursive dans un programme

On doit évaluer la somme partielle de *n* éléments de la série:

$$S_n = \sum_{i=1}^{n} \frac{1}{i}$$

qui s'exprime également sous la forme:

$$S_n = \sum_{i=1}^{n} \frac{1}{i} = \frac{1}{n} + \sum_{i=1}^{n-1} \frac{1}{i} = \frac{1}{n} + S_{n-1} \quad \text{où} \quad S_1 = 1$$

Ainsi:

$$S_n = \begin{cases} 1, \text{si } n = 1 \\ \dfrac{1}{n} + S_{n-1}, \text{si } n > 1 \end{cases}$$

Cette formulation fait ressortir les deux principaux éléments de la récursivité, soit le critère d'arrêt et la résolution partielle du problème. Le critère d'arrêt représente la condition qui empêche la répétition à l'infini de l'appel, ou boucle infinie. La résolution partielle est la décomposition du problème en deux parties: la partie résolue et la partie qui reste encore à résoudre. La récursivité consiste à transporter pièce par pièce la partie à résoudre vers la partie résolue.

```cpp
/*------------------------------------------------------------*/
/* FICHIER:      SOMRECUR.CPP                                 */
/* AUTEUR:       Wacef Guerfali                               */
/* DATE:         16 juillet 2000                              */
/* DESCRIPTION: Évaluation de n termes de la série 1/i à      */
/*              l'aide d'une fonction récursive.              */
/*------------------------------------------------------------*/
#include <iostream>     // Pour l'utilisation de cin et cout
#include <iomanip>      // Pour l'utilisation de setw()
using namespace std;

/*------------------------------------------------------------*/
/* DESCRIPTION:       Evaluer()                               */
/*                    Cette fonction évalue n termes de la    */
/*                    série 1/i.                              */
/* PARAMÈTRES:        N (IN): nombre de termes de la série.   */
/* VALEUR DE RETOUR: Somme des n termes de la série 1/i.      */
/* REMARQUE:          La fonction s'appelle récursivement     */
/*                    jusqu'à ce que n soit égal à 1.         */
/*------------------------------------------------------------*/
double Evaluer(int N)
{
   if (N == 1)
      return(1.0);                        // Critère d'arrêt de la récursivité
   else
      return(1.0/N + Evaluer(N-1));   // Résolution partielle de la somme
}
```

```
/*-----------------------------------------------------------*/
/* DESCRIPTION:        Fonction principale du programme.      */
/*                     Fait appel à la fonction:              */
/*                     - Evaluer()                            */
/*                     pour calculer récursivement la somme des */
/*                     n termes 1/i.                          */
/* PARAMÈTRES:         Aucun.                                 */
/* VALEUR DE RETOUR:   Aucune.                                */
/* REMARQUE:           Aucune.                                */
/*-----------------------------------------------------------*/
void main (void)
{
   double Evaluer(int);  // Prototype de la fonction utilisée
   cout << "La somme des 5 premiers termes est: ";
   cout << setw(7) << setprecision(2) << Somme(5);
}
/*-----------------------------------------------------------*/
```

À l'exécution, on obtient:

```
La somme des 5 premiers termes est:    2.28
```

La figure 5.5 décrit les appels récursifs à la fonction Evaluer() dans le programme de l'exemple 5.15. Il y a répétition des appels à la fonction Evaluer() tant qu'il reste des termes à évaluer. Le critère d'arrêt de la fonction vérifie si cette condition est remplie.

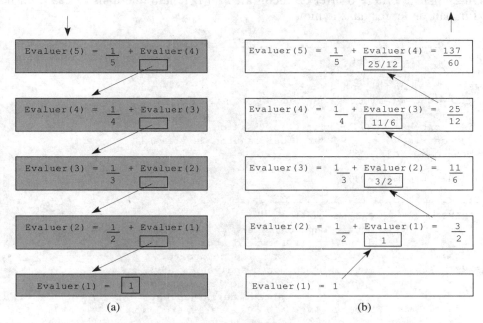

Figure 5.5 (ex. 5.15) Appels récursifs à la fonction Evaluer() dans le programme de l'exemple 5.15: a) appels récursifs; b) retour des appels terminés.

Le premier appel à la fonction `Evaluer()` se fait à partir du programme principal avec l'instruction `Evaluer(5)`. Comme la valeur reçue est 5, la fonction s'appelle récursivement avec `Evaluer(4)`. La valeur reçue étant 4, la fonction s'appelle récursivement de nouveau avec `Evaluer(3)`. Ce processus se répète jusqu'à l'appel `Evaluer(1)`. Puisque la valeur reçue est 1, la fonction prend la valeur 1. Ce résultat est donné à son point d'appel dans `Evaluer(2)`, ce qui permet de déterminer `Evaluer(2)`. Ce nouveau résultat est ramené au point d'appel de `Evaluer(3)`, permettant de résoudre `Evaluer(3)`. Les retours au point d'appel s'effectuent ainsi jusqu'à l'appel initial du programme, soit `Evaluer(5)`.

L'exemple 5.16 présente un programme qui utilise la récursivité pour déterminer si un mot est un palindrome.

Exemple 5.16   Utilisation d'une fonction récursive avec le type chaîne de caractères

Un palindrome est un mot qui peut se lire de la même façon de la gauche vers la droite et de la droite vers la gauche. «Ici» et «Laval» sont des palindromes. La fonction `Palindrome()` du programme suivant détermine si le mot reçu en paramètre est un palindrome, en vérifiant récursivement si la première lettre est identique à la dernière, si la deuxième lettre est identique à l'avant-dernière, et ainsi de suite pour les autres lettres du mot. On choisit le critère d'arrêt de façon à ce qu'il fonctionne dans le cas d'un nombre pair ou impair de lettres dans le mot.

```
/*-------------------------------------------------------------*/
/* FICHIER:      PALIN.CPP                                      */
/* AUTEUR:       Wacef Guerfali                                 */
/* DATE:         16 juillet 2000                                */
/* DESCRIPTION: Déteminer si un mot est un palindrome.          */
/*-------------------------------------------------------------*/
#include <iostream>      // Pour l'utilisation de cin et cout
#include <cstring>       // Pour l'utilisation de strlen()
using namespace std;

typedef char typemot[30];

/*-------------------------------------------------------------*/
/* DESCRIPTION:       Palindrome()                             */
/*                    Cette fonction détermine, pour le mot    */
/*                    donné, si la lettre d'indice de gauche   */
/*                    est identique à celle de droite.         */
/* PARAMÈTRES:        Mot (IN): le mot à analyser.             */
/*                    Gauche (IN): indice de la lettre en      */
/*                          partant de la gauche.              */
/*                    Droite (IN): indice de la lettre en      */
/*                          partant de la droite.              */
```

```
/* VALEUR DE RETOUR: true si les lettres sont identiques;     */
/*                   false autrement.                         */
/* REMARQUE:         La fonction s'appelle récursivement      */
/*                   jusqu'à ce que les indices de gauche et  */
/*                   de droite se retrouvent au centre du mot */
/*                   ou lorsqu'ils se croisent.               */
/*-----------------------------------------------------------*/
bool Palindrome(typemot Mot, int Gauche, int Droite)
{
   if (Gauche >= Droite)
      return(true);
   else
      return(bool(Mot[Gauche]==Mot[Droite]) && Palindrome(Mot,Gauche+1,Droite-1));
}


/*-----------------------------------------------------------*/
/* DESCRIPTION:      Fonction principale du programme.        */
/*                   Fait appel à la fonction:                */
/*                   - Palindrome()                           */
/*                   pour déterminer si un mot est un         */
/*                   palindrome.                              */
/* PARAMÈTRES:       Aucun.                                   */
/* VALEUR DE RETOUR: Aucune.                                  */
/* REMARQUE:         Aucune.                                  */
/*-----------------------------------------------------------*/
void main (void)
{
   bool Palindrome(typemot, int, int);  // Prototype de la fonction utilisée
   typemot Mot;

   cout << "Entrez un mot ";
   cin >> Mot;
   if (Palindrome(Mot,0,strlen(Mot)-1))
      cout << Mot << " est un palindrome";
   else
      cout << Mot << " n'est pas un palindrome";
}
/*-----------------------------------------------------------*/
```

À l'exécution, on obtient:

```
Entrez un mot  LAVAL
LAVAL est un palindrome
```

La figure 5.6 donne le fonctionnement du programme de l'exemple 5.16. Les appels à la fonction Palindrome() se répètent tant qu'il reste des lettres à comparer ou jusqu'à ce qu'il reste une seule lettre.

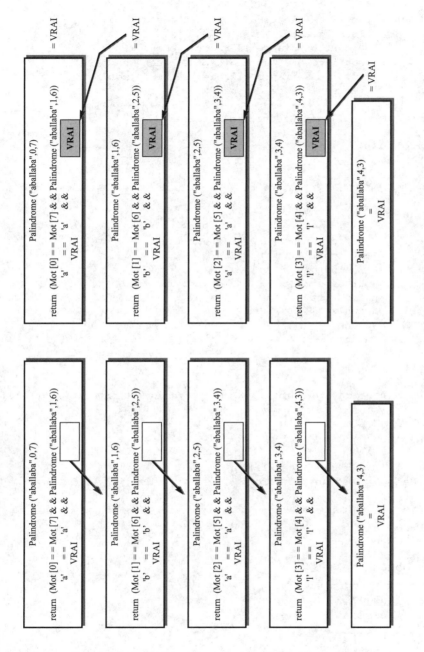

Figure 5.6 (ex. 5.16)   Fonctionnement du programme de l'exemple 5.16.

Un programme ou un sous-programme dont l'appel récursif constitue la dernière instruction est relativement simple à programmer. Par contre, l'exécution sera difficile à prévoir si des instructions suivent l'appel récursif. La conception d'un programme récursif demande beaucoup d'expérience et d'attention de la part du programmeur.

Étude de cas: Évaluation d'une expression arithmétique à deux termes

Définition du problème. On connaît les règles d'évaluation des expressions arithmétiques dont les termes sont des nombres rationnels représentés sous la forme numérateur/diviseur. Le numérateur et le diviseur sont des nombres entiers et le diviseur est différent de zéro. On demande d'écrire un programme qui permet de lire une expression composée de deux termes, de l'évaluer et d'afficher son résultat sous la forme numérateur/diviseur.

Analyse et algorithme. Voici un exemple de problème pour lequel l'utilisation de sous-programmes va grandement simplifier la conception du programme. En effet, nous concevrons d'abord les grandes lignes du programme principal, puis nous nous attaquerons aux différents sous-programmes. Il s'agit de l'approche dite descendante. Cette façon de procéder simplifie beaucoup l'algorithme du programme principal illustré par son diagramme hiérarchique à la figure 5.7.

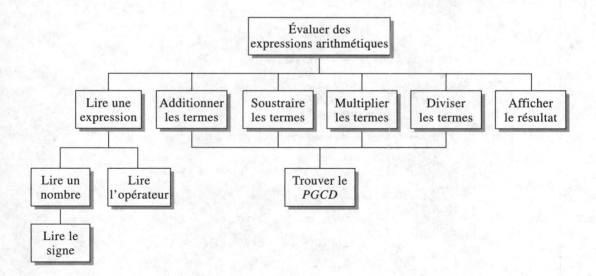

Figure 5.7 Diagramme hiérarchique des principales fonctions du programme.

Programme principal

```
- Auteur:      Yves Boudreault
- Description: Calcule une expression arithmétique formée de deux nombres rationnels
-              représentés sous forme fractionnaire et séparés par un opérateur
-              arithmétique.


- 01 Description des identificateurs

- IDENTIFICATEUR       TYPE          DESCRIPTION
- Num1                 Entier        Numérateur du premier nombre
- Den1                 Entier        Dénominateur du premier nombre
- Num2                 Entier        Numérateur du deuxième nombre
- Den2                 Entier        Dénominateur du deuxième nombre
- Operateur            Caractère     L'opérateur de l'expression
- Continuer            Caractère     Vaut 'O' pour oui ou 'N' pour non et
-                                    permet de savoir s'il y a une autre expr. à évaluer
- TrouverMin()         Fonction      Retourne l'entier minimum
- TrouverMax()         Fonction      Retourne l'entier maximum
- Est_Operateur()      Fonction      Détermine si le caractère reçu est un opérateur
- TrouverSigne()       Fonction      Détermine s'il s'agit d'un nombre positif ou négatif
- LireNombre()         Fonction      Lit un nombre dans l'expression
- TrouverPgcd()        Fonction      Retourne le plus grand commun diviseur de deux nombres
- Additionner()        Fonction      Effectue l'addition de deux nombres rationnels
- Soustraire()         Fonction      Effectue la soustraction de deux nombres rationnels
- Multiplier()         Fonction      Effectue la multiplication de deux nombres rationnels
- Diviser()            Fonction      Effectue la division de deux nombres rationnels
- AfficherResultat()   Fonction      Affiche le résultat de l'expression

->>>> STRUCTURE DES OPÉRATIONS <<<<

         RÉPÉTER
             Demander une expression arithmétique
             Lire l'expression arithmétique (Fonction LireExpression())
             - 02 Évaluer l'expression arithmétique

                 Si les dénominateurs ne sont pas nuls

                     - 03 Calculer selon l'opérateur
                         Selon l'opérateur

                         = +
                         Réaliser l'addition (Fonction Additionner())

                         = -
                         Réaliser la soustraction (Fonction Soustraire())
                         = *
                         Réaliser la multiplication (Fonction Multiplier())
                         = /
                         Réaliser la division (Fonction Diviser())
                             SINON
                         Afficher qu'il s'agit d'un mauvais opérateur

             Afficher le résultat (Fonction AfficherResultat())
             Demander s'il y a une autre expression à évaluer
             Lire la réponse
         TANT QU'il y a une expression à évaluer
```

Il est possible de confier à des sous-programmes les tâches spécifiques de lecture de l'expression, de l'extraction des termes de l'expression, de la détermination du plus grand commun diviseur pour la simplification des fractions et du calcul de l'expression. Le premier sous-programme, celui qui réalise la lecture de l'expression et qui se nomme `LireExpression()`, effectuera la lecture qui sera mémorisée dans une chaîne de caractères. Une fois qu'on a obtenu la chaîne, il faut l'analyser afin d'en extraire les termes. Comme résultat, on obtiendra les différents termes et l'opérateur de l'expression. L'analyse s'effectue par la vérification successive des caractères qui composent la chaîne. Ce sous-programme fait appel au deuxième sous-programme pour connaître les termes.

Procédure LireExpression

```
- Description:  FONCTION LireExpression()
-
-              Cette fonction détermine les valeurs et l'opérateur de l'expression à
-              évaluer.

- 01 Description des identificateurs

  IDENTIFICATEUR      TYPE                  DESCRIPTION
- Num1,Den1 (OUT)     Entier                Numérateur et dénominateur du premier nombre
- Num2,Den2 (OUT)     Entier                Numérateur et dénominateur du deuxième nombre
- Operateur (OUT)     Caractère             Opérateur de l'expression arithmétique
- Expression          Chaîne de caractères  Chaîne de caractères contenant l'expression
-                                           arithmétique


->>>> STRUCTURE DES OPÉRATIONS <<<<
Demander l'expression à évaluer
Lire l'expression arithmétique
- l'expression est dans une chaîne de caractères,
- il faut ensuite isoler chaque terme ainsi que l'opérateur
Déterminer le premier numérateur (Fonction LireNombre())
Déterminer le premier dénominateur (Fonction LireNombre())
Déterminer l'opérateur arithmétique
Déterminer le deuxième numérateur (Fonction LireNombre())
Déterminer le deuxième dénominateur (Fonction LireNombre())
```

L'identification des nombres qui font partie de l'expression s'effectue à l'aide du sous-programme `LireNombre()`. La fonction reçoit, d'une part, la chaîne de caractères qui contient l'expression et, d'autre part, la position dans la chaîne à partir de laquelle l'analyse doit se poursuivre. Une fois que sont identifiées dans la chaîne les positions de début et de fin du nombre, il est possible de traduire la valeur du caractère en chiffre et de multiplier ce dernier par une puissance de 10 suivant sa position dans le nombre. Pour déterminer le signe du nombre, la fonction `LireNombre()` utilise initialement la fonction `TrouverSigne()` qui lui retourne -1 si le caractère moins précède le nombre ou 1 autrement.

Fonction LireNombre

```
- Description: FONCTION LireNombre()

-              Lecture d'un nombre dans l'expression arithmétique


- 01 Description des identificateurs

- IDENTIFICATEUR    TYPE                  DESCRIPTION
- Expr (IN)         Chaîne de caractères  Contient l'expression arithmétique
- Pos (IN/OUT)      Entier                Position dans la chaîne à analyser
- FinPos            Entier                Position dans la chaîne après le nombre
- Multiplicateur    Entier                Vaut 1 pour l'unité, 10 pour la dizaine, etc.
-


->>>> STRUCTURE DES OPÉRATIONS <<<<

Identifier le signe du nombre
Initialiser FinPos à la position actuelle dans la chaîne
- 02 Identifier chaque chiffre du nombre

    *  TANT QU'il s'agit d'un chiffre
          Se déplacer à la position suivante

- Le nombre est compris entre les positions Pos et FinPos de la chaîne
Initialiser Multiplicateur à 1
- 03 Calculer le nombre

    *  POUR les caractères de FinPos à Pos
          Ajouter au Nombre le chiffre * Multiplicateur
          Multiplier Multiplicateur par 10

Multiplier le nombre par son signe
Affecter à Pos la valeur de FinPos
Retourner Nombre
```

Finalement, on aura recours à la fonction Pgcd() pour trouver le plus grand commun diviseur de deux nombres entiers. Pour faciliter le traitement, on s'assurera d'avoir des entiers positifs. La méthode pour déterminer le plus grand commun diviseur est celle-ci: a) soustraire les deux nombres; b) conserver le plus petit des deux nombres et le résultat de la soustraction; c) soustraire le plus petit nombre et le résultat de la soustraction précédente; d) conserver le plus petit nombre et le résultat de la soustraction; e) répéter ces opérations jusqu'à ce que la soustraction donne 0. Le plus grand commun diviseur est le nombre qui est soustrait de lui-même. Par exemple, le plus grand commun diviseur pour 21 et 9 se détermine comme suit:

```
21 et 9 :  (21 - 9 = 12)
12 et 9 :  (12 - 9 = 3)
 9 et 3 :  (9 - 3 = 6)
 6 et 3 :  (6 - 3 = 3)
 3 et 3 :  (3 - 3 = 0)
```

Le chiffre 3 est donc le plus grand commun diviseur pour 21 et 9.

```
- Description: FONCTION Pgcd()
-              Lecture d'un nombre dans l'expression arithmétique


- 01 Description des identificateurs

- IDENTIFICATEUR   TYPE        DESCRIPTION
- Nb1 (IN)         Entier      Un nombre entier positif
- Nb2 (IN)         Entier      Un autre nombre entier positif
- Nmax             Entier      Le plus grand des deux entiers
- Nmin             Entier      Le plus petit des deux entiers
- Tamp             Entier      Le résultat de la différence des deux entiers

->>>> STRUCTURE DES OPÉRATIONS <<<<
Affecter à Nmax le plus grand nombre (Fonction TrouverMax())
Affecter à Nmin le plus petit nombre (Fonction TrouverMin())

    *  | TANT QUE la différence entre Nmax et Nmin est différente de 0
       | Affecter à Tamp la différence de Nmax et Nmin
       | Affecter à Nmax le plus grand entre Tamp et Nmin
       | Affecter à Nmin le plus petit entre Tamp et Nmin

Retourner Nmin
```

Programme

```cpp
/*--------------------------------------------------------------*/
/* FICHIER:     FRACTION.CPP                                    */
/* AUTEUR:      Yves Boudreault                                 */
/* DATE:        27 mars 2000                                    */
/* DESCRIPTION: Ce programme calcule une expression             */
/*              arithmétique dont les valeurs se présentent     */
/*              sous forme fractionnaire.                        */
/*--------------------------------------------------------------*/
#include <iostream>     // Pour l'utilisation de cin, cout et endl
#include <fstream>      // Pour l'utilisation de getline()
#include <cstring>      // Pour l'utilisation de strlen()
#include <cctype>       // Pour l'utilisation de isdigit() et toupper()
#include <cstdlib>      // Pour l'utilisation de abs()
using namespace std;
```

```
/*-----------------------------------------------------------*/
/* DESCRIPTION:      TrouverMin()                            */
/*                   Détermine le minimum entre deux nombres */
/*                   entiers.                                 */
/* PARAMÈTRES:       Nb1 (IN): le premier nombre entier.     */
/*                   Nb2 (IN): le deuxième nombre entier.    */
/* VALEUR DE RETOUR: Le plus petit des deux nombres.         */
/* REMARQUE:         Aucune.                                 */
/*-----------------------------------------------------------*/
int TrouverMin(int Nb1, int Nb2)
{
   return ((Nb1<Nb2) ? Nb1:Nb2);    // Équivalent au if-else
}


/*-----------------------------------------------------------*/
/* DESCRIPTION:      TrouverMax()                            */
/*                   Détermine le maximum entre deux nombres */
/*                   entiers.                                 */
/* PARAMÈTRES:       Nb1 (IN): le premier nombre entier.     */
/*                   Nb2 (IN): le deuxième nombre entier.    */
/* VALEUR DE RETOUR: Le plus grand des deux nombres.         */
/* REMARQUE:         Aucune.                                 */
/*-----------------------------------------------------------*/
int TrouverMax(int Nb1, int Nb2)
{
   return ((Nb1>Nb2) ? Nb1:Nb2);    // Équivalent au if-else
}


/*-----------------------------------------------------------*/
/* DESCRIPTION:      Est_Operateur()                         */
/*                   Détermine si le caractère est un        */
/*                   opérateur arithmétique.                 */
/* PARAMÈTRES:       Oper (IN): le caractère à identifier.   */
/* VALEUR DE RETOUR: true s'il s'agit d'un opérateur         */
/*                   arithmétique, false autrement.          */
/* REMARQUE:         Les opérateurs acceptés sont: +, -, *   */
/*                   et /.                                    */
/*-----------------------------------------------------------*/
bool EstOperateur (char Oper)
{
   if  ( Oper =='+'|| Oper=='-' || Oper=='*'|| Oper=='/' )
      return true;
   else
      return false;
}


/*-----------------------------------------------------------*/
/* DESCRIPTION:      TrouverSigne()                          */
/*                   Détermine si un nombre est précédé d'un */
/*                   signe négatif.                          */
/* PARAMÈTRES:       Expr (IN): la chaîne de caractères      */
/*                   contenant l'expression arithmétique.    */
```

```
/*                   Pos (IN/OUT): la position dans Expr.     */
/* VALEUR DE RETOUR: -1 s'il y a un signe négatif,            */
/*                   1 autrement.                             */
/* REMARQUE:         On doit passer au caractère suivant dans */
/*                   Expr si on trouve un signe négatif.      */
/*-------------------------------------------------------------*/
int TrouverSigne(char Expr[], int& Pos)
{
    if (Expr[Pos]=='-')     // C'est un nombre négatif
    {
        ++Pos;              // Passe au prochain caractère de l'expression
        return -1;
    }
    else return 1;          // C'est un nombre positif
}


/*-------------------------------------------------------------*/
/* DESCRIPTION:      LireNombre()                              */
/*                   Lecture d'un nombre dans l'expression     */
/*                   arithmétique.                             */
/* PARAMÈTRES:       Expr (IN): la chaîne de caractères        */
/*                   contenant l'expression arithmétique.      */
/*                   Pos (IN/OUT): la position dans Expr.      */
/* VALEUR DE RETOUR: Le nombre entier obtenu.                 */
/* REMARQUE:         On doit préalablement déterminer le       */
/*                   signe du nombre à lire.                   */
/*-------------------------------------------------------------*/
int LireNombre(char Expr[], int& Pos)
{
    int TrouverSigne(char Expr[], int&); // Prototype de la fonction utilisée

    int FinPos, i, Mult, Signe, Nombre;

    Signe =TrouverSigne(Expr, Pos);      // Détermine le signe du nombre
    FinPos = Pos;
    while (isdigit(Expr[FinPos]) && FinPos<=strlen(Expr)) // Détermine le nombre
    FinPos++;

    Nombre = 0;
    Mult = 1;
    for (i=FinPos-1; i>=Pos; i --)        // Évalue le nombre en base 10
    {                                     // Unité * 1
        Nombre += (Expr[i] - '0')*Mult;   // Dizaine * 10
        Mult *=10;                        // Centaine * 100, etc.
    }
    Nombre *= Signe;                      // Ajouter le signe au nombre
    Pos = FinPos;                         // La nouvelle position dans la chaîne
    return (Nombre);
}
```

```
/*--------------------------------------------------------------*/
/* DESCRIPTION:        LireExpression()                         */
/*                     Lecture de l'expression arithmétique     */
/*                     sous forme de chaîne de caractères.      */
/* PARAMÈTRES:         Num1 (OUT): numérateur du premier nombre. */
/*                     Den1 (OUT): dénominateur du premier      */
/*                               nombre.                        */
/*                     Operateur (OUT): opérateur de            */
/*                                   l'expression.              */
/*                     Num2: numérateur du deuxième nombre.     */
/*                     Den2: dénominateur du deuxième nombre.   */
/* VALEUR DE RETOUR: Aucune.                                    */
/* REMARQUE:           Ne tient pas compte d'expression erronée. */
/*--------------------------------------------------------------*/
void LireExpression(char Expression[], int& Num1, int& Den1, char& Operateur,
            int& Num2, int& Den2)
{
   int LireNombre(char Expr[], int&);    // Prototypes des fonctions
   bool EstOperateur(char);              // utilisées

   int i=0;

   cout << "Entrez une expression sous la forme 2/5 + 4/3 ==> " ;
   cin.getline(Expression,81);           // Lecture de l'expression

   Num1 = LireNombre(Expression,i);      // Lecture du premier numérateur
   Den1 = LireNombre(Expression,++i);    // Lecture du premier dénominateur

   while (!EstOperateur(Expression[i]))  // Recherche l'opérateur
       ++i;
   Operateur = Expression[i];
   ++i;                                  // Passe au prochain caractère
   while (Expression[i] ==' ') ++i;      // Enlève les espaces

   Num2 = LireNombre(Expression,i);      // Lecture du deuxième numérateur
   Den2 = LireNombre(Expression,++i);    // Lecture du deuxième dénominateur

}

/*--------------------------------------------------------------*/
/* DESCRIPTION:        TrouverPgcd()                            */
/*                     Trouve le plus grand commun diviseur de  */
/*                     deux entiers.                            */
/* PARAMÈTRES:         Nb1 (IN): premier entier.                */
/*                     Nb2 (IN): deuxième entier.               */
/* VALEUR DE RETOUR: Le plus grand commun diviseur.             */
/* REMARQUE:           Les deux entiers doivent être positifs.  */
/*--------------------------------------------------------------*/
int TrouverPgcd(int Nb1, int Nb2)
{
   int Max(int,int);    // Prototypes des fonctions
   int Min(int,int);    // utilisées
```

```
    int Tamp;
    int Nmax = Max(Nb1,Nb2);      // Trouve le maximum des deux nombres
    int Nmin = Min(Nb1,Nb2);      // Trouve le minimum des deux nombres

    while (Nmax-Nmin!=0)          // Tant que la différence n'est pas 0
    {
        Tamp = Nmax - Nmin;       // Nouveau nombre est la différence
        Nmax = Max(Tamp,Nmin);    // Détermine le max. entre min. et nouveau nombre
        Nmin = Min(Tamp,Nmin);    // Détermine le min. entre min. et nouveau nombre
    }
    return Nmin;
}


/*----------------------------------------------------------------*/
/* DESCRIPTION:      Additionner()                                */
/*                   Fait l'addition de deux nombres              */
/*                   rationnels sous la forme a/b; a et b         */
/*                   sont des entiers.                            */
/* PARAMÈTRES:       Num1 (IN): numérateur du premier nombre.     */
/*                   Den1 (IN): dénominateur du premier           */
/*                              nombre.                           */
/*                   Num2 (IN): numérateur du deuxième nombre.    */
/*                   Den2 (IN): dénominateur du deuxième          */
/*                              nombre.                           */
/*                   AddNum (OUT): numérateur de l'addition.      */
/*                   AddDen (OUT): dénominateur de l'addition.    */
/* VALEUR DE RETOUR: Aucune.                                      */
/* REMARQUE:         Aucune.                                      */
/*----------------------------------------------------------------*/
void  Additionner (int Num1, int Den1, int Num2, int Den2,
                int& AddNum, int& AddDen)
{
    int TrouverPgcd(int, int);  // Prototype de la fonction

    int Commun;
    AddDen = Den1*Den2;
    AddNum = Num1*Den2 + Num2*Den1;

    // Réduction de la fraction
    Commun = TrouverPgcd(abs(AddDen),abs(AddNum));  // Utilise abs() pour que les
    AddDen /=Commun;                                // nombres soient positifs
    AddNum /=Commun;
}


/*----------------------------------------------------------------*/
/* DESCRIPTION:      Soustraire()                                 */
/*                   Fait la soustraction de deux nombres         */
/*                   rationnels sous la forme a/b; a et b         */
/*                   sont des entiers.                            */
/* PARAMÈTRES:       Num1 (IN): numérateur du premier nombre.     */
```

```
/*                      Den1 (IN): dénominateur du premier     */
/*                          nombre.                            */
/*                      Num2 (IN): numérateur du deuxième nombre.*/
/*                      Den2 (IN): dénominateur du deuxième     */
/*                          nombre.                            */
/*                      SousNum (OUT): numérateur de l'addition. */
/*                      SousDen (OUT): dénominateur de l'addition. */
/* VALEUR DE RETOUR: Aucune.                                    */
/* REMARQUE:          Aucune.                                   */
/*------------------------------------------------------------*/
void Soustraire (int Num1, int Den1, int Num2, int Den2,
                int& SousNum, int& SousDen)
{
    int TrouverPgcd(int, int); // Prototype de la fonction utilisée

    int Commun;
    SousDen = Den1*Den2;
    SousNum = Num1*Den2 - Num2*Den1;

    // Réduction de la fraction
    Commun = TrouverPgcd(abs(SousDen),abs(SousNum)); // Utilise abs() pour que
    SousDen /=Commun;                                // les nombres soient positifs
    SousNum /=Commun;
}


/*------------------------------------------------------------*/
/* DESCRIPTION:       Multiplier()                            */
/*                    Fait la multiplication de deux nombres   */
/*                    rationnels sous la forme a/b; a et b     */
/*                    sont des entiers.                        */
/* PARAMÈTRES:        Num1 (IN): numérateur du premier nombre. */
/*                    Den1 (IN): dénominateur du premier       */
/*                        nombre.                              */
/*                    Num2 (IN): numérateur du deuxième nombre.*/
/*                    Den2 (IN): dénominateur du deuxième      */
/*                        nombre.                              */
/*                    MulNum (OUT): numérateur de la           */
/*                        multiplication.                      */
/*                    MulDen (OUT): dénominateur de la         */
/*                        multiplication.                      */
/* VALEUR DE RETOUR: Aucune.                                    */
/* REMARQUE:          Aucune.                                   */
/*------------------------------------------------------------*/
void Multiplier (int Num1, int Den1, int Num2, int Den2,
                int& MulNum, int& MulDen)
{
    int TrouverPgcd(int, int); // Prototype de la fonction utilisée

    int Commun;
    MulNum = Num1*Num2;
    MulDen = Den1*Den2;

    // Réduction de la fraction
    Commun = TrouverPgcd(abs(MulNum),abs(MulDen)); // Utilise abs() pour que les
    MulNum /= Commun;                              // nombres soient positifs
```

```
   MulDen /= Commun;
}


/*-------------------------------------------------------------*/
/* DESCRIPTION:      Diviser()                                 */
/*                   Fait la division de deux nombres          */
/*                   rationnels sous la forme a/b; a et b       */
/*                   sont des entiers.                         */
/* PARAMÈTRES:       Num1 (IN): numérateur du premier nombre.  */
/*                   Den1 (IN): dénominateur du premier        */
/*                          nombre.                            */
/*                   Num2 (IN): numérateur du deuxième nombre. */
/*                   Den2 (IN): dénominateur du deuxième       */
/*                          nombre.                            */
/*                   DivNum (OUT):numérateur de la division.   */
/*                   DivDen (OUT): dénominateur de la division. */
/* VALEUR DE RETOUR: Aucune.                                   */
/* REMARQUE:         Aucune.                                   */
/*-------------------------------------------------------------*/
void Diviser (int Num1, int Den1, int Num2, int Den2,
           int& DivNum, int& DivDen)
{
   int TrouverPgcd(int,int); // Prototype de la fonction utilisée

   int Commun;
   DivNum = Num1*Den2;
   DivDen = Den1*Num2;

   // Réduction de la fraction
   Commun = TrouverPgcd(abs(DivNum), abs(DivDen)); // Utilise abs() pour que les
   DivNum /= Commun;                               // nombres soient positifs
   DivDen /= Commun;
}


/*-------------------------------------------------------------*/
/* DESCRIPTION:      AfficherResultat()                        */
/*                   Affiche le résultat de l'expression       */
/*                   arithmétique sous la forme a/b; a et b     */
/*                   sont des entiers.                         */
/* PARAMÈTRES:       NumRes (IN): numérateur du résultat.      */
/*                   DenRes (IN): dénominateur du résultat.    */
/* VALEUR DE RETOUR: Aucune.                                   */
/* REMARQUE:         Vérifie s'il y a division par 0.          */
/*-------------------------------------------------------------*/
void AfficherResultat (Expression[], int NumRes, int DenRes)
{
   if (DenRes == 0)        // Test division par zéro
      cout << "\n\n Erreur Division par zéro " << endl;
   else
   {
      if  (DenRes<0)        // Éviter d'avoir un signe
      {                     // négatif au dénominateur
```

```
          DenRes  *=-1;
          NumRes  *=-1;
       }
     cout << Expression << NumRes <<'/'<< DenRes;
   }
}


/*-------------------------------------------------------------*/
/* DESCRIPTION:        Fonction principale du programme.       */
/*                     Fait appel aux fonctions:               */
/*                     - LireExpression()                      */
/*                     - Additionner()                         */
/*                     - Soustraire()                          */
/*                     - Multiplier()                          */
/*                     - Diviser()                             */
/*                     Lit l'expression arithmétique de nombres */
/*                     rationnels sous la forme a/b; a et b     */
/*                     sont des entiers. Affiche le résultat    */
/*                     de l'opération dans le même format.      */
/* PARAMÈTRES:         Aucun.                                  */
/* VALEUR DE RETOUR:   Aucune.                                 */
/* REMARQUE:           Aucune.                                 */
/*-------------------------------------------------------------*/
void main (void)
{
          // Prototypes des fonctions utilisées
   void LireExpression(char[], int&, int&, char&, int&, int&);
   void Additionner(int, int, int, int, int&, int&);
   void Soustraire(int, int, int, int, int&, int&);
   void Multiplier(int, int, int, int, int&, int&);
   void Diviser(int, int, int, int, int&, int&);
   void AfficherResultat(char[], int, int);

   int Num1,Den1,Num2,Den2;
   int NumOper, DenOper;
   char Expression[81];
   char Operateur;
   char continuer;

   do
   {
      LireExpression(Expression, Num1,Den1,Operateur,Num2,Den2);
      if  (Den1 !=0 && Den2 != 0)
      {
          switch(Operateur)
          {
             case '+': Additionner(Num1,Den1,Num2,Den2,NumOper,DenOper);
                       break;
             case '-': Soustraire(Num1,Den1,Num2,Den2,NumOper,DenOper);
                       break;
             case '*': Multiplier(Num1,Den1,Num2,Den2,NumOper,DenOper);
                       break;
```

```
        case '/': if (Den1*Num2!=0)
                      Diviser(Num1,Den1,Num2,Den2,NumOper,DenOper);
                  else
                      DenOper = 0;
                  break;
        default :    cout << "Mauvais opérateur \a\a";
    } // switch

    AfficherResultat(Expression, NumOper,DenOper);
  } // if
  else
    cout << "\n\nUn dénominateur égale 0, expression refusée " << endl;

  cout << "\n\nDésirez-vous évaluer une autre expression (O/N)? " ;
  cin.get(continuer);
  cin.ignore(); // Enlever le CR pour la prochaine lecture
  cout << endl << endl;
  } // do
while (toupper(continuer) == 'O');
}
/*-----------------------------------------------------------*/
```

À l'exécution, on obtient:

Écran 1

Entrez une expression sous la forme 2/5 + 4/3 ==> 3/8 - 7/24
                                 Résultat =   1/12

  Désirez-vous évaluer une autre expression (O/N)? o

Écran 2

Entrez une expression sous la forme 2/5 + 4/3 ==> -21/4 / 3/17
                                 Résultat =   -119/4

  Désirez-vous évaluer une autre expression (O/N)? n

5.5 QUESTIONS

1. Qu'est-ce que le type d'une variable indique au compilateur?

2. Quelles sont les trois grandes classes de types énoncées au début de ce chapitre?

3. Quelle est la principale différence entre les types simples et construits?

4. Nommer un avantage non négligeable de la création d'une structure de données.

5. Il n'est pas possible de déclarer des variables pour des types définis. Vrai ou faux?

6.   Trouver les erreurs:

```
char       Lettre;
enum       Fruit {POMME,ORANGE,KIWI,PRUNE};
Fruit      Salade_Fruits[10];
typedef    int      Date;
Lettre     A,B,C,D,E;
Pomme      Pomme_Rouge;
Fruit      UnFruit;
Date       1993;
```

7.   Donner une façon d'éviter les genres d'erreurs commises à la question 6.

8.   Quel est le principal avantage de la déclaration de types?

9.   Donner la définition d'un sous-programme ainsi qu'un exemple.

10. Quels sont les principaux avantages de l'utilisation de sous-programmes?

11. Peut-on appeler le même sous-programme plusieurs fois dans un programme?

12. Comment réalise-t-on l'appel d'une fonction dans un programme?

13. Que représentent les paramètres d'une fonction?

14. De quels types peuvent être les résultats de fonctions?

15. La partie instructions d'un sous-programme peut-elle contenir des appels à d'autres sous-programmes?

16. Qu'est-ce que l'argument dans un sous-programme?

17. Le type associé à une fonction est le même que celui associé à ses arguments. Vrai ou faux?

18. Quand utilise-t-on la transmission par valeur et la transmission par adresse? Définir ces deux expressions.

19. Quelles règles s'appliquent à la transmission des paramètres?

20. Décrire une méthode qui permet d'établir le mode de transmission des paramètres.

21. Quelle relation y a-t-il entre le mode de transmission et l'espace mémoire?

22. À quels identificateurs chaque sous-programme peut-il avoir accès? Nommer les règles fondamentales.

23. Donner la définition d'une variable globale et dire quelle est son utilité.

24. Pourquoi est-il préférable d'utiliser des paramètres plutôt que des variables globales lors de la transmission de l'information entre les sous-programmes?

25. Définir la récursivité.

5.6 EXERCICES

1. Combien d'instructions comporte la fonction principale de l'exemple suivant? Donner l'affichage qui en résulte.

```
void Un(void)
{
    cout << "Bonjour" << endl;
}
void Deux(void)
{
    cout << "Allô" << endl;
}
void main(void)
{
    Un();
    Deux();
    Un();
    Deux();
}
```

2. Le programme suivant contient-il des erreurs? Les corriger s'il y a lieu.

```
void Un(void)
{
    char Message[128];
    strcpy(Message,"Bonjour");
}
void main(void)
{
    Un();
    cout << Message;
}
```

3. Le programme suivant contient-il des erreurs? Les corriger s'il y a lieu.

```
char Message[128];
void Un(void)
{
    strcpy(Message,"Bonjour");
}
void main(void)
{
    Un();
    cout << Message;
}
```

4. Qu'obtient-on à l'exécution du programme suivant?

```
void Un(int& X)
{
    X = 4;
}
```

```
void main(void)
{
    int X;
    X = 0;
    Un(X);
    cout << X;
}
```

5. Qu'obtient-on à l'exécution du programme suivant?

```
void Un(int X)
{
    X = 4;
}
void main(void)
{
    int X = 0;
    Un(X);
    cout << X;
}
```

6. Qu'obtient-on à l'exécution du programme suivant?

```
int X,Y;
void Un(int X)
{
    X = 4;
    Y = 4;
}
void main(void)
{
    X = 0;
    Y = 0;
    Un(X);
    cout << X << ' ' << Y;
}
```

7. Qu'obtient-on à l'exécution du programme suivant?

```
int Un(int Z)
{
    int Y;
    Z = 4;
    Y = 4;
    return(Z);
}
void main(void)
{
    int X,Y;
    X = 0;
    Y = 0;
    X = Un(X);
    cout << X << ' ' << Y;
}
```

8. Qu'obtient-on à l'exécution du programme suivant?

```
void Un(int& Z)
{
    Z = 4;
}
void main(void)
{
    int X,Y;
    X = 0;
    Y = 0;
    Un(X);
    cout << X << ' ' << Y;
}
```

9. Étant donné l'en-tête de la fonction Bourse,

```
void Bourse(char &PaysA, char &PaysB, type_monnaies Monnaie, float &Cours);
```

et les déclarations suivantes:

```
enum type_monnaies {DOLLAR, FRANC, LIVRE, PESETAS, COURONNE, LIRE};
const float Un_Dollar = 1.40;
const float Un_Franc  = 4.05;
const float Une_Couronne = 4.23;
const char USA = 'U';
const char FRANCE= 'F';
const char DANEMARK = 'D';

type_monnaies Monnaie;
char PaysA, PaysB;
float Cours;
```

Lequel des appels suivants à la fonction Bourse est le plus respectueux de son en-tête?

a) Bourse (USA,   FRANCE,   Monnaie, Cours);

b) Bourse (PaysA, DANEMARK, Monnaie, Cours);

c) Bourse (PaysA, PaysB,   USA,   Un_Dollar);

d) Bourse (PaysA, PaysB,   PESETAS, Cours);

e) Bourse (PaysA, PaysB,   LIVRE,   Un_Franc);

10. Soit les déclarations suivantes:

```
const int Min = 1;
const int Max = 20;

int     Pas, Inter, I , J;
float   Distance, Facteur, Capacite;
char    Reponse, CarLu;

float H(int X, int Y, float Z)
{
    ...
}
void Estimer(float A, float& B, int C, int& D, int& E, char&F)
{
    ...
}
void main(void)
{
    ...
}
```

Déterminer si les instructions qui suivent, contenues dans la partie de la fonction principale, sont valides.

a) `Pas = H(Min,Max,Distance);`
b) `Capacite = H(I,J,Distance);`
c) `H(I,J,Distance);`
d) `cout << H(1,2,3);`
e) `Estimer(Distance,Facteur,Pas,I,J,Reponse);`
f) `if (Pas > 0)`
    `    Facteur = Inter*H(I,J);`
g) `if (Estimer(1.2,Distance,10,I,J,CarLu) > Max)`
    `    cout << "Attention! Débordement!";`
h) `while (H(Pas,Inter,Capacite) < Max)`
    `    Capacite = H(Pas,Min,Max);`
i) `Estimer(Min,Max,I,J,Facteur,Reponse);`
j) `Estimer(H(0,0,0),Distance,1,Pas,Inter,Carlu);`

11. Qu'obtient-on à l'exécution du programme suivant?

```
void B(float& B1, float B2)
{
    B2 = B1 / B2;
}
float C (float C1, float C2)
{
    return (C1 / C2);
}
void main(void)
{
    float A1 = 10.0;
    float A2 = 3.0;
    B(A1,A2);
    cout << setw(5) << setprecision(2) << A1 << A2 << C(A1,A2);
}
```

12. Soit le programme suivant:

```
int X, Y, I, J;
void Un (int& X)
{
   X = 2 * I;
}
void Deux (int& X, int& Y)
{
   int I;
   I = X;
   Y = X;
   X = J;
}
int Trois (int I, int J)
{
   I = X;
   Y = J;
   return (I + J);
   J =   X + I;
}
void Quatre (int X)
{
   Un(X);
   Y = I;
}
void Cinq (int Y)
{
   Quatre(Y);
   I = Y;
}
void main(void)
{
   I = 3;
   J = 5;
   X = 6;
   Y = 0;
   /* suite des instructions */
}
```

Donner les résultats ou les erreurs du programme lorsque la partie instructions de la fonction principale est:

a) `Cinq(Y);`
`cout << Y;`

b) `Quatre(X);`
`cout << "X:" << X << " I:" << I << " J:" << J << " Y:" << Y;`

c) `I = Trois(2,I);`
`cout << "X:" << X << " I:" << I << " J:" << J << " Y:" << Y;`

d) `Deux(Y,I);`
`cout << "X:" << X << " I:" << I << " J:" << J << " Y:" << Y;`

e) `Un(3);`
`cout << "X:" << X << " I:" << I << " J:" << J << " Y:" << Y;`

f) `Quatre(Trois(0,0));`
`cout << "X:" << X << " I:" << I << " J:" << J << " Y:" << Y;`

13. Donner l'affichage produit par le programme suivant:

```cpp
#include <iostream>
#include <cstring>
using namespace std;

bool Fonction(char Chn[], char C1, int& X, int& Y)
{
    char ChnTmp[81];
    int i;
    X = 0;
    Y = 0;
    int L = strlen(Chn);

    if (L == 0)
    {
        strcpy(Chn, "Oups!");
        return false;
    }
    else
    {
        for( i = L - 1 ; i >= 0 ; i--)
        {
            if ( (Chn[i] != C1) && (Chn[i] != ' ') )
            {
                ChnTmp[X] = Chn[i];
                X++;
            }
            if (Chn[i] == C1)
                Y++;
        }
        ChnTmp[X] = '\0';
        strcpy(Chn, ChnTmp);
        return true;
    }
}

void main(void)
{
    char Chaine[81] = " amour amour!";
    char C = 'r';
    int  A=0, B=0;

    Fonction(Chaine, C, A, B);
    cout << endl << Chaine << endl << C << endl << A << endl << B ;
}
```

14. Quel sera l'affichage obtenu après l'exécution du programme ci-dessous ?

```cpp
#include <cstring>
#include <iostream>
#include <cctype>
using namespace std;

void Deplacer(char CarLu,int x,int y)
{
    switch(toupper(CarLu))
    {
        case 'B': if (x==1 || x==2) x+=2;
                  break;
        case 'O': if (y==2 || y==4) y+=2;
                  break;
        case 'N': if (x==2 || x==3) x-=2;
                  break;
    }
}

void Action(char& CarLu,int& x,int& y)
{
    switch(CarLu)
    {
        case 'i': case 'I':    CarLu='X';
                  x++; y--;
                  break;
        case 'y': case 'Y':    CarLu='O';
                  x--; y++;
                  break;
        default : Deplacer(CarLu, x, y);
    }
}
void main(void)
{
    int a,b, i;
    char ChaineLue[10]="FIN";
    for (i=0; i<strlen(ChaineLue);i++)
    {
        a=2; b=2;
        Action(ChaineLue[i], a, b);
        cout <<"i= "<< i << ' ';
        cout << CarLu[i] << ' ' << a << ' ' << b << endl;
    }

}
```

15. Quel sera l'affichage obtenu après l'exécution du programme ci-dessous ?

```
#include <iostream>
using namespace std;

bool Tautologie (bool P, bool Q)
{
    return bool(!((P && Q) || (P && !Q)) || P);
}

void main(void)
{
    bool P, Q, Resultat;
    Resultat = true;

    for (P = false; P < true; P++)
       for (Q = false; Q < true; Q++)
       {
           Resultat = Resultat && Tautologie(P,Q);
           if (Resultat==true)
               cout << "VRAI" << endl;
           else
               cout << "FAUX" << endl;
       }
}
```

16. Écrire une fonction qui retourne le module d'un vecteur, c'est-à-dire la racine carrée de la somme des carrés de tous les éléments du vecteur.

17. Écrire une fonction qui utilise deux paramètres. Le premier paramètre, une chaîne de caractères, est le pays où l'interurbain a été réalisé. Le deuxième paramètre, un nombre réel, est la durée de l'interurbain en minutes. La fonction calcule et retourne le coût de l'appel selon les tarifs en vigueur inscrits dans le tableau suivant.

Pays	Coût $/min
Canada	0,27
Chine	0,32
États-Unis	0,65
Finlande	0,57
France	0,82

Note: La fonction strcmp(chaine1,chaine2) permet de comparer deux chaînes de caractères.

18. Écrire une fonction qui reçoit en paramètres un caractère et une chaîne de caractères, et qui retourne le nombre de fois où ce caractère apparaît dans la chaîne, qu'il soit minuscule ou majuscule. Si le caractère reçu n'est pas une lettre, c'est-à-dire s'il n'est pas compris dans l'intervalle 'a'..'z' ou 'A'..'Z', la fonction doit retourner 0 (zéro).

Les fonctions toupper(), isalpha() et strlen() peuvent être utiles pour écrire cette fonction.

19. Écrire une fonction qui calcule le produit de deux matrices carrées de nombres entiers. La dimension maximale des matrices est 50. Cette fonction reçoit en paramètres les deux matrices à multiplier, la matrice résultat et la dimension de celle-ci.

20. Dans une matrice donnée, un élément qui est à la fois un maximum sur sa ligne et un minimum sur sa colonne est appelé élément col. Une valeur est maximale sur une ligne si toutes les autres valeurs lui sont inférieures ou égales. De la même façon, une valeur est minimale sur une colonne si toutes les autres valeurs lui sont supérieures ou égales.

    Écrire la fonction VerifierCol() qui retourne «true» si un élément situé à la position (ligne, colonne) d'une matrice est col ou «false» autrement.

    Le prototype est:

    ```
    bool Verifier(int Mat[][MAX_DIM],int NbLignes, int NbColonnes,
                                     int Ligne, int Colonne);
    ```

    où Mat = matrice à deux dimensions, de dimension maximale MAX_DIM×MAX_DIM

    NbLignes = nombre de lignes de Mat réellement utilisées (NbLignes≤MAX_DIM)

    NbColonnes = nombre de colonnes de Mat réellement utilisées (NbColonnes≤MAX_DIM)

    Ligne = indice de ligne de l'élément de Mat dont on désire vérifier s'il est col; appartient à l'intervalle [0..NbLignes-1]

    Colonne = indice de colonne de l'élément de Mat dont on désire vérifier s'il est col; appartient à l'intervalle [0..NbColonnes-1]

    Enfin, MAX_DIM est une constante préalablement définie.

21. Écrire une fonction de type booléen qui indique si deux mots reçus en paramètres sont des anagrammes (mots différents formés des mêmes lettres). Par exemple, niche et chien sont des anagrammes.

22. Écrire une fonction qui reçoit en paramètre un tableau contenant des valeurs correspondant à un jeu de morpion (tic-tac-toe) et qui retourne le résultat de la partie: le caractère 'X' si X gagne, le caractère 'O' si O gagne ou le caractère 'N' s'il n'y a pas de gagnant (partie nulle).

    Un jeu de morpion consiste en une grille de 3 sur 3. Une case de la grille peut contenir 'X', 'O' ou ' ' (espace). Pour qu'un des joueurs gagne la partie, il faut que sa lettre se retrouve sur trois cases formant une ligne, une colonne ou une diagonale. Il ne peut y avoir qu'un seul gagnant par partie.

X	X	X
O	O	
X	O	O

X gagne

O	X	X
O	X	O
O	O	X

O gagne

X		X
O	X	
X	O	O

X gagne

X	O	X
O	X	O
O	X	O

Nulle

23. Écrire une fonction qui détermine, parmi trois montants en devises étrangères, le montant le plus élevé en dollars canadiens. La fonction utilise six paramètres. Le premier est un montant en dollars américains, le deuxième est le taux de change du dollar américain en dollars canadiens, le troisième est un montant en francs français, le quatrième est le taux de change du franc français en dollars canadiens, le cinquième est un montant en yens japonais et le sixième est le taux de change du yen japonais en dollars canadiens. La fonction réalise la conversion des montants de chaque devise en dollars canadiens et retourne celui qui représente le montant le plus élevé en dollars canadiens. La conversion s'effectue à l'aide de la formule:

montant en dollars canadiens = montant de la devise × taux de change de la devise en dollars canadiens

24. La théorie des écoulements linéarisés supersoniques permet d'évaluer la valeur du coefficient de pression autour d'une aile selon quatre paramètres:

· θ, l'angle d'attaque du profil d'aile;
· M_∞, le nombre de Mach à l'infini;
· T_∞, la température en kelvins à l'infini;
· v, la vitesse de l'air autour de l'aile.

Dans un premier temps, il faut évaluer la valeur de M_∞ de la façon suivante:

$$M_\infty = \frac{v}{\sqrt{\gamma R T_\infty}} \tag{5.1}$$

Les valeurs de γ, le rapport des chaleurs spécifiques, et de R, la constante des gaz parfaits, sont respectivement de 1,4 et 256.

Ensuite, on évalue la valeur du coefficient de pression, C_p:

$$C_p = \frac{2\theta}{\sqrt{M_\infty^2 - 1}} \tag{5.2}$$

Écrire la fonction CalculerCp(), qui calcule le coefficient de pression (C_p) à partir de quatre paramètres. Les trois premiers paramètres permettent de transmettre de l'information à la fonction lors de l'appel. Le premier paramètre est un nombre réel correspondant à un angle d'attaque. Le deuxième est un nombre réel correspondant à une vitesse. Le troisième est un nombre entier correspondant à une température. Le quatrième et dernier paramètre est utilisé pour retourner une valeur. Ce paramètre est un nombre réel qui correspond à la valeur calculée du nombre de Mach à l'infini (M_∞). La fonction retourne le coefficient de pression (C_p) au point d'appel.

La fonction calcule d'abord le nombre de Mach à l'infini, M_∞. Si ce nombre est supérieur à 1 (condition supersonique), la fonction calcule la valeur du coefficient de pression (C_p) selon l'équation 5.2. Sinon, la fonction affecte la valeur 0 au coefficient de pression C_p. Pour terminer, la fonction doit retourner la valeur obtenue pour le coefficient C_p.

25. Écrire la fonction `Oter_Les_Redondances()` qui reçoit en paramètres un tableau d'au plus 1000 valeurs entières déjà triées en ordre croissant et le nombre d'éléments qu'il contient. Cette procédure élimine les occurrences multiples d'un entier contenu dans le tableau reçu en paramètre. Par exemple, si le tableau contient les 11 valeurs suivantes:

    -10 -10 8 9 9 9 13 24 24 32 36

    la fonction `Oter_Les_Redondances()` retourne au programme appelant un tableau épuré des répétitions et ne contenant plus que les valeurs suivantes:

    -10 8 9 13 24 32 36

    Le nouveau nombre de valeurs valides dans le tableau, soit sept, est aussi retourné au programme appelant. On suppose que le tableau reçu en paramètre contiendra toujours au moins deux éléments.

26. Écrire un sous-programme permettant d'insérer une valeur dans un tableau trié par ordre croissant qui comporte 500 valeurs entières. Le sous-programme reçoit en paramètres le tableau et la nouvelle valeur à y insérer. Considérer que le tableau est complètement rempli. Ainsi, pour insérer au bon endroit la nouvelle valeur de façon à maintenir le tri, il faudra enlever une valeur. Enlever le nombre le plus grand. Toutefois, si la nouvelle valeur est plus grande que la 500e, il ne faut pas insérer ce nombre dans le tableau.

27. Il existe différentes conventions d'écriture de date sur des documents. En voici quatre:

    Canada: AAAA-MM-JJ
    États-Unis: MM/JJ/AAAA
    France: JJ.MM.AAAA
    Royaume-Uni: JJ/MM/AAAA

    Écrire une fonction qui reçoit en paramètres les chaînes de caractères qui identifient le jour, le mois de l'année ainsi qu'un caractère unique correspondant à la première lettre de la convention désirée. La fonction retourne une chaîne de caractères qui représente la date obtenue.

28. Un nombre entier positif u en base b a la forme:

    $$u = (t_n t_{n-1} \ldots t_2 t_1 t_0)_b$$

    Pour évaluer ce nombre en base 10, on procède comme suit:

    $$u = (t_n \times b^n + t_{n-1} \times b^{n-1} + \ldots + t_1 \times b^1 + t_0 \times b^0)_{10}$$

    Par exemple, pour évaluer 1011 en base 2, on fait le calcul suivant:

    $$(1011)_2 = (1 \times 2^3 + 0 \times 2^2 + 1 \times 2^1 + 1 \times 2^0)_{10}$$

    Une façon de simplifier ce calcul consiste à mémoriser le nombre à l'aide d'un tableau contenant ses chiffres. L'ordre des chiffres dans le tableau sera:

$$\text{int } u\,[n+1] = \{t_n, t_{n-1}, t_{n-2}, \dots, t_0\}$$

où n est une constante et t_i, un entier de l'intervalle [0, b-1].

Le chiffre 1011 est alors représenté par le tableau `int u[4]= {1, 0, 1, 1};`

Écrire une fonction, nommée `PlusGrand()`, qui utilise trois paramètres. Les deux premiers paramètres sont les deux tableaux de 20 chiffres représentant deux nombres à comparer. Chaque nombre utilise les 20 chiffres du tableau qui le représente. Le troisième correspond à la base des deux nombres, comprise entre 2 et 16. La fonction effectue la conversion des deux nombres vers leur équivalent respectif en base 10, puis retourne `true` si le premier nombre est strictement plus grand que le deuxième ou `false` si le premier est plus petit ou égal au deuxième.

La fonction `pow(a,b)` retourne le résultat du calcul de a^b.

29. Lors d'une mission de surveillance aérienne, l'ordinateur de bord doit analyser tous les échos radars. Pour chaque écho détecté, l'ordinateur doit vérifier si celui-ci appartient à un avion ami ou ennemi. Pour simplifier le problème, on suppose que l'écho détecté est un nombre réel positif compris entre 0 et 300. La valeur de l'écho d'un avion ami se situe dans l'intervalle [1,100], alors que celle d'un avion ennemi est comprise dans l'intervalle]100,200].

    Écrire, en langage C, la fonction `Identifier()` qui reçoit en paramètres le nombre d'échos à traiter (au maximum 150) et le tableau contenant ces échos, puis qui retourne le nombre d'avions amis, le nombre d'avions ennemis et le nombre d'échos non identifiés.

30. Un robot effectue ses déplacements d'après les commandes qui lui sont fournies à partir d'un fichier texte. Dans ce fichier, chaque ligne contient une commande indiquant une direction dans laquelle le robot devra effectuer un déplacement d'une unité. Les commandes possibles sont HAUT, BAS, DROITE, GAUCHE et REPOS. Elles correspondent aux déplacements suivants dans un plan cartésien:

HAUT	déplacement d'une unité vers les y positifs
BAS	déplacement d'une unité vers les y négatifs
DROITE	déplacement d'une unité vers les x positifs
GAUCHE	déplacement d'une unité vers les x négatifs
REPOS	aucun déplacement

Sachant qu'au départ le robot est à l'origine (0, 0), écrire un programme contenant deux fonctions. Une première fonction réalise les opérations suivantes:

– demander à l'usager le nom d'un fichier texte qui contient les commandes de directions;

– traiter le contenu du fichier pour déterminer:

  – les coordonnées (x, y) de la position finale du robot;

  – le nombre de déplacements effectués en tout.

Par exemple, soit un fichier contenant les commandes de direction suivantes :

```
HAUT
REPOS
HAUT
HAUT
GAUCHE
REPOS
BAS
DROITE
```

Le robot effectuerait six déplacements en tout pour arriver à une position finale de $(0, 2)$.

La deuxième fonction réalise l'affichage de la position finale du robot et le nombre total de déplacements effectués.

31. Une matrice identité est une matrice carrée dont tous les éléments de la diagonale valent 1 et tous les autres, 0. Par exemple, la matrice identité de dimension 3 est:

$$I_3 = \begin{bmatrix} 1 & 0 & 0 \\ 0 & 1 & 0 \\ 0 & 0 & 1 \end{bmatrix}$$

D'après la déclaration suivante:

```
typedef float type_matrice[20][20];
```

écrire une fonction qui possède deux paramètres: le premier de type `type_matrice` identifiera la matrice et le deuxième indiquera la dimension de cette matrice qui sera comprise entre 2 et 20. La fonction retourne `true` s'il s'agit d'une matrice identité de dimension spécifiée en paramètre ou `false` autrement.

32. Un jeu, nommé le pendu, consiste à deviner un mot en un certain nombre d'essais. Pour informatiser ce jeu, nous avons besoin d'un ou de plusieurs fichiers contenant les mots à deviner. Voici la stratégie que nous avons adoptée.

Les mots à deviner sont dans quatre fichiers correspondant à des catégories. Les catégories sont: sport, science, musique et divers. Le nom de la catégorie correspond au nom du ficher associé. Chaque fichier contient exactement 250 mots, à raison d'un mot par ligne.

Donner les déclarations et les instructions d'une fonction qui réalisera les opérations suivantes. La fonction demande la catégorie désirée, puis ouvre le fichier correspondant. On détermine aléatoirement la ligne du mot à lire à l'aide de la fonction `rand()` du fichier `<cstdlib>`. La fonction lit le mot, ferme le fichier puis affiche un nombre de traits correspondant au nombre de lettres du mot. La fonction retourne le mot à deviner.

33. Le nombre de combinaisons de *K* objets qu'on peut extraire d'un ensemble de *N* objets est:

$$C_N^K = \frac{N!}{N!(N-K)}$$

Par exemple, si l'on a *N* billes de couleurs différentes dans un sac et que l'on tire *K* billes du sac ($K \leq N$), l'équation ci-dessus permet de déterminer le nombre de combinaisons de couleurs possibles.

Écrire un programme qui demande à l'usager d'entrer le nombre total de billes (*N*) et le nombre de billes tirées (*K*), qui valide les réponses fournies (*N* doit être ≤ 12 et $K \leq N$), puis qui calcule et affiche le nombre de combinaisons de *K* en *N*.

Le programme doit comporter une fonction `Factorielle()`, qui reçoit en paramètre un nombre entier ≤ 12 et qui retourne un nombre entier (de type `long int`) qui est la factorielle de ce nombre.

NOTE: La factorielle d'un nombre *N* est définie comme suit:

$$n! = 1 \times 2 \times 3 \times 4 \times ... \times (n-1) \times n \text{ et } 0! = 1$$

Par exemple:

$$5! = 1 \times 2 \times 3 \times 4 \times 5 = 120$$

34. Soit *A*, une matrice d'entiers positifs non nuls (>0):

$$A = \begin{bmatrix} a_{11} & . & . & . & a_{1C} \\ . & & & & . \\ . & & & & . \\ . & & & & . \\ a_{L1} & . & . & . & a_{LC} \end{bmatrix}$$

et les déclarations:

```
#define MAXLIGNE 10
#define MAXCOLONNE 20
```

On note par $A(i,j)$ l'élément de la matrice A qui correspond à la ligne *i* ($1 \leq i \leq$ MAXLIGNE) et à la colonne *j* ($1 \leq j \leq$ MAXCOLONNE).

On suppose que la matrice A est stockée à l'aide d'un tableau T à une dimension de `MAXLIGNE*MAXCOLONNE` éléments. L'indice k du tableau T varie de 0 à `MAXLIGNE*MAXCOLONNE-1` ($0 \leq k \leq$ `MAXLIGNE*MAXCOLONNE-1`). La relation entre la position des éléments de la matrice A et leur position dans le tableau T est:

$$A = \begin{bmatrix} 1 & 2 & 3 \\ 4 & 5 & 6 \end{bmatrix} \rightarrow T = \begin{bmatrix} 1 & 2 & 3 & 4 & 5 & 6 \end{bmatrix}$$

Écrire la fonction `TrouverElT()` ayant trois paramètres d'entrée: le tableau T, l'indice i et l'indice j. La fonction détermine et retourne au point d'appel l'élément $A(i,j)$ correspondant. La fonction doit valider les valeurs des indices i et j afin d'éviter les débordements du tableau. En cas de débordement, la fonction doit afficher un message d'erreur et retourner la valeur 0 au point d'appel.

35. On désire fusionner deux tableaux afin de réunir leurs éléments dans un troisième tableau. Lorsque les éléments des tableaux sont ordonnés, le tableau qui résulte de la fusion doit également être ordonné.

Par exemple:

Premier tableau

-2.11	-1.8	3.5	6.3	7.4	9.2

Deuxième tableau

-1.2	-0.3	2.1	4.7

Tableau résultant de la fusion

-2.11	-1.8	-1.2	-0.3	2.1	3.5	4.7	6.3	7.4	9.2

Écrire la fonction `Fusionner()` qui réalise la fusion de deux tableaux déjà ordonnés, comme ci-dessus. Cette fonction utilise six paramètres. Les deux premiers représentent un tableau de nombres réels ordonnés et le nombre d'éléments qu'il contient. Les deux suivants correspondent à un deuxième tableau de nombres réels ordonnés et au nombre d'éléments qu'il contient. Enfin, les deux derniers paramètres sont un tableau résultant de la fusion des deux premiers et le nombre d'éléments inscrits dans ce tableau.

NOTE: On considère que le nombre total d'éléments à fusionner est inférieur ou égal à 50.

36. Écrire un programme qui vérifie et indique s'il est possible d'atteindre la dernière case d'un tableau en effectuant des déplacements quelconques à l'intérieur du tableau. Un déplacement débute à la case [0][0] et devrait se terminer à la case de terminaison [N-1][N-1], où N est la dimension du tableau. Le programme doit demander à l'usager

d'entrer cette dimension et s'assurer que la dimension du tableau est une valeur entière comprise entre 2 et 10 inclusivement. Lorsqu'il se déplace sur la case [N-1][N-1], le programme affichera qu'il a atteint la case de terminaison. À l'inverse, s'il ne peut pas se déplacer sur la case [N-1][N-1], il affichera qu'il n'a pas pu atteindre la case de terminaison. Le programme reconnaît cet état lorsqu'il a vérifié le contenu de $N \times N$ cases sans jamais atteindre la case [N-1][N-1].

Soit le tableau de valeurs entières suivant, de dimension 4 sur 4:

	0	1	2	3
0	12	22	3	13
1	10	21	30	21
2	33	21	32	12
3	22	0	20	31

Chaque valeur entière du tableau désigne l'emplacement d'une case du tableau. Le chiffre des dizaines indique la rangée et le chiffre des unités indique la colonne. Par exemple, dans la case [2][3], on retrouve la valeur 12. Cette valeur correspond à l'emplacement de la case [1][2]. Autres exemples: la case [0][2] contient 3, qui est l'emplacement de la case [0][3]; la case [3][1] contient 0, qui est l'emplacement de la case [0][0]; etc. Cette façon de mémoriser la position d'une case permettra de se déplacer dans le tableau. En effet, d'une case donnée, le déplacement sera effectué à la case dont elle mémorise l'emplacement.

Voici la séquence des déplacements dans le tableau ci-dessus:

- le départ se fait à la case [0][0] où le programme lit la valeur 12. La valeur 12 correspond à la case [1][2];
- dans la case [1][2], on a la valeur 30. Cette valeur correspond à la case [3][0];
- de la case [3][0], on se déplace à la case [2][2] (la valeur 22 y est inscrite);
- de la case [2][2], on se dirige à la case [3][2];
- de la case [3][2], on aboutit à la case [2][0];
- pour terminer, on passe de la case [2][0] à la case [3][3].

Pour ce tableau, il est possible d'atteindre la case de terminaison, soit la case [3][3].

Le programme doit contenir deux fonctions: `Remplir_Tableau()` et `Trouver_Sortie()`. Les valeurs initiales sont inscrites dans le tableau par la fonction `Remplir_Tableau()`. Le prototype de la fonction est le suivant:

```
void Remplir_Tableau(int LeTableau[10][10], int Dim);
```

où `Dim` est la dimension du tableau.

Cette fonction ne place que des valeurs admises dans le tableau (déterminées au hasard). Autrement dit, pour une grille de dimension N = 4, les valeurs possibles sont: 0, 1, 2,

3, 10, 11, 12, 13, 20, 21, 22, 23, 30, 31, 32 et 33. Une valeur peut se retrouver plus d'une fois dans le tableau et, par le fait même, une valeur peut ne pas apparaître dans le tableau.

Une seconde fonction, nommée `Trouver_Sortie()`, détermine s'il est possible de trouver la sortie selon la règle décrite précédemment. Le prototype de la fonction est le suivant:

```
bool Trouver_Sortie(int LeTableau[10][10], int Dim);
```

La fonction retourne `true` s'il est possible d'atteindre la case `[Dim-1][Dim-1]`, `false` autrement.

NOTES: 23 / 10 = 2 le résultat correspond au chiffre de la dizaine de 23.
23 % 10 = 3 le résultat correspond au chiffre de l'unité de 23.

37. Le *Jeu de la vie* est une modélisation des lois génétiques de la naissance, de la survie et de la mort. Une modélisation typique peut se faire dans un carré de 400 cases: 20 cases horizontales sur 20 cases verticales. Chaque case peut être vide ou contenir un organisme vivant. Selon sa position, une case aura 3, 5 ou 8 cases voisines. Par exemple, les cases ombrées de la figure 5.8 sont les voisines de la case contenant un X*.

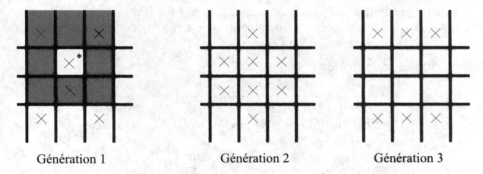

Génération 1   Génération 2   Génération 3

Figure 5.8 (exer. 37) Trois générations au *Jeu de la vie*.

Les trois diagrammes de la figure 5.8 représentent le passage des organismes de la génération 1 à la génération 3. Un X désigne un organisme vivant.

Écrire la fonction `LireGeneration()` qui utilise deux paramètres. Le premier paramètre est le nom d'un fichier texte contenant la génération initiale. Le fichier se compose de 20 lignes de 20 colonnes, chaque case contenant un X ou étant vide. Le deuxième paramètre est le tableau où on enregistrera la génération lue.

Écrire la fonction `GenererProchaine()`, qui détermine la prochaine génération à partir de la génération reçue en paramètre. La fonction utilise un seul paramètre, le tableau de la génération présente, afin de déterminer la prochaine génération.

La création de la prochaine génération se fait selon les critères suivants:

Naissance — Un organisme naîtra dans chaque case vide si celle-ci a exactement trois cases voisines contenant un organisme.

Mort — Un organisme ayant quatre organismes voisins ou plus mourra d'étouffement. Un organisme ayant moins de deux voisins mourra d'isolement.

Survie — Un organisme ayant deux ou trois voisins survivra.

Le programme doit demander et lire le nom du fichier de la génération initiale, puis il fait appel à la fonction `LireGeneration()` pour lire la génération initiale. Ensuite, il demande et lit le nombre de générations désirées. Pour terminer, le programme appelle la fonction `GenererProchaine()` afin de déterminer et afficher chacune des générations désirées.

38. Soit un fichier dont le format est le suivant :

```
Première ligne:   Nom    Prénom(s)
Deuxième ligne:   Adresse (maximum de 100 caractères)
Troisième ligne:  Téléphone (maximum de 100 caractères)
...
```

Cet ordre des données se répète jusqu'à la fin du fichier. Une personne peut avoir un ou plusieurs prénoms, mais toujours un seul nom. La taille maximale d'un nom est de 40 caractères, le ou les prénoms occupent un maximum de 100 caractères. Les prénoms sont séparés par au moins un espace.

Voici un exemple de fichier:

```
Tremblay Michel Julien
2999, rue Côte-des-Neiges, Montréal, PQ, H3V 1Z9
(514) 555-5555
Lambert Wilson Ester Paul Arthur
6000, Nowhere Street, NY, J3G 4T6
(400) 555-5551


            ...


Reeves Charles
12, rue Des Astres, Planétarium, PT, G1K 6S6
(444) 444-4419
```

Écrire la fonction `CompterPrenom()`, qui reçoit en paramètre une chaîne de caractères contenant le ou les prénoms d'une personne et retourne le nombre de prénoms réellement inscrits dans cette chaîne.

Écrire une fonction nommée `Compter()`, qui utilise trois paramètres. Le premier paramètre est une chaîne de caractères qui correspond au nom du fichier à lire. Le deuxième paramètre, un entier, retourne le nombre de noms lus dans le fichier. Le troisième, également un entier, retourne le nombre de prénoms lus. Les opérations réalisées par cette fonction sont:

a) ouverture du fichier et vérification de son existence;

b) si le fichier n'existe pas, fin de la fonction avec message d'erreur (affichage) à l'usager;

c) si le fichier existe, lecture du nom et des prénoms;

d) appel de la fonction `CompterPrenom()`, transmission du premier paramètre uniquement, la chaîne de caractères contenant le ou les prénoms;

e) lecture des informations suivantes concernant une personne;

f) les opérations c), d) et e) se répètent jusqu'à la fin du fichier.

39. **Générateur de nombres réels aléatoires ayant une distribution normale.** Les compilateurs de langages C et C++ fournissent en général un générateur de nombres aléatoires respectant la distribution uniforme. Par exemple, la fonction `rand()` génère ce type de nombres aléatoires. Toutefois, dans les applications de simulations par ordinateur et dans plusieurs autres programmes, il arrive que le programmeur ait besoin d'un générateur de nombres aléatoires respectant la distribution normale. Selon le théorème central limite, il est possible d'obtenir la distribution normale à partir de la distribution uniforme grâce à l'expression suivante:

$$R = \frac{\left(\sum_{i=1}^{n} U_i\right) - (n/2)}{(n/12)^{1/2}} \tag{5.3}$$

où U_i = nombre aléatoire selon la distribution uniforme dans l'intervalle [0,1]

n = nombre entier, $6 \leq n \leq 12$

R = le nombre réel aléatoire obtenu et respectant la distribution normale

La moyenne de la distribution obtenue est 0 et son écart type vaut 1. Pour obtenir une distribution normale de moyenne μ et d'écart type σ, il suffit d'utiliser l'expression suivante:

$$N = \mu + \sigma * R \tag{5.4}$$

où μ = moyenne désirée

σ = écart type désiré

R = nombre aléatoire obtenu à partir de l'équation 5.3

N = nombre réel aléatoire de la distribution normale de moyenne μ et d'écart type σ

Écrire une fonction, nommée `Normaliser()`, qui simule le générateur de nombres réels aléatoires respectant la distribution normale décrit ci-dessus. La fonction utilise quatre paramètres. Le premier paramètre (`Moy`, un réel) est la moyenne, μ, de la distribution normale. Le second paramètre (`Ecart`, un réel) est son écart type, σ. Le troisième, n, un entier, est le nombre de nombres aléatoires U_i utilisés; il s'agit du n de l'équation 5.3. Le quatrième (`Norm`, un réel) est le nombre aléatoire généré selon les équations 5.3 et 5.4, qui constitue un résultat de calcul de la fonction `Normaliser()`. La fonction `Normaliser()` doit d'abord vérifier si l'écart type est positif ou égal à zéro. Si c'est le cas, elle calcule le nombre aléatoire puis retourne 1. Sinon, elle retourne 0 sans calculer le nombre aléatoire.

NOTES:

– Pour générer les nombres U_i, utiliser la fonction `rand()` et diviser le nombre par `MAXINT`; de cette façon, le nombre obtenu est un nombre aléatoire réel de l'intervalle [0,1].

– La fonction `sqrt(Valeur)` retourne la racine carrée de `Valeur`.

5.7 TRAVAIL DIRIGÉ

Ce travail a pour but d'amener l'étudiant à manipuler des variables de types construits et à exploiter la notion de fonction.

1. Écrire une fonction qui demande et lit une date spécifiée en jour, mois et année, ceux-ci étant les trois paramètres de la fonction.

2. Écrire une fonction qui reçoit trois paramètres correspondant à un jour, à un mois et à une année. La fonction de type booléen, qu'on doit déclarer, retourne la valeur `true` si la date est correcte ou `false` autrement.

   Une date est correcte si:
   · un mois appartient à l'intervalle [1,12];
   · un jour appartient à l'intervalle [1, nombre de jours du mois]:
       – pour une année bissextile, février possède 29 jours,
       – pour les autres années, février possède 28 jours.

3. Écrire une fonction qui reçoit trois paramètres, soit le jour, le mois et l'année d'une *date correcte*, puis qui affiche la journée de la semaine correspondant à cette date.

   La journée de la semaine de n'importe quelle date dont on connaît le jour, le mois et l'année peut être déterminée selon la formule suivante:

   ```
   Valeur = Jour + 2*Mois + (3*(Mois+1) / 5) + Annee + (Annee / 4) + (Annee / 100) + 2;
   Journee_Semaine = (Valeur % 7) + 1;
   ```

   La formule ci-dessus fournira une réponse correcte pourvu que:
       – la date fournie soit valide;
       – toutes les opérations soient effectuées en arithmétique entière;

- les mois de janvier et de février d'une année soient considérés comme le 13e et le 14e mois de l'année précédente (en d'autres mots, si le mois est 1 ou 2, on ajoute 12 à ce mois et on diminue l'année de 1 avant de calculer la formule);
- le dimanche soit considéré comme la première journée de la semaine.

4. Écrire un programme qui permette à l'usager de calculer le déterminant et la trace d'une matrice de dimensions 3 * 3 (de valeurs entières). Il faut définir un type construit MATRICE qui contient les éléments d'une matrice sous forme de tableau à deux dimensions. Le programme devra lire les coefficients de la matrice entrés au clavier et afficher le résultat sous le format suivant:

$$\text{Matrice: } \begin{matrix} a_{11} & a_{12} & a_{13} \\ a_{21} & a_{22} & a_{23} \\ a_{31} & a_{32} & a_{33} \end{matrix}$$

$$\text{Déterminant} = D$$

$$\text{Trace} = T = \sum_{i=1}^{3} a_{ii}$$

Le programme doit contenir, en plus de la fonction principale, au moins quatre autres fonctions comportant des paramètres. La première servira à lire la matrice, la deuxième, à calculer le déterminant, la troisième, à déterminer la trace, et la quatrième, à afficher les résultats.

5. Le domaine du traitement de signal est un domaine très actif du génie. Les signaux qu'on traite le plus souvent sont généralement continus et on doit les échantillonner pour pouvoir les manipuler. L'échantillonnage consiste à extraire du signal une mesure à des intervalles déterminés. On peut représenter les signaux échantillonnés par un vecteur de nombres positifs.

Ex.:
        1 2 3 3 4 1 5 5 5 3 3 3 3 1 1 2 5 7 9...

Créer un fichier texte qui simule un signal échantillonné contenant au maximum 100 mesures entières et positives (des chiffres de 0 à 9), puis écrire une fonction qui lit ce fichier et qui remplit un tableau d'au plus 100 éléments.

6. À partir du signal échantillonné du problème 5, nous voulons connaître la longueur du plus grand plateau dans un signal. Dans l'exemple du problème 5, la plus longue séquence est une séquence de longueur 4 du chiffre 3. Écrire une fonction qui, à partir d'un tableau contenant au maximum les 100 échantillons, retourne la longueur de la plus longue séquence et le chiffre qui la constitue.

7. À partir du signal échantillonné du problème 5, écrire une fonction qui calcule l'aire sous la courbe du signal échantillonné. On suppose que la distance entre les échantillons est unitaire, ce qui permet d'estimer l'aire sous la courbe à l'aide de la formule suivante:

$$\text{Aire} = \sum_{i=1}^{N-1} \frac{y_i + y_{i+1}}{2}$$

où N = le nombre d'échantillons
     y_i = l'échantillon i

8. Soit $n + 1$ points:

$$(x_0, y_0), (x_1, y_1), (x_2, y_2), \ldots, (x_n, y_n) \tag{5.5}$$

Le polynôme:

$$p(x) = c_0 + c_1 x + c_2 x^2 + \ldots + c_n x^n \tag{5.6}$$

de degré n passant par les $n + 1$ points peut s'écrire:

$$p(x) = \sum_{i=0}^{n} L_i(x) y_i \tag{5.7}$$

où $L_i(x)$ est défini par:

$$L_i(x) = \prod_{\substack{j=0 \\ j \neq i}}^{n} \frac{x - x_j}{x_i - x_j} \tag{5.8}$$

Le polynôme $L_i(x)$ est appelé le polynôme de Lagrange de degré n. L'intérêt de ces formules est qu'elles permettent d'interpoler des points à partir du polynôme $p(x)$.

En utilisant la déclaration suivante pour mémoriser les points:

```
struct type_point          // Déclaration globale
{
    double X, Y;
};

type_point TabPoints[20]; // Déclaration locale à main()
```

écrire les trois fonctions suivantes.

a) Écrire la fonction `LirePoints()` qui demande et lit le nombre de points à calculer, 20 au maximum. La fonction calcule ensuite les points (x_i, y_i) [éq. 5.5]. Les points doivent être utilisables à l'extérieur de la fonction. Utiliser la fonction `sinus()` pour calculer les points sur l'intervalle $[0, \pi/2]$. Les points seront alors $(x_i, \sin(x_i))$.

b) Écrire la fonction `CalculerLagrange()` qui reçoit en paramètres le degré du polynôme (i), le nombre de points connus, les points connus (éq. 5.5) et l'abscisse du point à interpoler (x). La fonction calcule la valeur du polynôme pour l'abscisse selon l'équation 5.8 et la retourne au point d'appel.

c) Écrire la fonction `Interpoler()` qui reçoit en paramètres l'abscisse du point à interpoler, le nombre de points connus et les points connus. La fonction calcule l'ordonnée correspondante selon l'équation 5.7 et la retourne au point d'appel.

Le programme réalise les appels aux fonctions. Il demande et lit dix valeurs correspondant à l'abscisse des points dont on désire connaître l'approximation. Pour chaque point, le programme affiche l'abscisse et l'ordonnée obtenues de l'approximation $(x_k, P(x_k))$, la valeur réelle de la fonction $(x_k, \sin(x_k))$ et l'erreur de l'approximation.

FICHIERS BINAIRES

La majorité des applications informatiques exigent la manipulation d'une quantité importante d'informations. Le programmeur doit structurer cette information de façon à faciliter sa mémorisation, son accès et sa modification. Au chapitre 3, nous avons vu qu'il est possible de mémoriser de l'information à l'aide de fichiers textes. Ces fichiers, constitués d'un ensemble de caractères, ne permettent pas un repérage rapide de l'information et sont difficiles à mettre à jour. Par contre, un second type de fichier appelé binaire présente ces qualités. Son principal avantage est qu'il peut mémoriser l'information dans le même format qu'en mémoire, ce qui préserve le type des données. Ainsi, l'accès aux données d'un fichier binaire et leurs modifications s'effectuent aisément.

En général, on associe à une entité plusieurs caractéristiques qu'on désire conserver, par exemple les nom et prénom d'une personne, son adresse, son numéro de téléphone, etc. En langage C, on peut regrouper les caractéristiques propres à une entité sous une même variable nommée enregistrement. On utilise régulièrement ce type de variable pour définir les éléments d'une base de données composée de fichiers binaires.

Nous commencerons ce chapitre par la présentation des enregistrements et le terminerons par la description des différentes notions touchant les fichiers binaires.

6.1 ENREGISTREMENTS

Un enregistrement est une structure de données formée d'un certain nombre de champs qui portent chacun un nom et qui peuvent être de différents types. Un enregistrement permet de regrouper, sous un même identificateur, des données diverses mais logiquement interreliées. Il se présente sous la forme générique suivante:

```
struct nom_type                  // Déclaration du type enregistrement
{
    déclaration des champs;
};
                                 // Déclaration d'une variable de type
                                 // enregistrement
nom_type Variable_1;             // Permis par C++
struct nom_type Variable_2;      // Permis par C et C++
```

ou encore:

```
struct                            // Déclaration d'une variable de type
{                                 // enregistrement. Ici, le type de
    déclaration des champs;       // l'enregistrement ne comporte pas
}   Variable_2;                   // d'identificateur

typedef struct nom_etiquette
{                                 // Déclaration d'un type enregistrement
    déclaration des champs;       // nom_etiquette est facultatif
}   type_nom;

type_nom Variable_3;
```

Supposons, par exemple, qu'on prépare un annuaire pour une association d'étudiants. Il est pertinent de consigner les données suivantes pour chaque personne: le nom, le prénom, l'âge, le sexe, l'adresse complète (numéro, rue, ville et code postal), le numéro de téléphone et, enfin, le montant dû pour la cotisation ou pour la participation à des activités spéciales. Il est évident que ces données nécessitent des variables de types différents: des variables de type chaîne de caractères pour le nom et le prénom, un entier pour l'âge, etc. Pour conserver ces données en mémoire, on pourrait définir plusieurs tableaux du type approprié. La fiche complète d'un membre serait distribuée dans plusieurs tableaux, et on pourrait y accéder au moyen d'un numéro individuel servant d'indice commun à tous les tableaux.

Certains langages de programmation n'offrent pas d'autre option que celle que nous venons d'exposer quand il s'agit de regrouper des données de types différents. Par contre, le langage C permet de définir un type construit appelé enregistrement, identifié par le mot réservé struct, pour exprimer clairement la relation entre les données appartenant à la même entité. L'exemple 6.1 présente la déclaration des enregistrements nécessaires à la confection de l'annuaire informatisé de l'association d'étudiants.

Exemple 6.1   Déclaration d'enregistrements

```
typedef char     type_chaine[16];
enum type_sexes {FEMININ,MASCULIN};

struct type_adr          // Définition d'un enregistrement de type_adr
{
   int         Num;
   type_chaine Rue;
   type_chaine Ville;
   type_chaine Code_Post;
};
```

```
struct type_membre        // Définition d'un enregistrement de type_membre
{
    type_chaine     Nom;
    type_chaine     Prenom;
    unsigned char   Age;
    type_sexes      Sexe;
    type_adr        Adresse;
    type_chaine     Telephone;
    float           Montant_Du;
};


type_membre   Un_Etudiant, Un_Autre_Etudiant;
type_membre   Club_Info[100], Club_de_Robotique[50], SAE[10];
```

Les variables `Un_Etudiant` et `Un_Autre_Etudiant` sont de type enregistrement. On appelle champs les identificateurs qui suivent l'accolade ouvrante après le mot réservé `struct` dans la déclaration de l'enregistrement, comme `Nom`, `Prenom` et `Age`, de même que tous les autres du type `type_membre` qui précèdent l'accolade fermante. Ces champs correspondent à des variables du type spécifié dans la déclaration. Il est à noter qu'un champ d'une variable enregistrement peut être de n'importe quel type. Il peut également être de type enregistrement, comme dans le cas du champ `Adresse`, qui est cependant de type `type_adr`. Ainsi, le champ `Adresse` d'une variable de type `type_membre` sera un enregistrement de type `type_adr`.

6.1.1 Initialisation d'une variable de type enregistrement

L'exemple 6.2 montre comment initialiser une variable de type enregistrement. L'accolade joue le même rôle que dans la déclaration de l'enregistrement. Précisons qu'il ne faut pas ajouter l'identificateur du champ à initialiser et qu'il faut employer des virgules pour séparer les champs initialisés.

Exemple 6.2 Initialisation d'une variable de type enregistrement

```
struct type_date
{
    int Jr, Ms, An;
};

struct type_personne
{
    char        Nom[50];
    type_date   Date_Naissance;
    char        No_Tel[12];
};

type_personne Maman = {"Marie-France", {3, 5, 37}, "544-1111"};
```

6.1.2 Traitement des champs d'une variable de type enregistrement

Identification. On identifie le champ d'une variable de type enregistrement en écrivant le nom de la variable suivi d'un point et du nom du champ. On emploie la forme générique suivante:

```
Var_Enregistrement.Nom_Champ
```

Le tableau 6.1 montre comment identifier les champs d'un enregistrement de type `type_membre` au moyen de la variable de ce type, soit `Un_Etudiant`, et en spécifie le type (ex. 6.1). À cette fin, reprenons les déclarations de l'exemple 6.1:

```
typedef char        type_chaine[16];
enum type_sexes     {FEMININ,MASCULIN};

struct type_adr       // Définition d'un enregistrement de type type_adr
{
    int             Num;
    type_chaine     Rue;
    type_chaine     Ville;
    type_chaine     Code_Post;
};

struct type_membre    // Définition d'un enregistrement de type type_membre
{
    type_chaine     Nom;
    type_chaine     Prenom;
    unsigned char   Age;
    type_sexes      Sexe;
    type_adr        Adresse;
    type_chaine     Telephone;
    float           Montant_Du;
};

    type_membre Un_Etudiant;
```

On peut constater, à la quatrième ligne du tableau 6.1, que le champ `Adresse` est suivi d'un point et du nom d'un champ de cet enregistrement. Ce procédé peut se répéter autant de fois qu'il est nécessaire, ce qui permet de définir des structures de données intégrant plusieurs niveaux d'enregistrements.

Tableau 6.1 Identification des champs de l'enregistrement `Un_Etudiant`

Identification du champ	Type du champ
`Un_Etudiant.Prenom`	`type_chaine`
`Un_Etudiant.Sexe`	`type_sexes`
`Un_Etudiant.Adresse`	`type_adr`
`Un_Etudiant.Adresse.Rue`	`type_chaine`

Les champs d'un enregistrement sont des variables qui peuvent être de différents types.

Opérations. Les opérations qu'il est possible d'effectuer sur un champ sont les mêmes que celles définies pour le type de la variable correspondante. L'exemple 6.3 illustre l'affectation de valeurs à quelques champs d'un enregistrement de type `type_membre` (ex. 6.1).

Exemple 6.3 Affectation de valeurs aux champs d'un enregistrement

```
strcpy(Un_Etudiant.Prenom,"Caroline");
Un_Etudiant.Sexe = FEMININ;
Un_Etudiant.Adresse = "25 av. Blaise Paris P4S 3C1";  //est incorrecte
strcpy(Un_Etudiant.Adresse.Ville,"Montréal");
```

L'exemple 6.4 illustre les opérations sur les champs de variables de type enregistrement. Le programme `DisPoint.cpp` calcule la distance entre deux points du plan.

Exemple 6.4 Opérations sur les champs de variables de type enregistrement

```
/*------------------------------------------------------------*/
/* FICHIER:     DISPOINT.CPP                                  */
/* AUTEUR:      Wacef Guerfali                                */
/* DATE:        18 juillet 2000                               */
/* DESCRIPTION: Ce programme demande deux points du plan de   */
/*              coordonnées (x,y) et affiche la distance      */
/*              euclidienne qui les sépare.                   */
/*------------------------------------------------------------*/
#include <iostream>     // Pour l'utilisation de cin et cout
#include <iomanip>      // Pour l'utilisation de setw() et setprecision()
#include <cmath>        // Pour l'utilisation de sqrt() et pow()
using namespace std;

struct type_point
{
    double   x,y;
};
```

```
/*--------------------------------------------------------------*/
/* DESCRIPTION:        Fonction Mesurer()                */
/*                     Cette fonction calcule la distance    */
/*                     euclidienne entre les points P1 et P2 */
/*                     du plan.                     */
/* PARAMÈTRES:         P1 (IN): le premier point.          */
/*                     P2 (IN): le deuxième point.         */
/* VALEUR DE RETOUR: La distance entre P1 et P2.         */
/* REMARQUE:           Aucune.                     */
/*--------------------------------------------------------------*/
double Mesurer(type_point P1, type_point P2)
{
    return( sqrt(pow(P1.x-P2.x,2.0)+pow(P1.y-P2.y,2.0)) );
}
/*--------------------------------------------------------------*/
/* DESCRIPTION:        Fonction principale du programme.  */
/*                     Fait appel à la fonction:         */
/*                     - Mesurer()                  */
/*                     pour calculer la distance euclidienne */
/*                     entre deux points.             */
/* PARAMÈTRES:         Aucun.                     */
/* VALEUR DE RETOUR: Aucune.                     */
/* REMARQUE:           Aucune.                     */
/*--------------------------------------------------------------*/
void main (void)
{
    double Mesurer(type_point, type_point); // Prototype de la fonction utilisée

    type_point    Point1,Point2;
    cout << "Indiquer un premier point (x,y) > ";
    cin >> Point1.x >> Point1.y;
    cout << "Indiquer un deuxième point (x,y) > ";
    cin >> Point2.x >> Point2.y;
    cout << endl;
    cout << setiosflags(ios::showpoint);
    cout << setprecision(2);
    cout << "La distance entre (";
    cout << Point1.x << ',' << Point1.y << ") et (";
    cout << Point2.x << ',' << Point2.y << ") est ";
    cout << Mesurer(Point1,Point2);
}
/*--------------------------------------------------------------*/
```

À l'exécution, on obtient:

```
Indiquer un premier point (x,y)      > 2.4 6.8
Indiquer un deuxième point (x,y)     > 5.3 9.1

La distance entre (2.40, 6.80) et (5.30, 9.10) est  3.70
```

Dans la partie instructions du programme `DisPoint.cpp`, les deux instructions de lecture soulignent la nécessité d'initialiser chaque champ d'un enregistrement, c'est-à-dire d'affecter à chaque champ la valeur désirée. Il y aura donc autant d'affectations que de champs dans l'enregistrement. La fonction `Mesurer()` utilise deux paramètres qui sont des enregistrements. L'emploi d'un paramètre de type enregistrement est extrêmement avantageux; en effet, il permet de transmettre des variables de types différents sous un seul identificateur. Ainsi, à l'appel de la fonction `Mesurer()`, les valeurs des champs des arguments `Point1` et `Point2` sont directement copiées dans les champs correspondants des paramètres `P1` et `P2`. Par la suite, il est possible d'utiliser ces enregistrements en précisant les champs concernés. L'expression du calcul de la distance illustre d'ailleurs cette possibilité.

6.1.3 Opérations sur les variables de type enregistrement

Il n'est pas possible d'utiliser des enregistrements comme opérandes dans les opérations mathématiques ou logiques. Ces opérations doivent s'effectuer séparément sur chaque champ des enregistrements. La fonction `Mesurer()` de l'exemple 6.4 démontre cette notion. Par contre, si deux variables sont du même type enregistrement, il est possible d'affecter à l'une le contenu de l'autre en une seule instruction. C'est en fait ce qui se produit lors du transfert des arguments aux paramètres de la fonction `Mesurer()` mentionnée plus haut.

De même, l'instruction:

```
Club_Info[0] = Un_Etudiant;
```

tirée de l'exemple 6.1, copierait chaque champ de l'enregistrement `Un_Etudiant` dans les champs correspondants du premier enregistrement du tableau `Club_Info`. Ceci est possible parce qu'il s'agit de deux variables de type `type_membre`.

L'exemple 6.5 présente un programme utilisant l'ensemble des opérations possibles sur les enregistrements.

Exemple 6.5 Ensemble des opérations possibles sur les enregistrements

```
/*------------------------------------------------------------*/
/* FICHIER:     DATEFETE.CPP                                  */
/* AUTEUR:      Wacef Guerfali                                */
/*              Yves Boudreault                               */
/* DATE:        29 juin 1999                                  */
/* DESCRIPTION: Ce programme reçoit en entrée les noms,       */
/*              prénoms et dates de naissance de plusieurs    */
/*              personnes. Il présente à l'affichage la       */
/*              liste de ces personnes en ordre de date       */
/*              de naissance. La priorité est le mois suivi   */
/*              du jour et de l'année.                        */
/*------------------------------------------------------------*/
#include <iostream>    // Pour l'utilisation de cin et cout
#include <iomanip>     // Pour l'utilisation de setw() et setprecision()
#include <cctype>      // Pour l'utilisation de toupper()
```

```
#define MAXAMI 30
#define LONGMOT 50
#define MAXTEL 10

typedef  char type_mot[LONGMOT];
struct type_date
{
    int  Jr, Ms, An;
};

struct type_ami
{
    type_mot    Nom, Prenom;
    type_date   Date_Nais;
    char        No_Tel[MAXTEL];
};

typedef type_ami    type_tab_ami[MAXAMI];
/*-----------------------------------------------------------*/
/* DESCRIPTION:       Fonction EntrerAmi()                   */
/*                    Cette fonction réalise la saisie de    */
/*                    l'information sur chaque personne      */
/*                    entrée.                                */
/* PARAMÈTRES:        L_Ami (OUT): le tableau dans lequel    */
/*                                 sont mémorisées les       */
/*                                 personnes.                */
/*                    Nbre_Ami (OUT): le nombre de personnes */
/*                                    dans le tableau.       */
/* VALEUR DE RETOUR: Aucune.                                 */
/* REMARQUE:         Aucune.                                 */
/*-----------------------------------------------------------*/
void EntrerAmi(type_tab_ami L_Ami, int& Nbre_Ami)
{
    const char Demande[7][25] =
    {
      "Prénom = ", "Nom = ", "Date de naissance: ",
      "Jour = ", "Mois = ", "An = ", "No de tél. = "
    };
    bool Un_Autre = true;
    char Reponse;
    // Demander et lire l'information pour chaque ami
    Nbre_Ami = 0;
    while (Un_Autre && Nbre_Ami < MAXAMI)
    {
        cout << endl << endl;
        cout << Demande[0];
        cin>> L_Ami[Nbre_Ami].Prenom;
        cout << Demande[1];
        cin>> L_Ami[Nbre_Ami].Nom;
        cout << Demande[2] << endl;
        cout << setw(20) << Demande[3];
        cin>> L_Ami[Nbre_Ami].Date_Nais.Jr;
```

```
              cout << setw(20) << Demande[4];
              cin>> L_Ami[Nbre_Ami].Date_Nais.Ms;
              cout << setw(20) << Demande[5];
              cin>> L_Ami[Nbre_Ami].Date_Nais.An;
              cout << Demande[6];
              cin>> L_Ami[Nbre_Ami].No_Tel;
              Nbre_Ami++;
              cout << endl << "Y a-t-il une autre inscription à faire? ";
              cin>> Reponse;
              Un_Autre = bool(toupper(Reponse) == 'O');
              // Aviser que le nombre maximum d'amis est atteint
        }
    if(Nbre_Ami == MAXAMI)
      cout << "Le nombre maximum d'amis est atteint "<< endl;
    }

    /*-----------------------------------------------------------*/
    /* DESCRIPTION:        Fonction EstPlusPetit()                */
    /*                     Cette fonction donne la valeur true si */
    /*                     la première date précède la deuxième.  */
    /*                     La date est comparée selon le mois, le */
    /*                     jour et l'année.                       */
    /* PARAMÈTRES:         Date_1, Date_2 (IN): les deux dates à  */
    /*                                       comparer.            */
    /* VALEUR DE RETOUR:   Retourne true si la première date      */
    /*                     précède la deuxième et                 */
    /*                     false autrement.                       */
    /* REMARQUE:           Aucune.                                */
    /*-----------------------------------------------------------*/
    bool  EstPlusPetit(type_date Date_1, type_date Date_2)
    {
        bool Petit = false;
        // Comparaison des mois
        if (Date_1.Ms < Date_2.Ms)
          Petit = true;
        else if (Date_1.Ms == Date_2.Ms)
          // Comparaison des jours, si les mois sont identiques
          if (Date_1.Jr < Date_2.Jr)
             Petit = true;
          else if (Date_1.Jr == Date_2.Jr)
           // Comparaison des années, si les jours et les mois sont identiques
             if (Date_1.An < Date_2.An)
                Petit = true;
        return(Petit);
    }

    /*-----------------------------------------------------------*/
    /* DESCRIPTION:        Fonction Permuter()                    */
    /*                     Cette fonction permet de permuter deux */
    /*                     enregistrements de type type_ami.      */
    /* PARAMÈTRES:         Ami_1, Ami_2 (IN/OUT): les éléments à  */
    /*                                         permuter.          */
```

```
/* VALEUR DE RETOUR:   Aucune.                               */
/* REMARQUE:           Aucune.                               */
/*-----------------------------------------------------------*/
void Permuter(type_ami& Ami_1, type_ami& Ami_2)
{
   type_ami Tampon;
   Tampon = Ami_1;
   Ami_1  = Ami_2;
   Ami_2  = Tampon;
}
/*-----------------------------------------------------------*/
/* DESCRIPTION:        Fonction TrierDate()                  */
/*                     Cette fonction réalise le tri des     */
/*                     enregistrements selon les dates.      */
/* PARAMÈTRES:         L_Ami (OUT): le tableau à trier selon */
/*                             les dates.                    */
/*                     Nbre_Ami (IN): le nombre de personnes */
/*                             dans le tableau.              */
/* VALEUR DE RETOUR:   Aucune.                               */
/* REMARQUE:           Le tri est fait selon la méthode du   */
/*                     tri en bulle.                         */
/*-----------------------------------------------------------*/
void TrierDate(type_tab_ami L_Ami, int Nbre_Ami)
{  // Prototypes des fonctions utilisées
   void Permuter(type_ami&, type_ami&);
   bool EstPlusPetit(type_date, type_date);

   int I,J;
   // Comparaison des dates et permutation des amis au besoin
   for (I = Nbre_Ami - 1; I > 0; I--)
      for (J = I - 1; J >= 0; J--)
         if (PlusPetit(L_Ami[I].Date_Nais,L_Ami[J].Date_Nais))
            Permuter(L_Ami[I],L_Ami[J]);
}


/*-----------------------------------------------------------*/
/* DESCRIPTION:        Fonction AfficherAmi()                */
/*                     Cette fonction affiche l'information  */
/*                     une fois triée.                       */
/* PARAMÈTRES:         L_Ami (IN): tableau contenant         */
/*                             l'information à afficher.     */
/*                     Nbre_Ami (IN): le nombre de personnes */
/*                             dans le tableau.              */
/* VALEUR DE RETOUR:   Aucune.                               */
/* REMARQUE:           Aucune.                               */
/*-----------------------------------------------------------*/
void AfficherAmi(type_tab_ami L_Ami, int Nbre_Ami)
{
   int NoAmi;
   // Affichage de l'information pour chaque ami inscrit
```

```
      for (NoAmi=0; NoAmi<Nbre_Ami; NoAmi++)
      {
         cout << (NoAmi+1) << endl;
         cout << L_Ami[NoAmi].Prenom << ' ' << L_Ami[NoAmi].Nom << endl;
         cout << L_Ami[NoAmi].Date_Nais.Jr << '/'
              << L_Ami[NoAmi].Date_Nais.Ms << '/'
              << L_Ami[NoAmi].Date_Nais.An << endl;
         cout << L_Ami[NoAmi].No_Tel << endl << endl;
      }
}


/*------------------------------------------------------------*/
/* DESCRIPTION:       Fonction principale du programme.     */
/*                    Fait appel aux fonctions:             */
/*                    - EntrerAmi()                         */
/*                    - TrierDate()                         */
/*                    - AfficherAmi()                       */
/*                    Pour calculer la distance euclidienne */
/*                    entre deux points.                    */
/* PARAMÈTRES:        Aucun.                                */
/* VALEUR DE RETOUR: Aucune.                                */
/* REMARQUE:          Aucune.                               */
/*------------------------------------------------------------*/
void main (void)
{  // Prototypes des fonctions utilisées
   void EntrerAmi(type_tab_ami, int&);
   void AfficherAmi(type_tab_ami, int);
   void TrierDate(type_tab_ami, int);

   type_tab_ami Ami;
   int          Nbre_Ami;

   EntrerAmi(Ami,Nbre_Ami);
   TrierDate(Ami,Nbre_Ami);
   AfficherAmi(Ami,Nbre_Ami);
}
```

À l'exécution, on obtient:

Entrée 1

```
      Prénom= Mathieu
        Nom= Bigras
  Date de naissance: Jour= 19
                     Mois= 10
                      An= 92
  No de tél.= 123-4567
                  Y a-t-il une autre inscription à faire? o
```

Entrée 2

```
Prénom= Francis
   Nom= Bélanger
Date de naissance: Jour= 17
                   Mois= 1
                    An= 89
No de tél.= 123-7654
               Y a-t-il une autre inscription à faire? o
```

Entrée 3

```
   Prénom= Charles
      Nom= Bonté
Date de naissance: Jour= 7
                   Mois= 7
                    An= 86
No de tél.= 321-4567
               Y a-t-il une autre inscription à faire? o
```

Entrée 4

```
   Prénom= Marc
      Nom= Bourville
Date de naissance: Jour= 29
                   Mois= 1
                    An= 58
No de tél.= 765-4321
               Y a-t-il une autre inscription à faire? o
```

Entrée 5

```
   Prénom= Yves
      Nom= Blanchet
Date de naissance: Jour= 17
                   Mois= 4
                    An= 59
No de tél.= 121-2121
               Y a-t-il une autre inscription à faire? n
```

Sortie:

```
1
Francis Bélanger
17/1/89
123-7654

2
Marc Bourville
29/1/58
765-4321

3
Yves Blanchet
17/4/59
121-2121

4
Charles Bonté
7/7/86
321-4567

5
Mathieu Bigras
19/10/92
123-4567
```

La fonction `EntrerAmi()` du programme `DateFete.cpp` permet de saisir de l'information sur les personnes, laquelle est ensuite mémorisée dans un tableau d'enregistrements. Cette fonction met en évidence la lecture d'un enregistrement, qui doit se faire champ par champ. La fonction `EstPlusPetit()` illustre la comparaison de deux enregistrements, ce qui correspond à comparer deux à deux les champs correspondants. Quant à la fonction `Permuter()`, elle reçoit comme paramètres deux enregistrements à permuter. Un enregistrement s'y trouve affecté à un autre enregistrement de même type. Finalement, la fonction `AfficherAmi()` démontre la nécessité d'afficher un enregistrement champ par champ.

6.2 ENTRÉES ET SORTIES DANS DES FICHIERS BINAIRES

Jusqu'à maintenant, nous nous sommes servis uniquement de fichiers textes. Toutefois, il existe d'autres types de fichiers qui conviennent mieux à certaines situations particulières; il s'agit des fichiers binaires. Pour mieux comprendre les différences entre les fichiers textes et les fichiers binaires, examinons leurs caractéristiques. Voyons d'abord les fichiers textes.

6.2.1 Caractéristiques des fichiers textes

Dans certaines applications, il est nécessaire de traiter des données comportant exclusivement des séquences de caractères. Ces données peuvent représenter, par exemple, les instructions d'un programme, le texte d'un rapport de laboratoire ou une série de nombres correspondant à des mesures prises au cours d'une expérience. En règle générale, on conserve ce genre d'information dans des fichiers textes.

Les fichiers textes présentent les caractéristiques suivantes:

1. Chaque élément d'un fichier est un caractère ASCII. Habituellement, ces caractères sont structurés en lignes, c'est-à-dire en séquences de longueur variable qui se terminent par les caractères de contrôle <CR> et <LF>. Le caractère spécial <Ctrl-Z> indique la fin du fichier.

2. Puisque la longueur des lignes varie, la position physique d'une ligne particulière dans le fichier ne peut être déterminée autrement que par la lecture de toutes les données à partir du début du fichier. Par conséquent, l'accès à l'information dans un fichier texte est strictement séquentiel.

3. Un fichier texte permet à l'usager de conserver des informations diverses sous une forme intelligible. On peut donc préparer, lire et modifier de tels fichiers à l'aide d'un éditeur de texte. Cette caractéristique s'avère particulièrement utile lors de la mise au point de programmes d'application.

4. Lorsque des données provenant d'un fichier texte servent à affecter des variables en mémoire, l'opérateur «>>» en langage C++ et la fonction `fscanf()` en langage C effectuent automatiquement une traduction en vue de transformer les séquences de caractères en une représentation binaire compatible avec le type de variable à affecter. De même, l'écriture de valeurs (variables ou constantes) d'un type autre que `char` dans un fichier texte est précédée d'une traduction de la représentation binaire de ces valeurs en séquences de caractères, traduction qu'effectuent automatiquement l'opérateur «>>» en langage C++ et la fonction `fprintf()` en langage C.

5. La traduction qu'effectuent les opérateurs ou les fonctions de transfert de données nécessite un traitement supplémentaire pendant l'exécution du programme. De plus, les variables numériques représentées par des séquences de caractères occupent, en moyenne, plus d'octets dans un fichier texte que sous leur forme binaire. Il importe donc d'évaluer l'efficacité des fichiers textes dans les applications qui comportent de grandes quantités de données numériques à lire, à traiter et à écrire, car il s'avère parfois avantageux de retranscrire les données du fichier texte dans un fichier binaire.

6.2.2 Utilisation des fichiers textes

On définit un fichier texte en déclarant son identificateur comme un pointeur à une variable de type `FILE` en langage C et à une variable de type `ifstream` ou `ofstream` en langage C++ (ex. 6.6).

Exemple 6.6 Définition d'un fichier texte

C	C++

`#include <stdio.h>`
 	
`FILE *F_Entree;`
`FILE *F_Sortie;`
	`#include <fstream>`
	`using namespace std;`
	
	`ifstream F_Entree;`
	`ofstream F_Sortie;`

Trois opérations de base s'appliquent à la gestion de fichiers textes:

1. On doit ouvrir le fichier, en lui associant un nom physique, en mode lecture, en mode écriture ou bien en mode lecture et écriture.

C	C++

`#include <stdio.h>`
 	
`FILE *Fichier;`
 	
`Fichier=fopen("FICHIER.DAT",mode);`
	`#include <fstream>`
	`using namespace std;`
	
	`ifstream F_Entree;`
	`ofstream F_Sortie;`
	
	`F_Entree.open("ENTREE.DAT",mode);`
	`F_Sortie.open("SORTIE.DAT",mode);`

Les tableaux 6.2 et 6.3 présentent les modes d'ouverture d'un fichier texte en langages C et C++ respectivement.

Tableau 6.2 Modes d'ouverture d'un fichier texte en langage C

Mode	Signification
`"r"`	Ouvrir un fichier texte en mode lecture seulement; le fichier doit exister.
`"w"`	Ouvrir un fichier texte en mode écriture; le contenu du fichier est détruit si le fichier existe ou le fichier est créé s'il n'existe pas.
`"a"`	Ouvrir un fichier texte pour l'écriture à partir de la fin d'un fichier qui existe ou bien créer le fichier s'il n'existe pas.
`"r+"`	Ouvrir un fichier texte en mode lecture et écriture; le fichier doit exister.
`"w+"`	Ouvrir un fichier texte en mode lecture et écriture; le contenu du fichier est détruit si le fichier existe ou le fichier est créé s'il n'existe pas.
`"a+"`	Ouvrir un fichier texte en mode lecture et écriture à partir de la fin d'un fichier qui existe ou bien créer le fichier s'il n'existe pas. Tout le fichier peut être lu, mais l'écriture ne peut se faire qu'à partir de la fin.

Tableau 6.3 Modes d'ouverture d'un fichier texte en langage C++

Mode	Signification
`ios::in`	Ouvrir un fichier texte en mode lecture seulement; le fichier doit exister (option par défaut des fichiers de type `ifstream`).
`ios::out`	Ouvrir un fichier texte en mode écriture; le contenu du fichier est détruit si le fichier existe ou le fichier est créé s'il n'existe pas (option par défaut des fichiers de type `ofstream`).
`ios::app`	Ouvrir un fichier texte pour l'écriture uniquement à partir de la fin d'un fichier.
`ios::ate`	Ouvrir un fichier texte et se positionner à la fin du fichier pour l'écriture.
`ios::trunc`	Ouvrir un fichier texte et effacer son contenu si le fichier existe (option par défaut si `ios::out` est spécifié et qu'aucune des options `ios::app` ou `ios::ate` ne l'est).
`ios::nocreate`	Ouvrir un fichier texte seulement si le fichier existe.
`ios::noreplace`	Ouvrir un fichier texte uniquement s'il n'existe pas, à moins que l'option `ios::ate` ou `ios::app` soit également utilisée.

Rappelons qu'on peut utiliser tous ces modes d'ouverture conjointement au moyen de l'opérateur «¦». Par exemple:

```
ios::in¦ios::out¦ios::nocreate
```

2. Selon qu'on emploie la syntaxe du langage C ou C++, les données du fichier sont lues et affectées à des variables par la fonction `fscanf()` ou l'opérateur «>>», ou bien écrites dans un fichier par la fonction `fprintf()` ou l'opérateur «<<».

C	C++

`#include <stdio.h>`
 	
`fscanf(F_Entree,format, liste_d'adresses_de_variables);`
`fscanf(F_Sortie,format, liste_de_variables);`
	`#include <fstream>`
	`using namespace std;`
	
	`F_Entree>>Var1>>Var2>>…;`
	`F_Sortie<<Var1<<Var2<<…;`

3. On doit fermer le fichier en utilisant la fonction `fclose()` en langage C ou la fonction `close()` appliquée à la variable de type fichier en langage C++.

C	C++

`#include <stdio.h>`
 	
`fclose(F_Entree);`
`fclose(F_Sortie);`
	`#include <fstream>`
	`using namespace std;`
	
	`F_Entree.close();`
	`F_Sortie.close();`

Le transfert d'information entre un fichier texte et la mémoire s'effectue souvent quelques caractères à la fois. Afin d'éviter que l'ordinateur n'accède au support externe (disque ou disquette) à chaque transfert, il y a création automatique, en mémoire, d'un «tampon» de caractères à l'ouverture d'un fichier texte. Au cours d'une opération de lecture, le contenu du tampon est vérifié; si ce dernier est vide, l'ordinateur accède au support externe puis lit et dépose dans le tampon les caractères qui suivent. La fonction de lecture prélève alors du tampon les données servant à affecter les variables désignées comme paramètres. Si le tampon contient encore des caractères, elle les utilise directement sans accéder au support externe. La fonction `flush()`, utilisée dans un contexte de lecture, réinitialise le tampon, peu importe le contenu du tampon à ce moment.

Une technique semblable sert à réduire les accès aux supports externes pendant l'écriture dans un fichier texte. Les séquences de caractères générées par la fonction `fprintf()` en langage C ou l'opérateur «<<» en langage C++ sont d'abord inscrites dans le tampon. Lorsque ce dernier est plein, son contenu est transféré dans le fichier. Ce transfert a également lieu avant la fermeture du fichier par la fonction `close()`.

6.2.3 Caractéristiques des fichiers binaires

On appelle fichier binaire un fichier dans lequel les éléments sont représentés de la même façon que les données en mémoire (représentation binaire). Par exemple, si une variable de type `int` occupe quatre octets, elle occupera également quatre octets dans un fichier binaire, quel que soit son contenu, ce qui diffère totalement des fichiers textes. Dans ces derniers, le nombre de caractères ASCII écrits dépend du nombre de chiffres composant la valeur de la variable. La figure 6.1 donne la représentation d'une variable contenant la valeur 21 816 dans un fichier texte et dans un fichier binaire.

La principale caractéristique des fichiers binaires est que tous les éléments du fichier occupent toujours le même nombre d'octets que celui qui leur est réservé. Si on sauve-garde une série d'entiers et qu'on connaît le nombre d'octets réservé pour ce type, on peut déterminer, par exemple, à combien d'octets se trouve le troisième. Par conséquent, si on connaît l'intervalle qui sépare les éléments, on peut accéder directement à un élément particulier, comme si le fichier était un tableau.

Nous présentons ici les caractéristiques des fichiers binaires en suivant le même ordre que pour les fichiers textes, afin de faire ressortir les principales différences entre les deux genres.

1. Puisqu'on connaît le nombre d'octets occupés par chaque élément, on peut calculer pendant l'exécution du programme la position physique d'un élément particulier dans le fichier. L'accès à l'information dans un fichier binaire peut donc être direct aussi bien que séquentiel.

2. L'information dans un fichier binaire est sous forme codée et n'est généralement pas intelligible lorsqu'elle est affichée avec un éditeur de texte. Il faut recourir à des programmes spécialement conçus pour préparer, lire et modifier de tels fichiers.

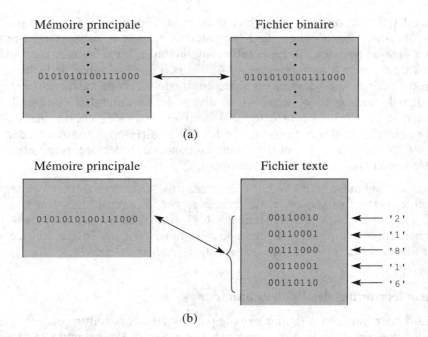

Mémoire principale

Fichier binaire

0101010100111000

0101010100111000

(a)

Mémoire principale

Fichier texte

0101010100111000

00110010 ← '2'
00110001 ← '1'
00111000 ← '8'
00110001 ← '1'
00110110 ← '6'

(b)

Figure 6.1 Représentation d'une variable: a) dans un fichier binaire; b) dans un fichier texte.

3. La fonction `fread()` en langage C ou `read()` en langage C++ affecte les données lues d'un fichier binaire directement aux variables en mémoire sans aucune traduction. De même, les valeurs (variables ou constantes) qui apparaissent comme des paramètres dans une fonction `fwrite()` en langage C ou `write()` en langage C++ sont écrites directement dans le fichier en représentation binaire.

4. Puisque les fonctions et les opérateurs d'entrée et de sortie n'effectuent aucune traduction, le transfert de données numériques vers des fichiers binaires est beaucoup plus rapide que pour des fichiers textes. La représentation binaire de données numériques est aussi plus compacte, c'est-à-dire qu'elle exige en moyenne moins d'octets que la représentation en chaînes de caractères. L'utilisation de fichiers binaires dans les applications qui comportent de grandes quantités de données numériques à lire, à traiter et à écrire s'avère donc plus efficace.

Le tableau 6.4 résume les caractéristiques des fichiers binaires.

Tableau 6.4 Caractéristiques des fichiers binaires

C	C++
`#include <stdio.h>`	`#include <fstream>`
	`using namespace std;`
	`type_element Element;`
`FILE *F_Entree;`	`ifstream F_Entree;`
`FILE *F_Sortie;`	`ofstream F_Sortie;`
`/* OUVERTURE */`	`// OUVERTURE`
`F_Entree=fopen("F_IN"DAT","rb");`	`F_Entree.open("F_IN.DAT",ios::binary);`
`F_Sortie=fopen("F_OUT"DAT","wb");`	`F_Sortie.open("F_OUT.DAT",ios::binary);`
`/* LECTURE */`	`// LECTURE`
`fread(Adresse_Ele,Taille_Ele,Nbr_Ele,F_Entree);`	`F_Entree.read((char *) &Element,` `                sizeof(type_element);`[1]
`/* ÉCRITURE */`	`// ÉCRITURE`
`fwrite(Adresse_Ele,Taille_Ele,Nbr_Ele,F_Sortie);`	`F_Sortie.write((char *) &Element,` `                sizeof(type_element);`[1]
`/* POSITIONNEMENT */`	`// POSITIONNEMENT`
`/* À partir du début du fichier */`	`// À partir du début du fichier`
`fseek(F_Entree,OL,SEEK_SET);`	`F_Entree.seekg(OL,ios::beg);`
`/* … de la fin du fichier */`	`// … de la fin du fichier`
`fseek(F_Sortie,OL,SEEK_END);`	`F_Sortie.seekp(OL,ios::end);`
`/* … de la position courante */`	`// … de la position courante`
`fseek(F_Entree,OL,SEEK_CUR);`	`F_Entree.seekg(OL,ios::cur);`
`/* POSITION DANS LE FICHIER */`	`// POSITION DANS LE FICHIER`
`ftell(F_Entree);`	`F_Entree.tellg();`
`ftell(F_Sortie);`	`F_Sortie.tellp();`

1. Lorsque la variable `Element` est un tableau, il faut omettre l'opérateur «adresse de, &».

6.2.4 Utilisation des fichiers binaires

On définit un fichier binaire en déclarant son identificateur comme une variable de type `FILE` en langage C ou l'un des types `ifstream`, `ofstream` ou `fstream` en langage C++.

Les opérations de base qui s'appliquent aux fichiers binaires sont:

1. Ouvrir le fichier en mode lecture ou écriture en spécifiant le mode `binaire` et en lui associant le chemin d'accès et le nom de fichier.
2. Les données du fichier sont lues et affectées à des variables au moyen des fonctions `fread()` en langage C et `read()` en langage C++ ou bien écrites dans un fichier avec les fonctions `fwrite()` en langage C et `write()` en langage C++. Ces fonctions nécessitent la transmission de trois variables: premièrement, l'adresse de l'élément à lire ou à écrire qu'on obtient en ajoutant le caractère «&» *avant* l'identificateur, s'il ne s'agit pas d'un tableau; deuxièmement, la taille de l'élément en nombre d'octets, puisque la fonction `sizeof()` retourne habituellement une valeur de type `size_t` correspondant à un entier non signé et permet de déterminer la taille de tous les types simples ou

construits; finalement, l'identificateur du fichier dans lequel ou à partir duquel les informations seront transmises. En ce qui concerne les fonctions du langage C++, l'adresse de l'élément à lire doit *nécessairement* être précédée d'une conversion explicite de type « (char *) » pour être conforme aux attentes des fonctions read() et write().

3. On doit fermer le fichier à l'aide des fonctions fclose() en langage C et close() en langage C++.

Il y a plusieurs fonctions spécialement conçues pour la gestion de fichiers binaires. Le tableau 6.5 donne les fonctions les plus utilisées.

Tableau 6.5 Fonctions les plus utilisées pour la gestion des fichiers binaires

Sous-programmes	Description
`/* EN C */` `fseek(Fichier,décalage,Position);`	Permet, à partir d'une position de départ, de positionner le pointeur du fichier désigné à un endroit correspondant au nombre d'octets précisé dans le décalage (de type long). La position de départ peut être: SEEK_SET le début du fichier SEEK_CUR la position courante SEEK_END la fin du fichier

`// EN C++`
`F_Entree.seekg(Décalage,Position);`
`F_Sortie.seekp(Décalage,Position);`
	En langage C++, il y a deux fonctions équivalentes: seekg() pour les fichiers de type ifstream et seekp() pour les fichiers de type ofstream. On spécifie la position à partir d'une position de départ exprimée comme suit:
	ios::beg le début du fichier
	ios::cur la position courante
	ios::end la fin du fichier

`/* EN C */` `ftell(Fichier)`	Fonction qui retourne la position courante du pointeur de fichier en nombre d'octets.

`// EN C++`
`F_Entree.tellg()`
`F_Sortie.tellp()`
	En langage C++, il y a deux fonctions équivalentes: tellg() pour les fichiers de type ifstream et tellp() pour les fichiers de type ofstream.

NOTE: Un fichier de type fstream permet l'utilisation des fonctions seekg(), seekp(), tellg() et tellp().

Les fonctions fseek(), seekp() et seekg() agissent à l'opposé des fonctions ftell(), tellp() et tellg(). En effet, elles viennent affecter le pointeur du fichier de la position déterminée par l'addition du décalage et de la position de départ. L'exécution de ces fonctions rend donc directement accessible n'importe quel élément du fichier lors du prochain transfert de données effectué par l'une des fonctions `fread()`, `read()`, `fwrite()` ou `write()`. Cependant, l'exécution d'une de ces fonctions fait automatiquement avancer le pointeur au prochain octet. Afin de s'assurer qu'on lit ou qu'on écrit le bon élément, il est donc préférable de toujours faire précéder ces opérations des fonctions `fseek()`, `seekp()` ou `seekg()`.

Il est important de noter que le premier élément d'un fichier binaire se trouve à la position 0 octet à partir du début. Par conséquent, si un fichier contient *n* octets, le dernier élément est à la position *n*−1 octets du début.

Pour ajouter un élément à la fin d'un fichier existant, on commence par pointer au-delà de la fin du fichier avec l'énoncé suivant:

```
/* EN C */
fseek(Fichier,0L,SEEK_END); // 0L correspond à la constante 0
                            // pour un entier de type long

// EN C++
F_Sortie.seekp(0L,ios::end);
```

Ensuite, on écrit les données au moyen d'une fonction `fwrite()` en langage C ou `write()` en langage C++.

L'exemple 6.7 présente diverses opérations effectuées dans un fichier binaire, soit la création d'un fichier, l'écriture dans le fichier, la lecture de valeurs, l'affichage du contenu, le positionnement, la mise à jour et l'ajout d'une valeur.

Signalons que, dans cet exemple, on utilise un fichier de type `fstream` qui permet de réaliser à la fois des opérations de lecture et d'écriture. Pour faire les mêmes opérations avec les types `ifstream` et `ofstream`, il aurait fallu déclarer deux fichiers: l'un de type `ifstream`, qui aurait permis l'utilisation de la fonction `read()`, et l'autre de type `ofstream`, qui aurait permis l'utilisation de la fonction `write()`. De plus, chaque fichier aurait dû être associé au même fichier externe, obligeant ainsi le programmeur à fermer et à ouvrir le fichier chaque fois qu'il aurait désiré changer de mode. Le type `fstream` comporte toutes les fonctions décrites pour les types `ifstream` et `ofstream` et facilite grandement la mise à jour de l'information contenue dans un fichier.

Exemple 6.7   Opérations effectuées dans un fichier binaire

```
/*-----------------------------------------------------------*/
/* FICHIER:     FICBIN.CPP                                   */
/* AUTEUR:      Wacef Guerfali                               */
/* DATE:        26 juillet 2000                              */
/* DESCRIPTION: Ce programme illustre les opérations de base */
/*              effectuées dans un fichier, soit la          */
/*              création, l'écriture, la lecture,            */
/*              l'affichage, le positionnement, la mise à    */
/*              jour et l'ajout.                             */
/*-----------------------------------------------------------*/
```

```cpp
#include <iostream>      // Pour l'utilisation de cin et cout
#include <fstream>       // Pour l'utilisation des fichiers
using namespace std;

void main (void)
{
    fstream Fichier;        // Fichier permettant de lire et d'écrire
    int I,Pos,Nb_Ele,Valeur;

    // Création du fichier
    Fichier.open("ENTIER.BIN",ios::binary|ios::in|ios::out);

    // Inscription des valeurs 10, 20, 30, 40 et 50
    for (I = 1; I <= 5; I++)
    {
        Valeur = I*10;
        Fichier.write((char *) &Valeur, sizeof(int));
    }

    // Déterminer le nombre d'éléments dans le fichier
    Fichier.seekg(0,ios::end);
    Nb_Ele = Fichier.tellg() / sizeof(int);

    // Affichage de chaque valeur dans le fichier ainsi que de sa position
    cout << "Position      Valeur" << endl;
    cout << "--------------------------" << endl;

    // Autre possibilité pour la lecture du fichier avec une boucle while
    Fichier.seekg(0,ios::beg);
    Pos = fichier.tellg() / sizeof(int);
    Fichier.read((char *) &Valeur, sizeof(int));
    while (!Fichier.eof())
    {
        cout << Pos << "              " << Valeur << endl;
        Pos = Fichier.tellg() / sizeof(int);
        Fichier.read((char *) &Valeur, sizeof(int));
    }
    Fichier.clear();// Nécessaire pour utiliser le fichier en statut d'erreur dû à eof.
    cout << endl;

    // Se positionner à la 3e valeur (position 2)
    Fichier.seekg(2*sizeof(int),ios::beg);

    // Affichage de la position courante
    cout << "Position dans le fichier = ";
    cout << Fichier.tellg()/sizeof(int) << endl;

    // Lecture
    Fichier.read((char *) &Valeur,sizeof(int));

    // Affichage de la position courante
    cout << "Position dans le fichier après la lecture = ";
    cout << Fichier.tellg()/sizeof(int) << endl;

    // Affichage de la valeur lue à la 3e position
    cout << "La 3e valeur du fichier est " << Valeur << endl;
    cout << endl;
```

```
// Se positionner à la fin du fichier
Fichier.seekg(0,ios::end);

// Ajouter une valeur dans le fichier
Valeur = 60;
Fichier.write((char *) &Valeur, sizeof(int));

// Déterminer le nombre d'éléments dans le fichier
Fichier.seekg(0,ios::end);
Nb_Ele = Fichier.tellg() / sizeof(int);

// Se positionner au début et afficher le contenu du fichier
cout << "Position    Valeur" << endl;
cout << "-------------------------" << endl;
Fichier.seekg(0,ios::beg);
for (I=1; I<=Nb_Ele; I++)
{
   Pos = Fichier.tellg()/sizeof(int);
   Fichier.read((char *) &Valeur, sizeof(int));
   cout << Pos << "                " << Valeur << endl;
}
Fichier.close();
}
/*------------------------------------------------------------*/
```

À l'exécution, on obtient:

```
    Position Valeur
    ---------------
      0        10
      1        20
      2        30
      3        40
      4        50

Position dans le fichier = 2
Position dans le fichier après la lecture = 3
La 3e valeur du fichier est 30

    Position Valeur
    ---------------
      0        10
      1        20
      2        30
      3        40
      4        50
      5        60
```

L'exemple 6.8 illustre la transcription d'un fichier texte dans un fichier binaire dont les éléments sont des enregistrements.

Cet exemple met en évidence la simplicité avec laquelle un enregistrement est lu ou écrit dans un fichier binaire. En effet, pour lire l'enregistrement `Temporaire` dans le fichier texte, il faut préciser chacun de ses champs, et on procède de même lors de l'opération d'écriture. Par contre, dans le fichier binaire `F_Destination`, l'écriture de la variable `Temporaire` s'effectue en précisant uniquement la variable.

Exemple 6.8   Transcription d'un fichier texte dans un fichier binaire

```
/*-------------------------------------------------------------*/
/* FICHIER:     TRANSCRP.CPP                                   */
/* AUTEUR:      Wacef GUERFALI                                 */
/* DATE:        26 juillet 2000                                */
/* DESCRIPTION: Ce programme lit les données contenues dans    */
/*              un fichier texte et les transcrit dans un       */
/*              fichier binaire.                                */
/*-------------------------------------------------------------*/
#include <iostream>  // Pour l'utilisation de cin et cout
#include <fstream>   // Pour l'utilisation des fichiers
using namespace std;

struct type_personne
{
    char      Nom[15],Prenom[15];
    int       Age;
    float     Poids,Taille;
};

void main (void)
{
    ofstream        F_Destination;
    ifstream        F_Source;
    char            NomFichierSource[32];
    type_personne   Temporaire;

    // Lire le nom du fichier
    cout << "Entrer le nom complet du fichier source: ";
    cin >> NomFichierSource;

    // Ouvrir le fichier source en mode texte
    F_Source.open(NomFichierSource);
    if (F_Source.fail())
        cout << endl << "Impossible d'ouvrir le fichier";

    else
    {
        // Ouvrir le fichier destination en mode binaire
        F_Destination.open("STATS.DAT",ios::binary|ios::out);

        // Transfert de données entre le fichier source et la mémoire,
        // puis de la mémoire au fichier destination
        F_Source >> Temporaire.Nom;
```

```
        while (!F_Source.eof())
        {
            // Lecture du fichier source
            F_Source >> Temporaire.Prenom >> Temporaire.Age;
            F_Source >> Temporaire.Taille >> Temporaire.Poids;
            // Écriture dans le fichier destination
            F_Destination.write((char *) &Temporaire, sizeof(type_personne));
            F_Source >> Temporaire.Nom;
        }
        F_Source.close();
        F_Destination.close();
    }
}
/*-------------------------------------------------------------*/
```

La figure 6.2 montre le format dans lequel est mémorisée l'information dans le fichier source texte et le format de la même information dans le fichier destination binaire.

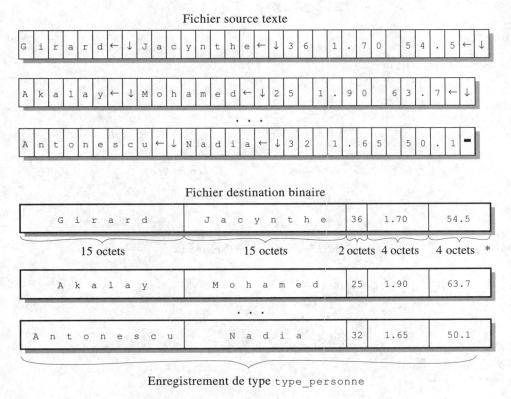

Figure 6.2   Fichier source texte et fichier destination binaire.

L'exemple 6.9 illustre l'initialisation d'un fichier binaire.

Exemple 6.9   Initialisation d'un fichier binaire

```
/*-------------------------------------------------------------*/
/* FICHIER:      INIFIPRO.CPP                                  */
/* AUTEUR:       Wacef Guerfali                                */
/* DATE:         26 juillet 2000                               */
/* DESCRIPTION: Ce programme crée un fichier binaire appelé    */
/*              PRODUITS.DAT et y inscrit des fiches de type    */
/*              type_produit.                                   */
/*-------------------------------------------------------------*/
#include <iostream>   // Pour l'utilisation de cin et cout
#include <iomanip>    // Pour l'utilisation de setw()
#include <fstream>    // Pour l'utilisation des fichiers
#include <cctype>     // Pour l'utilisation de toupper()
using namespace std;

#define LONGMOT 20
typedef  char type_nom[LONGMOT];

struct type_produit
{
   type_nom    Nom;
   int         NoProduit;
   float       EnMagasin;
};


/*-------------------------------------------------------------*/
/* DESCRIPTION:      Fonction RepertorierProduit()             */
/*                   Cette fonction permet de saisir           */
/*                   l'information propre à un produit.        */
/* PARAMÈTRES:       UnProduit (OUT): l'enregistrement où      */
/*                            est mémorisée                    */
/*                            l'information saisie.            */
/*                   NoItem (IN): le numéro qui identifiera    */
/*                            le produit ou l'article.         */
/* VALEUR DE RETOUR: Aucune.                                   */
/* REMARQUE:         Le formulaire est préalablement           */
/*                   affiché.                                  */
/*-------------------------------------------------------------*/
void RepertorierProduit(type_produit& UnProduit, int NoItem)
{

   cout << endl;
   cout << "   Nom du produit: ";
   cin >> UnProduit.Nom;
   cout << "   Numéro du produit: ";
   UnProduit.NoProduit = NoItem;  // Le numéro est imposé
   cout << UnProduit.NoProduit << endl;
   cout << "   Quantité en magasin: ";
   cin >> UnProduit.EnMagasin;

}
```

```
/*-----------------------------------------------------------*/
/* DESCRIPTION:        Fonction principale du programme.      */
/*                     Fait appel à la fonction:              */
/*                      - RepertorierProduit()                */
/*                     Pour lire les renseignements concernant*/
/*                     un produit et les sauvegarder dans un  */
/*                     fichier binaire.                       */
/* PARAMÈTRES:         Aucun.                                 */
/* VALEUR DE RETOUR:   Aucune.                                */
/* REMARQUE:           Aucune.                                */
/*-----------------------------------------------------------*/
void main (void)
{
    void RepertorierProduit(type_produit&, int); // Prototype de la fonction utilisée

    ofstream FichierProd;
    type_produit Produit;
    int     No_Arrive;
    char    Reponse;
    bool    Arret;

    // Ouvrir le fichier en mode binaire pour écriture
    FichierProd.open("PRODUITS.DAT", ios::binary¦ios::out);
    if (!FichierProd.fail())
    {
        No_Arrive = 0;

        do                 // Saisie des données
        {
            No_Arrive++;
            RepertorierProduit(Produit,No_Arrive);
            FichierProd.write((char *) &Produit, sizeof(type_produit));
            cout << endl << endl;
            cout << "Un autre produit (O/N) > ";
            cin >> Reponse;
            Arret = bool(toupper(Reponse) == 'N');
        }
        while (!Arret);
        FichierProd.close();
    }
    else
        cout << " Problème d'ouverture du fichier ";
}
/*-----------------------------------------------------------*/
```

Ce programme a pour but de créer un fichier binaire, PRODUITS.DAT, et d'y inscrire des enregistrements de type `type_produit`, dont les champs décrivent le nom du produit, son numéro et la quantité disponible en magasin. Le numéro du produit est assigné par le programme et correspond à son ordre d'entrée dans le fichier. Ce programme ne doit être exécuté qu'une fois, sinon il faudra reconstruire le fichier puisque toute l'information sera perdue à cause de l'ouverture du fichier en mode écriture.

Une fois le fichier PRODUITS.DAT initialisé, il est possible d'y accéder pour afficher, modifier ou ajouter l'enregistrement d'un produit.

On trouve à l'exemple 6.10 un programme de mise à jour d'un fichier binaire.

Exemple 6.10   Mise à jour d'un fichier binaire

```
/*-------------------------------------------------------------*/
/* FICHIER:      MODFIPRO.CPP                                  */
/* AUTEUR:       Wacef Guerfali                                */
/* DATE:         26 juillet 2000                               */
/* DESCRIPTION: Ce programme utilise le fichier binaire        */
/*              PRODUITS.DAT, créé par le programme            */
/*              INIFIPRO.CPP, pour illustrer l'accès direct */
/*              à une fiche à l'aide de la fonction seekg(). */
/*-------------------------------------------------------------*/
#include <iostream>    // Pour l'utilisation de cin et cout
#include <fstream>     // Pour l'utilisation des fichiers
#include <cctype>      // Pour l'utilisation de toupper()
using namespace std;

typedef  char    type_nom[20];
struct type_produit
{
   type_nom Nom;
   int      NoProduit;
   float    EnMagasin;
};

/*-------------------------------------------------------------*/
/* DESCRIPTION:        Fonction ModifierProduit()             */
/*                     Cette fonction permet la mise à jour  */
/*                     d'un enregistrement de type            */
/*                     type_produit.                          */
/* PARAMÈTRES:         UnProduit (OUT):l'enregistrement à    */
/*                               modifier.                     */
/* VALEUR DE RETOUR: Aucune.                                  */
/* REMARQUE:           Aucune.                                */
/*-------------------------------------------------------------*/
void ModifierProduit(type_produit& UnProduit)
{
   cout  << "Nom inscrit dans la fiche: " << UnProduit.Nom << endl;
   cout  << "Entrer le nouveau nom du produit: ";
   cin >> UnProduit.Nom;
   cout  << "Quantité inscrite sur la fiche: " << UnProduit.EnMagasin << endl;
   cout  << "Entrer la quantité en magasin: ";
   cin >> UnProduit.EnMagasin;
}
```

```
/*----------------------------------------------------------*/
/* DESCRIPTION:        Fonction principale du programme.      */
/*                     Fait appel à la fonction:              */
/*                     - ModifierProduit()                    */
/*                     pour mettre à jour les données sur un  */
/*                     produit du fichier binaire.            */
/* PARAMÈTRES:         Aucun.                                 */
/* VALEUR DE RETOUR:   Aucune.                                */
/* REMARQUE:           Aucune.                                */
/*----------------------------------------------------------*/
void main (void)
{
   void ModifierProduit(type_produit& );   // Prototype de la fonction utilisée

   fstream FichierProd;
   type_produit Produit;
   char Reponse;
   int    I, NbrItem, NoItem
   bool Arret;

   // Ouvrir le fichier en mode binaire pour la lecture et l'écriture
   FichierProd.open("PRODUITS.DAT", ios::binary!ios::in!ios::out);

   do
   {
      // Valider le numéro de la fiche
      FichierProd.seekg(0,ios::end);
      NbrItem = FichierProd.tellg() / sizeof(type_produit);
      do
      {
         cout << "Entrer le numéro du produit [1.." << NbrItem << "] > ";
         cin >> NoItem;
      }
      while ((NoItem < 1) !! (NoItem > NbrItem));
      // Accéder à la fiche
      FichierProd.seekg((NoItem-1)*sizeof(type_produit),ios::beg);
      // Lire la fiche
      FichierProd.read((char *) &Produit, sizeof(type_produit));
      // Mettre la fiche à jour
      ModifierProduit(Produit);
      // Accéder de nouveau à la fiche
      FichierProd.seekg((NoItem-1)*sizeof(type_produit),ios::beg);
      // Écrire la fiche actualisée
      FichierProd.write((char *) &Produit, sizeof(type_produit));
      cout << endl << endl;
      cout << "Un autre produit (O/N) > ";
      cin >> Reponse;
      Arret = bool(toupper(Reponse) == 'N');
   }
   while (!Arret);
   FichierProd.close();
}
/*----------------------------------------------------------*/
```

Ce programme donne accès à un enregistrement particulier du fichier PRODUITS.DAT (ex. 6.9), affiche le contenu actuel de ses champs et permet de les modifier. L'enregistrement modifié est écrit au même endroit que l'original dans le fichier. On peut exécuter ce programme autant de fois que cela est nécessaire pour mettre à jour le contenu du fichier binaire.

On remarque dans le programme qu'une fonction `seekg()` permet d'accéder à la fiche à modifier et qu'une deuxième sert à la récrire dans le fichier. Cette répétition est nécessaire pour éviter l'écriture de la fiche à la position suivante.

6.3 MODES D'ACCÈS AUX DONNÉES

Il y a trois modes d'accès aux données dans un fichier: l'accès séquentiel, l'accès direct et l'accès indexé.

6.3.1 Accès séquentiel

L'accès séquentiel impose la lecture de toutes les données enregistrées précédemment avant d'arriver à celle qu'on recherche. Par exemple, l'accès à une pièce musicale sur une cassette audio est séquentiel; pour atteindre la pièce, il faut faire dérouler toute la bande qui la précède.

L'exemple 6.11 illustre l'accès séquentiel aux données d'un fichier.

Exemple 6.11   Accès séquentiel aux données d'un fichier

Un enseignant conçoit un programme qui doit permettre la lecture et l'affichage du contenu d'une fiche particulière donnant le nom d'un étudiant et le nombre de crédits qu'il a accumulés. Cet enseignant conserve les dossiers dans le fichier ACC-SEQ.DAT, qu'il a structuré en inscrivant une fiche par ligne, comme suit:

Annick	98.66
Francine	102.0
Jean	10.33
Marc	105.0
Marie	90.0
Martin	120.33
Pierre	104.33
Sylvain	91.33
André	100.66
Isabelle	119.66

Puisqu'il s'agit d'un fichier texte, l'accès à une fiche est nécessairement séquentiel. Le programme doit d'abord demander le numéro de la fiche désirée, d'où la nécessité d'avoir un index associant le nom de l'étudiant au numéro de fiche. Ensuite, il lit et il compte les fiches à partir du début du fichier jusqu'à ce qu'il atteigne la fiche recherchée. Un index est un fichier qui contient de l'information concernant un autre fichier. L'index mémorise généralement deux informations. La première correspond à la valeur d'un des champs de la fiche, ce champ devant permettre de distinguer chaque fiche du fichier. Il doit donc présenter une valeur unique pour chaque fiche. On appelle un tel champ une clé. La deuxième information correspond à la position dans le fichier de la fiche possédant cette valeur.

L'enseignant prépare le programme suivant:

```cpp
/*------------------------------------------------------------*/
/* FICHIER:      ACC-SEQ.CPP                                  */
/* AUTEUR:       Wacef Guerfali                               */
/* DATE:         27 juillet 2000                              */
/* DESCRIPTION: Ce programme démontre que, dans un fichier à */
/*              accès séquentiel, pour lire une fiche donnée, */
/*              il faut lire toutes celles qui la précèdent.  */
/*------------------------------------------------------------*/
#include <iostream>      // Pour l'utilisation de cin et cout
#include <iomanip>       // Pour l'utilisation de setw() et setprecision()
#include <fstream>       // Pour l'utilisation des fichiers
using namespace std;

void main (void)
{
   ifstream Dossiers;       // Fichier texte
   int      I, Numero;
   float    NbCredits;
   char     Nom[15];

   // Ouvrir le fichier texte pour la lecture
   Dossiers.open("ACC-SEQ.DAT");

   // Demander le numéro de la fiche à lire
   cout << "Quel est le numéro de la fiche à imprimer? ";
   cin  >> Numero;

   // Lire les fiches intermédiaires jusqu'à celle qui nous intéresse
   for (I=1; I<Numero; I++)
      Dossiers >> Nom >> NbCredits;
   Dossiers >> Nom >> NbCredits;

   // Afficher le contenu de la fiche
   cout << setiosflags(ios::showpoint);
   cout << "Nom: " << Nom << "    Crédits accumulés: ";
   cout << setw(8) << setprecision(2) << NbCredits;

   Dossiers.close();
}
/*------------------------------------------------------------*/
```

À l'exécution, on obtient:

```
Quel est le numéro de la fiche à imprimer? 5
Nom: Marie        Crédits accumulés: 90.00
```

Le programme de l'exemple 6.11 est relativement simple; cependant, le temps de réponse est directement proportionnel au numéro de la fiche à imprimer. Pour un fichier de 10 fiches, le temps d'accès est négligeable. Par contre, pour un fichier de 100 000 fiches, le programme n'est plus approprié. On peut aussi se demander comment procéder pour imprimer les fiches par ordre alphabétique ou pour ajouter une nouvelle fiche au fichier. Bien sûr, il existe des solutions à ces problèmes, mais il reste que l'organisation séquentielle crée des obstacles embarrassants.

6.3.2 Accès direct

Contrairement à l'accès séquentiel, l'accès direct permet d'atteindre une donnée dans un ordre indépendant de sa position en mémoire. L'exemple 6.12 illustre l'accès direct aux données d'un fichier.

Exemple 6.12 Accès direct aux données d'un fichier

Retrouvons l'enseignant de l'exemple 6.11. Il doit concevoir un programme qui lit et affiche le contenu de fiches, mais cette fois les dossiers sont conservés dans le fichier ACC-DIR.DAT. L'enseignant a structuré le fichier en inscrivant des enregistrements de type `type_etudiant` (voir la partie déclarations). Puisqu'il s'agit d'un fichier binaire, chaque fiche occupe exactement le même nombre d'octets, quel que soit son contenu. Il est donc possible d'accéder directement à une fiche particulière en spécifiant son numéro séquentiel. Les fichiers ACC-DIR.DAT et ACC-SEQ.DAT contiennent les mêmes informations, mais leur représentation interne diffère. Le fichier ACC-DIR.DAT a été créé à l'aide d'un programme du même type que le programme de l'exemple 6.8.

L'enseignant prépare le programme suivant:

```cpp
/*------------------------------------------------------------*/
/* FICHIER:     ACC-DIR.CPP                                   */
/* AUTEUR:      Wacef Guerfali                                */
/* DATE:        27 juillet 2000                               */
/* DESCRIPTION: Ce programme démontre que, dans un fichier à */
/*              accès direct, on accède directement à la      */
/*              fiche désirée.                                 */
/*------------------------------------------------------------*/
#include <iostream>    // Pour l'utilisation de cin et cout
#include <iomanip>     // Pour l'utilisation de setw() et setprecision()
#include <fstream>     // Pour l'utilisation des fichiers
using namespace std;
```

```
struct type_etudiant
{
    char  Nom[15];
    float NbCredits;
};

void main (void)
{
    ifstream       DossierScol;  // Fichier binaire
    type_etudiant Dossier;
    int           Fiche;

    // Ouvrir le fichier binaire pour la lecture
    DossierScol.open("ACC-DIR.DAT",ios::binary);

    // Demander le numéro de la fiche à lire
    cout << "Quel est le numéro de la fiche à afficher? ";
    cin  >> Fiche;

    // Chercher la fiche qui nous intéresse
    DossierScol.seekg((Fiche-1)*sizeof(type_etudiant),ios::beg);

    // Lire la fiche du fichier binaire
    DossierScol.read((char *) &Dossier, sizeof(type_etudiant));

    // Afficher le contenu de la fiche
    cout << setiosflags(ios::showpoint);
    cout << "Nom: " << Dossier.Nom << "    Crédits accumulés: ";
    cout << setw(8) << setprecision(2) << Dossier.NbCredits;

    DossierScol.close();
}
/*-----------------------------------------------------------*/
```

À l'exécution, on obtient:

```
Quel est le numéro de la fiche à afficher? 5
Nom: Marie       Crédits accumulés: 90.0
```

L'accès direct corrige la plupart des inconvénients de l'accès séquentiel: le temps d'accès à une fiche n'est plus proportionnel au nombre de fiches que contient le fichier et il est possible de modifier le contenu d'une fiche. Cependant, il demeure nécessaire d'avoir un index pour associer un renseignement et le numéro de la fiche correspondante.

6.3.3 Accès indexé

Dans le mode d'accès indexé, on a recours à une table de correspondance, appelée fichier-index, qui contient le champ clé de chaque fiche accompagné du numéro de la fiche correspondante. Cette table est ordonnée selon le modèle qu'on choisit, par exemple l'ordre alphabétique. Généralement, le fichier-index se trouve dans un fichier distinct de celui contenant les données. L'exemple 6.13 illustre l'accès indexé aux données d'un fichier.

Exemple 6.13   Accès indexé aux données d'un fichier

L'enseignant de l'exemple 6.11 doit à nouveau concevoir son programme. Il conserve les dossiers dans le même fichier ACC-DIR.DAT, mais il utilise cette fois un fichier-index en prenant comme clé le nom de l'étudiant, soit le fichier-index NOM.INX:

Fichier-index NOM.INX		Fichier original ACC-DIR.DAT	
André	8	Annick	98.66
Annick	0	Francine	102.0
Francine	1	Jean	10.33
Isabelle	9	Marc	105.0
Jean	2	Marie	90.0
Marc	3	Martin	120.33
Marie	4	Pierre	104.33
Martin	5	Sylvain	91.33
Pierre	6	André	100.66
Sylvain	7	Isabelle	119.66

La deuxième information, le nombre, correspond à la position de la fiche dans le fichier original, c'est-à-dire ACC-DIR.DAT. Ici, le fichier-index est un fichier binaire, ce qui est généralement le cas puisque ce type de fichier permet d'utiliser les techniques classiques de recherche, telle la recherche dichotomique.

L'enseignant rédige le programme suivant:

```
/*-------------------------------------------------------------*/
/* FICHIER:     ACC-INDX.CPP                                   */
/* AUTEUR:      Wacef Guerfali                                 */
/* DATE:        27 juillet 2000                                */
/* DESCRIPTION: Ce programme montre l'utilisation d'un         */
/*              fichier-index qui indique l'ordre d'accès au   */
/*              fichier original.                              */
/*-------------------------------------------------------------*/
#include <iostream>   // Pour l'utilisation de cin et cout
#include <iomanip>    // Pour l'utilisation de setw() et setprecision()
#include <fstream>    // Pour l'utilisation des fichiers
#include <cstring>    // Pour l'utilisation de strcmp()
using namespace std;
```

```cpp
typedef char type_nom[15];
struct type_etudiant
{
   type_nom Nom;
   float    NbCredits;
};

struct type_index_nom
{
   type_nom Nom;
   int      NumFiche;
};

void main (void)
{
   type_nom  NomAfficher;
   type_etudiant Dossier;
   type_index_nom  DossierNdx;
   ifstream DossierScol, FichierIndex;
   int I, NbDossier;

   // Ouvrir le fichier binaire pour lecture
   DossierScol.open("ACC-DIR.DAT",ios::binary|ios::in);

   // Ouvrir le fichier index pour lecture
   FichierIndex.open("NOM.INX",ios::binary|ios::in);

   // Demander le nom de l'étudiant à afficher
   cout << "Quel est le nom de l'étudiant à afficher? ";
   cin  >> NomAfficher;

   // Déterminer le nombre de dossiers dans le fichier-index
   FichierIndex.seekg(0,ios::end);
   NbDossier = FichierIndex.tellg() / sizeof(type_index_nom);

   // Chercher la fiche qui nous intéresse dans le fichier-index
   FichierIndex.seekg(0,ios::beg);
   I = 0;
   do
   {
      FichierIndex.read((char *) &DossierNdx, sizeof(type_index_nom));
      I++;
   }
   while ((I<NbDossier) && (strcmp(DossierNdx.Nom,NomAfficher)!=0));

   // Si on ne trouve pas le nom, quitter
   if (I < NbDossier)
   {
      // Lire la fiche correspondante dans le fichier
      DossierScol.seekg( DossierNdx.NumFiche *sizeof(type_etudiant),ios::beg );
      DossierScol.read((char *) &Dossier, sizeof(type_etudiant));

      // Afficher le contenu de la fiche
      cout << setiosflags(ios::showpoint);
```

```
        cout << "Nom: " << Dossier.Nom << "     Crédits accumulés: ";
        cout << setw(8) << setprecision(2) << Dossier.NbCredits;

        DossierScol.close();
        FichierIndex.close();
    }
    else
        cout << endl << "Il n'y a aucune fiche de ce nom...";
}
/*----------------------------------------------------------*/
```

À l'exécution, on obtient:

```
Quel est le nom de l'étudiant à afficher? Marie
Nom: Marie      Crédits accumulés: 90.0
```

L'accès à une fiche du fichier ACC-DIR.DAT se fait par la recherche préalable de la position de celle-ci dans le fichier NOM.INX. Ainsi, après avoir demandé et lu le nom de l'étudiant à afficher, le programme cherche ce nom dans le fichier-index. Une fois le nom repéré, sa position dans le fichier ACC-DIR.DAT est également connue. Le programme positionne le pointeur à cet endroit dans le fichier.

Le mode d'accès indexé répond bien aux exigences d'une gestion efficace de grandes quantités de données structurées et conservées sur supports externes. Le temps d'accès à une fiche est à peine plus long que dans le cas d'un accès direct, car le fichier-index est généralement assez court pour être lu du support externe et mis en mémoire. En effet, il ne contient qu'une partie de l'information de chaque fiche, soit un champ clé et le numéro de la fiche correspondante. Un même fichier de données peut comporter plusieurs fichiers-index, ce qui permet de chercher une fiche selon différents champs clés.

Étude de cas: Soins assistés par ordinateur

Définition du problème. Les dirigeants d'un hôpital désirent mettre au point un logiciel de SAO, **S**oins **A**ssistés par **O**rdinateur, qui doit indiquer le traitement à administrer en fonction d'un symptôme observé. Pour ce faire, ils ont à leur disposition deux fichiers. Le premier est l'équivalent d'un atlas médical qui contient les noms des maladies ainsi que leurs traitements, c'est-à-dire le nom du médicament et sa méthode d'application. Le deuxième fichier est un répertoire de symptômes dans lequel on trouve pour chacune une maladie typique associée.

Analyse. Voyons tout d'abord de quelle façon sont mémorisées les principales données de ce problème. Ces données prennent deux formes. Le premier groupe constitue de l'information sur une maladie: son nom, le médicament à prescrire et sa méthode d'application.

L'autre constitue de l'information sur les symptômes associés à une maladie: le nombre de symptômes répertoriés, la liste des symptômes et la maladie en question. Ces deux groupes de données présentent un format tout désigné pour le type enregistrement, qui facilite de plus la construction des deux fichiers binaires, ATLAS.BIN et SYMPTOME.BIN. Nous obtenons les enregistrements suivants pour la maladie et pour les symptômes.

Pour le fichier ATLAS.BIN:

```
enum type_methode {FRICTION, ORAL, INJ_SOUS_CUTANEE, INJ_VEINE};
struct    type_atlas
{
    char          Maladie[50];     // Le nom de la maladie
    char          Medicament[50];  // Le médicament à prendre
    type_methode  Methode;         // La méthode d'application
};                                 // du médicament
```

Pour le fichier SYMPTOME.BIN:

```
typedef char type_chaine [50];
struct    type_sympt
{
    int           NbSympt;         // Le nombre de symptômes
    type_chaine   Symptomes[10];   // Le tableau des symptômes,
                                   // au plus 10
    int           IndexMed;        // La position de la maladie
};                                 // dans le fichier ATLAS.BIN
```

En fait, nous tentons ici de réaliser l'informatisation relative à une consultation médicale. Dans la pratique, la consultation s'effectue en deux temps. D'abord, le patient énumère les symptômes qu'il ressent. Puis, suivant la nature de ces symptômes, le médecin émet un diagnostic. Ces deux actions justifient en fait les deux fichiers, celle du patient se retrouvant dans le fichier SYMPTOME.BIN et celle du médecin, dans le fichier ATLAS.BIN. Ces fichiers sont intimement liés puisque chaque enregistrement du fichier SYMPTOME.BIN se réfère à une maladie du fichier ATLAS.BIN.

L'informatisation de la consultation médicale se fait en plusieurs étapes. Au départ, il faut répertorier les symptômes du patient. Par la suite, il y a recherche, dans le fichier SYMPTOME.BIN, de l'enregistrement possédant la liste des symptômes dressée. Enfin, on obtient l'information sur la maladie en cause à partir du fichier ATLAS.BIN. Pour connaître l'emplacement de l'enregistrement `Maladie` dans le fichier ATLAS.BIN, il suffit d'utiliser le champ `Maladie` de l'enregistrement `Symptomes` qui mémorise cette position.

La figure 6.3 présente le diagramme du programme principal, obtenu à partir de la décomposition hiérarchique des fonctions du problème.

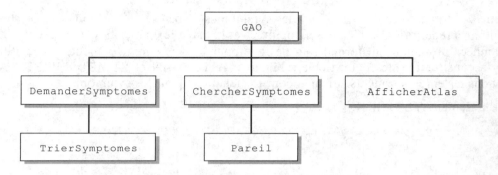

Figure 6.3 Diagramme du programme principal.

Voyons les particularités des principaux sous-programmes à réaliser dans cette application.

Saisie des symptômes. Un message à l'écran avise l'usager qu'il peut énumérer les symptômes, qui sont ensuite lus successivement et mémorisés dans un tableau d'au plus 10 chaînes de caractères. Ce tableau est en fait un des champs d'un enregistrement Symptomes. Afin d'éviter qu'une lettre minuscule et son équivalente majuscule soient perçues comme différentes, la chaîne est entièrement convertie en majuscules. Une fonction spéciale sert à effectuer la conversion en majuscules d'une chaîne de caractères.

Il y a ensuite tri des symptômes suivant l'ordre alphabétique. Cette opération facilite grandement la comparaison de tableaux, puisqu'un tableau trié a une séquence d'éléments unique, contrairement à un tableau non trié. Le tri des éléments du tableau des symptômes s'effectue à l'aide de la fonction TrierSymptomes().

Recherche de l'enregistrement Symptomes. Pour connaître la maladie correspondant aux symptômes recueillis, il faut rechercher dans le fichier SYMPTOME.BIN l'enregistrement qui les contient. Les enregistrements sont donc lus séquentiellement jusqu'à la rencontre de l'enregistrement recherché. Le champ NbSympt, nombre de symptômes, permet de savoir combien de symptômes il faut comparer. En fait, la comparaison se fera uniquement entre deux tableaux ayant le même nombre de symptômes.

La fonction EstPareil() effectue la comparaison des tableaux en comparant deux à deux les chaînes de caractères. La première chaîne de caractères du tableau des symptômes perçus est comparée à la première chaîne du tableau des symptômes lus dans le fichier, la deuxième chaîne des symptômes perçus est comparée à la deuxième chaîne du tableau des symptômes lus et ainsi de suite pour le nombre de symptômes à comparer. Les deux tableaux sont déclarés identiques si toutes les chaînes concordent. La fonction EstPareil() reçoit en paramètres les deux tableaux à comparer et donne comme résultat une valeur booléenne précisant s'ils sont identiques ou non.

Affichage de l'information concernant une maladie. Une fois l'enregistrement Symptomes trouvé, on doit utiliser le champ IndexMed de cet enregistrement. Ce champ indique, dans le fichier ATLAS.BIN, la position de l'enregistrement qui contient l'information concernant la maladie correspondante. Après la lecture de l'enregistrement Maladie dans le fichier, il ne reste plus qu'à afficher son contenu. Les champs Maladie et Medicament, qui sont des chaînes de caractères, sont affichés intégralement. Le champ `Methode`, de type énumération, exige l'utilisation d'un tableau de correspondance puisqu'il est impossible d'écrire une variable de ce type. Dans ce tableau, chaque élément de l'énumération est associé à la chaîne de caractères équivalente.

Algorithme

Programme principal

```
R   0
   ┌─
   │  - Auteur        : Yves Boudreault
   │  -
   │  - Description: Ce programme recherche la maladie présentant
   │  -                les symptômes que l'usager a énumérés. Le programme
   │  -                utilise deux fichiers binaires: l'un contient les
   │  -                symptômes associés à chaque maladie répertoriée
   │  -                et l'autre, les soins à administrer.
   │  -
   │  - 01 Description des identificateurs
   │  -
   │      IDENTIFICATEUR    TYPE              DESCRIPTION
   │  -
   │  - MAXSYMPT          Constante         Nombre maximal de symptômes = 10
   │  - type_chaine       Type              Chaîne de 50 caractères
   │  - type_methode      énumération       (Friction,Oral,Inj_Sous_Cutanee,
   │  -                                     Inj_Veine)
   │  - type_atlas        Enregistrement
   │  - Maladie           type_chaine       Le nom de la maladie
   │  - Medicament        type_chaine       Le nom du médicament curatif
   │  - Methode           type_methode      La méthode à employer
   │  -                                     pour administrer le médicament
   │  - type_sympt        Enregistrement
   │  -   NbSympt         Entier            Nombre de symptômes mémorisés
   │  -   Symptome        Tableau de        Tableau où sont mémorisés
   │  -                   type_chaine       les symptômes
   │  -   IndexMed        Entier            Position de la maladie dans le
   │  -                                     fichier ATLAS.BIN présentant les
   │  -                                     symptômes
   │  - Fic_Atlas         Fichier entrée    Le fichier ATLAS.BIN des maladies
   │  - Fic_Sympt         Fichier entrée    Le fichier des symptômes associés
   │  -                                     à chaque maladie de l'ATLAS.BIN
   │  -
   │  -
```

```
          ->>>>>> STRUCTURE DES OPÉRATIONS <<<<<<

     Ouvrir en lecture le fichier Fic_Sympt
     Ouvrir en lecture le fichier Fic_Atlas


                   RÉPÉTER
                   Demander les symptômes (Fonction DemanderSymptomes())
                   Chercher les symptômes dans Fic_Sympt (Fonction ChercherSymptomes())

               *   TANT QUE l'usager n'a pas décidé d'arrêter

     Fermer le fichier Fic_Sympt
     Fermer le fichier Fic_Atlas
```

Fonction DemanderSymptomes()

```
     R   0

         - Auteur        : Yves Boudreault

         - Description : Fonction DemanderSymptomes()
         -               Cette fonction permet la saisie des symptômes
         -               qui permettront d'identifier une maladie.

         - 01 Description des identificateurs
```

IDENTIFICATEUR	TYPE	DESCRIPTION
LesSymptomes (OUT)	type_sympt	Enregistrement permettant de mémoriser les symptômes perçus par le patient
Compte	Entier	Compteur servant d'indice du tableau

```
          ->>>>>> STRUCTURE DES OPÉRATIONS <<<<<<

     Afficher les messages explicatifs
     Initialiser le NbSympt à 0


                   RÉPÉTER
                   Demander un symptôme
                   Lire le symptôme et le mémoriser dans le tableau

               *   TANT QU'on n'a pas lu un symptôme vide ET que le
                      ...  tableau symptôme n'est pas plein


               *   POUR tous les symptômes lus

                   Mettre la chaîne de caractères symptômes en majuscules

     Trier les symptômes en ordre alphabétique (Fonction TrierSymptomes())
```

Fonction `TrierSymptomes()`

```
R   0
```

- Auteur   : Yves Boudreault
-
- Description : Fonction TrierSymptomes()
-               Cette fonction trie les symptômes contenus dans le tableau
-               en ordre alphabétique.
-
- **01 Description des identificateurs**
-
- IDENTIFICATEUR   TYPE   DESCRIPTION
-
- LesSymptomes (IN/OUT) type_sympt   Enreg. dont le champ tableau doit être trié
- I, J   Entiers   Les indices de balayage du tableau

->>>>>> STRUCTURE DES OPÉRATIONS <<<<<<

    * POUR les symptômes du premier au dernier

     - 02 POUR les symptômes en dessus

      * POUR les symptômes du dernier à celui où on est rendu

      - 03 Comparer les symptômes deux à deux

       SI le précédent est supérieur au suivant
       Permuter les symptômes (Fonction Permuter())

Fonction `ChercherSymptomes()`

```
R   0
```

- Auteur   : Yves Boudreault
-
- Description : Fonction ChercherSymptomes()
-               Fonction qui cherche les symptômes dans le fichier. Une
-               fois les symptômes trouvés, on peut obtenir l'information
-               concernant la maladie à l'aide du champ IndexMed qui permet
-               de se positionner à la bonne maladie du fichier ATLAS.BIN.
-
-
- **01 Description des identificateurs**

   IDENTIFICATEUR   TYPE   DESCRIPTION
- LesSymptomes (IN)   type_sympt   Enregistrement qui contient le tableau des
-   symptômes à chercher
- Trouver   Entier   Type logique qui permet d'interrompre la recherche
-   lorsqu'il y a deux symptômes différents
- NbElement   Entier   Nombre de fiches dans le fichier SYMPTOME.BIN
- NoElement   Entier   Numéro de l'élément courant
- FicheLue   type_sympt   L'enreg. lu dans le fichier SYMPTOME.BIN
- Diagnostic   type_atlas   L'enreg. servant à lire dans le fichier ATLAS.BIN
-

```
->>>>>> STRUCTURE DES OPÉRATIONS <<<<<<

Déterminer le nombre de fiches dans le fichier-index
Positionner la lecture au début du fichier des symptômes
Initialiser Trouver à faux
```

* TANT QUE la fin du fichier Fic Sympt n'est pas atteinte
  ... ET qu'on n'a pas trouvé

  Lire l'enregistrement d'un symptôme

  -02 Si le NbSympt est bon

  SI le NbSympt de l'enreg. lu est identique à celui du paramètre
  Comparer les tableaux des symptômes (Fonction EstPareil()) et
  ... affecter le résultat à Trouver

  Mettre à jour le numéro de l'élément lu

-03 Si on a trouvé tous les symptômes recherchés

SI on a trouvé ALORS
Positionner dans le fichier Fic_Atlas selon IndexMed
Lire le diagnostic
Afficher l'information lue dans le fichier Atlas (Fonction AfficherAtlas())

SINON
Afficher qu'il n'y a pas d'inscription de maladie
... pour les symptômes énumérés

Fonction EstPareil()

```
R  0
```

```
-
- Auteur     : Yves Boudreault
- Description: Fonction EstPareil()
-              Cette fonction détermine si deux tableaux de symptômes
-              contiennent les mêmes éléments.
-
- 01 Description des identificateurs
-
-IDENTIFICATEUR    TYPE                    DESCRIPTION
-
-Sympt1 (IN)       tableau de type_chaine  Tableau à comparer
-Sympt2 (IN)       tableau de type_chaine  Tableau à comparer
-NbSympt (IN)      Entier                  Le nombre de symptômes dans les tableaux
-NoSympt           Entier                  Indice du tableau des symptômes
-Meme              Entier                  À la rencontre de deux symptômes
-                                          non identiques, Meme devient faux
```

```
    ->>>>>> STRUCTURE DES OPÉRATIONS <<<<<<

    Initialiser Meme à vrai


  *   TANT QUE les symptômes sont identiques ET qu'on n'a pas
        ... comparé tous les symptômes

        Comparer les deux symptômes de même indice et affecter
        ... le résultat à Meme


    Retourner la valeur de Meme
```

Fonction AfficherAtlas()

```
  R  0

    -
    - Auteur      : Yves Boudreault
    - Description: Fonction AfficherAtlas(Diagnostic: type_atlas);
    -              fonction qui affiche l'information concernant la maladie
    -              qui correspond aux symptômes énumérés.

    - 01 Description des identificateurs
    -
    - IDENTICATEUR   TYPE                DESCRIPTION
    -
    - Diagnostic (IN) type_atlas         Enreg. lu dans le fichier des maladies
    - Ecrit_Methode   Tableau de chaînes Tableau de type_méthode éléments
    -                 de caractères      servant à faire la correspondance pour
    -                                    l'écriture des valeurs de type
    -                                    énumération

    ->>>>STRUCTURE DES OPÉRATIONS<<<<

    Afficher le nom de la maladie
    Afficher le médicament à prendre
    Afficher la méthode à utiliser pour administrer le médicament
    Afficher un message de continuation (Fonction Interrompre())
```

Programme

```
/*-------------------------------------------------------------*/
/* FICHIER:     GAO.CPP                                        */
/* AUTEUR:      Wacef Guerfali                                 */
/* DATE:        28 juillet 2000                                */
/* DESCRIPTION: Ce programme recherche la maladie présentant   */
/*              les symptômes que l'usager a énumérés. Le       */
/*              programme utilise deux fichiers binaires:       */
/*              l'un contient les symptômes associés à          */
/*              chaque maladie répertoriée et l'autre, les      */
/*              soins à administrer.                            */
/*-------------------------------------------------------------*/
```

```cpp
#include <iomanip>      // Pour l'utilisation de setw() et setprecision()
#include <fstream>      // Pour l'utilisation des fichiers
#include <cstring>      // Pour l'utilisation de strcmp() et strcpy()
#include <cctype>       // Pour l'utilisation de toupper()
using namespace std;

#define MAXSYMPT      10
#define LONGCHAINE    50
#define NBLIGNES      80

typedef  char type_chaine[LONGCHAINE];
enum     type_methode  {FRICTION, ORAL, INJ_SOUS_CUTANEE, INJ_VEINE};
struct   type_atlas
{
   type_chaine  Maladie;
   type_chaine  Medicament;
   type_methode Methode;
};

struct    type_symptome
{
   int          NbSympt;
   type_chaine  Symptome[MAXSYMPT];
   int          IndexMed;
};

/*-------------------------------------------------------------*/
/* DESCRIPTION:       Fonction NettoyerFenetre()              */
/*                    Cette fonction saute NBLIGNES, ce qui   */
/*                    permet d'obtenir un écran sans          */
/*                    affichage.                              */
/* PARAMÈTRES:        Aucun.                                  */
/* VALEUR DE RETOUR:  Aucune.                                 */
/* REMARQUE:          Aucun.                                  */
/*-------------------------------------------------------------*/
void NettoyerFenetre(void)
{
   int Ligne=0;
   for (Ligne=0;Ligne<NBLIGNES;Ligne++)  // Pour nettoyer la fenêtre
     cout << endl;
}

/*-------------------------------------------------------------*/
/* DESCRIPTION:       Fonction Interrompre()                  */
/*                    Cette fonction interrompt l'exécution,  */
/*                    ce qui facilite la lecture de           */
/*                    l'information.                          */
/* PARAMÈTRES:        Aucun.                                  */
/* VALEUR DE RETOUR:  Aucune.                                 */
/* REMARQUE:          Une touche doit être enfoncée pour que  */
/*                    l'exécution du programme se poursuive.  */
/*-------------------------------------------------------------*/
```

```
void Interrompre(void)
{
   void NettoyerFenetre(void);
   int Ligne=0;
   cout << endl << "Appuyer sur ENTER pour continuer";
   cin.get();
   NettoyerFenetre();
}

/*-------------------------------------------------------------*/
/* DESCRIPTION:       Fonction Permuter()                      */
/*                    Cette fonction permet la permutation     */
/*                    des deux chaînes de caractères reçues    */
/*                    en paramètres.                           */
/* PARAMÈTRES:        Chaine1  (OUT): vaudra Chaine2.          */
/*                    Chaine2  (OUT): vaudra Chaine1.          */
/* VALEUR DE RETOUR: Aucune.                                   */
/* REMARQUE:          Aucune.                                  */
/*-------------------------------------------------------------*/
void Permuter(type_chaine Chaine1, type_chaine Chaine2)
{
   type_chaine Tampon;

   strcpy(Tampon,Chaine1);
   strcpy(Chaine1,Chaine2);
   strcpy(Chaine2,Tampon);
}

/*-------------------------------------------------------------*/
/* DESCRIPTION:       Fonction TrierSymptomes()                */
/*                    Cette fonction permet de trier les       */
/*                    symptômes contenus dans le tableau en    */
/*                    ordre alphabétique.                      */
/* PARAMÈTRES:        LesSymptomes (IN/OUT): est retourné trié. */
/* VALEUR DE RETOUR: Aucune.                                   */
/* REMARQUE:          Utilise le tri en bulle.                 */
/*-------------------------------------------------------------*/
void TrierSymptomes(type_symptome& LesSymptomes)
{
   void Permuter(type_chaine, type_chaine); // Prototype de la fonction utilisée
   int I,J;

   for (I=0; I<LesSymptomes.NbSympt; I++)
      for (J = LesSymptomes.NbSympt - 1; J > I; J—)
         if (strcmp(LesSymptomes.Symptome[I],LesSymptomes.Symptome[J])>0)
            Permuter(LesSymptomes.Symptome[I],LesSymptomes.Symptome[J]);
}

/*-------------------------------------------------------------*/
/* DESCRIPTION:       Fonction Arreter()                       */
/*                    Cette fonction détermine si l'usager     */
/*                    désire rechercher un autre diagnostic.   */
```

```
/* PARAMÈTRES:        Aucun.                                      */
/* VALEUR DE RETOUR: true si l'usager désire poursuivre et       */
/*                    false autrement.                           */
/* REMARQUE:          Aucune.                                     */
/*------------------------------------------------------------*/
bool  Arreter(void)
{
   char Reponse;
   do
   {
      cout << endl << endl;
      cout << "Désirez-vous obtenir un autre diagnostic? (O/N) => ";
      cin >> Reponse;
      cin.ignore(); // Pour enlever le Enter
   }
   while ((toupper(Reponse) != 'O') && (toupper(Reponse) != 'N'));
   return bool(toupper(Reponse) == 'N');
}


/*------------------------------------------------------------*/
/* DESCRIPTION:       Fonction EstPareil()                      */
/*                    Cette fonction détermine si les deux       */
/*                    tableaux Sympt1 et Sympt2 contiennent      */
/*                    les mêmes éléments.                        */
/* PARAMÈTRES:        Sympt1, Sympt2 (IN):les tableaux à         */
/*                                      comparer.                */
/*                    NbSympt (IN):le nombre d'éléments des      */
/*                                      tableaux.                */
/* VALEUR DE RETOUR: true si les deux tableaux contiennent       */
/*                    les mêmes éléments et false autrement. */
/* REMARQUE:          Aucune.                                    */
/*------------------------------------------------------------*/
bool  EstPareil(type_chaine Sympt1[], type_chaine Sympt2[], int NbSympt)
{
   int NoSympt;
   bool Meme;

   Meme = true;
   NoSympt = 0;
   while (Meme && (NoSympt<NbSympt))
   {
      Meme = bool(strcmp(Sympt1[NoSympt],Sympt2[NoSympt]) == 0);
      NoSympt++;
   }
   return (Meme);
}


/*------------------------------------------------------------*/
/* DESCRIPTION:       Fonction AfficherAtlas()                  */
/*                    Cette fonction affiche l'information       */
/*                    sur la maladie qui correspond aux         */
/*                    symptômes énumérés.                       */
```

```
/* PARAMÈTRES:          Diagnostic(IN): enregistrement lu dans    */
/*                             le fichier des maladies.*/
/* VALEUR DE RETOUR: Aucune.                                     */
/* REMARQUE:            Un tableau de correspondance est défini */
/*                      pour permettre l'affichage du champ     */
/*                      Methode de type énumération.            */
/*-------------------------------------------------------------*/
void AfficherAtlas(type_atlas Diagnostic)
{
    void Interrompre(void);      // Prototype des fonctions utilisées
    void NettoyerFenetre();

    const char *Ecrit_Methode[INJ_VEINE+1]=
      { "Friction" , "Oral", "Injection sous-cutanée",
        "Injection dans une veine" };
    NettoyerFenetre();
    cout << "La maladie présentant ces symptômes est: ";
    cout << Diagnostic.Maladie << endl;
    cout << "Le médicament à prendre est: ";
    cout << Diagnostic.Medicament << endl;
    cout << "La méthode à employer est: ";
    cout << Ecrit_Methode[Diagnostic.Methode] << endl;
    Interrompre();
}

/*-------------------------------------------------------------*/
/* DESCRIPTION:         Fonction DemanderSymptomes()           */
/*                      Cette fonction permet la saisie des    */
/*                      symptômes qui permettront d'identifier */
/*                      une maladie.                           */
/* PARAMÈTRES:          Les_Symptomes (OUT): enregistrement qui */
/*                                    mémorise les              */
/*                                    symptômes à l'aide        */
/*                                    du champ Symptomes.       */
/* VALEUR DE RETOUR: Aucune.                                     */
/* REMARQUE:            Cette fonction appelle la fonction      */
/*                      TrierSymptomes() pour le tri du         */
/*                      tableau des symptômes.                  */
/*-------------------------------------------------------------*/
void DemanderSymptomes(type_symptome& Les_Symptomes)
{
    void TrierSymptomes(type_symptome&);  // Prototype des fonctions utilisés
    void NettoyerFenetre(void);

    int  Compte;

    NettoyerFenetre();
    cout << "Entrez les symptômes observés: " << endl << endl;
    cout << "Vous pouvez inscrire au plus 10 symptômes." << endl << endl;
    cout << "Inscrire '.' dans le champ du symptôme" << endl;
    cout << "lorsqu'il y a moins de 10 symptômes." << endl << endl;
```

```
   // Lecture des symptômes de la maladie
   Les_Symptomes.NbSympt = 0;

   do
   {
      cout << "symptôme n° " << setw(2) << (Les_Symptomes.NbSympt+1) << " : ";
      cin.getline(Les_Symptomes.Symptome[Les_Symptomes.NbSympt],LONGCHAINE);
      Les_Symptomes.NbSympt++;
   }
   while ((strcmp(Les_Symptomes.Symptome[Les_Symptomes.NbSympt-1],".")!=0) &&
        (Les_Symptomes.NbSympt < MAXSYMPT));

   // Si le dernier est vide, l'éliminer
   if (strcmp(Les_Symptomes.Symptome[Les_Symptomes.NbSympt-1],".")==0)
      Les_Symptomes.NbSympt--;

   // Conversion des symptômes en majuscules pour faciliter la comparaison
   for (Compte=0; Compte<Les_Symptomes.NbSympt; Compte++)
      strupr(Les_Symptomes.Symptome[Compte]);

   // Trier les symptômes
   TrierSymptomes(Les_Symptomes);
}


/*------------------------------------------------------------*/
/* DESCRIPTION:       Fonction ChercherSymptomes()            */
/*                    Cette fonction permet la recherche des  */
/*                    symptômes dans le fichier. Une fois     */
/*                    ceux-ci trouvés, on peut obtenir        */
/*                    l'information sur la maladie à l'aide    */
/*                    du champ IndexMed.                      */
/* PARAMÈTRES:        Les_Symptomes(IN): enregistrement       */
/*                                 contenant les              */
/*                                 symptômes à                */
/*                                 rechercher.                */
/* VALEUR DE RETOUR: Aucune.                                  */
/* REMARQUE:          La lecture dans le fichier ATLAS.BIN    */
/*                    se fait également dans cette fonction.   */
/*------------------------------------------------------------*/
void ChercherSymptomes(type_symptome Les_Symptomes, ifstream &Fic_Sympt,
                                                     ifstream &Fic_Atlas)
{
   // Prototypes des fonctions utilisées
   void AfficherAtlas(type_atlas);
   void Interrompre(void);
   bool EstPareil(type_chaine[], type_chaine[], int);

   bool Trouver;
   int NoElement,NbElement;
   type_symptome  FicheLue;
   type_atlas  Diagnostic;
```

```
   // Déterminer le nombre d'éléments dans le fichier-index
   Fic_Sympt.seekg(0,ios::end);
   NbElement = Fic_Sympt.tellg()/sizeof(type_symptome);

   // Se positionner au début du fichier-index
   Fic_Sympt.seekg(0,ios::beg);
   Trouver = false;

   cout << endl << endl << "Un moment... Recherche d'un diagnostic";
   NoElement = 0;
   while (!Trouver && (NoElement < NbElement))
   {
     Fic_Sympt.read((char *) &FicheLue,sizeof(type_symptome));
     if (FicheLue.NbSympt == Les_Symptomes.NbSympt)
       Trouver = EstPareil(FicheLue.Symptome,Les_Symptomes.Symptome,
                     Les_Symptomes.NbSympt);
     NoElement++;
   }
   if (Trouver)
   {
       Fic_Atlas.seekg(FicheLue.IndexMed*sizeof(type_atlas),ios::beg);
       Fic_Atlas.read((char *) &Diagnostic, sizeof(type_atlas));
       AfficherAtlas(Diagnostic);
   }
   else
   {
       cout << endl << "Il n'y a pas d'inscription de maladie pour les";
       cout << " symptômes énumérés. ";
       Interrompre();
   }
}


/*-----------------------------------------------------------*/
/* DESCRIPTION:        Fonction principale du programme.     */
/*                     Fait appel aux fonctions:             */
/*                       - DemanderSymptomes()               */
/*                       - ChercherSymptomes()               */
/*                     pour poser un diagnostic à partir des */
/*                     symptômes d'une maladie.              */
/* PARAMÈTRES:         Aucun.                                */
/* VALEUR DE RETOUR:   Aucune.                               */
/* REMARQUE:           Aucune.                               */
/*-----------------------------------------------------------*/
void main (void)
{
   // Prototype des fonctions utilisées
   void ChercherSymptomes(type_symptome, ifstream&,ifstream&);
   void DemanderSymptomes(type_symptome&);
   bool Arreter(void);

   type_symptome    DesSymptomes;
   ifstream Fic_Sympt, Fic_Atlas;
```

```
Fic_Sympt.open("SYMPTOMES.BIN",ios::binary);
Fic_Atlas.open("ATLAS.BIN",ios::binary);
if (!Fic_Sympt.fail() && !Fic_Atlas.fail())
{
    do
    {
        DemanderSymptomes(DesSymptomes);
        ChercherSymptomes(DesSymptomes,Fic_Sympt,Fic_Atlas);
    }
    while (!Arreter());
    Fic_Sympt.close();
    Fic_Atlas.close();
}
else
    cout << "Problème d'ouverture des fichiers";
}
/*-----------------------------------------------------------*/
```

À l'exécution, on obtient:

Écran 1

```
Entrer les symptômes observés.

Vous pouvez inscrire au plus 10 symptômes.

Inscrire '.' dans le champ du symptôme
lorsqu'il y a moins de 10 symptômes.
    symptôme no 1: fièvre
    symptôme no 2: toux
    symptôme no 3: écoulement nasal
    symptôme no 4:

  Un moment... Recherche d'un diagnostic
```

Écran 2

```
La maladie présentant ces symptômes est: Grippe
Le médicament à prendre est: Acétaminophène
La méthode à employer est: Oral

Appuyer sur une touche pour continuer
```

6.4 QUESTIONS

1. Quand emploie-t-on le type enregistrement?

2. Comment initialise-t-on une variable de type enregistrement? Donner un exemple.

3. Comment identifie-t-on le champ d'une variable de type enregistrement?

4. Les champs d'un enregistrement sont des variables exclusivement de même type. Vrai ou faux?

5. Nommer deux types de fichiers qu'on peut utiliser lorsqu'on effectue des opérations d'entrées et de sorties.

6. Dans quel cas suggère-t-on d'utiliser des fichiers textes?

7. Comment peut-on accéder à une ligne particulière d'un fichier texte?

8. Quel est le grand inconvénient de l'utilisation de fichiers textes?

9. Qu'est-ce qu'un fichier binaire?

10. Quelle est la principale caractéristique des fichiers binaires?

11. Quel est le principal inconvénient de l'utilisation des fichiers binaires?

12. À quoi sert la fonction `seekg()`?

13. Quelle est la position du premier élément d'un fichier binaire?

14. Nommer trois modes d'accès aux données.

15. Qu'est-ce qu'un mode d'accès indexé?

16. Donner et commenter brièvement deux avantages et deux inconvénients des fichiers:
    a) texte;
    b) binaire.

6.5 EXERCICES

1. Déclarer un enregistrement qui permettra de mémoriser la structure suivante:
    a) le temps mesuré en heures, minutes et secondes;
    b) la description d'un livre, soit l'auteur, le titre, la maison d'édition et l'année de parution;
    c) l'intensité et le voltage d'une source électrique;
    d) un nombre complexe comportant une partie réelle et une partie imaginaire.

2. a) Déclarer un enregistrement qui décrit l'information d'un envoi postal, soit le nom du destinataire, son prénom, son adresse et son code postal.
    b) Modifier l'enregistrement précédent de façon à conserver aussi les coordonnées de l'expéditeur.

3. Définir une structure de données qui permette de regrouper les informations suivantes: le nom et le prénom d'un employé, le nombre d'heures travaillées durant une semaine, le taux horaire brut pour les heures normales (semaine de 40 heures ou moins), le nombre d'heures supplémentaires, le salaire brut, le montant retenu aux fins de l'impôt et le salaire net.

4. Écrire un programme qui complète les informations de l'exercice 3 à l'aide des données suivantes lues d'un fichier texte à raison d'une fiche par ligne: les nom et prénom, le nombre total d'heures travaillées au cours d'une semaine et le taux horaire brut pour les heures normales. La convention collective de cette compagnie, qui compte 100 employés, prévoit qu'un employé qui travaille plus de 40 heures par semaine sera rémunéré 1,5 fois le taux normal pour chaque heure supplémentaire. La retenue d'impôt sera de 25 % du salaire brut hebdomadaire si celui-ci est inférieur à 500 $ et de 35 % s'il est supérieur.

5. Soit les déclarations suivantes:

```
#include <iostream>
#include <cstring>
using namespace std;

struct type_station
{
    char Nom[50];          // Nom de la station
    int NbDeCircuits;      // Nombre de circuits d'autobus
                           // disponibles à cette station
    int NoCircuit[10];     // Les numéros des circuits d'autobus
                           // disponibles
};

enum type_ligne {ORANGE, JAUNE, VERTE, BLEUE};  // Les quatre lignes

const int NbDeStation[BLEUE+1]={28, 3, 27, 12}; // Nbre de stations
                                                // sur chaque ligne
int NoStation, Circuit;
int NoOrange, NoVerte;
type_ligne Ligne;
type_station Metro[BLEUE+1][28];
```

En supposant que la variable tableau `Metro` contient toutes les informations concernant le métro de Montréal, répondre aux questions suivantes.

a) Décrire en une phrase l'opération réalisée par les instructions suivantes:

```
Ligne = BLEUE;
for (NoStation = 0; NoStation < NbDeStation[Ligne]; NoStation++)
    cout << Metro[Ligne][NoStation].Nom << endl;
```

b) Décrire en une phrase l'opération réalisée par les instructions suivantes:

```
for (NoOrange = 0; NoOrange < NbDeStation[ORANGE]; NoOrange++)
    for (NoVerte = 0; NoVerte < NbDeStation[VERTE]; NoVerte++)
        if (strcmp(Metro[ORANGE][NoOrange].Nom,
                   Metro[VERTE][NoVerte].Nom)   ==0)
            cout << Metro[ORANGE][NoOrange].Nom << endl;
```

c) Décrire en une phrase l'opération réalisée par les instructions suivantes:

```
Ligne = JAUNE;
for (Circuit = 0; Circuit < Metro[Ligne][1].NbDeCircuits; Circuit++)
    cout << Metro[Ligne][1].NoCircuit[Circuit]<< ' ';
```

d) Sachant qu'une donnée de type `type_station` occupe 72 octets en mémoire, combien d'octets sont réservés inutilement pour la variable tableau `Metro`? Préciser votre réponse à l'aide d'une expression mathématique sans effectuer les calculs.

6. Soit les déclarations suivantes:

```
typedef char  type_chaine[80];
struct type_individu
{
    type_chaine  Nom, Prenom;
    float        No_Social;
};
struct type_service
{
    type_chaine  Nom;
    type_individu Chef;
    type_individu Employe[25];
};
enum    type_rayon    {Meuble, Sport, Cuisine, Disque};

type_service Magasin[Disque+1];
type_individu Personne;
type_service Le_Service;
type_rayon    Le_Rayon;
```

a) Donner les instructions nécessaires pour initialiser les noms des rayons de la variable `Magasin`.

b) Donner les instructions qui permettront d'inscrire «Jean Bureau», suivi de son numéro d'assurance sociale (251-314-218), comme chef du rayon des meubles dans la variable `Magasin`.

c) Donner les instructions qui permettront de lire, à l'aide de la variable `Personne`, l'information entrée au clavier qui concerne une personne.

d) À partir de la variable `Magasin`, affecter la personne de l'exercice c) comme cinquième employé du rayon des sports.

e) À l'aide de la variable `Magasin`, on veut savoir si le chef du rayon des disques est aussi le premier employé du même rayon.

7. Soit les déclarations suivantes:

```
enum    type_peri {MODEM, IMPRIMANTE, MONITEUR, CLAVIER};
enum    type_modele {PORTABLE, BUREAU};
enum    type_unite  {KO, MO, GO, TO};
```

```
struct type_memoire
{
    float        Dimension;
    type_unite Unite;
};
struct type_ordinateur
{
    type_modele   Modele;
    char          Marque[180];
    float         Processeur;
    type_memoire  Ram;
    type_peri     Peri[Clavier+1];
    int           Nb_Peri;
};

type_ordinateur Ordinateur;
```

a) Donner les instructions qui permettront de mémoriser dans la variable `Ordinateur` les informations suivantes: portable d'IBM avec processeur de 800 MHz, 128 Mo de mémoire vive (RAM), clavier, moniteur et imprimante.

b) Écrire une fonction qui demande et lit la description d'un ordinateur et qui emmagasine l'information recueillie dans la variable `Ordinateur`.

8. Écrire une fonction, nommée `Fichier_Existe()`, qui retourne la valeur «`true`» lorsque le fichier dont le nom est spécifié par le paramètre existe. Supposer que le paramètre est de type `ifstream`. On désire que le fichier soit fermé avant la fin du programme.

9. Quel sera l'affichage obtenu lors de l'exécution du programme ci-dessous ?

```
#include <iostream.h>
#include <fstream.h>
struct type_mesure
{
    double Distance;
    double Matiere;
};
void main()
{
    type_mesure TabMesure[5] = {{5,12.1}, {10,102.2},{15,76.3},
                                {20,28.4}, {25, 15.5}};
    fstream FicBin;
    type_mesure Mesure;
    int i;

    FicBin.open("Mesure.bin",ios::out|ios::binary);

    FicBin.write((char*) TabMesure, 5*sizeof(type_mesure));
    FicBin.close();

    FicBin.open("Mesure.bin",ios::in|ios::out|ios::binary);
    FicBin.read((char*) TabMesure, 5*sizeof(type_mesure));
```

```
    Mesure = TabMesure[2];
    FicBin.seekp(2*sizeof(type_mesure), ios::beg);
    FicBin.write((char *)& TabMesure[4], sizeof(type_mesure));
    FicBin.seekp(4*sizeof(type_mesure), ios::beg);
    FicBin.write((char*)& Mesure, sizeof(type_mesure));

    FicBin.seekg(0, ios::beg);
    FicBin.read((char*) TabMesure, 5*sizeof(type_mesure));
    for (i=0;i<5;i++)
       cout << TabMesure[i].Distance << ' ' << TabMesure[i].Matiere
          << endl;

    FicBin.close();
}
```

10. Vous conservez dans un fichier une longue liste de suggestions de cadeaux. Ces suggestions, qui correspondent à des mots, sont déjà placées en ordre alphabétique dans le fichier.

    Cette liste, une gracieuseté de votre petit frère, est des plus exhaustives et vous décidez de compresser le fichier contenant la liste. Ainsi, au lieu de conserver chaque mot en entier, vous comptez le nombre de caractères communs (préfixe commun) entre un mot et son prédécesseur et vous écrivez ce nombre suivi du reste des lettres dans le fichier compressé.

Fichier original	Fichier compressé
balle	0balle
ballon	4on
bicyclette	1icyclette
billard	2llard
biscuit	2scuit
bobettes	1obettes
chaussettes	0chaussettes
chaussures	6ures

Écrire un programme qui lit le fichier original et qui crée le fichier compressé correspondant.

11. Une théorie s'intéresse aux degrés de séparation de toutes les personnes sur la terre. Un degré de séparation est un lien quelconque (ami, famille, connaissance, etc.) entre deux personnes. Par exemple, si André connaît Julie, et que Julie connaît Sophie, alors il y a deux degrés de séparation entre André et Sophie. La structure utilisée pour représenter les liens est un tableau d'enregistrements défini selon les instructions suivantes:

```
struct type_personne
{
    char Nom[20];
    int Lien;
};

type_personne TabLiens[76];
```

Le champ `Lien` indique qu'il y a un lien entre la personne dont le nom est inscrit dans le champ `Nom` et celle située à la position du lien dans le tableau. Par exemple, dans le tableau ci-dessous, on voit qu'il y a un lien entre Josée et la personne située à la position 3, soit Kim. Il s'agit d'un lien de degré 1. Kim a un lien avec Salim en position 5. Donc Josée a un lien de degré 2 avec Salim (Josée, Kim, Salim).

0	Josée	3
1	Marie	0
2	Éric	22
3	Kim	5
4	Aniss	27
5	Salim	10
.	.	.
.	.	.
75	Anick	15

Pour les deux questions suivantes, considérer que les noms transmis en paramètres sont présents dans le tableau de 76 noms et qu'ils sont uniques.

a) Écrire la fonction `ChercherNom()` qui reçoit en paramètre le nom d'une personne et retourne sa position dans le tableau. La fonction reçoit également en paramètre le tableau des noms liés. Le prototype de la fonction est:

```
int ChercherNom(char Nom[], type_personne TabNoms[76]);
```

b) Écrire la fonction `TrouverDegre()`, qui utilise trois paramètres. Les deux premiers paramètres sont des chaînes de caractères correspondant au nom de deux personnes dans le tableau. Le troisième paramètre est le tableau des noms liés. La fonction fait appel à la fonction `ChercherNom()` (de la question a) pour déterminer la position de la personne reçue comme premier paramètre. Elle recherche l'autre nom reçu en paramètre en empruntant les champs liens. Enfin, elle retourne le degré du lien entre ces deux personnes. Le prototype de la fonction est:

```
int TrouverDegre (char NomDebut[], char NomFin[],
                  type_personne TabNoms[76]);
```

12. Un fichier binaire, COURS.DAT, contient plusieurs centaines d'enregistrements ayant chacun la structure suivante:

```
typedef char  type_prof[30];
struct type_cours
{
   char       Nom[5];
   int        Credit;
   type_prof  Prof;
};
```

a) Écrire une fonction qui modifiera le nom d'un professeur pour un cours donné. La fonction reçoit en paramètres le nom d'un professeur ainsi que la position de l'enregistrement dans le fichier. Vous devez ouvrir et fermer le fichier.

b) En utilisant la variable `Nouveau_Cours` de type `type_cours` et en considérant que le fichier COURS.DAT, identifié par la variable `Fic_Cours`, est déjà ouvert en mode lecture et écriture, écrire les instructions qui permettront d'ajouter le nouveau cours suivant à la fin du fichier COURS.DAT:

> Cours: ING5050
>
> Crédits: 3
>
> Professeur: Denis Hébert

13. Chaque ordinateur connecté sur le réseau Internet est identifié par une adresse numérique composée de quatre parties séparées par des points. L'adresse a la forme *ww.xx.yy.zz*, où *ww*, *xx*, *yy* et *zz* sont des entiers positifs.

Localement, un ordinateur est identifié par une adresse mnémonique correspondant à une chaîne de caractères. Des fichiers binaires contiennent l'adresse numérique et l'adresse mnémonique d'un certain nombre d'ordinateurs. Une donnée est mémorisée dans un fichier selon le type `type_adresse` suivant:

```
struct type_adresse
{
   int Partie[4]; //Partie[0].Partie[1].Partie[2].Partie[3]
   char Nom[20];
};
```

Voici un exemple de fichier binaire:

111 22 3 44	555 66 7 8	111 22 5 66	271 12 34 44
batosse	zebre	mamamilla	matou
322 12 12 1	432 32 32 2	556 56 5 6	111 22 4 5
starter	ovni	colombine	goulag
271 11 34 12	112 20 4 5	555 66 9 1	432 33 33 12
sorcier	bigbang	bobino	wouf

Écrire la fonction nommée `Afficher()` qui lit un fichier binaire et affiche le nom de tous les ordinateurs dont les deux premières parties de l'adresse numérique sont identiques à celles reçues en paramètre. La fonction reçoit en paramètres le nom du fichier binaire et les deux premières parties de l'adresse. Elle se charge d'ouvrir et de fermer le fichier binaire, avec une vérification de l'ouverture du fichier. Le prototype de la fonction `Afficher()` est:

```
void Afficher(char NomFichier[], int Partie1, int Partie2);
```

Par exemple, l'appel `Afficher("SonNom",111,22);` avec le fichier précédent affichera:

```
batosse
mamamilla
goulag
```

14. Vous avez trouvé un emploi d'été très intéressant et rempli de défis à relever. Un beau matin, un employé efface par accident la disquette qui contenait le traitement de textes du bureau. Quel malheur pour l'entreprise, il n'y a pas de copie de sûreté et une centaine de lettres doivent partir sans faute le matin même! Votre patron sait que vous avez suivi un cours d'informatique et vous demande de l'aider.

Un fichier texte, LETTRE.TXT, contient le corps de la lettre. Voici le contenu de ce fichier:

```
Montréal, le %DATE%

%M._OU_MME% %PRÉNOM% %NOM%
%COMPAGNIE%
%ADRESSE%
%VILLE% %PROVINCE%
%CODEPOSTAL%

%M._OU_MME%,
```

Pour faire suite à notre conversation téléphonique de la semaine dernière, je vous fais parvenir le document que vous m'avez demandé.

Si vous avez d'autres questions ou si vous désirez de plus amples renseignements, n'hésitez pas à communiquer avec moi.

En espérant avoir de bonnes et longues relations d'affaires avec vous, je vous prie de recevoir, %M._OU_MME%, l'expression de mes sentiments distingués.

```
Jacques Labelle
Président
```

Les mots clés placés entre les symboles de pourcentage doivent être remplacés par des informations lues dans un fichier binaire, CLIENTS.DAT, sauf en ce qui concerne la date qu'on doit obtenir de l'usager au début de l'exécution du programme.

Le fichier binaire possède la structure de données suivante:

```
struct type_client
{
    char   Nom[20], Prenom[20];
    char   Compagnie[40];
    char   Adresse[60];
    char   Ville[30];
    char   Province[25];
    char   CodePostal[10];
    char   Sexe;              // 'M' = masc. et 'F' = fém.
};
```

Votre patron vous demande d'écrire un programme qui demandera à l'usager d'entrer la date et qui lira le fichier contenant la lettre. Votre programme devra ensuite lire le fichier binaire et imprimer sur papier le contenu de la lettre uniquement pour les clients dont le premier caractère du nom de famille se situe dans l'intervalle 'A' à 'L', puis remplacer les informations placées entre les symboles de pourcentage. L'information «%M._OU_MME%» doit être remplacée par «Monsieur» s'il s'agit d'un homme ou par «Madame» s'il s'agit d'une femme.

15. Écrire une fonction nommée `Verifier()` qui possède trois paramètres. Cette fonction doit demander le numéro d'une course, lire les informations concernant cette course dans un fichier binaire et afficher à l'écran les noms des jockeys, leur poids et la couleur de leur toque si et seulement si les chevaux appartiennent à un tableau qui constitue un des paramètres de la fonction. Le nom du fichier binaire et le numéro de la course qui correspond à sa position dans le fichier binaire sont les deux autres paramètres de la fonction.

Tenir compte des informations qui suivent pour écrire la fonction:

```
typedef  char  type_nom[20];
enum type_couleur  {ROUGE, JAUNE, BLEU, VERT};
enum type_chevaux  {ZEBULON, TOCARD, NENUPHAR, TIGUIDOU, ZEPHIR, AQUILON, TURBO};
struct type_partant
{
    type_chevaux     Cheval;           // Nom du cheval
    type_nom         Jockey;           // Nom du jockey
    int              Poids;            // Poids du jockey
    type_couleur     Toque;            // Couleur de la toque du jockey
};

struct type_course
{
    type_partant     Participant[4];   // Tableau des partants
    int              Numéro;           // Numéro de la course
};
```

```
char *NomCouleurs[VERT+1] = {"rouge", "jaune", "bleu", "vert"};

void main(void)
{
    fstream FichBin;                        // Fichier binaire des courses
    bool    LesChevaux[TURBO+1];            // Tableau de chevaux
    .
    .
    .
    LesChevaux[zebulon]    = false;
    LesChevaux[tocard]     = true;
    LesChevaux[nenuphar]   = false;
    LesChevaux[tiguidou]   = true;
    LesChevaux[zephir]     = false;
    LesChevaux[aquilon]    = false;
    LesChevaux[turbo]      = true;

    Verifier("course.bin",3,LesChevaux);   // Fonction à écrire
    .
    .
}
```

Exemple d'affichage:

```
Jockey: Martin      Poids:  43     Toque: jaune
```

16. Les Polypos sont une nouvelle équipe de base-ball. Les dirigeants de l'équipe vous ont engagé pour écrire un programme qui permettra de tenir à jour l'information concernant chacun des membres de l'équipe.

Les données portant sur chacun des joueurs sont sauvegardées dans un fichier binaire, JOUEURS.BIN. Ce fichier contient 100 enregistrements. Le numéro du joueur correspond à l'emplacement de son enregistrement dans le fichier. Un numéro de joueur est un nombre entier compris entre 0 et 99 inclusivement.

Chaque enregistrement a la forme suivante:

```
struct type_joueur
{
    char Prenom [30];          // Prénom du joueur
    char Nom_Famille [30];     // Nom de famille du joueur
    char JouePosition [30];    // Position du joueur sur
                               // le terrain
    float Salaire;             // Salaire du joueur
};
```

Le programme doit demander à l'usager d'entrer le numéro d'un joueur, puis accéder à la fiche de ce joueur, la lire et l'afficher. Il doit demander si l'information affichée est correcte. Si l'information est incorrecte, il doit demander à l'usager d'entrer de nouveau l'information complète sur le joueur et mettre à jour le fichier afin de tenir compte de cette modification. Si l'information est correcte, le programme se termine.

17. Lors d'un vol de la navette spatiale, un ordinateur de bord recueille à l'aide de senseurs plusieurs données concernant l'habitacle. Les données qui nous intéressent sont: la température ambiante, la pression ambiante, le taux d'oxygène (O_2) et le taux de bioxyde de carbone (CO_2). Ces données sont enregistrées à intervalle régulier dans un fichier binaire, NAVETTE.BIN, selon les déclarations suivantes:

```
struct type_donnees
{
    float Temp,
          Pression,
          Taux_O2,
          Taux_CO2 ;
};
```

Pour assurer le bon déroulement de la mission, chaque donnée doit se maintenir à un niveau acceptable, à l'intérieur d'un intervalle précis, soit `ValeurMin ≤ Donnée ≤ ValeurMax`. Voici quatre fonctions qui retournent la valeur booléenne `true` si la donnée est acceptable ou `false` si elle ne l'est pas. Ne pas écrire ces fonctions. Il suffira de réaliser l'appel correctement. Les prototypes des fonctions sont:

```
bool ValiderTemp(float Temp);
bool ValiderPression(float Pression);
bool ValiderTaux_O2(float Taux_O2);
bool ValiderTaux_CO2(float Taux_CO2);
```

Écrire un programme qui lit le fichier NAVETTE.BIN contenant toutes les mesures d'une mission terminée, puis qui détermine et affiche le nombre total de données inacceptables obtenues. Le nombre total de données inacceptables correspond à la sommation des données inacceptables de température, de pression, du taux d'oxygène et du taux de bioxyde de carbone.

18. Un fichier d'inventaire, APP.BIN, contient l'ensemble des objets que vous avez dans votre appartement (objets présents) et ceux que vous aviez et que vous avez éliminés (objets anciens). Les éléments de ce fichier binaire sont de type `type_objet`.

Vous désirez mettre à jour le contenu du fichier, car vous vous êtes départi de certains objets. Pour accélérer les recherches dans votre fichier binaire, vous possédez quatre fichiers-index de type texte, un pour chaque pièce de l'appartement. Chaque ligne d'un fichier-index contient la position, dans le fichier APP.BIN, d'un objet «présent» ou «ancien». Les noms des pièces sont énumérés dans la constante `Nom_Piece`. De plus, pour retrouver les noms des fichiers sur disque, on doit ajouter l'extension `.NDX` à la chaîne de caractères.

Le programme que vous allez concevoir doit réaliser les opérations suivantes. D'abord, il doit obtenir de l'usager le nom d'une pièce. Si ce nom existe dans la liste des pièces, le programme doit utiliser le fichier-index approprié pour retrouver dans le fichier binaire l'ensemble des objets appartenant à cette pièce. Ensuite, pour chaque objet présumé encore présent dans la pièce, le programme doit demander à l'usager s'il désire conserver l'objet. S'il ne le conserve pas, l'état de l'objet doit être changé.

Déclarations:

```
char *Nom_Piece[4] = {"Cuisine", "Salon", "Chambre", "Bain");
enum type_etat      {Ancien, Present};
struct  type_objet
{
    char        Nom_Objet[40];
    char        Piece[10];
    type_etat Etat;
};
```

19. Afin de pouvoir compléter votre dossier, votre compagnie d'assurances vous demande de lui fournir toutes les informations concernant vos biens. Pour chacun de vos biens, les informations à donner sont:

   · le nom du bien matériel, par exemple télévision, radio, montre, ...;
   · la date d'achat, soit l'année, le mois et le jour;
   · l'état initial lors de l'achat, soit neuf ou usagé;
   · la valeur monétaire lors de l'achat;
   · l'état actuel, soit mauvais, bon ou excellent;
   · le type de vendeur, soit un commerçant ou un particulier.

Ces informations doivent être conservées dans un fichier de type binaire. Les déclarations suivantes définissent la structure de données de ce fichier.

```
enum type_etat_initial {NEUF, USAGE};
enum type_etat_actuel  {MAUVAIS, BON, EXCELLENT};
enum type_vendeur      {COMMERCANT, PARTICULIER};

struct type_date
{
    int  Annee,
         Mois,
         Jour;
};

struct type_bien_materiel
{
    char                NomArticle[50];
    type_date           DateAchat;
    type_etat_initial   EtatInitial;
    type_etat_actuel    EtatActuel;
    int                 ValeurInitiale;
    type_vendeur        Vendeur;
};

type_bien_materiel BienMateriel;
```

Le fichier des biens, nommé BIENS.DAT, est déjà créé et contient quelques-uns de vos biens. Les biens sont ajoutés dans le fichier en respectant un certain ordre.

Écrire la fonction `Ajouter()` qui ajoute un bien matériel à une position spécifique dans le fichier BIENS.DAT. La fonction possède les caractéristiques suivantes:

- un appel à la fonction doit posséder comme arguments: le nom du fichier binaire (composé de l'indicatif du lecteur, du répertoire et de son extension), la position du nouveau bien et le nouveau bien à ajouter dans le fichier; la position 0 correspond à la première position dans le fichier;
- la fonction ouvre le fichier pour une mise à jour;
- elle vérifie si la position obtenue est correcte, c'est-à-dire si la position est inférieure à la dimension du fichier et supérieure à zéro; puisque la position demandée et correcte pour le nouveau bien est déjà occupée, il faut déplacer l'élément occupant cette position à la fin du fichier afin de pouvoir y inscrire le nouvel élément;
- elle inscrit le nouvel élément à la position spécifiée en argument et ferme le fichier;
- elle retourne 1 si la position reçue en paramètre est correcte ou 0 si la position est incorrecte.

20. Le père Noël conserve dans un fichier binaire nommé ENTREPOT.BIN l'information concernant l'état actuel de ses stocks de cadeaux. La structure de chaque enregistrement du fichier est celle de l'enregistrement suivant:

```
typedef char type_chaine[30];
struct type_cadeau
{
    type_chaine  NomDuCadeau;
    unsigned     NbreEnStock;
    unsigned     SeuilProd;
}
```

Le champ `NomDuCadeau` donne le nom du cadeau, le champ `NbreEnStock` indique le nombre d'unités du cadeau qu'il reste dans l'entrepôt et le dernier, `SeuilProd`, signale le nombre d'unités à partir duquel la production doit être relancée. Par exemple, si le nombre d'unités du cadeau en stock est de 10 ou inférieur à ce chiffre et que le seuil de production est de 10, il faut repartir la production.

Afin de planifier le travail de ses petits lutins, le père Noël vous demande d'écrire un programme. À partir du contenu du fichier binaire, le programme doit établir la production de la journée en inscrivant sur chaque ligne du fichier texte, nommé BESOGNE.DAT, la quantité de chaque cadeau à produire ainsi que son nom. Le père Noël juge que, lorsque le nombre d'unités en stock est inférieur ou égal au seuil de production, ce nombre doit être ramené à une valeur égale à deux fois le seuil de production. Ainsi, si le seuil de production d'un cadeau est de 10 unités et qu'il en reste 3, il faudra produire 17 unités dans la journée.

Comme ces cadeaux seront produits dans la journée, le père Noël vous demande également de mettre à jour son fichier, ENTREPOT.BIN, en ramenant le nombre d'unités de chaque cadeau produit dans la journée à sa valeur finale, c'est-à-dire deux fois le seuil de production. Cette mise à jour a lieu en même temps que la vérification des unités de cadeaux en stock.

21. Le 13e travail d'Astérix: Astérix fait appel à vous pour son épreuve ultime, soit rédiger un programme en langage C qui permettra de simuler le passage fracassant de son ami Obélix dans un camp romain. Un camp romain est représenté par un fichier binaire. Chaque enregistrement, de type `type_romain`, de ce fichier correspond à un officier romain et contient des informations concernant son grade, le nombre de ses décorations militaires et son armement. On vous donne les déclarations suivantes:

```
enum type_legionnaire {CENTURION, DECURION, LEGIONNAIRE};

struct  type_romain
{
    type_legionnaire   Grade;
    char               Decorations;
    int                Armement;
};
```

Quand Obélix passe dans un camp romain, il confisque toutes les décorations du Centurion; le champ `Decorations` du Centurion devient alors 0. Précisons qu'il n'y a qu'un seul Centurion par camp. De plus, Obélix recherche le légionnaire le mieux armé, c'est-à-dire celui dont le champ `Armement` est maximal, et lui brise tout son armement. Le champ `Armement` prend ainsi la valeur 0.

Le programme doit demander à l'usager le nom d'un fichier représentant un camp romain, effectuer les modifications à la suite de l'intervention musclée d'Obélix et retranscrire ces données dans le fichier.

NOTES: – On considère que le nom fourni par l'usager ne contient pas d'erreur et que le fichier existe.
   – *Ne pas utiliser de tableau* pour mémoriser les valeurs du fichier.

22. Un club vidéo a une base de données conservant toutes les informations sur chaque film mis en location. Il y a deux fichiers binaires. Le premier fichier contient tous les renseignements sur chaque film, tandis que le deuxième contient les titres en ordre alphabétique ainsi que leur position dans le premier fichier. Le premier fichier nommé FILMS.BIN est construit à partir du type enregistrement suivant:

```
enum type_genre {COMEDIE, ACTION, DRAME, HORREUR};

struct type_film
{
    char Titre[40];                     // Titre du film
    char Realisateur[40];               // Réalisateur du film
    type_genre Genre;                   // Genre du film
    unsigned short int Total;           // Quantité totale dans le magasin
    unsigned short int Disponible;      // Quantité disponible dans le magasin
};
```

Le deuxième fichier binaire, nommé INDEX.BIN, est construit à partir du type enregistrement suivant:

```
struct type_index
{
    char                Titre[40];
    unsigned long int   PosDuFilm;    // Position du film dans le fichier
                                      // FILMS.BIN
};
```

Écrire une fonction qui reçoit en paramètre le titre du film que le client veut louer. Cette fonction recherche le titre du film à louer dans le fichier INDEX.BIN. Si elle le trouve, elle accède aux renseignements qui le concernent dans le fichier FILMS.BIN en se positionnant au bon endroit à l'aide du champ `PosDuFilm`. Si le film est disponible, la fonction doit diminuer de 1 la quantité disponible dans le fichier FILMS.BIN. Elle doit retourner un entier qui vaut 1 si le film existe et est disponible dans le magasin, 0 autrement.

Supposer que INDEX.BIN et FILMS.BIN existent et sont situés dans le répertoire courant.

23. Afin de rénover son système Archimède de répertoire, l'École Polytechnique de Montréal désire remplacer les consoles reliées au système central par un réseau de micro-ordinateurs. L'ensemble des ouvrages (livres, revues, monographies, etc.) de la bibliothèque est répertorié sous forme d'un fichier binaire principal nommé MAITRE.BIN. La structure d'un enregistrement de ce fichier principal correspond aux déclarations suivantes:

```
typedef  char   type_chaine[80];
struct   type_ouvrage
{
    type_chaine Titre;
    int         Annee;
    type_chaine Auteur;
    type_chaine Cote;
    type_chaine Mot_cle[2];
};
ifstream F_Principal;    // Fichier MAITRE.BIN
type_ouvrage Ouvrage;
```

Pour accéder au fichier principal, chaque micro-ordinateur du réseau disposera d'un fichier binaire nommé INDEX.BIN comportant plusieurs fiches. Chacune d'elles contiendra un mot clé de même que les titres et les positions dans le fichier principal de 10 ouvrages associés à ce mot clé. Il est à noter que le champ `Titres` d'un enregistrement de type `type_fiche` déclaré ci-après contiendra toujours 10 ouvrages. Le fichier-index sera entièrement lu et mémorisé dans un tableau. Pour structurer une fiche, on a recours à un enregistrement qu'on définit comme suit:

```
#define NB_MAX_OUVRAGES 1000
struct type_fiche
{
    type_chaine Mot_cle;
    type_chaine Titres[10];
    int         Positions[10];
};
type_ficheT_Table_Fiche[NB_MAX_OUVRAGES];
ifstream  F_Fiche;
```

Écrire un programme qui permettra:

– de mémoriser le fichier-index dans un tableau;

– de demander à l'usager de spécifier un mot clé de l'ouvrage cherché;

– d'afficher les titres des 10 ouvrages correspondant à ce mot clé;

– de demander à l'usager de choisir un ouvrage pour lequel on affichera toutes les informations nécessaires: titre de l'ouvrage, année de publication, auteur et cote.

24. Une agence de rencontres conserve le dossier de tous les membres de la province dans un fichier binaire principal, MEMBRES.DAT. En plus d'avoir accès au fichier principal, chaque succursale de l'agence dispose d'un fichier-index comprenant le nom, le prénom et la position dans le fichier principal de chacun des membres de sa localité. Ce fichier est lu puis mémorisé dans un tableau.

Voici un exemple du fichier-index:

Juan	Don	577
Lacourse	Daniel	189
Lafrousse	Lyne	876
...	...	...

Soit les déclarations suivantes:

```
#define  NB_MAX_MEMBRES 600

typedef  char type_nom[15];

/* Structure d'un enregistrement dans le fichier principal */
struct type_membre
{
    type_nom  Nom, Prenom;
    char      Adresse[60];
    char      Telephone[10];
    char      Sexe;       // ('M','F')
    char      Code_Preference[20];
    int       No_Membre;
};
/* Structure d'un enregistrement dans le fichier-index */
struct type_index
{
    type_nom  Nom, Prenom;
```

```
     int        Pos        // Position dans le fichier principal
   };

type_index      Table_Index[NB_MAX_MEMBRES];
type_membre     Un_Membre;
int             Position;
fstream         Fic_Principal;
```

a) Donner la suite d'instructions qui permettra d'ajouter un nouveau membre seulement dans le fichier principal.

b) Écrire la fonction `Init_Table()` qui chargera le fichier-index dans le tableau `Table_Index`. Cette fonction utilise deux paramètres: l'un pour le nom du fichier-index et l'autre pour le tableau.

c) Écrire la fonction `Editer_Membre()` qui recevra en paramètre une variable de type `type_membre` et qui permettra à l'usager d'éditer les différents champs de l'enregistrement.

d) Écrire la fonction `Recherche_Pos()` qui recevra en paramètres le nom et le prénom recherchés puis retournera, à la suite d'un examen de `Table_Index`, la position dans le fichier principal du dossier du membre correspondant. La valeur -1 sera retournée si la personne ne figure pas dans `Table_Index`.

25. Écrire un programme qui lit le fichier texte nommé ACC-SEQ.DAT et qui génère deux fichiers binaires:

a) le fichier binaire ACC-DIR.DAT contenant les mêmes données sous la forme d'enregistrements de type `type_etudiant`;

b) le fichier-index correspondant.

Vous devez structurer le fichier comme les deux tableaux, *Index* et *Pos*, du programme ACC-INDX.CPP de l'exemple 6.13. Nommer le fichier-index FIC-INDX.DAT. Pour vérifier le programme, le modifier de façon à ce que l'index soit lu du fichier FIC-INDX.DAT au lieu d'être initialisé dans le programme même.

6.6 TRAVAIL DIRIGÉ

Ce travail permettra à l'étudiant de manipuler des fichiers binaires et de maîtriser les concepts d'accès direct et séquentiel.

1. Une petite entreprise familiale désire élaborer son propre logiciel de base de données afin de sauvegarder les informations concernant les produits qu'elle détient en stock. Les informations à mémoriser sont le nom du produit, son prix d'achat, son prix de vente, le nom du fournisseur et la quantité en stock.

a) Écrire une fonction qui permette de lire les données entrées au clavier, données qui concernent les produits gardés en magasin, et de les sauvegarder dans un fichier binaire.

b) Écrire une fonction qui permette de déterminer le nombre d'unités en stock d'un article donné.

c) Enregistrer dans la base de données une dizaine d'articles afin de pouvoir manipuler l'information contenue dans le fichier binaire, puis écrire une fonction qui permette de lire et de modifier le contenu d'un article (nom, prix, fournisseur et quantité).

d) Pour améliorer sa gestion, l'entreprise désire de temps à autre retoucher sa base de données de façon à classer les produits en ordre alphabétique. Écrire une fonction qui définisse un tableau d'enregistrements dans lequel on stockera les informations contenues dans la base de données; ce tableau servira à trier des éléments pour les classer en ordre alphabétique. Par la suite, on sauvegardera l'information de nouveau dans le fichier binaire.

2. Cette entreprise désire également sauvegarder d'autres informations liées à des produits sous forme de fichiers textes, informations qui concernent, par exemple, les problèmes rencontrés avec les fournisseurs. On vous demande de modifier la structure de données de façon à pouvoir ajouter le nom de fichiers textes associés à chaque produit, puis d'écrire une fonction qui permette d'afficher le contenu de chacun des fichiers.

3. On vous demande de concevoir un programme qui assistera un contrôleur aérien en le prévenant d'une collision probable entre deux avions.

Le système obtient l'information d'un fichier binaire, nommé AVIONS.BIN, qui précise la position de chaque avion dans la zone aérienne concernée. L'information inscrite dans le fichier pour chaque avion est un enregistrement contenant:

− le code d'identification de l'avion (une chaîne de 5 caractères alphanumériques);

− les valeurs des coordonnées x et y comprises entre -100 et 100 (km) [nombres réels];

− la valeur de l'élément z comprise entre 0 et 10 (km) [nombre réel].

On obtient la distance, d, entre deux avions au moyen de l'équation suivante:

$$d = \sqrt{\left(x_1 - x_2\right)^2 + \left(y_1 - y_2\right)^2 + \left(z_1 - z_2\right)^2}$$

Écrire un programme qui lit le fichier binaire, AVIONS.BIN, dans lequel se trouve l'information concernant la position des avions dans la zone aérienne, puis qui avise le contrôleur chaque fois que deux avions sont à moins de cinq kilomètres l'un de l'autre. Le message doit préciser le code d'identification de chaque avion.

NOTE: Ne pas mémoriser le contenu du fichier dans un tableau.

ATTRIBUTION DYNAMIQUE D'ESPACE MÉMOIRE

Pour qu'un programme informatique puisse traiter des données, ces dernières doivent, à un moment donné, être contenues en mémoire. Il s'avère parfois nécessaire de conserver simultanément en mémoire de grandes quantités de données, ceci afin de rendre optimal ou même tout simplement acceptable le temps d'exécution de certains algorithmes. Or, la mémoire d'un ordinateur est une ressource limitée; un choix s'impose donc quant à la façon de l'attribuer aux variables d'un programme.

Il arrive parfois que l'analyse d'un problème informatique permette de déterminer précisément le nombre de variables de chaque type et que ces dernières doivent être directement accessibles pour tous les modules du programme. Dans ces cas, la solution la plus simple est de conserver ces variables dans des variables globales. L'attribution de mémoire aux variables s'effectue alors au moment de la compilation, selon les instructions données par le programmeur dans la partie déclarations du module principal. On qualifie ce mode d'attribution de statique, la mémoire étant réservée aux mêmes variables pendant toute l'exécution du programme. En effet, on ne peut ni ajouter des variables ni en retrancher. Si ces situations se présentent, il faut effectuer les modifications en éditant le programme source et en le compilant de nouveau.

Toutefois, pour un grand nombre de problèmes informatiques, la quantité de données à garder simultanément disponibles en mémoire fluctue continuellement durant l'exécution du programme, notamment dans les problèmes de gestion de «listes»: listes de réservations de sièges d'avion ou de chambres d'hôtel, listes de pièces de rechange disponibles dans un atelier de réparations, etc. Le nombre d'articles inscrits dans de telles listes peut augmenter ou diminuer à tout moment. De plus, des opérations assez simples comme l'insertion et le retrait d'articles sont inefficaces dans le cadre rigide imposé par l'utilisation de variables attribuées de façon statique. Il faudrait plutôt pouvoir attribuer de la mémoire aux variables au fur et à mesure que le besoin se présente, puis libérer cet espace pour faire place à d'autres variables quand les premières deviennent inutiles. Ce mode d'attribution est dit dynamique.

Nous consacrons ce chapitre à l'étude des règles des langages C et C++ qui régissent l'attribution dynamique de mémoire et à la présentation d'applications. Au moyen d'une étude de cas, nous situerons le contexte d'utilisation de l'attribution dynamique et démontrerons comment se réalisent les opérations dans la gestion de structures de données dites «chaînées».

7.1 RÉPARTITION DE L'ESPACE MÉMOIRE

Les langages C et C++ offrent diverses fonctions standard qui servent à la gestion de l'attribution dynamique de mémoire. Afin d'en faciliter la compréhension, examinons sommairement la répartition de l'espace mémoire lors de l'exécution d'un programme (fig. 7.1).

Le programme principal occupe la première partie de la mémoire, puis suivent les segments contenant les zones des données, de la pile (`Stack`) et du monceau (`Heap`).

Zone des données. Cette zone contient les variables globales du programme, les constantes auxquelles sont associés des types et les variables propres au compilateur.

Pile. On utilise cette zone pour les variables locales et les adresses de retour au point d'appel des fonctions. Elle est gérée à la façon d'une pile, c'est-à-dire une structure dynamique qui se caractérise par le fait que le dernier élément qu'on insère est le premier élément qui est retiré et retourné (chap. 11).

Monceau. C'est de cette zone de mémoire que provient l'espace mémoire alloué par attribution dynamique à des variables créées pendant l'exécution du programme. Le segment du monceau se remplit normalement dans la direction de la fin de la mémoire. Toutefois, si un bloc de mémoire se libère pendant l'exécution du programme, il se forme un «trou» qui pourra être éventuellement utilisé lors d'une attribution subséquente.

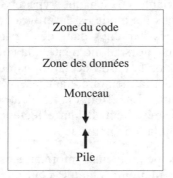

Figure 7.1   Répartition sommaire de l'espace mémoire pour un programme.

7.2   TYPE POINTEUR

La notion de pointeur est extrêmement importante en informatique. Un pointeur contient une position en mémoire, c'est-à-dire l'adresse, accordée à une variable dite dynamique. Rappelons que le terme «dynamique» désigne le fait que l'attribution de mémoire n'a pas lieu au moment de la compilation, mais bien pendant l'exécution du programme. Pour éviter toute confusion, nous préfixons les variables pointeurs des lettres `Ptr`.

Les variables dynamiques peuvent être de n'importe quel type. Souvent, il s'agit d'enregistrements. Lors de la création d'une variable dynamique, l'adresse du premier octet d'un bloc de mémoire attribué à cette variable doit être conservée dans un pointeur. Par la suite, les pointeurs ainsi initialisés permettent d'accéder aux variables attribuées de façon dynamique.

On définit un type pointeur en spécifiant le type de variable qu'il sera appelé à désigner. Pour ce faire, on doit faire précéder l'identificateur du type désigné du symbole «*», selon la forme générique:

```
type_de_variable  *PtrVar;
```

L'exemple 7.1 présente la déclaration de pointeurs et de variables dynamiques.

Exemple 7.1   Déclaration de pointeurs et de variables dynamiques

```
struct type_personne
{
    char Nom[51];
    char Travail[51];
    type_personne *PtrSuivant;
};

// Déclaration de variables pointeurs
type_personne *PtrPremier,
              *PtrDernier,
              *PtrAutre;
unsigned char *PtrAge;
```

Les variables `PtrPremier`, `PtrDernier` et `PtrAutre` sont des pointeurs, de type `type_personne`, qui peuvent conserver l'adresse d'une variable dynamique correspondant à un enregistrement de type `type_personne`. La variable `PtrAge` est un pointeur à une variable dynamique de type `unsigned char`.

Soulignons que la valeur explicite ou le contenu d'un pointeur ne présente aucun intérêt direct pour le programmeur. Par exemple, il faudrait connaître la structure des informations contenues dans les adresses mémoire pour accéder au contenu de la variable `PtrPremier` de l'exemple 7.1, et cette valeur dépend des caractéristiques d'utilisation de la mémoire interne de l'ordinateur au moment de l'attribution dynamique de la mémoire. Ce qui importe davantage est la façon dont le programmeur se sert des pointeurs pour accéder aux données ou pour affecter d'autres pointeurs en vue de créer des structures dites dynamiques.

7.2.1 Sous-programmes pour la gestion de l'espace mémoire

Voyons maintenant les sous-programmes standard liés à la gestion de l'attribution dynamique de mémoire. Considérons, à titre d'exemple, les déclarations suivantes:

```
enum type_modele {ORDINAIRE, DE_LUXE);
struct type_items
{
    char          Nom_du_Produit[81];
    type_modele   Modele;
    int           No_Catalogue;
    float         Prix_Unitaire;
    int           Qte_en_Magasin;
    type_items    *PtrSuivant;
};

type_items *PtrItem;
```

Ces énoncés définissent PtrItem comme une variable de type pointeur à un enregistrement de type type_items. La variable PtrItem est donc un pointeur qui recevra l'adresse d'un bloc contigu de mémoire dont la longueur est au moins égale à celle d'un enregistrement de type type_items. Notons que cette variable ne contient qu'une adresse; l'espace mémoire destiné à l'enregistrement lui-même est prélevé dans la zone du monceau au moment de l'attribution.

En langage C, l'attribution dynamique s'effectue au moyen de la fonction malloc(). La déclaration de cette fonction se situe dans le fichier d'en-tête <memory>. Cette fonction exige un paramètre qui doit déterminer la dimension de la variable dynamique dont le pointeur conservera l'adresse. Cette adresse est celle que la fonction malloc() retourne. En langage C++, l'attribution dynamique s'effectue à l'aide de l'opérateur new qui exige le type de la variable dynamique.

C	C++
`PtrItem = (type_items *)` `        malloc(sizeof(type_items));`	`PtrItem = new type_items;`

Par exemple, la fonction malloc() ou l'opérateur new auraient pour effet:

1. de chercher, dans la zone du monceau, une région de mémoire suffisamment grande pour contenir une entité de la taille de type_items;

2. si une telle région existe, de retourner dans la variable PtrItem l'adresse du premier octet de la région. Sinon, elle retourne l'adresse NULL;

3. d'attribuer la région de mémoire à une entité de la taille de type_items.

Une fois l'attribution complétée, on peut accéder à la variable dynamique à l'aide de son pointeur. Si la variable dynamique est un enregistrement, le pointeur précédé de «*», soit *PtrItem, désigne tout l'enregistrement. Pour avoir accès aux champs individuels, il faut alors utiliser les symboles «->» suivis du nom du champ. Le tableau 7.1 met en évidence cette syntaxe à partir des déclarations vues précédemment.

Tableau 7.1 Syntaxe de la spécification d'un pointeur et de sa variable dynamique

Expression	Type	Commentaire
PtrItem	type_items*	La variable pointeur
*PtrItem	type_items	La variable dynamique enregistrement
PtrItem->No_Catalogue	int	Un champ de la variable dynamique
PtrItem->Qte_en_Magasin	int	Un champ de la variable dynamique
PtrItem->PtrSuivant	type_items*	Le champ de la variable dynamique contenant une variable pointeur et permettant de réaliser la structure chaînée

Les opérations qu'il est possible d'effectuer sur ces variables dépendent du type de ces dernières. L'exemple 7.2 présente quelques instructions qui utilisent la variable pointeur PtrItem et sa variable dynamique de type enregistrement, *PtrItem.

Exemple 7.2   Instructions utilisant la variable pointeur PtrItem et la variable dynamique *PtrItem

```
PtrItem = new type_items;               // Allocation dynamique
PtrItem->No_Catalogue = 3789;           // Affectation d'un champ
cout << "Nom du produit:";
cin.getline(PtrItem->Nom_du_Produit,81); // Lecture d'un champ
```

Lorsqu'une variable dynamique ne sert plus, l'espace mémoire qui lui a été attribué peut être remis en disponibilité dans le monceau pour être éventuellement réutilisé. La remise en disponibilité s'effectue au moyen de la fonction free() en langage C ou de l'opérateur delete en langage C++. Dans les deux cas, il faut spécifier l'identificateur du pointeur qui retient l'adresse de la variable dynamique à libérer. Par exemple:

C	C++
free(PtrItem)	delete PtrItem;

La fonction free() et l'opérateur delete laissent souvent un trou dans la mémoire, trou qui peut être réutilisé lors d'un prochain appel à la fonction malloc() ou à l'opérateur new advenant la création d'autres variables dynamiques. Après l'exécution de la fonction free() ou de l'opérateur delete, le pointeur identifié en paramètre ne peut plus servir à accéder à la variable dynamique puisque l'emplacement mémoire dont il conservait l'adresse est maintenant remis en disponibilité. Afin d'éviter toutes manipulations illicites, il est conseillé d'affecter ensuite la valeur NULL au pointeur. L'exemple 7.3 illustre l'utilisation de l'opérateur delete.

Exemple 7.3   Utilisation de l'opérateur `delete`

Supposons que le programme de l'exemple 7.2 exécute les instructions suivantes:

```
Ptr1 = new type_items;
Ptr2 = new type_items;
Ptr3 = new type_items;
Ptr4 = new type_items;
```

suivies de l'opérateur:

```
delete Ptr3;
Ptr3=NULL;
```

La figure 7.2 présente l'état du monceau après l'exécution de ces instructions. On peut constater l'apparition d'un emplacement libre, un trou, à la position du contenu pointé par `*Ptr3`.

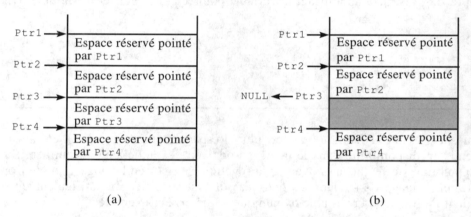

(a)   (b)

Figure 7.2 (ex. 7.3)   État du monceau: a) après l'exécution des quatre instructions `new`; b) après l'exécution de l'opérateur `delete`.

Comme nous l'avons mentionné précédemment, on peut prévenir les collisions et l'arrêt brutal du programme en s'assurant qu'il reste assez d'espace mémoire lors de la création d'une nouvelle variable dynamique. Pour ce faire, il suffit de vérifier la valeur de l'adresse retournée par la fonction `malloc()` ou par l'opérateur `new`. Si cette adresse correspond à `NULL`, cela signifie qu'il n'y a plus assez d'espace mémoire pour une variable dynamique dont le pointeur retiendra l'adresse.

L'exemple 7.4 illustre comment on peut créer une variable dynamique sans risque d'erreur d'exécution.

Exemple 7.4 Création d'une variable dynamique sans risque d'erreur d'exécution

```
PtrItem = new type_items;
if (VarPtr== NULL)
    cout << "Mémoire insuffisante pour un autre enregistrement";
    // Retourner à la fonction appelante ou quitter le programme
```

7.2.2 Opérations de base sur les variables dynamiques

Rappelons que la variable dynamique se situe à l'adresse mémoire qui est retenue par son pointeur. C'est à cette adresse qu'est conservé le contenu de la variable dynamique qu'on identifie dans la partie déclarations d'un programme ou d'un sous-programme.

Soit la déclaration suivante:

```
struct type_vehicule
{
    char Nom[51];
    type_vehicule *PtrSuivant;
};

type_vehicule *PtrEau, *PtrTerre, *PtrAir;  // Déclaration de trois
                                            // pointeurs
```

`Eau`, `Terre` et `Air` sont des pointeurs et correspondent à des adresses mémoire. La figure 7.3 donne leur représentation graphique. Ces pointeurs s'orientent vers des points d'interrogation puisqu'on ignore *a priori* les adresses sur lesquelles ils pointent.

À la suite d'une allocation dynamique, le contenu qui se situe à l'adresse mémoire du pointeur est structuré selon le type de la variable pointée. Pour notre exemple, on obtient des cases subdivisées selon le nombre de champs du type `type_vehicule`, comme à la figure 7.4.

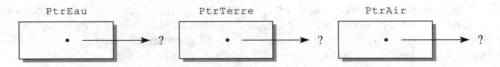

Figure 7.3 Représentation graphique des pointeurs `PtrEau`, `PtrTerre` et `PtrAir`.

Figure 7.4 Cases représentant des zones mémoire attribuables du monceau lors de l'allocation de variables de type `type_vehicule`.

Instruction   **Représentation graphique**

```
PtrEau = new type_vehicule;
strcpy (PtrEau->Nom, "Bateau");
```

```
PtrAir = new type_vehicule;
strcpy (PtrAir->Nom, "Avion");
```

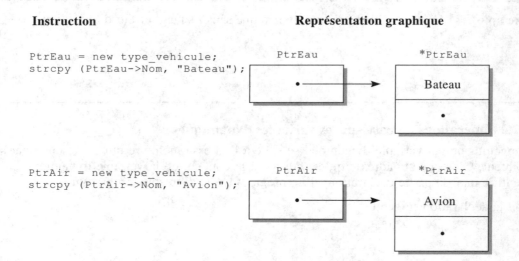

Figure 7.5   Représentation graphique des instructions d'allocation dynamique et d'initialisation.

La première opération de base sur les variables dynamiques consiste à obtenir une adresse mémoire pour le pointeur, et ce au moyen de l'opérateur `new` (art. 7.2.1). À l'exécution des instructions `PtrEau = new type_vehicule;` et `PtrAir = new type_vehicule;`, les pointeurs `PtrEau` et `PtrAir` de la déclaration reçoivent l'adresse où seront mémorisés les enregistrements `*PtrEau` et `*PtrAir`. La figure 7.5 est la représentation graphique de ces instructions.

Nous présentons maintenant divers traitements; dans tous les cas, ce qui précède correspond à l'état initial auquel nous faisons référence. Ces traitements d'adresse mémoire et d'information exigent de bien comprendre la distinction entre l'adresse mémoire, contenue dans le pointeur, et l'information mémorisée à cette adresse, soit la variable dynamique. Une différence syntaxique distingue l'adresse de l'information. Ainsi, `PtrAir` contient une adresse mémoire, alors que l'expression `PtrAir->Nom_Champ` ou `(*PtrAir).Nom_Champ` se réfère à des contenus inscrits à l'adresse pointée par `PtrAir`. La vigilance est donc de mise puisque la présence ou l'absence du symbole «->» ou «*» indique un type de variable bien différent.

Affectation d'un pointeur à un pointeur.   Lorsque le programme, à partir de l'état initial, exécute l'affectation `PtrEau = PtrAir`, l'adresse pointée par `PtrEau` devient la même que celle de `PtrAir`. Ces deux variables pointent alors à la même information où se trouve «Avion». L'enregistrement contenant «Bateau» n'est plus accessible puisque personne ne pointe dessus. La figure 7.6 représente l'affectation d'un pointeur à un pointeur.

Instruction   Représentation graphique

`PtrEau = PtrAir;`

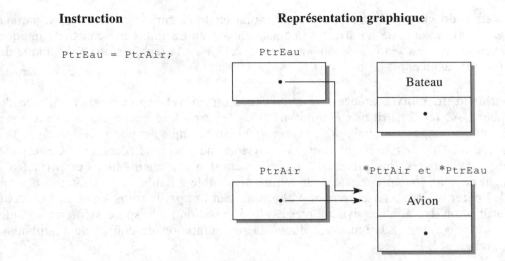

Figure 7.6 Représentation de l'affectation d'un pointeur à un pointeur.

Instruction   Représentation graphique

`*PtrEau = *PtrAir;`

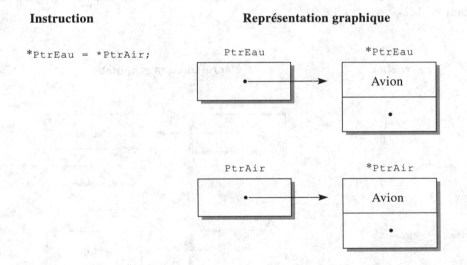

Figure 7.7 Représentation graphique de l'affectation de l'information d'une zone mémoire à une autre information de même type d'une autre zone.

Affectation ou copie de l'information d'une zone mémoire à une autre information de même type d'une autre zone. Dans ce cas, la même information se trouve mémorisée à deux endroits distincts. À partir de l'état initial, on réalise l'affectation au moyen de l'instruction `*PtrEau = *PtrAir`. La figure 7.7 donne la représentation graphique de l'affectation de l'information d'une zone mémoire à une autre information de même type d'une autre zone.

Initialisation du champ PtrSuivant. Pour initialiser le champ `PtrSuivant` en partant de l'état initial, il suffit de lui affecter la constante `NULL`. En fait, cette constante indique par convention qu'il n'y a pas de suivant. La figure 7.8 est la représentation graphique de l'initialisation du champ `PtrSuivant`.

Attribution d'un nouvel espace. L'attribution d'un nouvel espace se fait à l'aide de l'opérateur `new`. Ici, à partir de l'état initial, `PtrAir` reçoit l'adresse d'une nouvelle zone mémoire vierge où peut être mémorisée une variable dynamique de type `type_vehicule`. Encore une fois, l'enregistrement contenant «Avion» ne sera plus accessible. Cet espace mémoire est, à toutes fins pratiques, perdu puisqu'il n'y a aucun lien qui permet d'y accéder. Il devient donc préférable de le rendre disponible à l'aide de l'opérateur `delete` avant de libérer le lien; cet espace pourra alors être réutilisé par la suite. En effet, l'objectif lié à l'utilisation de variables dynamiques est l'optimisation de l'espace mémoire à l'aide d'une «saine» gestion. La figure 7.9 donne la représentation graphique de l'attribution d'un nouvel espace.

À l'exécution de l'instruction `delete PtrAir;`, la zone mémoire située à l'adresse de `PtrAir` devient disponible. La figure 7.10 donne la représentation graphique de l'instruction `delete PtrAir;`.

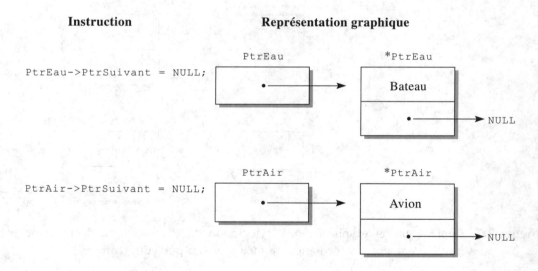

| Instruction | Représentation graphique |

`PtrEau->PtrSuivant = NULL;`

`PtrAir->PtrSuivant = NULL;`

Figure 7.8 Représentation graphique de l'initialisation du champ `PtrSuivant`.

Instruction   **Représentation graphique**

```
PtrAir = new type_vehicule;
strcpy (PtrAir->Nom, "Ballon");
```

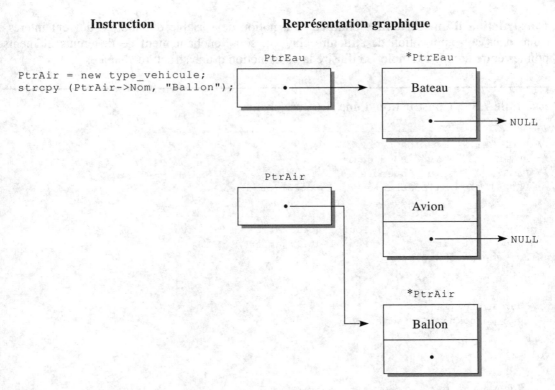

Figure 7.9 Représentation graphique de l'attribution d'un nouvel espace et de la perte d'un espace réservé.

Instruction   **Représentation graphique**

```
delete PtrAir;
PtrAir = NULL;
```

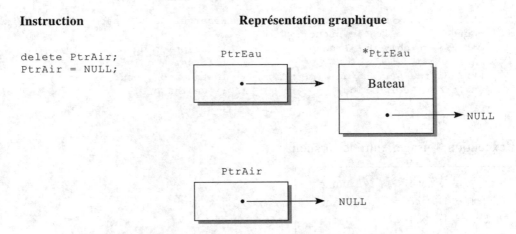

Figure 7.10 Représentation graphique de la libération d'un espace réservé.

Construction d'une structure chaînée. La notion de variable dynamique devient intéressante dans son application de structure chaînée, soit l'enchaînement de différents éléments pointés entre eux. L'exemple 7.5 illustre la construction d'une structure chaînée.

Exemple 7.5   Construction d'une structure chaînée

```
/*-------------------------------------------------------------*/
/* FICHIER:     CHAINAGE.CPP                                */
/* AUTEUR:      Yves Boudreault                            */
/* DATE:        30 septembre 2000                          */
/* DESCRIPTION: Illustration de la création d'une liste    */
/*              chaînée de trois éléments.                 */
/*-------------------------------------------------------------*/
#include <iostream>     // Pour l'utilisation de cin et cout
#include <cstdlib>      // Pour l'utilisation de NULL
using namespace std;
struct type_personne
{
   char Prenom[21];
   type_personne *PtrSuivant;
};
void main(void)
{
   type_personne *PtrTete, *PtrIndividu;
   int No;
   PtrTete = NULL;
   for (No = 1; No <= 3; No++)
   {
      PtrIndividu = new type_personne;  // Réserver de l'espace pour Individu
      cout << "Inscrire le prénom: ";
      cin >> PtrIndividu->Prenom;        // Inscription du prénom lu à
                                         // l'adresse Individu
      PtrIndividu->PtrSuivant = PtrTete; // Instructions pour
      PtrTete = PtrIndividu;             // le chaînage
   }
}
```

À l'exécution, l'usager entre les prénoms:

```
Inscrire le prénom:    Annie
Inscrire le prénom:    Jean
Inscrire le prénom:    Lucie
```

La figure 7.11 est la représentation graphique de l'exécution du programme précédent.

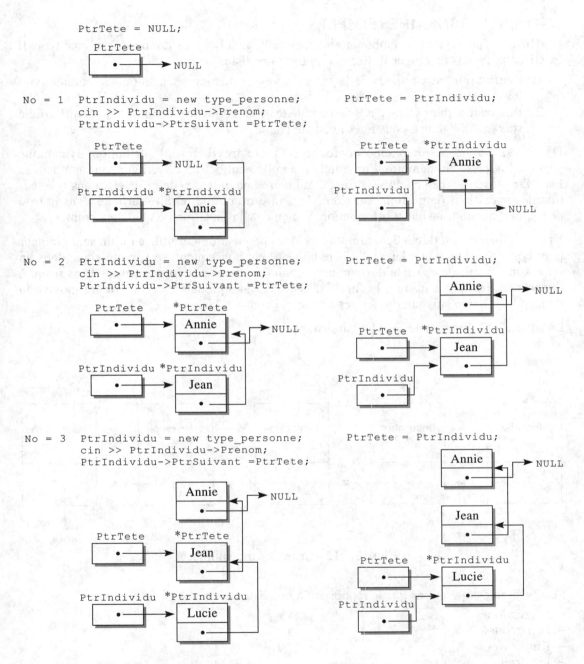

Figure 7.11 (ex. 7.5)   Représentation graphique de l'exécution du programme.

7.3   LISTES LINÉAIRES SIMPLES

Une liste linéaire est un ensemble ordonné, de taille indéfinie, de données du même type. Il existe deux façons de ranger l'information dans une liste linéaire:

1. l'attribution, aux articles de la liste, d'adresses mémoire séquentielles, comme pour les tableaux;
2. l'inclusion, dans chaque article de la liste, d'un pointeur pouvant pointer sur l'article suivant, de façon à constituer une liste chaînée.

De par sa nature, la deuxième approche se prête très bien à l'attribution dynamique puisque l'adresse en mémoire d'un article n'a nullement besoin de refléter son rang dans la liste. De plus, une liste chaînée permet d'atteindre une plus grande efficacité dans l'exécution des opérations de gestion. Par exemple, l'insertion ou le retrait d'articles dans la liste ne requiert aucun transfert d'information, seulement l'affectation de quelques pointeurs.

Une liste linéaire est dite à liens simples lorsque chaque article n'utilise qu'un seul pointeur pour constituer la chaîne. Une telle liste ne peut, par conséquent, se parcourir que dans un sens, soit à partir de l'article désigné par le pointeur de tête et en suivant les liens jusqu'à l'article recherché ou jusqu'à la fin de la liste. On indique la fin de la liste au moyen du lien, soit le champ suivant, du dernier article qui contient la constante NULL.

La figure 7.12 illustre une liste linéaire simple.

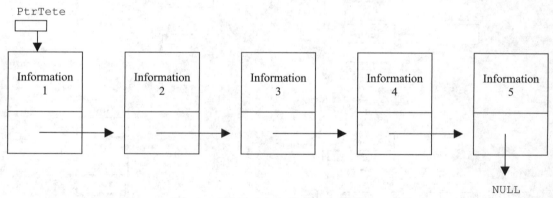

Figure 7.12   Liste linéaire simple.

Les différentes opérations qui se rapportent à une liste sont:
- la création,
- le parcours,
- l'insertion,
- le retrait,
- la destruction.

La création s'effectue en premier, lors de l'insertion d'un ou plusieurs éléments dans la liste. Pour construire une liste, on se sert de la déclaration soit d'un enregistrement avec un champ lien de type pointeur, soit d'un pointeur de tête de la liste, soit d'un pointeur utilitaire servant à réserver un nouvel espace mémoire. Par exemple:

```
struct type_element
{
    Déclaration d'un ou plusieurs champs
    permettant de mémoriser l'information

    type_element *PtrSuivant ;  // Champ pointeur pour relier les éléments
};

type_element *PtrTete, *PtrNouveau;
```

Le parcours correspond à l'opération qui donne accès à chacun des éléments selon leur ordre d'apparition dans la liste. L'insertion permet d'introduire ou d'inscrire un nouvel élément dans la liste. Le retrait consiste à retirer un élément de la liste. Quant à la destruction, c'est l'opération qui libère l'espace mémoire attribué à chacun des éléments de la liste.

Dans l'exemple 7.5, nous avons présenté une méthode de création de liste dans laquelle le nouvel élément était inséré au début de la liste. Il est également possible d'insérer cet élément à la fin de la liste, et c'est là l'objet de la prochaine étude de cas.

Les opérations d'insertion, de retrait et de destruction exigent le parcours, en partie ou au complet, de la liste. Il est important de bien maîtriser le parcours d'une liste. Cette opération s'effectue à l'aide d'un pointeur auxiliaire initialisé à la valeur du pointeur de tête. C'est l'instruction `PtrAux = PtrTete;` qui réalise cette initialisation. Pour permettre le passage d'un élément vers le suivant, il faut affecter au pointeur auxiliaire la valeur du pointeur suivant de l'élément pointé présentement par le pointeur auxiliaire. Pour ce faire, on a recours à l'instruction `PtrAux=PtrAux->PtrSuivant`. Il est possible de parcourir tous les éléments de la liste en répétant cette instruction tant que le pointeur auxiliaire est différent de NULL. Lorsque cette condition est atteinte, il s'agit de la fin de la liste. La figure 7.13 illustre le rôle de ces deux instructions dans le parcours d'une liste.

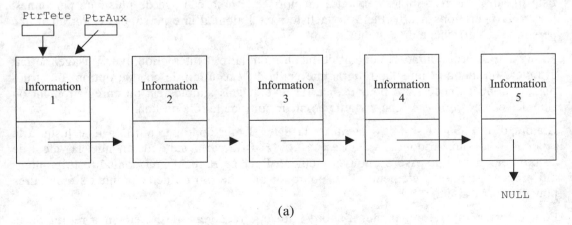

(a)

Figure 7.13 a) Instruction `PtrAux=PtrTete;;`

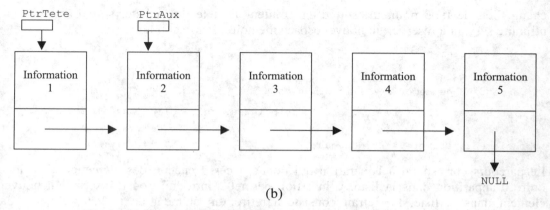

(b)

Figure 7.13 b) instruction `PtrAux=PtrAux->PtrSuivant`.

Dans la figure 7.13a, l'instruction `PtrAux = PtrTete;` est exécutée. Les deux pointeurs pointent vers le premier élément de la liste.

Dans la figure 7.13b, l'instruction `PtrAux = PtrAux->PtrSuivant` est exécutée. L'élément suivant de l'information 1 est l'information 2. L'adresse de cet élément est inscrite dans le champ `PtrSuivant` du premier élément pointé initialement par `PtrAux`. L'instruction `PtrAux->PtrSuivant`, qui correspond à cette adresse, équivaut donc à attribuer à `PtrAux` l'adresse de l'élément suivant. C'est la raison pour laquelle `PtrAux` pointe maintenant sur le deuxième élément de la liste.

Étude de cas: Liste linéaire à liens simples

Définition du problème. Nous présentons ici un programme qui réalise la gestion d'une liste linéaire à liens simples servant à mémoriser le nom et l'âge de plusieurs personnes. Les trois opérations à effectuer sur la liste sont l'ajout d'une personne, le retrait d'une personne et l'affichage du contenu.

Analyse. Le programme se conçoit de façon modulaire: l'interaction avec l'usager se fait à travers un menu et un sous-programme veille à l'exécution de chaque option. La structure de données nécessaire pour réaliser la liste à liens simples est un enregistrement où l'un des champs doit être une variable pointeur qui joue le rôle du lien.

L'ajout d'un élément se fait à la fin de la liste. Il faut donc parcourir la liste jusqu'à la rencontre du pointeur dont la valeur est NULL. Il suffit, par la suite, de changer la valeur de ce pointeur pour l'adresse du nouvel élément. Pour ce faire, il faut connaître le pointeur qui précède le nouvel élément. C'est pourquoi on a besoin de deux pointeurs auxiliaires pour réaliser l'ajout.

Pour effectuer un retrait, il faut d'abord faire une recherche de l'élément à retirer de la liste. Cette recherche est similaire à la recherche de fin de liste. Il faut utiliser deux pointeurs auxiliaires, l'un sur l'élément à retirer et l'autre sur l'élément qui le précède. Le programme effectue le retrait de l'élément en liant son élément précédent à son élément suivant. Par la suite, on libère l'espace à l'aide de l'opérateur `delete`. La figure 7.14 met cette opération en évidence.

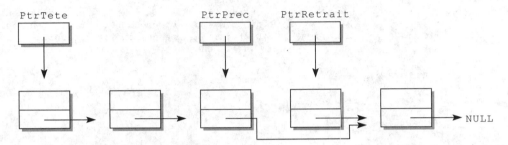

Figure 7.14 Retrait d'un élément de la liste linéaire à liens simples.

Le pointeur `PtrRetrait` pointe sur l'élément à retirer et le pointeur `PtrPrec` pointe sur l'élément qui le précède. Le lien `PtrSuivant` de la case où se situe `PtrPrec` ne pointe plus vers la case du pointeur `PtrRetrait`, mais bien sur le lien `PtrSuivant` de `PtrRetrait`.

Afficher les éléments de la liste correspond à parcourir la liste. Ce parcours se réalise à l'aide d'un pointeur auxiliaire. Ce dernier est initialisé à la tête de la liste et se déplace en obtenant comme nouvelle adresse celle contenue dans le champ `PtrSuivant` de la variable dynamique où il se situe.

Algorithmes

Algorithme de la fonction principale

```
- Auteur        : Yves Boudreault
- Description   : Gestion d'une liste linéaire à liens simples. Les
                  opérations réalisées sont l'ajout d'une personne à la
                  liste, le retrait d'une personne de la liste et
                  l'affichage du contenu.


- 01 Description des identificateurs

- IDENTIFICATEUR      TYPE                 DESCRIPTION

- type_personne       Enregistrement       Type définissant un enregistrement qui représente
-                                          des données concernant une personne
-    Nom              Chaîne de            Champ pour le nom de la personne
-                     32 caract.
-    Age              Entier               Champ pour l'âge de la personne
-    PtrSuivant       type_personne*       Champ pour le pointeur à l'élément suivant
- PtrTete_de_Liste    type_personne*       Pointeur au premier article de la liste
- Quitter_Prog        Booléen              Vrai si l'usager désire quitter le programme
```

```
  - Ajouter_Personne()   Fonction      Obtient les données concernant une personne et
  -                                     ajoute cette dernière à la liste
  - Retirer_Personne()   Fonction      Retire de la liste la personne qui a été
  -                                     préalablement identifiée
  - Afficher_Liste()     Fonction      Affiche les données contenues dans la liste
  - Afficher_Menu()      Fonction      Affiche le menu des opérations possibles sur
  -                                     la liste
  - Choisir_Menu()       Fonction      Obtient le choix du menu et appelle le sous-
  -                                     programme correspondant à la sélection choisie
  - Detruire_Liste()     Fonction      Détruit la liste en libérant un après l'autre
  -                                     les éléments


  - >>>> STRUCTURE DES OPÉRATIONS <<<<

Initialiser Quitter_Prog à Faux
Initialiser PtrTete_De_Liste à NULL


         RÉPÉTER
         Afficher menu  (Fonction Afficher_Menu())
         Déterminer la sélection choisie (Fonction Choisir_Menu())
      *  TANT QU'on ne veut pas quitter
Détruire la liste (Fonction Detruire_Liste())
```

Algorithme de la fonction Choisir_Menu()

```
  - Auteur      :Yves Boudreault
  - Description :Fonction Choisir_Menu()
  -              Demande et reçoit la description d'une nouvelle personne
  -              et ajoute cette dernière à la fin de la liste.
  -

  - 01 Description des identificateurs

  - IDENTIFICATEUR     TYPE                DESCRIPTION

  - Quitter (OUT)      Booléen       Vaut vrai si l'option «quitter» est choisie
  - PtrTete (IN/OUT)   type_personne*  Pointeur au début de la liste
  - Choix              Caractère     Le choix de l'usager
  - Choix_Valide       Booléen       Vrai si le choix est valide


  - >>>> STRUCTURE DES OPÉRATIONS <<<<

  - Valider le choix de l'usager

            RÉPÉTER
            Demander le choix de l'usager
            Lire le choix
          - 02  Agir selon le choix de l'usager
               SELON le choix de l'usager
               = A
               Ajouter une personne à la liste (Fonction Ajouter_Personne())
  ...  -      = R
               Retirer une personne de la liste (Fonction Retirer_Personne())
```

```
│  ║  ···┐      ─ = M
│  ║     └── Afficher le contenu de la liste (Fonction Afficher_Liste())
│  ║  ···┐      ─ = Q
│  ║     └── Quitter_Prog vaut Vrai
│  ║  ·····┐
│  ║       └── SINON
│  ║          Afficher un message de choix illégal
│  ║ * │ TANT QUE le choix n'est pas valide
└──┘
```

Algorithme de la fonction `Ajouter_Personne()`

```
│ - Auteur      :Yves Boudreault
│ - Description :Fonction Ajouter_Personne()
│ -             Demande et reçoit la description d'une nouvelle personne
│ -             et l'ajoute à la fin de la liste.
│
│
│ - 01 Description des identificateurs
│
│ - IDENTIFICATEUR          TYPE              DESCRIPTION
│
│ - PtrTete (IN/OUT)        type_personne*    Pointeur au début de la liste
│ - PtrNouvelle_Personne    type_personne*    Pointeur servant à obtenir
│ -                                           l'adresse de la nouvelle personne
│ - PtrCourant              type_personne*    Pointeur qui trouve la fin de la liste
│ - PtrPrec                 type_personne*    Pointeur après lequel il faut
│ -                                           ajouter le nouveau
│ - >>>> STRUCTURE DES OPÉRATIONS <<<<
│
│  Obtenir l'adresse d'un nouvel article
│  Demander le nom et l'âge de la personne
│  Lire le nom et l'âge de la personne
│
│ - Recherche de la fin de la liste
│  Initialiser PtrPrec à NULL
│  Initialiser PtrCourant à Tete
│
├──┐ * │ TANT QU'on n'a pas atteint la fin de la liste
│  │    Affecter à PtrPrec l'adresse de PtrCourant
│  │    Affecter à PtrCourant le suivant de PtrCourant
│
│ - Ajout de la nouvelle personne
├──┐ SI PtrPrec pointe à NULL ALORS
│  │ Affecter à PtrTete la nouvelle personne
│·····┐
│     └── SINON
│          Affecter au PtrSuivant de PtrPrec le nouvel article
└──┘
```

Algorithme de la fonction `Retirer_Personne()`

```
- Auteur      : Yves Boudreault
- Description : Fonction Retirer_Personne()
                Demande et reçoit la description d'une personne
                qui doit être retirée de la liste.


- 01 Description des identificateurs

- IDENTIFICATEUR       TYPE                 DESCRIPTION

- PtrTete (IN/OUT) type_personne*  Pointeur au début de la liste
- PtrRetrait       type_personne*  Enregistrement qui sert à mémoriser l'information
-                                  concernant la personne à retirer
- PtrCourant       type_personne*  Pointeur qui trouve l'adresse de la personne à retirer
- PtrPrec          type_personne*  Pointeur qui précède le pointeur courant dans la liste
- Trouver          Booléen         Vaut vrai si la personne à retirer est dans la liste


->>>> STRUCTURE DES OPÉRATIONS <<<<

Demander le nom et l'âge de la personne à retirer de la liste
Lire le nom et l'âge de la personne

- Recherche de la personne dans la liste
   Initialiser Trouver à Faux
   Initialiser PtrPrec à NULL
   Initialiser PtrCourant à PtrTete

*   TANT QU'on n'est pas à la fin de la liste ET qu'on n'a pas trouvé
    - 02 Déterminer si c'est la personne recherchée
          SI le nom et l'âge à l'adresse PtrCourant correspondent ALORS
          Trouver devient Vrai

          SINON
          Affecter à PtrPrec l'adresse de PtrCourant
          Affecter à PtrCourant le suivant de PtrCourant


    SI la personne cherchée est trouvée ALORS
    - 03 Déterminer si le retrait est à la tête ou non
          SI PtrPrec est à la fin de la liste ALORS
          - Le retrait s'effectue à la tête de la liste
          La tete devient le suivant de PtrTete

          SINON
          - Le retrait s'effectue dans la liste
          Le suivant de PtrPrec devient le suivant de PtrCourant
    Libérer l'espace situé à PtrCourant

    SINON
      Afficher que la personne à retirer est absente de la liste
```

Algorithme de la fonction `Afficher_Liste()`

```
┌─  -
│   - Auteur        : Yves Boudreault
│   - Description : Fonction Afficher_Liste()
│   -                Permet l'affichage du contenu de la liste.
│
│   - 01 Description des identificateurs
│   -
│   - IDENTIFICATEUR   TYPE                 DESCRIPTION
│   -
│   - PtrTete (IN)     type_personne*       Pointeur au début de la liste
│
│   - >>>> STRUCTURE DES OPÉRATIONS <<<<
│
│      ┌─ SI la liste est vide ALORS
│      │      Afficher un message indiquant que la liste est vide
│ .....─┤
│      │  SINON
│      │      Affecter à PtrAux la PtrTete_De_Liste
│      │      - 02 Parcourir et afficher les éléments de la liste
│      │     ┌─ TANT QU'on n'a pas atteint la fin de la liste
│      │   * │     Afficher les données contenues dans l'article pointé par PtrAux
│      │     │     Affecter à PtrAux le PtrSuivant de PtrAux
│      Attendre la permission de l'usager pour retourner au programme appelant
└─
```

Programme

```cpp
/*------------------------------------------------------------*/
/* FICHIER:     LISTELIN.CPP                                  */
/* AUTEUR:      Yves Boudreault                               */
/* DATE:        2 octobre 2000                                */
/* DESCRIPTION: Programme illustrant la gestion d'une liste   */
/*              linéaire à liens simples. Les opérations      */
/*              réalisées sont l'ajout d'une personne à la    */
/*              liste, le retrait d'une personne de la        */
/*              liste et l'affichage du contenu.              */
/*------------------------------------------------------------*/
#include <cstdlib>      // Pour l'utilisation de NULL
#include <iostream>     // Pour l'utilisation de cin et cout
#include <cctype>       // Pour l'utilisation de toupper()
#include <cstring>      // Pour l'utilisation de strcmp()
```

```
struct type_personne
{
    char Nom[33];
    int Age;
    type_personne *PtrSuivant;
};
/*------------------------------------------------------------*/
/* DESCRIPTION:        Ajouter_Personne()                     */
/*                     Demande et reçoit la description d'une */
/*                     nouvelle personne et ajoute cette      */
/*                     dernière à la fin de la liste.         */
/* PARAMÈTRE:          PtrTete (IN/OUT): pointeur au début.   */
/* VALEUR DE RETOUR: Aucune.                                  */
/* REMARQUE:           Il faut vérifier si la liste est vide; */
/*                     si c'est le cas, l'ajout se fait à la  */
/*                     tête.                                  */
/*------------------------------------------------------------*/
void Ajouter_Personne(type_personne* &PtrTete)
{
    type_personne *PtrNouvelle_Personne, *PtrPrec, *PtrCourant;
    cout << endl;
    PtrNouv_Personne = new type_personne;
    cout <<"Nom de la personne ? : ";
    cin >> PtrNouv_Personne->Nom;
    cout <<"Quel est son âge   ? : ";
    cin >> PtrNouv_Personne->Age;
    PtrNouv_Personne->Suivant = NULL;
    PtrPrec = NULL;
    PtrCourant = PtrTete;
    while (PtrCourant !=NULL)  /* Recherche de la fin de la liste */
    {
        PtrPrec = PtrCourant;
        Courant = Courant->Suivant;
    }
    if (PtrPrec == NULL)              /* La liste est vide; la nouvelle */
        PtrTete = PtrNouv_Personne; /* personne devient la tête       */
    else
        PtrPrec->PtrSuivant = PtrNouv_Personne;  /* La liste n'est pas vide; */
                                         /* ajouter à la fin          */
}
/*------------------------------------------------------------*/
/* DESCRIPTION:        Retirer_Personne()                     */
/*                     Demande et reçoit la description d'une */
/*                     personne qui doit être retirée de la   */
/*                     liste.                                 */
/* PARAMÈTRE:          PtrTete (IN/OUT):pointeur au début de  */
/*                                      la liste.             */
/* VALEUR DE RETOUR: Aucune.                                  */
/* REMARQUE:           Il faut vérifier si elle est dans la   */
/*                     liste.                                 */
/*------------------------------------------------------------*/
```

```cpp
void Retirer_Personne(type_personne* &PtrTete)
{
    type_personne A_Retirer;
    type_personne *PtrPrec, *PtrCourant;
    bool Trouver;
    char LitEnter;

    cout <<endl << "Identification de la personne à retirer" << endl;
    cout <<"Nom de la personne ? : ";
    cin >> A_Retirer.Nom;
    cout <<"Quel est son âge   ? : ";
    cin >> A_Retirer.Age;
    Trouver = false;
    PtrPrec = NULL;
    PtrCourant = PtrTete;
    /* Recherche dans la liste de la personne à retirer */
    while ((PtrCourant != NULL) && (!Trouver))
    {
        if ((!strcmp(PtrCourant->Nom,A_Retirer.Nom)) &&
            (PtrCourant->Age == A_Retirer.Age))
            Trouver = true;
        else
            Trouver = false;
        if (!Trouver)    /* Déplacement au prochain*/
        {
            PtrPrec = PtrCourant;
            PtrCourant = PtrCourant->PtrSuivant;
        }
    }
    if (Trouver)
    {
        if (PtrPrec == NULL)               /* L'élément de tête est */
            PtrTete = PtrTete->PtrSuivant; /* celui à retirer       */
        else
            PtrPrec->PtrSuivant = PtrCourant->PtrSuivant; /* Actualiser le lien    */
                                                          /* suivant du précédent  */
                                                          /* au suivant du courant */
                                                          /* (celui à retirer)     */

        delete PtrCourant;
        PtrCourant = NULL;
    }
    else  /* Pas dans la liste */
    {
        cout <<endl << A_Retirer.Nom <<" qui est âgé de ";
        cout << A_Retirer.Age <<" est absent de la liste ";
    }
    cout << endl;
    cout << "Appuyer sur ENTER pour continuer";
    cin.ignore();
    cin.get(LitEnter);
}
```

```
/*------------------------------------------------------------*/
/* DESCRIPTION:        Afficher_Liste()                       */
/*                     Réalise l'affichage de toutes les      */
/*                     personnes de la liste.                 */
/* PARAMÈTRE:          PtrTete (IN): pointeur au début de la  */
/*                                   liste.                   */
/* VALEUR DE RETOUR:   Aucune.                                */
/* REMARQUE:           Il faut vérifier si la liste est vide. */
/*------------------------------------------------------------*/
void Afficher_Liste(type_personne* PtrTete)
{
    type_personne* PtrAux;
    char LitEnter;

    cout << endl;
    cout << "-------- Contenu de la liste --------" << endl;
    if (PtrTete == NULL)
        cout << "La liste est présentement vide.";
    else
    {
        PtrAux = PtrTete;
        while (PtrAux != NULL)
        {
            cout << PtrAux->Nom;
            cout << " a " << PtrAux->Age <<" ans."<< endl;
            PtrAux = PtrAux->PtrSuivant;
        }   /*while*/
    }   /*else*/
    cout << endl;
    cout << "------------------------------" << endl;
    cout << "Appuyer sur ENTER pour continuer";
    cin.ignore();
    cin.get(LitEnter);
}
/*------------------------------------------------------------*/
/* DESCRIPTION:        Afficher_Menu()                        */
/*                     Affichage du menu des opérations       */
/*                     possibles sur la liste.                */
/* PARAMÈTRE:          Aucun.                                 */
/* VALEUR DE RETOUR:   Aucune.                                */
/* REMARQUE:           Aucune.                                */
/*------------------------------------------------------------*/
void Afficher_Menu(void)
{
    cout << endl << endl;
    cout << "Gestion d'une liste linéaire à liens simples" << endl;
    cout << endl;
    cout << "              Options offertes" << endl;
    cout << "------------------------------" << endl;
    cout << "A : Ajouter un article à la liste" << endl;
```

```
        cout << "R : Retirer un article de la liste" << endl;
        cout << "M : Montrer le contenu de la liste" << endl;
        cout << "Q : Quitter le programme" << endl;
        cout << endl;
}
/*------------------------------------------------------------*/
/* DESCRIPTION:        Choisir_Menu()                         */
/*                     Obtient le choix du menu et appelle le */
/*                     sous-programme correspondant à la      */
/*                     sélection choisie.                     */
/* PARAMÈTRES:         Quitter (OUT):vaut TRUE si on désire   */
/*                                   terminer l'exécution.    */
/*                     Tete (IN/OUT):pointeur au début de la  */
/*                                   liste.                   */
/* VALEUR DE RETOUR: Aucune.                                  */
/* REMARQUE:           Aucune.                                */
/*------------------------------------------------------------*/
void Choisir_Menu(bool& Quitter, type_personne* &PtrTete)
{
            // Prototypes des fonctions utilisées
    void Ajouter_Personne( type_personne* & );
    void Retirer_Personne( type_personne* & );
    void Afficher_Liste( type_personne* );

    char Choix;
    bool Choix_Valide;
    do
    {
        cout << "Faire un choix : ";
        cin >> Choix;
        Choix = toupper(Choix);
        Choix_Valide = true;
        switch (Choix)
        {
            case 'A' : Ajouter_Personne(PtrTete); break;
            case 'R' : Retirer_Personne(PtrTete); break;
            case 'M' : Afficher_Liste(PtrTete); break;
            case 'Q' : Quitter = true; break;
            default  : Choix_Valide = false;
                       cout << "  n'est pas une option permise" << endl;
        }  /* switch*/
    }
    while (!Choix_Valide);
}
/*------------------------------------------------------------*/
/* DESCRIPTION:        Detruire_Liste()                       */
/*                     Libère l'un après l'autre les éléments */
/*                     de la liste.                           */
/* PARAMÈTRE:          PtrTete (OUT):pointeur au début de la  */
/*                                   liste à détruire.        */
```

```
/* VALEUR DE RETOUR:  Aucune.                                 */
/* REMARQUE:          Aucune.                                 */
/*-----------------------------------------------------------*/
void Detruire_Liste (type_personne* &PtrTete)
{
    type_personne *PtrA_Detruire;
    while (PtrTete != NULL)
    {
        PtrA_Detruire = PtrTete;
        PtrTete = PtrTete->PtrSuivant;
        delete PtrA_Detruire;
        PtrA_Detruire = NULL;
    }
}
/*-----------------------------------------------------------*/
/* DESCRIPTION:       Fonction principale du programme.       */
/*                    Fait appel aux fonctions:               */
/*                       - AfficherMenu()                     */
/*                       - ChoisirMenu()                      */
/*                       - Detruire_Liste()                   */
/*                    Programme illustrant la gestion d'une   */
/*                    liste linéaire à liens simples.         */
/* PARAMÈTRE:         Tete(OUT): pointeur au début de la      */
/*                               liste à détruire.            */
/* VALEUR DE RETOUR:  Aucune.                                 */
/* REMARQUE:          Aucune.                                 */
/*-----------------------------------------------------------*/
void main(void)
{
    // Prototypes des fonctions utilisées
    void Afficher_Menu();
    void Choisir_Menu(bool&, type_personne* & );
    void Detruire_Liste(type_personne* & );

    type_personne *PtrTete_de_Liste;
    bool Quitter_Prog;
    PtrTete_de_Liste = NULL;
    Quitter_Prog = false;
    do
    {
        Afficher_Menu();
        Choisir_Menu(Quitter_Prog, PtrTete_de_Liste);
    }
    while (!Quitter_Prog);
    Detruire_Liste(PtrTete_de_Liste);
}
```

Une fois les personnes ajoutées à la liste, l'option «Montrer le contenu de la liste» donne:

```
     Gestion d'une liste linéaire à liens simples

          Options offertes

     A: Ajouter un article à la liste
     R: Retirer un article de la liste
     M: Montrer le contenu de la liste
     Q: Quitter le programme

          Faire un choix: M

          Contenu de la liste
     Christian a 20 ans.
     Franck a 22 ans.
     Dominique a 19 ans.
     Nathalie a 17 ans.

     Appuyer sur une touche pour continuer
```

7.4   ATTRIBUTION DYNAMIQUE D'ESPACE À UN TABLEAU

Dans de nombreuses applications, il arrive souvent qu'on utilise un tableau pour manipuler des données. La définition d'un tableau est en règle générale inscrite dans les déclarations statiques. On donne au tableau des dimensions de façon à satisfaire aux cas extrêmes, ce qui entraîne une utilisation très inefficace de la mémoire. Pour pallier ce problème, il est possible, en langages C et C++, d'obtenir de façon dynamique l'espace mémoire nécessaire à un tableau à l'aide de l'opérateur `new` ou de la fonction `malloc()`.

L'instruction qui permet d'attribuer de l'espace à un tableau de 50 entiers est celle-ci:

```
int *Tab = new int[50];
```

Une fois l'espace réservé, on peut se servir du tableau `Tab` de la manière habituelle, c'est-à-dire qu'on accède à ses éléments en précisant l'indice approprié. De plus, la valeur placée entre crochets peut être une variable. Par exemple:

```
int Nb_Elements = 100;
int *Vecteur = new int[Nb_Elements];
```

L'attribution d'espace à un tableau de dimension deux s'effectue comme suit:

```
int Nb_Elements = 10
int (*Matrice) [20] = new int[Nb_Elements][20];
```

Il faut faire bien attention à la syntaxe pour des tableaux dont les dimensions sont supérieures à un. Par exemple, la syntaxe `int (*Matrice) [20]` précise qu'il s'agit d'un pointeur à un tableau de dimension deux. La première dimension peut contenir un nombre variable d'éléments, alors qu'on doit obligatoirement préciser les dimensions suivantes au moyen de constantes. La deuxième dimension contient ici 20 éléments.

L'attribution d'espace à un tableau de dimension trois s'effectue à l'aide de l'instruction suivante:

```
int Nb_Elements = 10;
int (*Mat_3D) [10][10] = new int[Nb_Elements][10][10];
```

Comme nous l'avons vu précédemment, on accède aux éléments du tableau en précisant les indices appropriés:

```
Mat_3D[7][2][9] = 26;
```

Pour libérer l'espace mémoire attribué à un tableau, il suffit d'utiliser l'opérateur delete de la façon suivante, et ce indépendamment de la dimension du tableau:

```
delete [] Tab;
```

Le compilateur ignore tout nombre placé entre crochets.

Les exemples précédents permettent d'attribuer de l'espace à un tableau dont l'une des dimensions est variable. Dans certaines situations, il peut être intéressant d'attribuer de l'espace mémoire à un tableau dont plusieurs dimensions, sinon toutes, sont variables.

On identifie les dimensions variables d'un tableau en substituant les crochets et la valeur par un astérisque, par exemple:

```
int *Tableau1D;        // Tableau d'entiers à une dimension variable
double **Tableau2D;    // Tableau de réels à deux dimensions variables
int ***Tableau3D;      // Tableau d'entiers à trois dimensions variables
char ****Tableau4D;    // Tableau de caractères à quatre dimensions variables
```

Nous avons déjà attribué l'espace mémoire à un tableau d'une seule dimension. Pour un tableau à deux dimensions variables, il faut attribuer, dans un premier temps, l'espace pour le nombre de lignes et, dans un deuxième temps, l'espace pour le nombre de colonnes, et ce pour chaque ligne. La libération de l'espace mémoire s'effectue dans l'ordre inverse. L'exemple 7.6 présente l'attribution mémoire à un tableau de réels à deux dimensions.

Exemple 7.6 Attribution dynamique d'un tableau à deux dimensions

```
/*-----------------------------------------------------*/
/* FICHIER:     Tableau2D.cpp                          */
/* AUTEUR:      Yves Boudreault                        */
/* DATE:        9 janvier 2001                         */
/* DESCRIPTION: Attribution dynamique d'un tableau à deux */
/*              dimensions.                            */
/*-----------------------------------------------------*/
```

```cpp
#include <iostream>  // Pour l'utilisation de cin et cout
using namespace std;

void main()
{
    double **Tableau2D;          //  Le tableau à deux dimensions
    int NbLignes, NbColonnes;
    int Ligne, Colonne;

    cout << "Pour ce tableau à deux dimensions ";
    cout << "Combien de lignes ? ";
    cin >> NbLignes;
    cout << "Combien de colonnes ? ";
    cin >> NbColonnes;

    // Attribution de l'espace mémoire pour toutes les lignes
    Tableau2D = new double* [NbLignes];
    // Attribution de l'espace mémoire pour toutes les colonnes
    // de chaque ligne
    for (Ligne = 0; Ligne < NbLignes; Ligne++)
        Tableau2D[Ligne]=new double[NbColonnes];

    // Mémorisation de valeurs dans le tableau et
    // affichage de ces valeurs
    for (Ligne = 0; Ligne < NbLignes; Ligne++)
    {
        for (Colonne = 0; Colonne < NbColonnes; Colonne++)
        {
            Tableau2D[Ligne][Colonne]=Ligne+Colonne;
            cout << Tableau2D[Ligne][Colonne]<<' ';
        }
        cout << endl;
    }

    // Libération de l'espace mémoire de
    // toutes les colonnes de chaque ligne
    for (Ligne = 0; Ligne < NbLignes; Ligne++)
        delete []Tableau2D[Ligne];

    // Libération de l'espace mémoire de toutes les lignes
    delete []Tableau2D;
}
```

Ce procédé peut se généraliser aux tableaux de dimensions trois, quatre, etc. Premièrement, il faut attribuer l'espace mémoire pour la première dimension. Deuxièmement, pour chaque indice de la première dimension, il faut attribuer l'espace mémoire pour la deuxième dimension, et ainsi de suite pour les autres dimensions.

7.5   QUESTIONS

1. Pourquoi est-il parfois nécessaire de conserver de grandes quantités de données dans la mémoire vive?

2. À quel moment s'effectue l'attribution de mémoire aux variables globales?

3. Comment qualifie-t-on l'attribution de mémoire qui s'effectue au moment de la compilation?

4. Dans quelles situations a-t-on recours à l'attribution dynamique d'espace mémoire?

5. Que représente un pointeur?

6. Est-il vrai que les variables dynamiques ne peuvent pas être de type construit?

7. Quand la mémoire est-elle allouée aux variables lors de l'attribution dynamique?

8. Comment définit-on un type pointeur?

9. Quelle fonction en langages C et C++ permet l'attribution dynamique de mémoire?

10. Comment accède-t-on au contenu d'une variable lorsqu'on ne connaît que son pointeur?

11. Comment accède-t-on au contenu des différents champs d'une variable de type enregistrement lorsqu'on ne connaît que son pointeur?

12. Comment libère-t-on l'espace attribué à une variable dynamique?

13. Comment peut-on savoir s'il reste suffisamment d'espace pour l'attribution dynamique d'une variable?

14. Qu'est-ce qu'une liste linéaire à liens simples?

15. Dans combien de sens peut-on parcourir une liste linéaire à liens simples?

16. De quelle façon indique-t-on la fin d'une liste linéaire à liens simples?

7.6   EXERCICES

1. Soit les déclarations suivantes:
    ```
    int X;
    int *P1, *P2;
    float *Q1, *Q2;
    ```

    Identifier les énoncés comportant des erreurs de manipulation. Expliquer.

    a) `cout << P1;`   d) `X = new int;`   f) `P1 = new int;`

    b) `cout >> *P1;`   e) `if (P1==NULL)`   `P1 =17;`

    c) `P1 = Q1;`   `Q1 = Q2;`   `P1 = new int;`

2. Soit les déclarations suivantes:

```
struct type_personne
{
    char Nom[31];
    int Age;
    type_personne *PtrFils, *PtrFille;
};

type_personne *PtrParente[100];
```

De quel type sont les variables suivantes?

a) `PtrParente[15];` *type_personne** *(manuscrit)*

b) `*(PtrParente[12] ->PtrFils)` *type_personne* *(manuscrit)*

c) `PtrParente[24]->PtrFille->Nom[5]` *char* *(manuscrit)*

d) `*(PtrParente[13])` *type_personne* *(manuscrit)*

e) `PtrParente[54] ->Age` *int* *(manuscrit)*

f) `*(PtrParente[76] ->PtrFille->PtrFille)` *type_personne* *(manuscrit)*

g) `PtrParente[10] ->PtrFils` *type_personne** *(manuscrit)*

h) `PtrParente[21] ->Nom` *char** *(manuscrit)*

3. Qu'obtient-on à l'exécution du programme suivant compte tenu du fait que tous les pointeurs sont des pointeurs à des entiers?

```
int *Ptr1, *Ptr2;

Ptr1 =  new int;
Ptr2 =  new int;
*Ptr1 = 10;
*Ptr2 = 20;
cout << *Ptr1 << setw(3) << *Ptr2 << endl;
Ptr1 = Ptr2; // Ligne 7
cout << *Ptr1 << setw(3) << *Ptr2 << endl;
*Ptr1 = 30;
cout << *Ptr1 << setw(3) << *Ptr2 << endl;
*Ptr2 = 40;
cout << *Ptr1 << setw(3) << *Ptr2;
```

(annotations manuscrites)
```
10 20
20 20
30 30
40 40

10 20
20 20
30 20
32 40
```

4. Quel serait le résultat du programme de l'exercice 3 si on remplaçait la ligne 7 par ce qui suit?

```
*Ptr1 = *Ptr2;
```

5. Soit les déclarations suivantes:

```
struct type_valeur
{
    int Nombre;
    type_valeur *PtrSuivant;
};

type_valeur  *Ptr1, *Ptr2;
type_valeur   Valeur1,  Valeur2;
```

Déterminer la validité des instructions suivantes:

a) `Ptr1 = Valeur1;`

b) `*Ptr2 = Valeur1;`

c) `Valeur1.PtrSuivant ->Nombre = 12;`

d) `Ptr1 ->PtrSuivant = Ptr2;`

e) `Ptr1 ->Nombre = 12;`

f) `Ptr1 ->PtrSuivant = new type_valeur;`

g) `Valeur1 = new type_valeur;`

h) `Valeur2 ->PtrSuivant = Ptr2;`

6. Dans la partie déclarations de l'exercice 5, si on ajoute `PtrTete` de type `type_valeur*`, illustrer l'effet des instructions suivantes à l'aide de graphiques:

a)
```
Ptr1 = new type_valeur;
Ptr1->Nombre = 5;
Ptr1->PtrSuivant = NULL;
PtrTete = new type_valeur;
PtrTete = Ptr1;
```

b)
```
Ptr1 = new type_valeur;
Ptr1->Nombre = 7;
Ptr1->PtrSuivant = NULL;
PtrTete = Ptr1;
```

7. Pour chacune des situations suivantes, créer une déclaration qui permette de concevoir des listes chaînées simples. On conservera les données dans des chaînes de 20 caractères.

a) Un représentant des ventes qui doit visiter un certain nombre de villes dans un ordre prédéfini.

b) Une liste de patients d'un hôpital auxquels on administre des médicaments.

c) Une liste des identificateurs des locaux d'une école.

8. Les questions ci-après se rapportent aux déclarations suivantes.

```
const int LONGMAX =  51;
const int CDMAX    = 100;

typedef char type_chaine[LONGMAX];
enum type_classement {POURRI,PASSABLE,BON,TRES_BON,EXCELLENT};

struct type_CD
{
   type_chaine Groupe;
   type_chaine Titre;
   int Nb_Chanson;
   type_classement Classement;
};
type_CD  Un_CD;
type_CD  Mes_CD[CDMAX];
type_CD *Ptr_CD;

int Nb_CD, i;
```

a) Pour chacune des instructions ci-dessous, préciser si elle est syntaxiquement correcte ou non.

i) ` type_CD Autre_CD = {"Iron Maiden", "The Number of the Beast",8,BON}; `

ii) ` Ptr_CD.Nb_Chanson = Mes_CD[10].Nb_Chanson; `

iii) ` Mes_CD[6].Titre = Un_CD.Titre; `

iv) ` Ptr_CD = new type_CD; `

b) Supposons que le tableau `Mes_CD` possède 30 enregistrements contenant de bonnes valeurs. Ces 30 enregistrements sont classés en ordre croissant, dans le tableau, selon leur champ `Classement`. Quel bloc d'instructions permet d'afficher les groupes et les titres des disques compacts dont le champ `Classement` est BON?

```
                              // bloc i)
for (Ptr_CD = &Mes_CD[BON]; Ptr_CD < &Mes_CD[TRES_BON]; Ptr_CD++)
    cout << Ptr_CD->Groupe << "    " << Ptr_CD->Titre << endl;
```

```
i = 0;                        // bloc ii)
while (Mes_CD[i].Classement < BON) i++;
    while (Mes_CD[i].Classement < TRES_BON)
        cout << Mes_CD[i].Groupe << "    " << Mes_CD[i].Titre << endl;
```

```
Nb_CD = 30;                   // bloc iii)
for (i = 0; i < Nb_CD; i++)
    switch (Mes_CD[i].Classement)
    {
      case POURRI :
      case PASSABLE :
      case BON :      cout << Mes_CD[i].Groupe << "   "
                           << Mes_CD[i].Titre << endl;
                      break;
      case TRES_BON :
      case EXCELLENT : break;
    }
```

```
                              //bloc iv)
for (i = 0; Mes_CD[i].Classement < TRES_BON; i++)
    if (Mes_CD[i].Classement == BON)
        cout << Mes_CD[i].Groupe << "    " << Mes_CD[i].Titre << endl;
```

c) Quelle instruction est équivalente à l'instruction suivante:

` Mes_CD[3].Nb_Chanson = 14; `

qui inscrit la valeur 14 à la quatrième position de la variable `Mes_CD`, dans le champ NbChanson?

i) ` Ptr_CD[4].Nb_Chanson = 14; `

ii) ` Mes_CD[TRES_BON].Nb_Chanson = 14; `

iii) ` Mes_CD[3].(Titre+1)= 14; `

    iv) `Ptr_CD->Nb_Chanson = 14;`

    v) `Mes_CD[3]->Nb_Chanson = 14;`

d) Que se passe-t-il lorsqu'on exécute l'instruction `delete PtrTete` sur une liste simplement chaînée en mémoire? `PtrTete` pointe sur le premier élément. Pour chaque affirmation, répondre par VRAI ou FAUX.

    i) Le pointeur `PtrTete` ne peut plus être utilisé.

    ii) L'espace mémoire du premier élément est libéré ou devenu disponible.

    iii) L'espace mémoire du premier élément et de tous les autres est libéré ou devenu disponible.

    iv) L'espace mémoire du premier élément et de tous les autres est libéré ou devenu disponible en plus du pointeur `PtrTete`.

    v) L'espace mémoire de l'élément situé après le premier est libéré ou devenu disponible.

9. Soit une liste chaînée définie par les déclarations ci-dessous et qui contient initialement les valeurs `Boule`, `Lumiere` et `Glacon`.

```
struct type_decoration
{
    char Nom[50];
    type_decoration *PtrSuivant;
};

type_decoration *PtrMaison, *PtrSalon, *PtrBureau;
```

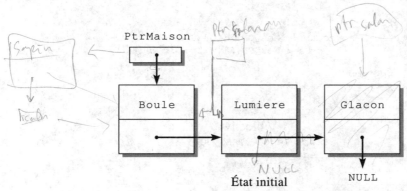

État initial

Dessiner la liste qu'on obtient si on applique les instructions suivantes à l'état initial de la liste pointée par `PtrMaison`:

a) à partir de l'état initial:

```
PtrSalon = PtrMaison->PtrSuivant;
strcpy(PtrSalon->Nom,"Guirlande");
```

b) à partir de l'état initial:

```
PtrBureau = PtrMaison->PtrSuivant;
PtrSalon = PtrBureau->PtrSuivant;
PtrBureau->PtrSuivant = PtrSalon->PtrSuivant;
delete PtrSalon;
```

c) à partir de l'état initial:

```
PtrSalon = PtrMaison;
PtrMaison = new type_decoration;
strcpy(PtrMaison->Nom,"Sapin");
PtrMaison->PtrSuivant=PtrSalon;
```

10. Soit les déclarations suivantes:

```
struct type_element
{
    char        Nom[20];
    float       Note[5];
    type_element *PtrSuivant;
};

type_element Classe[35];
type_element *PtrElement, *PtrTete, *PtrCourant;
int          Nbre;
ifstream     Fichier;
```

a) Quelle instruction permettra d'affecter 15,5 dans la 3ᵉ note du 12ᵉ élément de la variable `Classe`?

b) Un fichier binaire nommé ELEMENT.BIN renferme des éléments de type `type_element`. Donner les instructions qui permettront de déterminer le nombre d'éléments que contient ce fichier.

c) Une fois l'instruction `PtrElement = new type_element;` exécutée, quelle instruction permettra d'affecter la valeur 20 à la 5ᵉ note de la variable pointée par `PtrElement`?

   1° `PtrElement.Note[4]=20.0;`

   2° `*PtrElement->Note[4]=20.0;`

   3° `(*PtrElement).Note[4]=20.0;`

   4° `*(PtrElement->Note[4])=20.0;`

d) Parmi les groupes d'instructions suivants, lequel permettra de compter le nombre d'éléments que contient une liste linéaire à liens simples?

```
type_element  *PtrElement, *PtrTete, *PtrCourant;
int           Nbre;

PtrCourant = PtrTete; // Instructions communes aux
Nbre = 0;             // groupes 1°, 2°, 3° et 4°
```

```
1°  while (PtrCourant->PtrSuivant != NULL)
    {
        PtrCourant = PtrCourant->PtrSuivant;
        Nbre++;
    }

2°  while (PtrCourant != NULL)
    {
        PtrCourant = PtrCourant->PtrSuivant;
        Nbre++;
    }

3°  while (PtrCourant != NULL)
        PtrCourant = PtrCourant->PtrSuivant;
    Nbre++;

4°  do
    {
        Nbre++;
        PtrCourant = PtrCourant->PtrSuivant;
    }
    while (PtrCourant != NULL);
```

11. Écrire une fonction, `Chercher_Personne()`, qui parcourt la liste linéaire de l'étude de cas de la section 7.3 et qui cherche une personne dont on a spécifié le nom. Définir la fonction avec trois paramètres: le premier servira à donner le nom de la personne recherchée, le second, à retourner le pointeur à l'article correspondant et le troisième, à recevoir le pointeur de tête de la liste. Si on ne peut trouver un nom, on donne la valeur NULL dans le pointeur.

12. Écrire une fonction, `Inserer_Personne()`, qui place l'article pointé par `PtrNouveau` après l'article pointé par `PtrPrecedent` dans la liste linéaire de l'étude de cas de la section 7.3. Les paramètres `PtrNouveau` et `PtrPrecedent` sont de type `type_personne*`. On suppose que la liste n'est jamais vide.

13. Après avoir réalisé la fonction `Inserer_Personne()` de l'exercice précédent, écrire une fonction `Inserer()` pour:

   a) demander le nom et l'âge de la nouvelle personne et inscrire ces données dans une variable tampon (de type `type_personne`);

   b) chercher si une personne du même nom est déjà inscrite dans la liste; si oui, sortir de la liste et afficher un message d'erreur;

   c) sinon, demander le nom de la personne dont l'article doit précéder la nouvelle inscription;

   d) chercher si cette personne est inscrite dans la liste; si elle n'y figure pas, sortir et afficher un message d'erreur;

   e) si elle y figure, conserver le pointeur de l'article correspondant dans une variable `PtrPrecedent` (de type `type_personne*`);

   f) attribuer de l'espace mémoire à un article de type `type_personne`;

g) transcrire le nom et l'âge de la nouvelle personne dans cet article et insérer cette personne dans la liste après l'article pointé par `PtrPrecedent`.

Vérifier la fonction en ajoutant une option I (insérer) au menu du programme du fichier LISTELIN.CPP.

14. Écrire une fonction, `Retirer_Personne()`, qui retire l'article pointé par `PtrRetrait` de la liste linéaire de l'étude de cas de la section 7.3. Le paramètre `PtrRetrait` est de type `type_personne*`. Les pointeurs de tête et de fin de liste sont également transmis en paramètre.

15. Une liste linéaire à liens simples contient l'inventaire d'un magasin. Chaque élément de la liste représente un article vendu par le magasin. L'information conservée sur chaque article est: le nom, le prix et le nombre en stock. Cette liste est construite à partir de la déclaration suivante:

```
struct type_article
{
    char Nom_Article[20];
    float Prix;
    int Stock;
    type_article *PtrSuivant;
};
```

La liste est créée et contient déjà plusieurs éléments. Elle se présente comme suit:

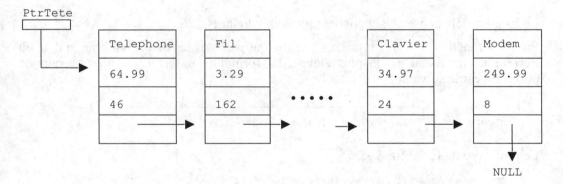

Écrire une fonction qui calcule et retourne le montant d'une commande d'articles en parcourant la liste. Cette commande ne comprendra que les articles dont la quantité en stock sera inférieure à une quantité seuil. La quantité à commander sera la même pour chacun des articles. La quantité seuil, la quantité d'articles à commander et la tête de la liste seront reçues en paramètre. La fonction ne modifie pas le nombre d'articles en stock.

Par exemple, si la liste ne contient que les quatre articles ci-dessus, que le seuil soit fixé à 30 et que la quantité à commander soit de 50, alors la fonction retournerait comme coût total 14 248,00, soit

$$
\begin{array}{ll}
50 \times 34,97 & \text{(puisque 24 claviers <30)} \\
\underline{+\ 50 \times 249,99} & \text{(puisque 8 modems <30)} \\
14\ 248,00 &
\end{array}
$$

16. Une liste contient des données météorologiques de plusieurs jours. Pour chaque jour, les données mémorisées sont: le minimum prévu, le maximum prévu, le minimum réel et le maximum réel. On a utilisé le type `type_meteo` pour construire la liste.

```
struct type_date
{
    int Jour, Mois, An;
};

struct type_meteo
{
    type_date    Date;
    double       MinPrevu, MaxPrevu;
    double       MinReel, MaxReel;
    type_meteo   *PtrSuivant;
};
```

La liste est déjà construite et contient plusieurs données.

Écrire la fonction, `TrouverMaxErreur()`, qui parcourt la liste et retourne la date où l'erreur de prévision est la plus élevée. La formule qui sert à calculer l'erreur de prévision est la suivante:

$$
\text{Erreur} \ = \ \sqrt{\left(\texttt{MinPrevu} \ - \ \texttt{MinReel}\right)^2 \ + \ \left(\texttt{MaxPrevu} \ - \ \texttt{MaxReel}\right)^2}
$$

Le prototype de la fonction est:

```
type_date TrouverMaxErreur(type_meteo *PtrTete);
```

où `PtrTete` est le pointeur sur le premier élément de la liste.

Note : Supposer que la liste n'est pas vide.

17. Le programme suivant utilise la structure de pointeur pour former une liste linéaire à liens simples. Donner la représentation graphique de la liste à partir de chaque pointeur identifié dans le programme.

```
#include <cstring> // Pour l'utilisation de strlen()
using namespace std;

typedef char Chaine[7];
struct type_element
{
   char Lettre;
   type_element *PtrLien;
};

typedef type_element *type_pointeur;

void CreerListe(Chaine MotEnListe, type_pointeur&PtrTete)
{
   type_pointeur PtrNouveau, PtrAvant;
   int I;

   PtrNouveau = new type_element;
   PtrNouveau->Lettre = MotEnListe[0];
   PtrTete = PtrNouveau;
   PtrAvant = PtrNouveau;
   for (I = 1; I < strlen(MotEnListe); I++)
   {
      PtrNouveau = new type_element;
      PtrNouveau->Lettre = MotEnListe[I];
      PtrAvant->PtrLien = PtrNouveau;
      PtrAvant = PtrNouveau;
   }
   PtrNouveau->PtrLien = NULL;
}    // CreerListe

type_pointeur Travail(type_pointeur PtrPremier)
{
   Ptr1, Ptr2;

   Ptr1 = PtrPremier;
   PtrPremier = NULL;
   do
   {
      Ptr2 = Ptr1->PtrLien;
      Ptr1->PtrLien = PtrPremier;
      PtrPremier = Ptr1;
      Ptr1 = Ptr2;
   }
   while (Ptr1 != NULL);
   return (PtrPremier);
}    // Travail

void main (void)
{
   type_element *PtrListe, *PtrListe2, *Ptr;
   char Mot[] = "INÉGAL";
   CreerListe(Mot, PtrListe);
   /* >> a) Représentation graphique à partir de PtrListe */
   Ptr = PtrListe;
   while ((Ptr->Lettre != 'G') && (Ptr != NULL))
      Ptr = Ptr->PtrLien;
   /* >> b) Représentation graphique à partir de PtrListe */
```

```
        if (Ptr != NULL)
        {
            PtrListe2 = Ptr->PtrLien;
            Ptr->PtrLien = NULL;
            /* >> c) Représentation graphique à partir de PtrListe2*/
            PtrListe = Travail(PtrListe);
            /* >> d) Représentation graphique à partir de PtrListe */
            Ptr = PtrListe;
            while (Ptr->PtrLien != NULL)
                Ptr = Ptr->PtrLien;
            Ptr->PtrLien = PtrListe2;
        }       /* IF Ptr != NULL */
                /* >> e) Représentation graphique à partir de PtrListe */
}
```

18. Quel affichage obtient-on à l'exécution du programme suivant?

```
#include <iostream>
#include <cstring>
#include <cstdlib>
using namespace std;

struct type_mot
{
    char Mot[10];
    type_mot *PtrSuivant;
};
void AfficherReponse(type_mot * PtrTete, char Mot[])
{
    type_mot *PtrDetruit;

    cout << Mot << endl;
    while (PtrTete!=NULL)
    {
        PtrDetruit = PtrTete;
        cout << PtrTete->Mot << endl;
        PtrTete = PtrTete->PtrSuivant;
        delete PtrDetruit;
    }
    cout << endl << endl;
}

void main(void)
{
    char TabMot[5][10] = {"Locution", "labor", "omnia", "vincit", "improbus"};
    int I;
    type_mot *PtrTete, *PtrNouveau;

    PtrTete = NULL;
    for (I = 0; I < 5 ; I++)
    {
        PtrNouveau = new type_mot;
        strcpy(PtrNouveau->Mot,TabMot[I]);
        PtrNouveau->PtrSuivant = NULL;
        PtrTete = PtrNouveau;
    }
```

```
            AfficherReponse(PtrTete, "Réponse 1");

            PtrTete = NULL;
            for (I = 0;I < 5;I++)
            {
                PtrNouveau = new type_mot;
                strcpy(PtrNouveau->Mot,TabMot[I]);
                PtrNouveau->PtrSuivant = PtrTete;
                PtrTete = PtrNouveau;
            }
            AfficherReponse(PtrTete, "Réponse 2");

            PtrNouveau = new type_mot;
            strcpy(PtrNouveau->Mot,TabMot[0]);
            PtrTete = PtrNouveau;
            for (I = 1; I < 5; I++)
            {
                PtrNouveau->PtrSuivant = new type_mot;
                PtrNouveau = PtrNouveau->PtrSuivant;
                strcpy(PtrNouveau->Mot,TabMot[I]);
            }
            PtrNouveau->PtrSuivant = NULL;

            AfficherReponse(PtrTete, "Réponse 3");

        }
```

NOTE: La locution latine, *labor omnia vincit improbus*, se traduit comme suit: un travail opiniâtre vient à bout de tout. Opiniâtre signifie fait avec ténacité, persévérance.

19. Donner l'affichage qu'on obtient à l'exécution du programme suivant:

```
#include <iostream>
#include <cstdlib>
using namespace std;

// DÉFINITION DU TYPE
struct type_data
{
    int        Data;
    type_data *PtrSuivant;
};

// PROTOTYPES
void CreerListe(type_data * &PtrTete, int Nb);
void ManipListe(type_data * &PtrTete);
void AfficherListe(type_data * PtrTete);
void DetruireListe(type_data * &PtrTete);

// PROGRAMME PRINCIPAL
void main(void)
{
    type_data * PtrTete = NULL;

    CreerListe(PtrTete, 5);
    AfficherListe(PtrTete);
    ManipListe(PtrTete);
    AfficherListe(PtrTete);
    DetruireListe(PtrTete);
    AfficherListe(PtrTete);
}
```

```
void CreerListe(type_data * &PtrTete, int Nb)
{
    int i;
    type_data * PtrAux;

    for (i = 0; i < Nb; i++)
    {
        PtrAux = new type_data;
        PtrAux->Data = i*i;
        PtrAux->PtrSuivant = PtrTete;
        PtrTete = PtrAux;
    }
}

void ManipListe(type_data * &PtrTete)
{

    type_data * PtrTete1;
    type_data * PtrAux, *PtrTamp;

    PtrAux = PtrTete;
    PtrTete1 = NULL;

    while(PtrAux != NULL)
    {
        PtrTete = PtrAux->PtrSuivant;
        PtrAux->PtrSuivant = NULL;
        if((PtrAux->Data % 2) == 0)
        {
            if(PtrTete1 == NULL)
            {
                PtrTete1 = PtrAux;
                PtrTamp = PtrAux;
            }
            else
            {
                PtrTamp->PtrSuivant = PtrAux;
                PtrTamp  = PtrAux;
            }
        }
        else
        {
            delete PtrAux;
            PtrAux = NULL;
        }
        PtrAux = PtrTete;
    }
    PtrTete = PtrTete1;
}

void  AfficherListe(type_data * PtrTete)
{
    type_data * PtrAux;

    cout << "Contenu de la liste:" << endl;
    PtrAux = PtrTete;
    while(PtrAux != NULL)
```

```
      {
          cout << PtrAux->Data << "   ";
          PtrAux = PtrAux->PtrSuivant;
      }
      cout << endl;
      cout << "Fin" << endl << endl;
  }

  void DetruireListe(type_data * &PtrTete)
  {
      type_data * PtrAux;

      while(PtrTete != NULL)
      {
          PtrAux = PtrTete;
          PtrTete = PtrTete->PtrSuivant;
          delete PtrAux;
          PtrAux = NULL;
      }
  }
```

20. Donner l'affichage qu'on obtient à l'exécution du programme suivant:

```
#include <iostream>
#include <cstring>
#include <cstdlib>
using namespace std;

struct type_article
{
    char       Nom[25];
    int        Data;
    type_article *PtrSuivant;
};

type_article* A(void)
{
    char TabNom[][25] = { "Physique", "Chimie", "Informatique", "Électrique",
                          "Mécanique", "Civil"};
    int TabData[] = { 10, 30, 35, 15, 25, 20 };

    type_article *PtrTete = NULL;
    type_article *PtrAux, *PtrNouveau;

    PtrNouveau = new type_article;
    strcpy(PtrNouveau->Nom, TabNom[0]);
    PtrNouveau->Data = TabData[0];
    PtrNouveau->PtrSuivant = NULL;
    PtrTete = PtrNouveau;
    PtrAux = PtrTete;
```

```
        for (int i = 1; i < 6; i++)
        {
            PtrNouveau = new type_article;
            strcpy(PtrNouveau->Nom, TabNom[i]);
            PtrNouveau->Data = TabData[i];
            PtrNouveau->PtrSuivant = NULL;
            PtrAux->PtrSuivant = PtrNouveau;
            PtrAux = PtrNouveau;
        }
        return PtrTete;
}

void B(type_article* Ptr1, type_article* Ptr2)
{
    type_article* PtrAux = Ptr1;

    cout << endl << endl << "Affichage: " << endl;
    while(PtrAux != Ptr2)
    {
        cout << PtrAux->Nom << ' ' << PtrAux->Data << endl;
        PtrAux = PtrAux->PtrSuivant;
    }
}

void C(type_article* Ptr1, char Chaine[], type_article* &Ptr2)
{
    type_article* PtrAux = Ptr1;

    bool continuer = true;
    while((PtrAux != NULL) && continuer)
    {
        if(!strcmp(PtrAux->Nom, Chaine))
            continuer = false;
        else
            PtrAux = PtrAux->PtrSuivant;
    }

    if(!continuer)
        Ptr2 = PtrAux->PtrSuivant;
    else
        Ptr2 = PtrAux;
}

void D(type_article* Ptr1, int Valeur)
{
    type_article *PtrAux2 = Ptr1;
    type_article *PtrAux1 = Ptr1->PtrSuivant;

    while(PtrAux1 != NULL)
    {
        if(PtrAux1->Data >= Valeur)
        {
            PtrAux2->PtrSuivant = PtrAux1->PtrSuivant;
            PtrAux1 = PtrAux1->PtrSuivant;
        }
```

```
        else
        {
            PtrAux2->Data = Valeur - PtrAux2->Data;
            PtrAux2 = PtrAux1;
            PtrAux1 = PtrAux1->PtrSuivant;
        }
    }
    PtrAux2->Data = Valeur - PtrAux2->Data;
}

void main(void)
{
    type_article *PtrArt1 = NULL;
    type_article *PtrArt2 = NULL;

    PtrArt1 = A();
    B(PtrArt1, NULL);
    C(PtrArt1, "Chimie", PtrArt2);
    B(PtrArt1, PtrArt2);
    C(PtrArt1, "Civil", PtrArt2);
    B(PtrArt2, NULL);
    D(PtrArt1, 22);
    B(PtrArt1, NULL);
}
```

21. Soit deux listes linéaires ayant comme pointeurs de tête `PtrTete1` et `PtrTete2`. Écrire une fonction qui permette de concaténer les deux listes et qui retourne un pointeur `PtrTete` à la tête de la liste qu'on vient de créer. Il est à noter que les deux listes fournies comme arguments peuvent être vides.

22. Écrire une fonction qui permette d'inverser le chaînage d'une liste simple. La fonction, qui reçoit comme argument la tête de la liste, donne comme résultat une liste inversée dans laquelle la fin de la liste devient la tête et tous les pointeurs `PtrSuivant` deviennent des pointeurs `PtrPrecedent`. Utiliser une liste de chaînes de caractères pour vérifier les résultats.

23. Un polynôme de degré n a la forme suivante:

$$a_0 + a_1 x + a_2 x^2 + \cdots + a_n x^n$$

Écrire un programme qui permette de représenter un tel polynôme sous forme de liste ordonnée simplement chaînée. L'usager entrera les données au clavier en précisant le degré suivi du coefficient. Lorsqu'il entrera le degré 0 suivi du coefficient 0, le programme affichera le polynôme sous sa forme mathématique usuelle.

Soit le polynôme suivant:

$$2x^3 + 4 + x^2 + 3x^3 + 3$$

Pour l'obtenir, l'usager doit entrer les données suivantes:

Degré: 3	Coefficient: 2
Degré: 0	Coefficient: 4
Degré: 2	Coefficient: 1

Degré: 3	Coefficient: 3
Degré: 0	Coefficient: 3
Degré: 0	Coefficient: 0

Et le programme affichera comme résultat:

$$5x\char94 3 + x\char94 2 + 7$$

24. Écrire un programme qui permette, à partir d'une liste à liens simples non triée (de type `type_element`), de retourner le pointeur à une liste contenant tous les éléments compris entre $N1$ et $N2$. La liste est définie à partir des déclarations suivantes:

```
struct type_element
{
    int Contenu;
    type_element *PtrLien;
}
type_element *PtrTete;
```

25. Reprendre l'exercice précédent en s'assurant que la liste retournée contient les éléments compris entre $N1$ et $N2$ en ordre décroissant. Le tri des éléments doit se faire lors de la construction de la liste retournée.

7.7   TRAVAIL DIRIGÉ

Ce travail permettra à l'étudiant de comprendre le concept d'attribution dynamique de la mémoire, d'effectuer des opérations de base sur le type pointeur et de revoir les notions de chaînage et de liste linéaire simple.

1. Créer un fichier, LISTE.DAT, contenant la liste des mots suivants:

    Gestion
    de
    Listes
    Linéaires
    à
    liens
    simples

2. Écrire un programme qui attribue de façon dynamique de l'espace mémoire et qui permette d'abord de mémoriser sous forme de liste linéaire à liens simples les mots lus du fichier LISTE.DAT et ensuite d'afficher cette liste.

3. Au programme du problème 2, ajouter un sous-programme qui affiche le champ `PtrPrecedent` et le champ `PtrSuivant` d'un mot spécifié par l'usager (ce mot peut ne pas figurer dans la liste).

4. Au programme du problème 2, ajouter un sous-programme qui copie la liste dans une autre liste distincte. La deuxième liste devra contenir tous les éléments de la première, mais inversés (le premier élément devient le dernier).

5. Écrire un programme qui trie les mots du fichier LISTE.DAT par ordre alphabétique, en les plaçant successivement au bon endroit dans une liste chaînée, puis qui affiche le résultat à l'écran.

6. Écrire un programme qui permette de construire et d'afficher une sous-liste à liens simples de tous les mots commençant par un caractère donné. La sous-liste doit être vide si aucun mot de la liste de départ ne commence par le caractère spécifié.

ÉLÉMENTS DE GÉNIE DU LOGICIEL

Toute entreprise qui emploie des analystes et des programmeurs s'attend à ce qu'on y développe des programmes performants, fiables et faciles d'entretien, et ce au moindre coût. Vers le début des années 1970, une méthode générale de conception de programmes a vu le jour. Cette méthode, appelée programmation structurée, devait permettre d'atteindre plus rapidement les objectifs de performance, de fiabilité, de facilité d'entretien et d'économie.

8.1 RÈGLES DE BASE DE LA PROGRAMMATION STRUCTURÉE

La programmation structurée regroupe un ensemble de règles dont la première consiste à rédiger des programmes composés exclusivement de modules qui comportent un seul point d'entrée et un seul point de sortie.

Les trois règles suivantes régissent les principaux fondements de la programmation structurée:
- utiliser exclusivement des structures séquentielles, décisionnelles et/ou répétitives;
- écrire des fonctions de petite taille (idéalement moins d'une page);
- utiliser un style d'écriture clair et systématique (commentaires, en-têtes, noms, variables significatives, etc.).

8.1.1 Utiliser exclusivement des structures séquentielles, décisionnelles et/ou répétitives

Les structures séquentielles comportent des instructions d'affectation comme:

```
VariableA = ValeurB;
```

ainsi que des appels de fonctions:

```
CoteB = CoteC*sin(AngleB);
X = sqrt (Y);
```

Les structures décisionnelles sont formées d'instructions `if` sous toutes leurs formes, par exemple:

```
if (Expression_booleenne)
    ...;
else
    ...;
```

et d'instructions `switch` sous toutes leurs formes:

```
switch (Valeur)
{
   case a:  ...;
            break;
   case b:  ...;
            break;
   case c:  ...;
            break;
   default: ...;
}
```

Quant aux structures répétitives, on retrouve les instructions `while`:

```
while (Expression_booleenne)
   ...;
```

les instructions `do-while`:

```
do
   ...;
while (Expression_booleenne);
```

et les instructions `for`:

```
for (initialisation; Expression_booleenne; mise_a_jour)
   ...;
```

8.1.2 Écrire des fonctions de petite taille (une page ou moins)

Il est beaucoup plus facile de comprendre le fonctionnement d'un programme lorsque ce dernier est découpé en fonctions (sous-programmes) qui jouent chacune un rôle spécifique. Chaque fonction, si elle est suffisamment courte (moins d'une page), est facile à comprendre et à entretenir. De plus, on peut l'analyser et, au besoin, la corriger indépendamment des autres fonctions pendant l'élaboration ou l'entretien du programme.

8.1.3 Utiliser un style d'écriture clair et systématique

En procédant de manière systématique pour rédiger ses programmes, le programmeur acquiert des automatismes; il peut ainsi se concentrer sur le problème à résoudre sans perdre de temps avec la disposition des instructions dans les programmes. Ces automatismes lui servent aussi à déceler plus aisément les erreurs qui peuvent se glisser dans les programmes.

Voici les principales conventions d'écriture des instructions d'un programme:
 - tout identificateur doit avoir un nom significatif;
 - l'identificateur d'une constante d'un énoncé `define` est tout en majuscules;
 - un identificateur de type est tout en minuscules et débute par type;
 - la première lettre de l'identificateur d'une variable ou d'une fonction est en majuscule;
 - l'identificateur d'une fonction contient un verbe à l'infinitif;
 - l'identificateur d'une variable pointeur débute par le préfixe `Ptr`;

– il faut utiliser l'indentation pour décaler les instructions propres à une structure de contrôle ou à une fonction;
– il faut employer des canevas pour documenter chaque fonction;
– il faut commenter de façon appropriée chaque structure;
– chaque programme qu'on conserve porte un nom unique;
– généralement, une ligne de programme ne comporte qu'une seule instruction;
– les conventions peuvent varier légèrement d'un programmeur à l'autre, mais il est essentiel d'adopter un style personnel clair et de toujours s'y conformer ainsi que de toujours faire les mêmes choses de la même façon;
– un commentaire placé à la suite de chaque parenthèse fermante permet d'identifier l'énoncé qu'il termine, par exemple:

```
while (Valeur < Limite)
{
...
}      // while (Valeur < Limite)
```

– un en-tête doit précéder tout programme (ou sous-programme).

8.2 CONCEPTION DESCENDANTE

La meilleure façon de résoudre des problèmes complexes est de les traiter d'une manière systématique. La technique la plus répandue dans ces cas est celle de la conception dite descendante ou du raffinement graduel.

Suivant la conception descendante, le programmeur n'aborde pas les détails liés à la conception d'un programme dès le départ. Au contraire, dans une première étape, l'analyse consiste à subdiviser le problème en quelques sous-problèmes moins complexes. À ce point, l'analyse ne tient pas compte des détails de la solution: elle ne doit porter que sur les grandes lignes du problème à résoudre.

Dans une deuxième étape, ou niveau de raffinement, chacun des sous-problèmes est analysé, indépendamment des autres ou presque, de façon plus détaillée que lors de la première étape. Pour chacun des sous-problèmes, cette deuxième analyse produit une série de sous-sous-problèmes beaucoup plus spécifiques que le problème original.

En règle générale, ces derniers sous-sous-problèmes sont assez simples pour qu'on les exprime directement sous forme de programmes ou de fonctions. Si tel n'est pas le cas, on poursuit le raffinement. Le plus souvent, le nombre de subdivisions d'un problème se limite à deux ou à trois niveaux de raffinement.

L'exemple 8.1 illustre la technique de la conception descendante.

Exemple 8.1 Technique de conception descendante

Un étudiant doit résoudre un problème, qui consiste à déterminer la distance que parcourt un projectile lancé avec une certaine vitesse selon un angle de tir donné, et ce pour plusieurs vitesses et angles de tir initiaux. Cette distance est donnée par la formule suivante:

$$\text{Distance} = \frac{2 \times \text{Vitesse}^2 \times \sin(\text{Angle}) \times \cos(\text{Angle})}{g}$$

où   Distance = la distance horizontale franchie par le projectile (m)
     Vitesse = la vitesse initiale du projectile (m/s)
     Angle = l'angle de tir au-dessus de l'horizontale (rad)
     g = la constante gravitationnelle (9,806 65 m/s^2)

L'étudiant doit écrire un programme qui calcule la distance atteinte pour toutes les combinaisons de vitesses et d'angles de tir ayant les valeurs suivantes:

Vitesse = 200, 225, 250, 275 et 300 m/s
Angle   = 0,3, 0,4, 0,5, 0,6, 0,7, 0,8, 0,9, 1,0, 1,1, 1,2 et 1,3 rad

Dans le problème, l'objectif est atteint si la distance calculée est comprise entre 4000 et 5000 m. Selon le cas traité, le programme doit afficher les résultats sous la forme d'un des messages suivants:

Vitesse Angle Distance 'objectif atteint'
ou
Vitesse Angle Distance 'distance trop courte'
ou
Vitesse Angle Distance 'distance trop longue'

Précisons que l'affichage donnera les valeurs de la vitesse, de l'angle et de la distance.

L'étudiant, s'il applique la technique de la conception descendante dans l'élaboration de la structure des opérations, commence par le premier niveau de raffinement. Il dégage, par exemple, les sous-problèmes suivants:

```
Fixer la vitesse initiale
Fixer l'angle de tir
Calculer la distance parcourue
Vérifier si l'objectif est atteint
Afficher le résultat
```

Si on s'en tient à ce niveau de raffinement, le programme correspondant ne calculera qu'une distance parcourue pour une seule paire «vitesse, angle». C'est insuffisant, puisque le problème stipule que le programme doit calculer des distances pour plusieurs vitesses et angles. Notre étudiant poursuit son analyse et obtient:

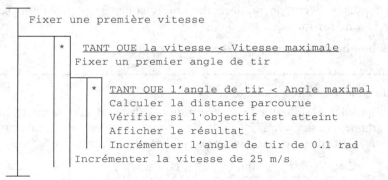

```
Fixer une première vitesse

    *   TANT QUE la vitesse < Vitesse maximale
        Fixer un premier angle de tir

            *   TANT QUE l'angle de tir < Angle maximal
                Calculer la distance parcourue
                Vérifier si l'objectif est atteint
                Afficher le résultat
                Incrémenter l'angle de tir de 0.1 rad
        Incrémenter la vitesse de 25 m/s
```

À ce point de l'analyse, l'étudiant peut remplacer chaque sous-problème par des instructions, sauf l'énoncé `Vérifier si l'objectif est atteint`:

```
Fixer une première vitesse ──────────────────>  VitInit = 200;

*   TANT QUE VitInit < 300 ─────────────────>  while (VitInit < 300)
                                                {
    Fixer un premier angle de tir──────────>     Angle = 0.3;

    *   TANT QUE Angle tir < 1.3 ──────────>     while (Angle_tir < 1.3)
                                                 {
        Calculer la distance parcourue──────>        Distance= (la formule)
        Vérifier si l'objectif est atteint──>        Afficher le résultat
        Incrémenter l'angle de tir de 0.1 rad─>      Angle += 0.1;
                                                 }
    Incrémenter la vitesse de 25 m/s─────────>   VitInit += 25;
                                                }
```

Il ne lui reste donc qu'à reprendre ce sous-problème et à le subdiviser autant de fois que cela est nécessaire.

Suivant la définition du problème, le programme doit tenir compte de la distance parcourue selon qu'elle est inférieure ou supérieure aux limites données, ou encore qu'elle se situe à l'intérieur d'un intervalle donné. De plus, il faut préciser ce que le programme affichera comme résultat. Logiquement, il devrait s'agir de la distance calculée et d'un message approprié. À la suite de cette analyse, l'étudiant peut traduire en instructions le sous-problème `Vérifier si l'objectif est atteint`:

```
Afficher la vitesse et l'angle
    SI la distance est entre 4000 et 5000 ALORS
    Afficher la distance et "objectif atteint"

.....
    SINON
        SI elle est inférieure à 4000 ALORS
        Afficher la distance et "distance trop courte"
.....
    SINON
    - elle est supérieure à 5000
    Afficher la distance et "distance trop longue"
```

8.3 ALGORITHME ET PSEUDO-CODE SCHÉMATIQUE

Un algorithme représente la séquence des opérations à effectuer pour résoudre un problème. Un bon algorithme permet d'exprimer la logique d'une tâche dans un langage moins restrictif que les langages de programmation. Ainsi, le concepteur qui conçoit des algorithmes n'a généralement pas besoin de maîtriser parfaitement un langage de programmation.

Il n'en demeure pas moins que la conception d'algorithmes est une activité laborieuse qui exige une grande rigueur puisqu'il s'agit de mettre par écrit un raisonnement logique souvent difficile à expliciter. Un algorithme peut s'écrire de différentes façons et il n'y a pas véritablement de normes d'écriture. Plusieurs méthodes d'écriture ont été mises au point depuis les débuts de l'informatique. Au départ, on a beaucoup utilisé l'ordinogramme, une représentation graphique du fonctionnement du programme associant des figures géométriques particulières à ses principaux énoncés, par exemple, le losange pour l'expression booléenne, le rectangle pour l'action, etc. Le pseudo-code, soit l'énumération de la séquence des opérations décrivant l'algorithme, connaît un certain succès. Les opérations indiquées ne correspondent pas à des instructions et n'ont pas à satisfaire aux règles syntaxiques d'un langage de programmation.

Le pseudo-code schématique est, en quelque sorte, un amalgame des deux méthodes précédentes. Il consiste en une représentation du pseudo-code à l'aide de schémas. Il s'agit principalement d'associer des symboles graphiques particuliers aux structures décisionnelles et répétitives. Les principaux avantages du pseudo-code schématique sont l'application systématique de la technique de la conception descendante, la visualisation du flux de contrôle constituée par la schématisation des structures et la rédaction simultanée d'une partie de la documentation.

En résumé, la description d'une tâche fait intervenir trois types d'opération: l'opération élémentaire ou l'énoncé exécutable, l'opération composée ou le commentaire opérationnel, et le commentaire narratif (fig. 8.1).

Opération élémentaire ou énoncé exécutable. C'est la verbalisation ou la description d'une instruction ou d'une série d'instructions, sans structure de contrôle, à inscrire dans le programme.

Opération composée ou commentaire opérationnel. Le commentaire opérationnel sert à annoncer et à résumer un ensemble d'opérations qu'on explicitera ultérieurement. Il permet de mettre en évidence les structures de décision ou les structures de répétition. Il est intimement lié au processus de raffinement graduel.

Commentaire narratif. Le commentaire narratif fournit une information ponctuelle et complète en soi. Il vient expliquer certaines étapes de l'algorithme.

Action. On utilise l'action pour résumer une séquence d'opérations n'exigeant pas de structure de décision ou de structure de répétition.

```
-Commentaire narratif

Énoncé exécutable

[##] Commentaire opérationnel
```

Figure 8.1 Opérations servant à décrire une tâche en pseudo-code schématique.

L'exemple 8.2 illustre l'utilisation du pseudo-code schématique.

Exemple 8.2   Pseudo-code schématique

Cet exemple reprend l'étude de cas du chapitre 4, «Analyse de données météorologiques», quelque peu modifiée. Un fichier texte dont on doit spécifier le nom contient les températures quotidiennes de tout un mois, à raison d'une valeur par ligne. On ignore le nombre de jours dans le mois, mais le fichier se termine avec le dernier jour du mois et on sait qu'il n'y a pas plus de 31 lignes dans le fichier. Le programme doit lire ces données, déterminer la température maximale et sa date, calculer la température moyenne puis trouver le premier jour de gel.

Le premier niveau de raffinement de l'algorithme R0 s'écrit comme suit en pseudo-code schématique:

```
R 0

 |- Auteur       : Yves Boudreault
 |-
 |- Description: Programme «Analyse de données météorologiques» qui consiste
 |-               à lire dans un fichier les températures quotidiennes pour
 |-               un mois, à déterminer la température maximale et sa date, à
 |-               calculer la température moyenne et à trouver le premier
 |-               jour de gel.
 |
 |   [01] Description des identificateurs
 |
 |-->>>>STRUCTURE DES OPÉRATIONS<<<<
 |
 |   [02] Valider le nom et ouvrir le fichier
 |   [03] Lecture du fichier
 |   [04] Déterminer la température maximale du mois et le jour correspondant
 |   Calculer la moyenne des températures du mois
 |   [05] Déterminer le premier jour de gel
 |   [06] Afficher les informations
 |_
```

Le trait vertical à gauche indique le niveau de raffinement. Dans le premier niveau de raffinement R0, soit le plus général, on trouve habituellement les trois opérations de base suivantes: collecte des données, traitement des données et présentation des résultats. Évidemment, ces opérations portent une appellation spécifique adaptée au problème à résoudre.

Notons le commentaire opérationnel `[01] Description des identificateurs` indiquant qu'il reste à définir de façon précise les identificateurs qu'on utilisera tout d'abord dans l'algorithme et par la suite dans le programme.

8.3.1 Spécification d'un niveau de raffinement

La spécification d'un niveau de raffinement consiste à énumérer les opérations propres à la réalisation de la tâche. Ce faisant, on passe d'un niveau de raffinement à un autre. L'exemple 8.3 illustre la spécification d'un niveau de raffinement en pseudo-code schématique.

Exemple 8.3 Spécification d'un niveau de raffinement en pseudo-code schématique

Reprenons le commentaire opérationnel `[02] Valider le nom et ouvrir le fichier` de l'exemple 8.2 en spécifiant le pseudo-code schématique correspondant.

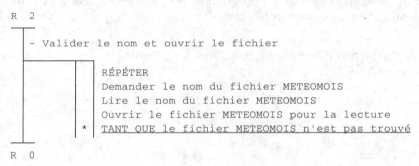

```
R 2

   - Valider le nom et ouvrir le fichier

              RÉPÉTER
              Demander le nom du fichier METEOMOIS
              Lire le nom du fichier METEOMOIS
              Ouvrir le fichier METEOMOIS pour la lecture
       *      TANT QUE le fichier METEOMOIS n'est pas trouvé

R 0
```

Le premier élément d'un niveau de raffinement est toujours un commentaire narratif, précédé d'un tiret. Ce commentaire correspond exactement au commentaire opérationnel qui apparaît dans le niveau d'analyse précédent. L'élaboration d'un algorithme se termine lorsqu'il n'y a plus de commentaires opérationnels, c'est-à-dire lorsqu'il n'y a plus de sous-analyse à effectuer.

Il est à noter ici que la spécification des niveaux de raffinement `[03] Lecture du fichier`, `[04] Déterminer la température maximale du mois et le jour correspondant` et `[05] Déterminer le premier jour de gel` de l'exemple 8.2 exige de connaître la représentation des structures répétitives puisqu'il faudra lire et traiter plusieurs données.

8.3.2 Description d'une structure répétitive

Une structure répétitive comprend un corps correspondant aux instructions à exécuter et une condition de sortie qui permet d'interrompre son exécution. Le pseudo-code schématique permet de faire ressortir une telle structure de façon plus visuelle que le pseudo-code ordinaire. En effet, le corps d'une boucle y est indiqué par un décalage et marqué en plus de deux traits verticaux qui mettent en évidence les opérations présentées suivant leur ordre d'exécution. Le corps décalé de la boucle est relié, par un trait horizontal, au trait vertical correspondant au raffinement dont il fait partie. En pseudo-code schématique, la condition de sortie est clairement représentée par le symbole «*» inscrit entre les deux traits verticaux et suivi de l'expression booléenne soulignée.

En langage C, il existe trois instructions de répétition: `while`, `do-while` et `for`. Le tableau 8.1 présente leurs formes génériques en langage C et en pseudo-code schématique.

Tableau 8.1   Formes génériques des instructions de répétition en langage C et en pseudo-code schématique

Langage C	Pseudo-code schématique
`while (Expression_Booleenne)` `   instruction;`	* <u>`TANT QUE Expression Booleenne`</u> `Structure séquentielle des opérations`

`do`
`   instruction;`
`while (Expression_Booleenne);`
	`RÉPÉTER`
	`  Structure séquentielle des opérations`
	* <u>`TANT QUE Expression Booleenne`</u>

`for (initialisation;`
`    Condition_arret; Mise_a_jour)`
`   instruction;`
	* <u>`POUR les valeurs à considérer`</u>
	`Structure séquentielle des opérations`

L'exemple 8.4 illustre l'utilisation de structures répétitives en pseudo-code schématique.

Exemple 8.4   Structures répétitives en pseudo-code schématique

Les niveaux de raffinement `[03]`, `[04]`, `[05]` de l'exemple 8.2 deviennent respectivement, en pseudo-code schématique :

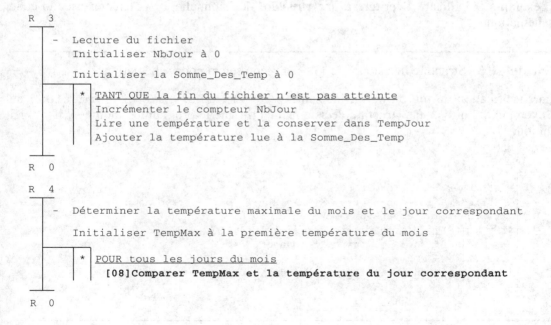

```
R  3

 -   Lecture du fichier
     Initialiser NbJour à 0

     Initialiser la Somme_Des_Temp à 0

   * TANT QUE la fin du fichier n'est pas atteinte
     Incrémenter le compteur NbJour
     Lire une température et la conserver dans TempJour
     Ajouter la température lue à la Somme_Des_Temp

R  0
R  4

 -   Déterminer la température maximale du mois et le jour correspondant

     Initialiser TempMax à la première température du mois

   * POUR tous les jours du mois
       [08]Comparer TempMax et la température du jour correspondant

R  0
```

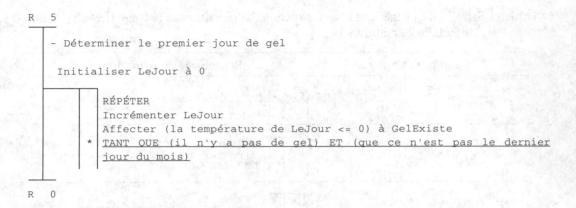

```
R   5
    |
    | - Déterminer le premier jour de gel
    |
    |  Initialiser LeJour à 0
    |
    |           | RÉPÉTER
    |           | Incrémenter LeJour
    |           | Affecter (la température de LeJour <= 0) à GelExiste
    |  *        | TANT QUE (il n'y a pas de gel) ET (que ce n'est pas le dernier
    |           | jour du mois)
    |
R   0
```

8.3.3 Description d'une structure décisionnelle

L'écriture d'une structure décisionnelle est semblable à celle d'une structure répétitive. Toutefois, la structure décisionnelle se distingue par un trait vertical unique. L'expression booléenne, communément appelée le test, est soulignée et précède la série d'instructions qui sera ou non exécutée. Le tableau 8.2 présente les formes génériques des structures décisionnelles en langage C et en pseudo-code schématique.

L'exemple 8.5 illustre l'écriture d'une structure décisionnelle `if-else` en pseudo-code schématique.

Exemple 8.5   Structure décisionnelle `if-else` en pseudo-code schématique

La spécification du niveau de raffinement [06] `Afficher les informations` de l'exemple 8.2 utilise une structure décisionnelle afin que le programme indique s'il y a gel un jour donné.

```
R   6
    |
    | - Afficher les informations
    |   Afficher la température maximale et le jour correspondant
    |   Afficher la température moyenne du mois
    |           | SI une température de gel existe ALORS
    |           | Afficher le jour correspondant
    | .....     | SINON
    |           | Afficher qu'il n'y a pas de jour de gel
    |
R   0
```

Tableau 8.2 Formes génériques des structures décisionnelles en langage C et en pseudo-code schématique

Langage C	Pseudo-code schématique
| ```c
if (Expression_Booleenne)
   instruction;
``` | SI Expression Booleenne ALORS<br>    Structure séquentielle des opérations |
| ```c
if (Expression_Booleenne)
   instruction;
else
   instruction;
``` | SI Expression Booleenne ALORS<br>    Structure séquentielle du SI<br>SINON<br>    Structure séquentielle du SINON |
| ```c
if (Expression_Booleenne)
   instruction;
else if (Expression_Logique)
   instruction;
``` | SI Expression Booleenne ALORS<br>    Structure séquentielle du SI<br>SINON SI Expression Booleenne ALORS<br>    Structure séquentielle du SINON SI |
| ```c
switch (Expression)
{
   case constante_1 : instruction_1;
                      break;
   case constante_2 :
   case constante_3 : instruction_23;
                      break;
   ...
   case constante_X : instruction_X;
                      break;
   default:           instruction;
}
``` | SELON la valeur de l'expression<br><br>=Constante 1<br>Structure séquentielle 1<br><br>=Constante 2 ou Constante 3<br>Structure séquentielle 2,3<br><br>=Constante X<br>Structure séquentielle X<br>SINON<br>Structure séquentielle |

L'exemple 8.6 donne l'algorithme complet du problème de l'exemple 8.2.

Exemple 8.6 Algorithme complet du problème de l'exemple 8.2

On obtient tout d'abord l'algorithme de niveau [R0], appelé auparavant le niveau d'analyse initial.

```
R 0
 |-
 | -
 | - Auteur      : Yves Boudreault
 | -
 | - Description: Analyse de données météorologiques qui consiste à lire
 | -              dans un fichier les températures quotidiennes pour un mois,
 | -              à déterminer la température maximale et sa date, à calculer
 | -              la température moyenne et à trouver le premier jour de gel.
```

```
[01] Description des identificateurs

->>>>STRUCTURE DES OPÉRATIONS<<<<

[02] Valider le nom et ouvrir le fichier
[03] Lecture du fichier
[04] Déterminer la température maximale du mois et le jour correspondant
     Calculer la moyenne des températures du mois
[05] Déterminer le premier jour de gel
[06] Afficher les informations
```

L'algorithme [R0] est suivi de l'algorithme dit intégré ou détaillé, dans lequel tous les niveaux de raffinement sont spécifiés ou détaillés.

```
R 0

-
- Auteur      : Yves Boudreault
-
- Description: Analyse de données météorologiques qui consiste à lire
-              dans un fichier les températures quotidiennes pour un mois,
-              à déterminer la température maximale et sa date, à calculer
-              la température moyenne et à trouver le premier jour de gel.

- 01 Description des identificateurs
-
- IDENTIFICATEUR      TYPE              DESCRIPTION
-
- MeteoMois           Fichier           Fichier des températures du mois
- NomMois             Chaîne de         Sert à lire le nom du fichier mois
-                     caractères
- TempMax             Réel              Température maximale du mois
- JourMax             Entier            Le jour du mois où a lieu le max.
- NbJour              Entier            Nbre de jours dans le mois
- Somme_Des_Temp      Réel              La somme des températures du mois
- TempJour            Tableau de        Tableau qui permet de mémoriser
-                     31 réels          toutes les températures du mois
- LeJour              Entier            Indice pour parcourir le tableau
- GelExiste           Booléen           Indique s'il y a un jour de gel
- JourDeGel           Entier            Le premier jour de gel du mois

->>>>STRUCTURE DES OPÉRATIONS<<<<

-02 Valider le nom et ouvrir le fichier

        RÉPÉTER
        Demander le nom du fichier METEOMOIS
        Lire le nom du fichier METEOMOIS
        Ouvrir le fichier METEOMOIS pour la lecture
      * TANT QUE le fichier METEOMOIS n'est pas trouvé
```

```
-03 Lecture du fichier
    Initialiser NbJour à 0
    Initialiser la Somme_Des_Temp à 0
    Lire une température et la conserver dans TempJour

        * │ TANT QUE la fin du fichier n'est pas atteinte
            │ Incrémenter le compteur NbJour
            │ Ajouter la température lue à la Somme_Des_Temp
            │ Lire une température et la conserver dans TempJour

-04 Déterminer la température maximale du mois et le jour correspondant
    Initialiser TempMax à la première température du mois

        * │ POUR tous les jours du mois
            │ - 08 Comparer TempMax et la température du jour présent
            │       SI la température du jour > TempMax ALORS
            │       Actualiser TempMax
            │       Actualiser JourMax

    Calculer la moyenne des températures du mois
-05 Déterminer le premier jour de gel
    Initialiser LeJour à 0

            │ RÉPÉTER
            │ Incrémenter LeJour
            │ Affecter (la température de LeJour <= 0) à GelExiste
        * │ TANT QUE (il n'y a pas de gel) ET (que ce n'est pas le dernier
            │ jour du mois)

-06 Afficher les informations
    Afficher la température maximale et le jour correspondant
    Afficher la température moyenne du mois
        │ SI une température de gel existe ALORS
        │ Afficher le jour correspondant
..... ─│ SINON
        │ Afficher qu'il n'y a pas de jour de gel
```

8.3.4 Décomposition en sous-programmes

La méthodologie de résolution de problèmes repose donc sur le morcellement d'un problème en plusieurs sous-problèmes, ce qui équivaut à appliquer la technique de la conception descendante ou du raffinement graduel. Selon cette technique, il faut décomposer le problème en plusieurs tâches nécessaires à sa résolution, et ce jusqu'à l'obtention de tâches correspondant à un ensemble d'opérations simples. À ce niveau, chacune de ces tâches se traduit par un sous-programme du programme. Cette décomposition doit obligatoirement précéder l'élaboration des algorithmes; en effet, le fait de pouvoir associer un algorithme à chaque sous-programme facilite grandement la rédaction, la compréhension et l'entretien du programme.

Une façon de représenter la décomposition de problèmes est d'utiliser un diagramme hiérarchique. Ce diagramme présente le fractionnement du problème à l'aide d'un arbre qui rappelle l'arbre généalogique. Les tâches apparaissent dans des boîtes qui sont reliées les unes aux autres lorsqu'elles sont parentes, c'est-à-dire lorsqu'elles expriment la tâche du niveau précédent. Tout en bas de l'arbre ou à la toute fin de chaque branche de décomposition, on trouve les tâches qui constituent les sous-programmes. L'exemple 8.7 illustre un diagramme hiérarchique.

Exemple 8.7   Diagramme hiérarchique et algorithme

Un enseignant doit constituer le répertoire téléphonique des étudiants d'une classe. Après la décomposition du problème, il obtient le diagramme de la figure 8.2.

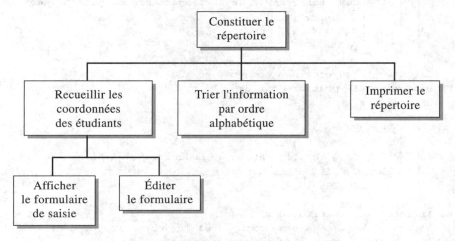

Figure 8.2 (ex. 8.7) Diagramme hiérarchique.

D'après ce diagramme, l'enseignant doit développer quatre algorithmes en plus de l'algorithme du programme principal qu'on appelle ici `Constituer_Repertoire`: `AfficherFormulaire()`, `ÉditerFormulaire()`, `Trier()` et `Imprimer()`. Il indique sous forme d'énoncés ces tâches dans l'algorithme principal, qui permettra d'écrire les instructions de la partie principale du programme. Par la suite, il ajoute entre parenthèses, à la fin de ces énoncés particuliers, la nature du sous-programme, soit une fonction et son nom. Il obtient l'algorithme [R0] suivant pour le programme `Constituer_Repertoire`:

```
R 0

  - Auteur      : Yves Boudreault
  -
  - Description: Constitution d'un répertoire téléphonique pour
  -              les étudiants de la classe. Ce programme n'effectue
  -              que la saisie des données et leur impression par
  -              ordre alphabétique.
```

```
-01 Description des identificateurs
-
   IDENTIFICATEUR        TYPE                     DESCRIPTION
-
-  MAXCLASSE             Constante                Nbre max. d'étudiants d'une
-                                                 classe
-  NomEtudiant           Tableau de chaînes       Tableau où sont mémorisés les
-                        de caractères            noms des étudiants de la classe
-  NoTelephone           Tableau de chaînes       Tableau où sont mémorisés les
-                        de caractères            nos de tél. des étudiants
-  Adresse               Tableau de chaînes       Tableau où sont mémorisées les
-                        de caractères            adresses des étudiants
-  LeBottin              Fichier texte            Fichier où se trouve le
-                                                 répertoire
-  AutreDonnee           Booléen                  Vaut vrai s'il y a une autre
-                                                 donnée à mémoriser
-  AfficherFormulaire()  Fonction                 Permet d'afficher le formulaire
-                                                 qui facilite la prise
-                                                 d'information
-  EditerFormulaire()    Fonction                 Permet d'éditer les champs
-                                                 réponses du formulaire
-  Trier()               Fonction                 Trie le répertoire par ordre
-                                                 alphabétique des noms
-  Imprimer()            Fonction                 Imprime le répertoire sur
                                                  imprimante


->>>>STRUCTURE DES OPÉRATIONS<<<<


Afficher un message de bienvenue
Recueillir les coordonnées des étudiants


    *   TANT QU'il y a des données à entrer

        Afficher le formulaire de saisie (Fonction AfficherFormulaire())
        Éditer le formulaire (Fonction EditerFormulaire())

Trier l'information par ordre alphabétique (Fonction Trier())
Imprimer le répertoire téléphonique (Fonction Imprimer())
Afficher un message de fin
```

Il ne reste qu'à rédiger les algorithmes des fonctions spécifiées dans l'algorithme du programme Constituer_Repertoire:

Algorithme de la fonction `AfficherFormulaire()`

```
R  0
```

- Auteur   : Yves Boudreault
-
- Description: Fonction AfficherFormulaire()
-              Cette fonction affiche le formulaire qui
-              facilitera la saisie de l'information.

- **01 Description des identificateurs**
-
- IDENTIFICATEUR   TYPE   DESCRIPTION
-
- NBCHAMPS   Constante   Nbre de champs du formulaire = 3
- CoordX   Tableau de NBCHAMPS   Tableau où est mémorisée
-                d'entiers   l'élément X écran des champs
- CoordY   Tableau de NBCHAMPS   Tableau où est mémorisée
-                d'entiers   l'élément Y écran des champs
- TitreChamp   Tableau de NBCHAMPS   Tableau où se trouve le titre
-                de chaînes de 50 caract. des champs à remplir
-

->>>>STRUCTURE DES OPÉRATIONS<<<<

  Effacer l'écran
  Afficher un cadre autour de l'écran

          * POUR chaque champ du formulaire
             Positionner le curseur aux coordonnées du champ
             Afficher le titre du champ

Algorithme de la fonction `EditerFormulaire()`

```
R  0
```

- Auteur   : Yves Boudreault
-
- Description: Fonction EditerFormulaire()
-              Cette fonction gère la saisie de l'information.
-              Termine vaut VRAI lorsque le programme doit se terminer.

```
- 01 Description des identificateurs
-
- IDENTIFICATEUR TYPE                      DESCRIPTION
-
- Termine (OUT)  Booléen               Indique si le programme doit se
-                                      terminer
- Finie          Booléen               Appuyer sur la touche Esc met fin
-                                      au programme
- FinEdition     Booléen               Appuyer sur la touche F10 met fin à
-                                      l'édition
- SauteDeChamp   Booléen               Appuyer sur la touche <Enter> fait
-                                      passer au champ suivant
- Reponse        Chaîne de 50 caract.  Réponse associée au champ édité


->>>>STRUCTURE DES OPÉRATIONS<<<<

Initialiser FinEdition à Faux
Positionner le curseur au premier champ
```

```
    *   TANT QUE ce n'est pas la fin du programme et
        ... pas la fin de l'édition

        Positionner le curseur selon le champ traité

    - 02  Éditer le champ

        *   TANT QUE ce n'est pas la fin du programme et
            ... pas la fin de l'édition et pas la fin de l'édition du champ

            Placer le curseur à la partie réponse
            Attendre et lire le caractère

        - 03  Agir selon le code du caractère

            SELON le caractère lu
              = NUL
            Lire un autre caractère
            - 04  Traiter le caractère spécial

                SELON le caractère lu
                  = Flèche gauche
                Déplacer vers la gauche si possible
            ...   = Flèche droite
                Déplacer vers la droite si possible
            ...   = F10
                Fin de l'édition

            ...   = Enter
                Actualiser le champ correspondant de l'étudiant
                Passer au champ suivant
```

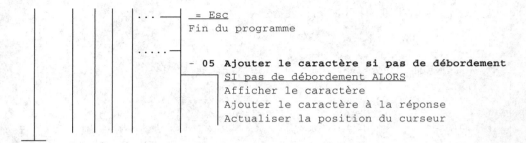

```
          ...  ____ = Esc
                    Fin du programme

          ..... ─── - 05 Ajouter le caractère si pas de débordement
                         SI pas de débordement ALORS
                         Afficher le caractère
                         Ajouter le caractère à la réponse
                         Actualiser la position du curseur
```

Algorithme de la fonction Trier()

```
R  0

   - Auteur      : Yves Boudreault
   -
   - Description: Fonction Trier()
   -             Cette fonction effectue le tri du fichier
   -             par ordre alphabétique de nom.
   -             NbElt (IN)

   - 01 Description des identificateurs
   -
   - IDENTIFICATEUR  TYPE           DESCRIPTION
   -
   - NbElt (IN)      Entier   Indique le nombre d'éléments dans le fichier
   - NbrePasse       Entier   Indice indiquant le nombre d'éléments triés
   - Position        Entier   Indice des éléments à comparer dans le fichier
   -


->>>>STRUCTURE DES OPÉRATIONS<<<<

   *  POUR NbrePasse de 1 à NbElt-1

      - 02  Remonter les noms plus petits

         *  POUR Position de NbElement à NbrePasse

            - 03  Comparer les noms adjacents
                  SI le nom précédent < le nom présent ALORS
                  Permuter les deux noms
```

Algorithme de la fonction Imprimer()

```
R  0

   - Auteur      : Yves Boudreault
   - Description: Fonction Imprimer()
   -             Cette fonction effectue l'impression du répertoire
   -             téléphonique.
   -             NbElt (IN), nombre d'éléments dans le fichier.
```

```
- 01   Description des identificateurs
-
- IDENTIFICATEUR     TYPE              DESCRIPTION
-
- NbElt (IN)         Entier        Nombre d'éléments dans le fichier


->>>>STRUCTURE DES OPÉRATIONS<<<<
Préparer l'imprimante pour l'impression
Ouvrir le fichier trié


    *   POUR Nbre de 1 à NbElt
        Lire l'information dans le fichier trié
        Imprimer l'information
```

8.4 TRAITEMENT EN MODE INTERACTIF

La facilité avec laquelle une personne peut interagir avec un programme informatique est un domaine de recherche sur lequel se penchent des spécialistes en psychologie, en ergonomie, en génie informatique et d'autres encore. On conçoit facilement l'importance de ces recherches étant donné l'utilisation de plus en plus répandue des ordinateurs comme outils de travail et d'apprentissage. De plus, l'usage croissant de l'ordinateur dans des applications de contrôle, comme dans les cabines de pilotage, les réseaux de distribution d'électricité et les instruments médicaux, exige le développement de méthodes interactives d'une grande efficacité.

8.4.1 Règles régissant les modes de dialogue usager-ordinateur

Les programmes liés aux exemples et aux exercices jusqu'ici possèdent presque tous la même caractéristique: chacun d'eux lit des données entrées au clavier et affiche ses résultats à l'écran. Lors de l'exécution d'une lecture (`scanf()` ou `cin`), le déroulement du programme est suspendu jusqu'au moment où l'usager appuie sur une ou plusieurs touches du clavier puis sur <Enter>.

De plus, nous avons vu jusqu'à maintenant que l'exécution d'une écriture (`printf()` ou `cout`) provoque l'affichage des résultats à l'écran. Généralement, cet affichage apparaît sur la ligne suivant celle où la sortie précédente a eu lieu.

Les programmes qui fonctionnent de cette manière sont dits interactifs ou en mode dialogué. Le programmeur doit prendre un certain nombre de précautions lors de leur élaboration pour éviter que les caractéristiques des fonctions d'entrée et de sortie mentionnées plus haut ne conduisent à des programmes au comportement difficile à suivre. Ces précautions se résument à deux règles:

1. L'affichage (`printf()` ou `cout`) d'un message ou d'une question indiquant à l'usager la nature des informations qu'il doit entrer au clavier doit toujours précéder la lecture de données (`scanf()` ou `cin`).

2. L'usager doit avoir la possibilité d'interrompre le défilement des affichages afin de pouvoir lire les messages adéquatement.

Les exemples 8.8 et 8.9 illustrent l'application de la première et de la deuxième règles du mode dialogué respectivement.

Exemple 8.8   Première règle du mode dialogué

```
#include <iostream.h>

void main(void)
{
    char Nom[81];
    int  Age;

    cout << "Écrire le nom et l'âge de la personne:";
    cin >> Nom >> Age;
}
```

Exemple 8.9   Deuxième règle du mode dialogué

```
#define  PI    3.141592654

#include <iostream>      // Pour l'utilisation de cin et cout
#include <iomanip>       // Pour l'utilisation de setw() et setprecision()
#include <cmath>         // Pour l'utilisation de sin()
using namespace std;

void main(void)
{
    int  Angle;
    char LitEnter;

    for (Angle = 1; Angle <= 360; Angle++)
    {
        cout << "sinus(" << Angle << ")= ";
        cout << setw(6) << setprecision(2) << sin(PI*Angle/180.0) << endl;
        if (Angle%22 == 0)  // Interruption toutes les 22 lignes
        {
            cout << "Appuyer sur Enter pour continuer" << endl;
            cin.get(LitEnter);
        }
    }
}
```

8.4.2 Modèles de mode dialogué

L'application de ces deux règles selon diverses combinaisons plus ou moins complexes conduit à des programmes dont le comportement vis-à-vis de l'usager est très intéressant et varié. Les deux modèles les plus courants sont le dialogue par questions et réponses et le dialogue par menus.

Dialogue par questions et réponses. C'est le modèle le plus simple: l'affichage d'une question précède chaque lecture de données, conformément à la première règle du mode dialogué. Le dialogue par questions et réponses convient bien à la réalisation de programmes ayant un nombre restreint de possibilités de traitement et demandant l'entrée au clavier d'un nombre limité de données. De plus, comme il est facile de l'appliquer, on l'utilise aussi pour concevoir la première version d'un programme. L'exemple 8.10 présente un dialogue par questions et réponses.

Exemple 8.10   Dialogue par questions et réponses

Le programme `Q_MULT.CPP` obtient diverses informations au sujet d'une personne par le biais de certaines questions. Une instruction de lecture suit chaque question, ce qui interrompt le programme et permet à l'usager d'entrer sa réponse. Le programme s'assure de la validité de certaines réponses, notamment des quantités numériques comme l'âge et le revenu mensuel.

Il est à noter que l'expression `cin >>` permet de détecter les erreurs de lecture grâce à la fonction `cin.fail()`. Toutefois, l'expression devient inutilisable après la détection d'une erreur de lecture. Pour remédier à ce problème, on doit se servir d'une variable intermédiaire `Tampon`, de type chaîne de caractères, qui sera convertie en valeur numérique si cela est possible. Si l'usager entre des valeurs non numériques, le programme peut détecter l'erreur à l'aide de fonctions de conversion telles `atoi()` et `atof()` qui donnent 0 comme résultat s'il y a erreur de lecture. Il faut bien noter que ces fonctions ne font aucun test de débordement, c'est-à-dire qu'elles ne vérifient pas si le résultat peut être mémorisé correctement dans la variable numérique utilisée à cette fin. Le programme repose la question jusqu'à l'obtention de la réponse désirée, c'est-à-dire une réponse qui ne comporte que des chiffres et qui se trouve dans l'intervalle des valeurs admissibles.

```
/*-------------------------------------------------------*/
/* FICHIER:     Q_MULT.CPP                               */
/* AUTEUR:      Wacef Guerfali                            */
/* DATE:        5 septembre 2000                         */
/* DESCRIPTION: Ce programme demande et lit le nom, le   */
/*              prénom, le métier, l'âge et le revenu d'une */
/*              personne à l'aide du dialogue par questions */
/*              et réponses.                              */
/*-------------------------------------------------------*/
#include <iostream>    // Pour l'utilisation de cin et cout
#include <cstdlib>     // Pour l'utilisation de atoi() et atof()
using namespace std;

const int Age_Min = 5;
const int Age_Max = 120;
```

```
void main (void)
{
    char Nom[31],Prenom[31],Metier[31];
    char Tampon[81];
    int  Age;
    float Revenu;
    short X,Y;

    cout<< endl << "Quel est votre prénom? --> ";
    cin >> Prenom;
    cout<< endl << "Merci, " << Prenom << ", de participer à ce sondage.";
    cout<< endl << endl;
    cout<< "Quel est votre nom de famille? --> ";
    cin >> Nom;
    cout<< "Quel métier exercez-vous? --> ";
    cin >> Metier;
    cout<< "Quel âge avez-vous? --> ";
    do
    {
        cin >> Tampon;
        Age = atoi(Tampon); // Attention! atoi() ne vérifie pas les
    }                       // débordements de type!
    while ((Age < Age_Min) || (Age > Age_Max));
    cout << "Combien gagnez-vous par mois? --> ";
    do
    {
        cin >> Tampon;
        Revenu = atof(Tampon);
    }
    while ((Revenu <= 0.0) || (Revenu > 3000.0));
    cout << endl << "Merci, " << Prenom;
    cout << ", j'ai noté tous ces renseignements." << endl;
}
/*------------------------------------------------------------*/
```

À l'exécution, on obtient:

```
Quel est votre prénom? --> Isabelle

Merci, Isabelle, de participer à ce sondage.

Quel est votre nom de famille? --> Belhumeur

Quel métier exercez-vous? --> Ingénieure

Quel âge avez-vous? --> 25

Combien gagnez-vous par mois? --> 2437.47


Merci, Isabelle, j'ai noté tous ces renseignements.
```

Dialogue par menus. Dans ce modèle de dialogue, le programme affiche une liste d'options à l'écran. Il s'arrête ensuite et attend que l'usager réponde en entrant au clavier l'indicatif du menu correspondant à son choix. L'exécution du programme se poursuit avec le traitement requis par le choix de l'usager. Le dialogue par menus convient aux mêmes types de programmes que le dialogue par questions et réponses. L'exemple 8.11 illustre la structure d'un programme utilisant le dialogue par menus.

Exemple 8.11 Structure d'un programme utilisant le dialogue par menus

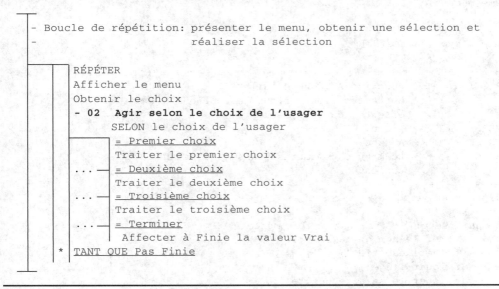

```
- Boucle de répétition: présenter le menu, obtenir une sélection et
-                         réaliser la sélection

    RÉPÉTER
    Afficher le menu
    Obtenir le choix
    - 02  Agir selon le choix de l'usager
          SELON le choix de l'usager
          = Premier choix
          Traiter le premier choix
    ... = Deuxième choix
          Traiter le deuxième choix
    ... = Troisième choix
          Traiter le troisième choix
    ... = Terminer
          Affecter à Finie la valeur Vrai
*   TANT QUE Pas Finie
```

L'exemple 8.12 présente un programme utilisant le dialogue par menus.

Exemple 8.12 Dialogue par menus

Le programme Q_MENU.CPP contient trois sous-programmes correspondant aux trois opérations inhérentes au dialogue par menus. Le premier, la fonction AfficherMenu(), affiche le menu des fonctions offertes. Les différentes options de ce menu sont mémorisées dans la constante tableau Menu. Dès l'affichage du menu, il faut entreprendre la deuxième opération, soit déterminer le choix. La fonction ObtenirReponse() réalise cette opération et s'assure également de la validité de la réponse. Enfin, il reste à accomplir la tâche correspondant à l'option choisie, et ce au moyen de la fonction EntrerValeur(), qui demande et mémorise l'information correspondante. Dans ce programme, une seule fonction suffit pour toutes les options du menu, ce qui n'est habituellement pas le cas. En effet, il est beaucoup plus courant d'associer un sous-programme distinct à chaque option. Ici, le menu est affiché puis s'efface aussitôt le choix de l'usager fait, afin de faire place aux différents écrans associés à l'option retenue.

```
/*-------------------------------------------------------------*/
/* FICHIER:     Q_MENU.CPP                                     */
/* AUTEUR:      Wacef GUERFALI                                 */
/* DATE  :      12 septembre 2000                              */
/* DESCRIPTION: Ce programme obtient de l'information au       */
/*              sujet d'une personne en utilisant le           */
/*              dialogue par menus.                            */
/*-------------------------------------------------------------*/
#include <iostream>      // Pour l'utilisation de cin et cout
#include <cctype>        // Pour l'utilisation de toupper()
using namespace std;

const char Bip = 7;
typedef char type_chaine[50];


/*-------------------------------------------------------------*/
/* DESCRIPTION:        Fonction AfficherMenu()                 */
/*                     Cette fonction affiche les options      */
/*                     offertes dans le menu.                  */
/* PARAMÈTRE:          Aucun.                                  */
/* VALEUR DE RETOUR:   Aucune.                                 */
/* REMARQUE:           Le menu est mémorisé dans la constante  */
/*                     tableau.                                */
/*-------------------------------------------------------------*/
void AfficherMenu(void)
{
    const char *Menu[] = {"1- Entrer le prénom",
        "2- Entrer le nom de famille",
        "3- Choisir le métier",
        "4- Indiquer l'âge",
        "5- Indiquer le salaire désiré" };
    int Rang;

    cout << endl << endl << endl << endl << endl;
    for (Rang = 0; Rang < 5; Rang++)

        cout << Menu[Rang]<< endl;


}
/*-------------------------------------------------------------*/
/* DESCRIPTION:        Fonction ObtenirReponse()               */
/*                     Cette fonction permet de lire un        */
/*                     caractère correspondant à la sélection  */
/*                     du menu effectué. Le caractère est      */
/*                     validé et retourné par la fonction.     */
/* PARAMÈTRE:          Aucun.                                  */
/* VALEUR DE RETOUR:   Sélection validée.                      */
/* REMARQUE:           La sélection est faite jusqu'à          */
/*                     l'obtention d'une réponse valide.       */
/*-------------------------------------------------------------*/
```

```
char ObtenirReponse(void)
{
    char Reponse;
    bool  Sortie;

    Sortie = false;

    do
    {
        cout << endl << "Entrer un numéro ou T pour terminer ->";
        cin >> Reponse;
        Reponse = toupper(Reponse);
        switch (Reponse)
        {
            case 'T': Sortie = true; break;
            case '1':
            case '2':
            case '3':
            case '4':
            case '5': Sortie = true; break;
            default : cout << Bip << endl;
        }
    }
    while (!Sortie);
    return(Reponse);
}


/*------------------------------------------------------------*/
/* DESCRIPTION:       Fonction EntrerValeur()                 */
/*                    Cette fonction permet de lire           */
/*                    l'information pour un choix du menu.     */
/* PARAMÈTRES:        Information (OUT): L'information lue.    */
/*                    Question (IN): La question posée.        */
/* VALEUR DE RETOUR:  Aucune.                                 */
/* REMARQUE:          Aucune.                                 */
/*------------------------------------------------------------*/
void EntrerValeur(type_chaine& Information, type_chaine Question)
{
    cout << endl << Question;
    cin >> Information;
}


/*------------------------------------------------------------*/
/* DESCRIPTION:       Fonction principale du programme.       */
/*                    Affiche un menu et obtient de           */
/*                    l'information au sujet d'une personne    */
/*                    en utilisant le dialogue par menus.      */
/*                    Fait appel aux fonctions:               */
/*                        - AfficherMenu()                    */
/*                        - ObtenirReponse()                  */
/*                        - EntrerValeur()                    */
```

```
/* PARAMÈTRE:           Aucun.                                      */
/* VALEUR DE RETOUR: Aucune.                                        */
/* REMARQUE:           Aucune.                                      */
/*------------------------------------------------------------*/
void main (void)
{
    // Prototype des fonctions utilisées
    void AfficherMenu(void);
    char ObtenirReponse(void);
    void EntrerValeur(type_chaine&, type_chaine);

    type_chaine  Nom, Prenom, Metier,
                 AgeCh, RevenuCh;
    bool Termine;

    Termine = false;

    do
    {
        AfficherMenu();
        switch (ObtenirReponse())
        {
            case '1':  EntrerValeur(Prenom,    "PRÉNOM ");break;
            case '2':  EntrerValeur(Nom,       "NOM "); break;
            case '3':  EntrerValeur(Metier,    "MÉTIER "); break;
            case '4':  EntrerValeur(AgeCh,     "ÂGE "); break;
            case '5':  EntrerValeur(RevenuCh,  "REVENU "); break;
            case 'T':  cout << endl << endl << endl <<"Au Revoir";
                       Termine = true; break;
        }
    }
    while (!Termine);
}
/*------------------------------------------------------------*/
```

À l'exécution, on obtient:

```
         1- Entrer le prénom
         2- Entrer le nom de famille
         3- Choisir le métier
         4- Indiquer l'âge
         5- Indiquer le salaire désiré

  Entrer un numéro ou T pour terminer ---> 1

  PRÉNOM       Gilbert
```

8.4.3 Bibliothèques de sous-programmes

Un des problèmes majeurs auxquels font face aujourd'hui les entreprises de conception de logiciels a trait à la gestion du logiciel. En effet, la majeure partie des coûts des opérations informatiques des entreprises est reliée à la maintenance des logiciels. Il importe de faciliter le plus possible la gestion des logiciels en gardant en tête l'objectif de concevoir des logiciels portables qu'on peut destiner à une utilisation générique.

On dit qu'un logiciel est portable lorsqu'on peut l'utiliser sous divers environnements informatiques sans y apporter de modifications trop onéreuses. De plus, si le logiciel peut servir, sans modifications, à des applications diversifiées, alors on le qualifie de générique. Même si la rédaction de tels programmes est l'apanage des spécialistes, il est bon de connaître les objectifs de ces derniers et les moyens dont ils disposent.

Comme nous l'avons vu à l'article 8.3.4, la résolution d'un problème passe par sa décomposition en sous-problèmes plus simples et, par conséquent, plus faciles à résoudre. Par ailleurs, la décomposition en sous-problèmes apporte un autre avantage important. Si on applique la technique de la conception descendante à une gamme étendue de problèmes divers, on s'aperçoit que plusieurs des sous-problèmes résultants sont semblables, et ce en dépit de la nature diversifiée des problèmes originaux. Il importe donc de repérer, parmi les sous-problèmes, lesquels sont de nature générale et peuvent faire l'objet d'une solution unique. Une fois cette solution rédigée, il est possible de reprendre le sous-programme résultant avec un minimum de modifications chaque fois qu'un niveau de raffinement le requiert.

La première source de sous-programmes est évidemment la bibliothèque de fonctions intégrées à l'environnement d'un compilateur. Ces sous-programmes sont génériques, mais ils ne sont pas tous portables. En outre, ils ne servent à résoudre que des problèmes relativement simples. Les situations dans lesquelles ces sous-programmes ne peuvent servir sont assez fréquentes, d'où le besoin de constituer sa propre bibliothèque de sous-programmes ou mieux, d'utiliser des bibliothèques disponibles dans le domaine public ou sur le marché.

L'usager qui entreprend de créer sa propre bibliothèque peut la conserver sous deux formats: en code source ou en code compilé. Le code source est un ensemble d'instructions compréhensibles par un programmeur. Le code compilé est le résultat de la compilation du code source et n'est pas compréhensible par un programmeur. Cependant, il offre l'avantage de ne pas devoir être recompilé avec le reste du programme appelant.

Constitution et gestion de bibliothèques. Une bibliothèque de sous-programmes est un ensemble organisé de fonctions qui sont conservées sur des fichiers et accompagnées d'un mode d'emploi et d'une description sommaire des algorithmes utilisés. Les bibliothèques sont souvent thématiques, c'est-à-dire qu'elles regroupent des sous-programmes qui réalisent des opérations propres à un domaine particulier comme les statistiques, le calcul matriciel, l'analyse numérique de signaux et d'images, les méthodes de tri et de gestion de banques de données, la présentation graphique de données, etc. En fait, il y a une vaste gamme de bibliothèques offertes sur le marché; ces dernières constituent un excellent moyen d'accélérer la réalisation de projets d'informatique.

Pour utiliser une bibliothèque, il est nécessaire d'insérer dans le programme principal en développement tous les énoncés `include` correspondant aux fichiers d'en-tête reliés à la bibliothèque. De plus, il faut signaler à l'éditeur de liens (`Linker`) la présence d'un fichier bibliothèque, car ce dernier doit être relié au programme principal pour être exécutable.

La plupart des programmeurs réunissent tôt ou tard une collection personnelle de fonctions d'usage général, qui peut comprendre des sous-programmes tirés de bibliothèques commerciales et d'autres conçus par eux-mêmes ou obtenus de collègues. Il y a toutefois des différences entre une simple collection de sous-programmes et une véritable bibliothèque. Elles concernent principalement la qualité de la documentation ainsi que l'agencement et la généralité des sous-programmes.

8.4.4 Acquisition de logiciels commerciaux

Bon nombre d'ingénieurs n'auront jamais à écrire de logiciels, leur travail consistant plutôt à proposer l'acquisition de logiciels spécialisés fabriqués par des entreprises. En général, les logiciels offerts sur le marché sont fiables et efficaces et peuvent s'adapter, à des coûts peu élevés, aux besoins spécifiques de l'acheteur.

La recherche d'un logiciel d'application qui satisfera un besoin spécifique est liée de près aux principes et aux techniques du génie du logiciel. Les recommandations qui suivent constituent une méthode simple et efficace de recherche de logiciels commerciaux qui tient compte des restrictions économiques.

1. Définition des besoins

    Pour développer un logiciel, on doit définir le problème à résoudre et les objectifs à atteindre; il en est de même lorsqu'on cherche à acquérir un logiciel commercial. Il faut aussi déterminer les principaux objectifs auxquels doit satisfaire le logiciel: données à préparer, forme des rapports à produire, traitements manuels éliminés, modifiés ou générés, etc. De plus, il est pertinent d'évaluer les ressources nouvelles requises pour recevoir le nouveau logiciel.

2. Relevé des logiciels offerts

    Les sources d'information sur les logiciels commerciaux sont multiples: revues spécialisées, revues informatiques, relations personnelles avec les fournisseurs, firmes de consultants, autres usagers, etc.

3. Évaluation sommaire et élimination préliminaire

    Il s'agit de dresser un tableau des caractéristiques essentielles et importantes que doit présenter le logiciel. Ce tableau permet d'effectuer une sélection des logiciels répondant à des critères particuliers. Par la suite, on s'attardera à des caractéristiques plus poussées des logiciels retenus.

4. Évaluation détaillée

    On complète maintenant la liste des caractéristiques commencée à l'étape 3 en y ajoutant les facteurs pouvant permettre de départager les logiciels retenus. On associe à chacun des facteurs de décision une pondération reflétant son importance relative, comme la langue de travail, la compatibilité avec les systèmes existants, le délai de livraison, la facilité d'installation, le besoin en formation du personnel et la réputation du fournisseur.

5. Consultation des usagers actuels des logiciels

Un fournisseur qui hésite à fournir une liste de ses clients a probablement des lacunes à cacher. Les clients usagers se prêtent généralement de bonne grâce à une consultation de ce genre. C'est pour eux un moyen de vanter un produit ou un fournisseur dont ils sont satisfaits ou, le cas échéant, de prendre une petite revanche. Dans tous les cas, il faut préparer ses questions à l'avance en prenant soin d'éviter celles qui nécessitent trop de développements.

6. Banc d'essai

Si les réponses des usagers actuels ne permettent pas de préciser certains points importants, il convient de procéder à la tenue d'un banc d'essai. La conception d'un banc d'essai est une opération qui nécessite beaucoup de ressources. On peut exiger du fournisseur un tel travail seulement si le choix du logiciel ne dépend plus que d'un résultat positif du banc d'essai.

7. Prise de décision

En tenant compte des résultats obtenus lors des étapes précédentes, on décide de retenir un ou quelques logiciels.

8. Négociation des acquisitions

On informe les fournisseurs retenus des choix effectués. Il leur revient alors de préparer des propositions de contrats qui serviront à faire une sélection finale.

9. Implantation

L'étape d'implantation comprend plusieurs phases, dont l'installation, le rodage, la formation du personnel et la prise en charge de la documentation. Il importe que l'usager tienne un journal des activités reliées au nouveau logiciel, et ce pendant une période suffisante pour s'assurer que le logiciel fonctionne comme prévu.

10. Validation des opérations

Après un cycle complet d'utilisation, on rédige un rapport de performance. Ce rapport dresse tous les aspects opérationnels du logiciel ainsi que les répercussions de son utilisation sur l'entreprise.

8.5 QUESTIONS

1. Qu'est-ce qui caractérise une programmation dite structurée?

2. Énumérer les structures alternatives.

3. Pourquoi doit-on écrire des modules de petite taille?

4. Expliquer brièvement la technique de conception descendante.

5. Qu'essaye-t-on de représenter par un algorithme?

6. Donner deux méthodes de représentation d'algorithmes.

7. Quelle est la différence entre le pseudo-code et le pseudo-code schématique?

8. Qu'est-ce qu'un commentaire opérationnel?

9. À quoi sert le raffinement?

10. Quelles structures répétitives utilise-t-on en langage C?

11. Qu'indique le symbole «*» dans une structure répétitive?

12. Trouver la correspondance en langage C/C++ du pseudo-code schématique suivant:

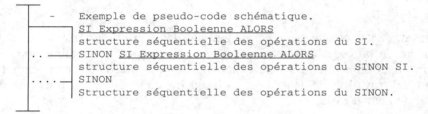

```
    -      Exemple de pseudo-code schématique.
           SI Expression Booleenne ALORS
           structure séquentielle des opérations du SI.
           SINON SI Expression Booleenne ALORS
           structure séquentielle des opérations du SINON SI.
           SINON
           Structure séquentielle des opérations du SINON.
```

13. Pourquoi doit-on décomposer un problème en sous-problèmes?

14. Que représente le diagramme hiérarchique?

15. Combien d'algorithmes devrait-on écrire pour obtenir le diagramme hiérarchique suivant?

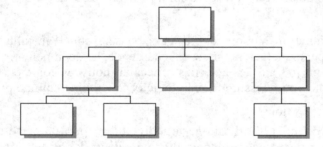

16. Qu'est-ce qu'un logiciel portable?

17. Pourquoi a-t-on avantage à conserver un ensemble de sous-programmes sous forme de code compilé?

18. Que doit contenir une bibliothèque de sous-programmes?

19. Expliquer l'effet de la directive `#include <stdlib.h>`.

20. Comment fait-on pour utiliser les fonctions prédéfinies dans une bibliothèque?

21. Énumérer les étapes de recherche suggérées pour l'acquisition de logiciels commerciaux.

22. Qu'est-ce qu'un programme interactif?

23. Quelles sont les deux règles qui résument les précautions à prendre lorsqu'on conçoit des programmes interactifs?

24. Quels sont les trois modèles de modes dialogués?

25. Quel mode dialogué présente le plus d'attraits et pourquoi?

26. Dans quels cas utilise-t-on les dialogues par questions et réponses et par menu?

8.6 EXERCICES

1. Un professeur de musique a demandé à l'un de ses élèves de répéter le menuet n° 1 de Bach jusqu'à ce qu'il le maîtrise à la perfection et à un autre de le jouer 20 fois. Illustrer ces deux cas par des algorithmes sous la forme de pseudo-code schématique.

2. Écrire l'algorithme en pseudo-code schématique d'un programme qui demande à l'usager d'entrer au clavier le mot «quitter» pour quitter le programme et qui boucle indéfiniment dans tous les autres cas.

3. Écrire l'algorithme en pseudo-code schématique d'un programme qui demande à l'usager d'entrer un nombre au clavier et qui imprime sa valeur absolue.

4. Écrire un algorithme en pseudo-code schématique qui traduit le règlement suivant de la bibliothèque: les étudiants du premier cycle peuvent emprunter des volumes pour une durée maximale de 20 jours, les étudiants diplômés peuvent les garder jusqu'à 30 jours et les professeurs, pendant 2 mois. Personne ne peut toutefois emprunter plus de cinq volumes à la fois.

5. Écrire un algorithme en pseudo-code schématique qui reçoit en paramètres une chaîne de caractères et une lettre, puis qui vérifie le nombre de fois où cette lettre (minuscule ou majuscule) apparaît dans la chaîne.

6. Supposons qu'on dispose d'un vecteur contenant les notes que des étudiants ont eues à un examen et d'une variable contenant le nombre d'étudiants, et qu'on désire connaître la moyenne et l'écart type des notes. Écrire un algorithme en pseudo-code schématique qui permette d'effectuer les deux opérations requises.

7. Écrire un algorithme en pseudo-code schématique qui permette de lire trois valeurs entières et qui les imprime en ordre croissant puis décroissant.

8. Écrire un algorithme en pseudo-code schématique qui donne la solution d'une équation de second degré:
$$ax^2 + bx + c = 0$$

Si $b^2 - 4ac > 0$, alors on a deux racines réelles: $\dfrac{-b \pm \sqrt{b^2 - 4ac}}{2a}$

Si $b^2 - 4ac = 0$, alors on a une racine réelle: $\dfrac{-b}{2a}$

9. On désire obtenir un programme qui sélectionne de façon aléatoire un chiffre compris entre 1 et 100, puis qui vérifie si le chiffre choisi est divisible par 2, 3 et 5. Le programme doit s'interrompre dès qu'il trouve un tel chiffre. Réaliser l'algorithme en pseudo-code schématique de ce programme.

10. Utiliser le pseudo-code schématique pour décrire la séquence des actions suivantes: conduire tout droit jusqu'à la troisième rue, tourner à gauche s'il est entre 22 h et 7 h, puis encore à gauche; sinon tourner à la prochaine rue à droite et continuer tant qu'on n'a pas rejoint l'hôtel.

11. La Ville de Montréal désire qualifier l'indice de pollution du centre-ville. Selon elle, si l'indice est inférieur à 25, l'air est très bon; entre 25 et 45, l'air est bon; entre 45 et 60, l'air est pollué; enfin, un indice supérieur à 60 correspond à un taux élevé de pollution.

   a) Établir l'algorithme en pseudo-code schématique d'un programme qui permettra de lire l'indice de pollution et de qualifier la qualité de l'air.

   b) Écrire un programme qui permettra de qualifier la qualité de l'air à partir de l'algorithme réalisé en a).

12. Écrire un algorithme en pseudo-code schématique qui permette de convertir un nombre entier exprimant des secondes en heures, minutes et secondes.

   Ex.: 3723 s = 1 h, 2 min et 3 s

13. Une compagnie de cartes de crédit désire mettre au point un système de codage des numéros de cartes afin d'éviter tout usage malhonnête. La compagnie décide de coder ses numéros selon des opérations arithmétiques. Supposons que les numéros de cartes se composent de cinq chiffres, $C_1C_2C_3C_4C_T$; pour valider le numéro, on fait la somme des chiffres C_1, C_2, C_3, C_4 et on vérifie si le dernier chiffre de la somme correspond à C_T. La compagnie vous demande de réaliser l'algorithme en pseudo-code schématique et le programme qui demande le numéro d'une carte puis qui vérifie s'il est valide.

14. Une compagnie de traitement de paye désire informatiser ses opérations de calcul de salaires mensuels. Elle reçoit des fichiers contenant les informations sur les employés auxquels elle doit verser un salaire. Les fichiers contiennent les noms des employés, leur statut (cadre, employé de bureau, contractuel ou vendeur) ainsi que le détail des montants à accorder à chacun. Le salaire doit se calculer comme suit:

   − pour les cadres: salaire annuel ÷ 12;

   − pour les employés de bureau: taux horaire pour les premières 40 h par semaine + taux horaire et demi pour les heures supplémentaires;

   − pour les contractuels: taux horaire × nombre d'heures;

   − pour les vendeurs: salaire de base + commissions (2 % des ventes).

   Écrire l'algorithme en pseudo-code schématique du programme qui permettra de lire le fichier d'informations et de calculer la paye mensuelle de chaque employé.

15. Un employé modèle désire participer à un régime d'épargne-retraite. Il décide de déposer chaque année dans son compte la somme de 2000 $. Compte tenu du fait que le taux d'intérêt en vigueur est fixé à 10 % et qu'il réinvestit chaque année l'intérêt fait

sur son dépôt, l'employé désire savoir quel montant sera accumulé dans son compte après 20 ans. Écrire un algorithme en pseudo-code schématique qui permette de calculer le montant de son épargne.

16. Un système automatique permet de mesurer à intervalles réguliers la température ambiante d'une pièce. On désire mettre au point un programme qui contrôlera, à l'aide de ce système, la température de la pièce, c'est-à-dire qui la maintiendra entre 20 et 25 °C. Lorsque la température est inférieure à 20 °C, le programme doit envoyer un message au système de chauffage pour qu'il se mette en marche, à moins qu'il ne le soit déjà. Lorsque la température dépasse 25 °C, le programme doit commander l'arrêt du système de chauffage si ce dernier est encore en marche.

Rédiger la structure des opérations, sous forme d'un algorithme en pseudo-code schématique, d'un programme qui permettra de maintenir la température ambiante d'une pièce entre 20 et 25 °C. Donner la description des identificateurs.

17. Un petit hôtel du centre-ville héberge des clients de nationalités diverses et, souvent, ceux-ci désirent payer leur note en devises étrangères. Le propriétaire de l'hôtel vous demande d'écrire un programme qui lui permettra d'effectuer les opérations suivantes:
    – préciser le montant de la note à payer en dollars canadiens et l'origine des devises étrangères, et obtenir le montant en devises étrangères à exiger du client;
    – déterminer, si c'est nécessaire, la monnaie en dollars canadiens que l'hôtelier doit remettre au client.

De plus, l'hôtelier désire tenir à jour les différents taux de change dans un fichier ASCII contenant le pays d'origine des devises ainsi que le taux de change actuel.

Le programme doit être modulaire et se composer de plusieurs sous-programmes.

a) Réaliser le diagramme hiérarchique du programme.
b) Écrire l'algorithme en pseudo-code schématique de chaque sous-programme.
c) Écrire un programme en langage C/C++ qui réalise les fonctions décrites précédemment.

18. Considérons le type construit suivant qui définit une représentation numérique pour les nombres complexes:

```
struct type_complexe
{
    float   Reel;   // Partie réelle
    float   Imgn;   // Partie imaginaire
};
```

a) Écrire les fonctions qui permettront d'effectuer les opérations d'addition, de soustraction et de multiplication de deux nombres complexes.
b) Écrire un programme qui utilise les fonctions décrites précédemment comme bibliothèque pour réaliser des opérations arithmétiques simples sur des nombres complexes.

19. Un ingénieur à l'emploi d'une usine de traitement des eaux usées sauvegarde chaque année, dans un premier fichier, la quantité d'eau produite par l'usine pour chaque mois d'exploitation et, dans un deuxième fichier, la quantité d'énergie consommée ainsi que

son coût unitaire. Il vous demande de réaliser des sous-programmes distincts qui lui permettront de calculer:

- la production annuelle d'eau;
- la production moyenne d'eau;
- la consommation totale d'énergie;
- le coût total de l'énergie;
- le coût moyen d'exploitation.

Premièrement, réaliser le diagramme hiérarchique du programme qui permettra d'accéder à toutes ces fonctions; deuxièmement, rédiger les algorithmes en pseudo-code schématique; troisièmement, écrire le programme en langage C/C++ qui répondra aux besoins de l'ingénieur.

20. Le Service du contrôle de la qualité d'une usine de fabrication de disques rigides évalue les performances de ceux-ci en sélectionnant au hasard 100 unités par jour. On crée un fichier dans lequel on note leur numéro de série ainsi que deux mesures de qualité. Premièrement, on mesure en pourcentage la différence de vitesse de rotation par rapport à la vitesse du design original et, deuxièmement, on établit le nombre et la dimension des mauvais secteurs en pourcentage de la capacité totale de stockage du disque. Le Service considère que les disques ayant plus de 2 % de différence de vitesse et plus de 10 % de surface inutilisable sont des disques de deuxième choix. On vous demande de réaliser des sous-programmes distincts qui permettront au Service du contrôle de la qualité:

- de mesurer la différence de vitesse de rotation moyenne;
- de mesurer la surface défectueuse moyenne des 100 disques sélectionnés;
- de mesurer le pourcentage de disques de deuxième choix que contient le lot.

Tout d'abord, réaliser le diagramme hiérarchique du programme qui permettra d'accéder à toutes ces fonctions; ensuite, rédiger les algorithmes en pseudo-code schématique; enfin, rédiger le programme en langage C/C++ qui répondra aux besoins du Service.

8.7 TRAVAIL DIRIGÉ

Ce travail permettra à l'étudiant de manipuler des algorithmes en pseudo-code schématique et de faire le lien avec la programmation.

1. La puissance dissipée dans un conducteur électrique peut se calculer à l'aide de l'équation suivante:

$$P = R \cdot I^2$$

où P = puissance (en watts)
    R = résistance (en ohms)
    I = courant électrique (en ampères)

Pour réaliser un circuit, on peut choisir l'un ou l'autre des trois conducteurs (A, B et C) qui ont des résistances respectives de 0,05, 0,10 et 0,15 Ω.

Compléter l'algorithme suivant, écrit en pseudo-code schématique, qui permet de calculer la puissance dissipée dans un circuit électrique, et raffiner les commentaires opérationnels:

```
-    Calcul de la puissance dissipée
[01] Lire et valider le type de conducteur (A, B ou C)
     Lire la valeur du courant électrique
[02] Calculer la puissance dissipée
     Afficher la puissance calculée
```

2. Écrire un programme qui réalise les fonctions décrites dans le problème 1.

3. Le triangle est une forme géométrique très fascinante dont on a démontré une quantité incroyable de propriétés.

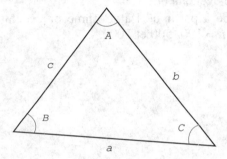

En voici quelques-unes:

– Les côtés *a*, *b* et *c* forment un triangle si la longueur du plus grand côté est inférieure à la somme des longueurs des deux autres côtés.

– La loi du cosinus:

$$\cos (A) = \frac{b^2 + c^2 - a^2}{2\,bc}$$

– Un triangle est rectangle si le carré de l'hypoténuse (le côté le plus long) est égal à la somme des carrés des deux autres côtés.

– Un triangle est équilatéral si ses trois côtés sont égaux.

– Un triangle est isocèle s'il possède deux et uniquement deux côtés égaux.

– Un triangle est scalène si les trois côtés sont de longueurs différentes.

Écrire l'algorithme en pseudo-code schématique et le programme qui permettent de déterminer la sorte de triangle à partir des longueurs des trois côtés. De plus, dans le cas de triangles isocèle et scalène, le programme doit préciser s'ils sont rectangles ou s'ils possèdent un angle obtus (supérieur à 90°) ou seulement des angles aigus.

4. Un jeu de poker se compose de 52 cartes, soit as à 10, valet, dame et roi, pour les quatre couleurs: coeur, carreau, pique et trèfle. Chaque joueur reçoit cinq cartes, et on désigne par *straight* toute séquence de cinq cartes consécutives, quelle que soit leur couleur. Il est à noter que l'as peut se placer à la fois avant le deux ou après le roi.

Ex.:   As 2 3 4 5
       7 8 9 10 Valet
       10 Valet Dame Roi As

On appelle *flush* cinq cartes d'une même couleur et *straight flush* une séquence de cinq cartes consécutives de même couleur.

a) Écrire un algorithme en pseudo-code schématique qui permette de sélectionner de façon aléatoire des cartes et qui détermine si cette séquence constitue une `straight`, une `flush` ou une `straight  flush`. Refaire le processus n fois et estimer la fréquence de chaque événement.

b) Écrire un programme à partir de l'algorithme précédent et tester la fréquence des événements lorsque $n = 100$, 500 et 1000.

MÉTHODOLOGIE DE LA RÉSOLUTION DE PROBLÈMES

9.1 CONCEPTION D'UN LOGICIEL

Pour développer un programme en vue de résoudre un problème, on doit généralement accomplir un ensemble de tâches dans un ordre précis. Ces tâches, qui peuvent être regroupées en neuf catégories, correspondent aux différentes étapes de la conception d'un logiciel. L'ordre des tâches est habituellement le suivant:

1. Développement des spécifications du problème à résoudre, qui consiste, dans notre cas, essentiellement à l'identification des données disponibles, des résultats visés et des traitements requis.

2. Analyse par conception descendante, qui permet d'obtenir une éventuelle solution sous forme d'une séquence de tâches à réaliser dans un certain ordre.

3. Conception d'un algorithme complet de la solution.

4. Rédaction du programme traduisant l'algorithme proposé.

5. Préparation, s'il y a lieu, des fichiers de données tests qui serviront lors de l'étape de la mise au point du programme.

6. Mise au point du programme rédigé.

7. Rédaction de la documentation relative au mode d'utilisation du programme.

8. Établissement de toutes les conclusions jugées pertinentes relativement aux travaux effectués, aux résultats obtenus et à la poursuite éventuelle de travaux autour du même sujet.

9. Rassemblement de tous ces éléments dans un rapport de projet complet.

Pour une meilleure vue d'ensemble, on peut regrouper ces neuf tâches en six étapes:

1. définition du problème (tâche 1);

2. analyse du problème (tâche 2);

3. conception des algorithmes (tâche 3);

4. rédaction des programmes (tâches 4 et 5);

5. mise au point des programmes (tâche 6);

6. rédaction du rapport de programme (tâches 7, 8 et 9).

À la base, l'informatique se définit comme la science du traitement automatique de l'information. Ce traitement se résume essentiellement aux opérations suivantes: collecte des données, traitement des données et présentation des résultats.

Ces trois opérations se répètent dans chaque étape de l'élaboration d'un projet. Il devient alors assez efficace de les utiliser comme point de départ et de les expliciter au fur et à mesure du développement du projet.

9.2 DÉFINITION DU PROBLÈME

La définition du problème est la première étape à réaliser. Elle demande minutie et rigueur, d'autant plus qu'elle tient lieu de point de départ pour les étapes suivantes. Une imprécision ou une mauvaise interprétation à ce stade peut entraîner la réalisation d'un projet tout à fait autre que celui attendu. Par exemple, un problème consiste à trouver tous les chemins reliant deux villes données. Si on détermine alors la route la plus courte ou la route la moins fréquentée, on aura bel et bien trouvé une route; cependant, cette solution ne répond pas à la demande initiale, c'est-à-dire de trouver toutes les routes reliant deux villes.

De façon plus précise, la définition du problème consiste à dégager toutes les spécifications et les exigences du projet. Il s'agit de circonscrire les éléments, les objets à traiter ainsi que les traitements à effectuer. De plus, il faut décrire avec clarté les résultats attendus. Une bonne définition se caractérise par une absence d'ambiguïté; ainsi, en partant d'une même définition, plusieurs personnes doivent pouvoir élaborer des programmes qui réalisent les mêmes fonctions. Il existe une méthode de définition du problème qui comporte trois points:

1. Mettre en évidence les spécifications et les exigences d'un problème en répondant aux questions suivantes:

    a) Quelles sont les données à traiter et où peut-on les obtenir?

    b) Quels traitements faut-il effectuer sur ces données?

    c) Quels sont les résultats attendus?

2. Pour les éléments déterminés précédemment, établir les caractéristiques particulières telles les limites ou les contraintes spécifiques en portant une attention particulière aux données disponibles et à leurs formats ainsi qu'aux résultats désirés et à leurs formats.

3. Rédiger par la suite une définition en ajoutant à l'exposé de départ les précisions obtenues dans le développement des points 1 et 2.

L'exemple 9.1 illustre cette méthode de définition du problème.

Exemple 9.1   Méthode de définition du problème

Un sac contient des billes de deux couleurs différentes. Chaque bille est gravée d'un nombre qui la distingue des autres billes de la même couleur. On doit trier ces billes selon leur couleur et les déposer dans deux sacs distincts, connaître le rang de dépôt des billes dans le sac approprié et le nombre de billes contenues dans chaque sac.

On procède suivant la méthode de définition du problème.

1. Mettre en évidence les spécifications et les exigences du problème.

    a) Quelles sont les données à traiter?

    – Des billes.
    – Des sacs.

    b) Quels traitements faut-il effectuer sur ces données?

    – Triage: identification des billes et dépôt dans le sac approprié.
    – Identification du rang de dépôt de la bille dans le sac.
    – Calcul du nombre de billes dans chaque sac.

    c) Quels sont les résultats attendus?

    – Deux sacs contenant chacun des billes d'une même couleur.
    – Deux sacs dans lesquels l'ordre de dépôt des billes est connu.
    – Le nombre de billes contenues dans chaque sac.

2. Pour les éléments identifiés, établir les caractéristiques particulières, les limites ou les contraintes spécifiques.

    a) Pour les billes:

    – caractéristiques: couleur, nombre gravé;
    – limite: nombre maximal à considérer.

    b) Pour les sacs:

    – limite: capacité maximale en nombre de billes;
    – contrainte: une seule couleur de bille par sac.

3. Rédiger le texte de la définition.

    Un sac contient 100 billes de deux couleurs différentes, soit rouge et bleu. Chaque bille est gravée d'un nombre qui la distingue des autres billes de la même couleur. La capacité maximale des sacs est précisément de 100 billes. On désire trier ces billes selon leur couleur et les déposer dans deux sacs différents, connaître le rang de dépôt des billes dans leur sac ainsi que le nombre de billes dans chaque sac.

À la lecture de la définition, il ne doit subsister aucune interrogation. Tout élément qui laisse place à l'interprétation doit être éclairci et fixé à cette étape. Il est à noter qu'une mauvaise interprétation se répercute sur les étapes suivantes et résulte en une perte de temps et d'énergie importante.

9.3 ANALYSE DU PROBLÈME

L'analyse du problème consiste à mettre au point et à comparer diverses solutions possibles en vue de choisir la «meilleure». Ce choix peut tenir compte de divers paramètres tels que le budget, le temps et les ressources disponibles, l'expertise, le langage, etc. L'analyse exige la connaissance d'un langage informatique.

Il est hautement recommandé de travailler à l'élaboration des solutions suivant la technique de la conception descendante, même si cette technique rebute quelquefois les débutants.

Si on amorce la définition du problème en répondant aux questions «qui», «que» et «quoi», en référence aux trois opérations de base du traitement informatique, on commence l'analyse en répondant aux interrogations «comment». De façon générale, il faut répondre aux questions suivantes, liées à la collecte des données, au traitement des données et à la présentation des résultats:

1. Comment recueillir les données? Comment les représenter et les mémoriser?

2. Comment effectuer les traitements nécessaires?

3. Comment présenter les résultats? Comment les mémoriser (s'il y a lieu)?

On trouve à l'exemple 9.2 le développement d'une analyse du problème.

Exemple 9.2 Analyse du problème

Reprenons le problème de l'exemple 9.1. On procède à l'analyse en répondant aux questions suivantes:

Collecte des données

– Comment représenter chaque bille?

L'information à connaître sur une bille est sa couleur et son nombre. On peut associer à chaque bille une chaîne de caractères qui contient cette information ou encore y associer deux variables représentant les deux éléments, soit une variable de type chaîne de caractères pour la couleur et une variable de type entier pour le nombre. Nous choisissons la deuxième solution; comme la couleur est isolée, le tri est plus facile à réaliser.

– Comment représenter les sacs de billes?

Le sac à trier peut se présenter sous forme d'un fichier texte dans lequel l'information correspondant à une bille entre sur une ligne, la couleur précédant le nombre. Les autres sacs peuvent également se représenter sous forme de fichiers. Une autre façon de représenter les sacs triés est d'utiliser des tableaux d'entiers et de chaînes de caractères. Comme nous désirons conserver les sacs triés en permanence, nous optons pour la représentation par fichiers afin de ne pas avoir à recommencer le tri.

– Comment reconnaître la couleur d'une bille?

Tout simplement par la valeur de la chaîne de caractères: rouge ou bleu.

Traitement des données

– Comment retirer une bille et la déposer dans un sac?

Retirer une bille correspond à lire dans le fichier une chaîne de caractères et un nombre. Déposer correspond à écrire ces données dans le fichier correspondant à la couleur.

– Comment effectuer le tri?

Le tri s'effectue au moyen d'une structure répétitive qui parcourt le fichier-sac en lisant bille par bille et qui procède à l'écriture dans le bon fichier-couleur, et ce à l'aide d'une structure conditionnelle. Il est aussi possible de parcourir une première fois le fichier à trier et, à chaque rencontre d'une bille rouge, d'inscrire celle-ci dans le fichier rouge. L'opération se répète pour les billes bleues. Cette deuxième possibilité est rejetée puisque le fichier est lu deux fois plutôt qu'une.

– Comment déterminer le rang de dépôt des billes dans les sacs?

Comme l'inscription s'effectue ligne par ligne, la première ligne correspond à la première bille insérée, la deuxième ligne à la deuxième bille insérée et ainsi de suite. On peut ajouter dans le fichier le numéro de rang de l'inscription. Cependant, cet ajout est redondant puisque nous pouvons connaître facilement le numéro de ligne en les comptant à la lecture.

– Comment calculer le nombre de billes dans chaque sac?

Tout d'abord il faut deux compteurs, un pour les billes rouges et un autre pour les bleues. Il suffit d'actualiser le bon compteur selon la couleur rencontrée en procédant à une lecture du fichier avec une instruction de répétition. Une autre méthode consiste à actualiser ces compteurs en même temps que le tri s'effectue. Cette deuxième possibilité est sûrement la meilleure, car elle évite de lire deux fois le fichier.

Présentation des résultats

– Comment présenter le contenu des sacs et montrer que le tri est bien fait?

Il y a affichage des résultats à l'écran. Une première méthode divise l'écran en deux parties, la gauche correspondant au sac de billes bleues et la droite au sac de billes rouges. De cette façon, il est facile de vérifier si le tri est bien fait en examinant les valeurs affichées dans chaque région. La première information affichée est le nombre total de billes; en dessous, chaque bille est représentée par un cercle de la couleur donnée et marqué d'un nombre, chaque cercle étant précédé d'un numéro de rang. Une deuxième méthode consiste à présenter d'abord l'information concernant le sac rouge sur un premier écran, puis le contenu du sac bleu sur un deuxième écran. Comme nous avons 100 billes à manipuler, nous optons pour la deuxième solution, qui semble en outre plus simple à programmer.

9.4 CONCEPTION DES ALGORITHMES

Concevoir un algorithme consiste à décrire la séquence des différentes opérations permettant de résoudre un problème. Nous avons vu à la section 8.3 comment rédiger des algorithmes en pseudo-code schématique. L'exemple 9.3 présente la conception d'un algorithme.

Exemple 9.3   Conception d'un algorithme

À la suite de l'analyse de l'exemple 9.2, on procède à la conception d'un algorithme pour le niveau initial et pour le niveau détaillé.

Niveau initial

```
- Auteur       : Yves Boudreault
-
- Description : Ce programme trie les billes selon leur couleur et les
-               dépose dans deux sacs distincts. Les sacs correspondent
-               à des fichiers textes.
-
-
  [01] Description des identificateurs

- >>>>STRUCTURE DES OPÉRATIONS<<<<

Initialiser le Sac_Melange pour la lecture
Initialiser les compteurs de billes à 0
Initialiser les sacs Sac_Bleu et Sac_Rouge pour l'écriture

  [02] Trier le Sac_Melange
Afficher le contenu du Sac_Rouge (Fonction Afficher_Sac())
Afficher le contenu du Sac_Bleu (Fonction Afficher_Sac())
```

Niveau détaillé

```
- Auteur       : Yves Boudreault
-
- Description : Ce programme trie les billes selon leur couleur et les
-               dépose dans deux sacs distincts. Les sacs correspondent
-               à des fichiers textes.
-
-
```

```
- 01 Description des identificateurs
-
- IDENTIFICATEUR   TYPE                    DESCRIPTION

- Sac_Melange     Fichier             Le sac dans lequel les billes sont mélangées
- Sac_Bleu        Fichier             Le sac des billes bleues
- Sac_Rouge       Fichier             Le sac des billes rouges
- Couleur_Bille   Chaîne de caract.   Une bille bleue ou rouge
- Nombre_Bille    Entier              Le nombre gravé sur la bille
- Compte_Rouge    Entier              Le compteur du nombre de billes rouges
- Compte_Bleu     Entier              Le compteur du nombre de billes bleues
- Rang            Entier              Le rang d'insertion de la bille


->>>>STRUCTURE DES OPÉRATIONS<<<<

Initialiser le Sac_Melange pour la lecture
Initialiser les compteurs de billes à 0
Initialiser les sacs Sac_Bleu et Sac_Rouge pour l'écriture

- 02 Trier le Sac_Melange

    *  TANT QUE le Sac Melange n'est pas vide
       Lire une bille
       - 03 Placer la bille dans le bon sac
           SI la bille est rouge ALORS
           Augmenter de 1 Compte_Rouge
           L'inscrire dans le Sac_Rouge
   . . . . .
           SINON
           Augmenter de 1 Compte_Bleu
           L'inscrire dans le Sac_Bleu

Fermer tous les sacs
Initialiser le Sac_Rouge pour la lecture
Afficher le contenu du Sac_Rouge (Fonction Afficher_Sac())
Initialiser le Sac_Bleu pour la lecture
Afficher le contenu du Sac_Bleu (Fonction Afficher_Sac())
Fermer tous les sacs
```

Algorithme de la fonction Afficher_Sac()

```
- Auteur       : Yves Boudreault
-
- Description  : Fonction Afficher_Sac()
-                Cette fonction permet l'affichage du contenu
-                du sac reçu en paramètre.
-
```

```
- 01 Description des identificateurs
-
- IDENTIFICATEUR      TYPE                      DESCRIPTION
-
- Sac (IN/OUT)        Fichier           Le sac dont on affiche le contenu
- Couleur_Sac (IN)    Chaîne de caract. La couleur des billes du sac
- Compter (IN)        Entier            Le nombre de billes dans le sac
- Rang                Entier            Le rang de dépôt de la bille


- >>>>STRUCTURE DES OPÉRATIONS<<<<

 Initialiser le Rang à 0
 Afficher les spécifications du Sac
- 02 Afficher le contenu du Sac

     *   TANT QUE la fin du fichier Sac n'est pas atteinte
             Augmenter le Rang de 1
             Lire une bille
             Afficher la bille
```

9.5 RÉDACTION DES PROGRAMMES

C'est à l'étape de la rédaction que le programmeur écrit, dans un langage de programmation, la séquence d'instructions qui exécutera réellement l'algorithme. Pour ce faire, il doit suivre des règles très précises. Certaines règles sont d'ordre syntaxique et inhérentes au langage de programmation utilisé. Elles diffèrent d'un langage à l'autre, de la même façon que les règles syntaxiques varient du français à l'anglais. Il existe cependant d'autres règles qui facilitent la rédaction des programmes et qui favorisent la création de programmes lisibles et modifiables.

Le fait d'utiliser les résultats de l'analyse du problème simplifie grandement la tâche du programmeur. En effet, dans la partie déclarations des variables, la description des identificateurs est très utile. Par ailleurs, la structure des opérations constitue un bon guide de départ pour rédiger la partie instructions du programme.

Le programmeur, comme l'écrivain ou le journaliste, écrit pour être compris des autres. Il atteint aisément cet objectif en adoptant un style d'écriture dans lequel:

- les identificateurs sont significatifs;
- chaque module contient un commentaire approprié;
- des indentations mettent en évidence la structure logique des modules;
- les fonctions sont documentées de façon cohérente.

Voici quelques conventions d'écriture de programmes. Il ne s'agit pas de règles strictes du langage ni de la programmation structurée. Par contre, en les adoptant, on s'approche grandement de l'application des règles de la programmation structurée.

- Chaque programme qu'on conserve porte un nom unique.

- Les identificateurs de variables et de fonctions sont écrits en lettres minuscules avec la première lettre de chaque mot ou abréviation en majuscule. Les identificateurs de types sont écrits tout en minuscules.
- Généralement, une ligne de programme ne comporte qu'une seule instruction.
- Les instructions d'un même bloc commencent toutes à la même colonne et sont décalées de quelques colonnes par rapport à leurs délimiteurs structurels (`{}`, `do while`, etc.).
- Les conventions peuvent varier légèrement d'un programmeur à l'autre, mais il est essentiel d'adopter un style personnel clair et de toujours s'y conformer ainsi que de toujours faire les mêmes choses de la même façon.
- Un commentaire placé à la suite de chaque parenthèse fermante permet d'identifier l'énoncé qu'il termine. Par exemple:

```
while (Valeur < Limite)
{
...
}    // while (Valeur < Limite)
```

- Un en-tête doit précéder tout programme (ou sous-programme). On en trouve un modèle dans l'exemple 9.4.

Toutes les informations requises doivent se trouver dans un en-tête standard. Tout programme ou toute fonction doit comporter un minimum de commentaires. Si une information perd son sens dans l'en-tête, alors, et alors seulement, elle peut être placée directement parmi les énoncés du programme sous forme de commentaire.

Définissons brièvement chacune des rubriques de l'en-tête d'un programme.

La rubrique FICHIER donne le nom du fichier contenant le module source du sous-programme décrit. Il est à noter qu'on peut conserver plusieurs sous-programmes dans le même fichier si on le désire.

La rubrique AUTEUR(S) indique le nom des auteurs du sous-programme. Si ce dernier provient d'une bibliothèque commerciale, inscrire la référence. Toutefois, si on a apporté des modifications importantes à l'algorithme, les décrire dans un fichier de texte séparé. On peut donner à ce fichier le même nom que le fichier de bibliothèque en y ajoutant l'extension .txt.

On trouve dans la rubrique DATE(S) la date de la création du fichier ainsi que les dates des modifications du sous-programme. Ces informations permettent de situer dans le temps le développement du sous-programme et parfois aussi de distinguer des versions différentes.

La rubrique DESCRIPTION définit les objectifs visés et le genre de traitement effectué par le sous-programme. Si le programme s'inspire d'un algorithme original, en faire une description complète dans un fichier .txt.

La rubrique PARAMÈTRES comporte une description exacte de chaque paramètre du sous-programme. On indique par (`IN`) les paramètres transmis par valeur, qui servent à communiquer des données au sous-programme. Les paramètres transmis par adresse, qui servent à transmettre des résultats au programme appelant, sont identifiés par (`OUT`). Enfin, on note par (`IN/OUT`) les paramètres qui servent à la fois à fournir des données et à transmettre des résultats.

Dans la rubrique TYPES REQUIS, on inscrit tous les types construits associés aux paramètres et déclarés antérieurement. Cette rubrique rappelle au programmeur quels sont les types construits requis par le sous-programme. Ces types construits devront donc être déclarés dans le programme appelant.

La rubrique BIBLIOTHÈQUES REQUISES indique le nom des fichiers de bibliothèque nécessaires pour l'utilisation de ce sous-programme.

Enfin, la rubrique NOTES contient des informations importantes qui ne peuvent logiquement être placées dans aucune des rubriques précédentes.

L'exemple 9.4 illustre l'en-tête d'un programme.

Exemple 9.4   En-tête d'un programme

```
/*-------------------------------------------------------------*/
/* FICHIER:        DMC.CPP                                      */
/* AUTEUR(S):      Jamsa et Nameroff                            */
/*                 Modifié par Robert Guardo selon              */
/*                 l'algorithme décrit dans DMC.txt. Traduit    */
/*                 en langage C par Wacef Guerfali.             */
/* DATE(S):        création: 11 mars 1994                       */
/*                 dernière version: 21 juillet 2000            */
/* DESCRIPTION:    Cette procédure calcule la pente et          */
/*                 l'ordonnée à l'origine d'une droite de       */
/*                 moindres carrés pour un ensemble de points   */
/*                 dont les coordonnées sont dans les tableaux  */
/*                 X et Y.                                       */
/* PARAMÈTRES:     X (IN): tableau des abscisses des points     */
/*                         expérimentaux.                       */
/*                 Y (IN): tableau des ordonnées des points     */
/*                         expérimentaux.                       */
/*                 Lim_Inf (IN):indice inférieur du tableau à   */
/*                         considérer.                          */
/*                 Lim_Sup (IN):indice supérieur du tableau à   */
/*                         considérer.                          */
/*                 Pente (OUT): pente de la droite de           */
/*                         régression calculée.                 */
/*                 Ordo_Orig (OUT): abscisse à l'origine de la  */
/*                         droite de régression.                */
/* TYPES REQUIS: Tab_Donnees doit être déclaré comme type       */
/*               des variables contenues dans les tableaux      */
/*               X et Y.                                         */
/* BIBLIOTHÈQUES REQUISES: (<MATH.H>)                           */
/* NOTES:          Les tableaux X et Y doivent contenir au      */
/*                 moins deux points expérimentaux.             */
/* EXEMPLE:        Droite_Moindres_Carres(X_Data,Y_Data,1,25,   */
/*                 Pte,Y0);                                     */
/*-------------------------------------------------------------*/
   void Droite_Moindres_Carres(Tab_Donnees X, Tab_Donnees Y, int Lim_Inf,
                          int Lim_Sup, float& Pente, float& Ordo_Orig)
   {
   ....
   }  // Droite_Moindres_Carres()
```

On trouve à l'exemple 9.5 le résultat de la rédaction d'un programme.

Exemple 9.5 Rédaction d'un programme

Revenons aux algorithmes de l'exemple 9.3. En appliquant les règles de rédaction des programmes, on obtient le programme suivant:

```
PROGRAM TriBille;

/*----------------------------------------------------------*/
/* FICHIER:      TRIBILLE.CPP                               */
/* AUTEUR:       Wacef Guerfali                             */
/* DATE:         10 août 2000                               */
/* DESCRIPTION: Ce programme trie les billes selon leur     */
/*              couleur et les dépose dans deux sacs         */
/*              distincts. Les sacs correspondent à des      */
/*              fichiers textes.                            */
/*----------------------------------------------------------*/
#include <iostream>    // Pour l'utilisation de cin et cout
#include <iomanip>     // Pour l'utilisation de setw() et setprecision()
#include <fstream>     // Pour l'utilisation des fichiers
#include <cstring>     // Pour l'utilisation de strcmp() et strcpy()
#include <cctype>      // Pour l'utilisation de toupper()

using namespace std;
const    char  Rouge[10] = "Rouge";
const    char  Bleu[10]  = "Bleu";

typedef  char  type_chaine[25];

/*----------------------------------------------------------*/
/* DESCRIPTION:       Fonction Afficher_Sac()               */
/*                    Cette fonction affiche sur deux écrans */
/*                    les contenus des sacs triés.          */
/* PARAMÈTRES:        Sac (IN): fichier du sac à considérer. */
/*                    CouleurSac (IN): pour connaître la     */
/*                                     couleur des billes.   */
/*                    Compter (IN): le nombre de billes dans */
/*                                  le sac.                  */
/* VALEUR DE RETOUR: Aucune.                                */
/* REMARQUE:          On doit obligatoirement déclarer un    */
/*                    paramètre fichier qui est transmis     */
/*                    par adresse.                           */
/*----------------------------------------------------------*/
void Afficher_Sac(fstream& Sac, const type_chaine CouleurSac, int Compter)
{
    int   Rang;
    char  Couleur_Bille[6];
    int   Nombre_Bille;
    char  CarLu;
```

```
   cout << "Voici le contenu du sac des billes " << CouleurSac;
   cout << endl << endl;
   cout << "Il y a " << Compter << " billes" << endl;
   cout << endl << endl << endl;

   Rang = 0;
   Sac >> Couleur_Bille;
   while (!Sac.eof())
   {
       Sac >> Nombre_Bille;
       Rang++;
       cout  << setw(3) << Rang << setw(7) << Couleur_Bille
             << setw(5) << Nombre_Bille << endl;
       Sac >> Couleur_Bille;
   }

   cout << endl << endl;
   cout << "Pressez sur ENTER pour continuer";
   cin.get(CarLu);
}
/*-----------------------------------------------------------*/
/* DESCRIPTION:        Fonction principale du programme.     */
/*                     Fait appel à la fonction:             */
/*                     - Afficher_Sac()                      */
/*                     Pour faire afficher le contenu des sacs */
/*                     triés.                                */
/* PARAMÈTRES:         Aucun.                                */
/* VALEUR DE RETOUR:   Aucune.                               */
/* REMARQUE:           Aucune.                               */
/*-----------------------------------------------------------*/
void main (void)
{
   void Afficher_Sac(fstream&, const type_chaine, int); // Prototype de la fonction
                                                        // utilisée

   fstream   Sac_Melange;
   fstream   Sac_Bleu;
   fstream   Sac_Rouge;
   int       Compte_Rouge;
   int       Compte_Bleu;
   char      Couleur_Bille[6];
   int       Nombre_Bille;

   Sac_Melange.open("BLEUROUGE.DAT",ios::in);
   Sac_Bleu.open("BLEU.DAT",ios::out);
   Sac_Rouge.open("ROUGE.DAT",ios::out);
   Compte_Rouge = 0;
   Compte_Bleu  = 0;
```

```
    Sac_Melange >> Couleur_Bille;
    while (!Sac_Melange.eof())
    {
        Sac_Melange >> Nombre_Bille;
        if (strcmp(Couleur_Bille,Rouge)==0)
        {
            Compte_Rouge++;
            Sac_Rouge << setw(7) << Couleur_Bille
                      << setw(3) << Nombre_Bille << endl;
        }
        else
        {
            Compte_Bleu++;
            Sac_Bleu  << setw(7) << Couleur_Bille
                      << setw(5) << Nombre_Bille << endl;
        }
        Sac_Melange >> Couleur_Bille;
    }
    Sac_Melange.close();
    Sac_Bleu.close();
    Sac_Rouge.close();
    Sac_Bleu.open("BLEU.DAT",ios::in);
    Afficher_Sac(Sac_Bleu,Bleu,Compte_Bleu);
    Sac_Rouge.open("ROUGE.DAT",ios::in);
    Afficher_Sac(Sac_Rouge,Rouge,Compte_Rouge);
    Sac_Bleu.close();
    Sac_Rouge.close();
}
/*-------------------------------------------------------------*/
```

9.6 MISE AU POINT DES PROGRAMMES

Mettre au point un programme n'est pas nécessairement une tâche aisée. Cependant, l'environnement du compilateur peut utiliser une approche qui permet de faciliter cette tâche. Cette approche consiste à répéter une séquence d'étapes qui améliorent le programme chaque fois jusqu'à ce que ce dernier réponde aux attentes.

Par ailleurs, il est souvent utile d'imprimer un listage du programme pour faciliter la correction des erreurs. Une copie écrite offre une vue d'ensemble qu'il est difficile d'obtenir directement à l'écran.

9.6.1 Étapes à suivre

La cinquième étape de la conception d'un logiciel, la mise au point des programmes, peut se subdiviser elle-même de la façon suivante:

1. À l'aide de l'éditeur, constituer un fichier contenant le programme.
2. Exécuter le programme et vérifier si les résultats correspondent aux prévisions.

3. Si c'est le cas, passer à la rédaction du rapport (sect. 9.7); sinon, reprendre l'une des étapes précédentes de la conception du logiciel pour y apporter la correction nécessaire. Pour déterminer quelle étape nécessite une intervention, observer les règles suivantes:

   - si l'erreur est simple, son origine bien identifiée et la correction nécessaire connue, alors retourner à l'étape de la rédaction du programme (sect. 9.5);
   - si l'erreur est plus complexe et qu'on n'arrive pas à en trouver l'origine, retourner plutôt à l'étape de la conception des algorithmes (sect. 9.4). Il est à noter qu'un retour à cette étape sert à déterminer la correction à apporter au programme;
   - si l'origine de l'erreur demeure inconnue, retourner à l'analyse du problème (sect. 9.3) et vérifier si l'algorithme choisi est correct. Dans plusieurs cas, la solution retenue ne peut générer les résultats désirés;
   - si tout semble complètement perdu, reprendre directement à la première étape, soit la définition du problème.

9.6.2 Quatre types d'erreurs

Lors de la mise au point d'un programme, on distingue généralement quatre types d'erreurs: les erreurs de syntaxe, de logique, de données et de manipulation.

Erreurs de syntaxe. Le compilateur détecte directement ces erreurs lors de la compilation. Elles sont presque toujours dues à un manque d'attention. Lorsqu'il rencontre une telle erreur, le compilateur édite automatiquement le fichier contenant le programme et le curseur se positionne à l'endroit où l'erreur a été détectée.

Erreurs de logique. Ces erreurs sont soit très visibles et ne causent pas de problèmes, soit presque introuvables. Il n'existe pas de règles absolues pour les déceler; chaque programmeur possède sa propre approche. Cependant, l'utilisation de traces afin de suivre les modifications de l'état de certaines entités (indices, variables, fonctions, pointeur, etc.) du programme tout au long de l'exécution constitue une approche éprouvée pour détecter des erreurs de logique. On définit généralement une trace comme l'affichage d'informations qu'on suppose pertinentes. On obtient facilement cet affichage à l'aide du débogueur dans lequel il suffit de préciser le nom de la variable dont on désire connaître le contenu. Une fois l'erreur trouvée, il reste à l'éliminer. Souvent, les erreurs de logique proviennent d'un embranchement vers une mauvaise séquence d'opérations à exécuter. L'évaluation du critère d'embranchement est donc un des premiers points à vérifier et dont il faut faire la trace. Une bonne utilisation des parenthèses aide parfois à éliminer des erreurs de logique.

Erreurs de données. Les erreurs de données sont associées à l'information fournie au programme. Elles proviennent principalement de la mauvaise identification d'un fichier de données, d'une référence à un mauvais identificateur ou de l'utilisation d'un type impropre pour représenter les données.

Erreurs de manipulation. Les erreurs de manipulation correspondent à des opérations mal effectuées, par exemple additionner deux variables plutôt que soustraire l'une de l'autre. Il peut aussi s'agir d'erreurs de manipulation du matériel informatique lui-même, comme mettre l'ordinateur hors tension avant de sauvegarder les modifications apportées à un programme.

9.6.3 Validation aux limites

Quelques principes simples, qui ont fait leurs preuves et dont l'application facilite grandement le développement de tout programme, simplifient la tâche du programmeur:

- tester chaque module au fur et à mesure qu'il est développé ou modifié;
- une fois le programme complet rédigé, le tester de nouveau; on n'est jamais trop exigeant;
- mettre le programme à l'épreuve; par exemple, observer ce qui se produit si on entre un caractère alphabétique alors que le programme s'attend à recevoir un nombre;
- vérifier ce qui se passe avec une donnée soit trop grande, soit trop petite.

Bien entendu, lorsqu'une situation fait échouer le programme, il faut modifier ce dernier en conséquence. Cependant, si le programmeur n'effectue pas le traitement des cas limites, il doit le préciser dans le rapport qui accompagne le programme.

Chaque programme distribué doit comprendre toute la documentation qu'il est possible de rédiger ainsi qu'une fiche d'évaluation critique sollicitant des commentaires généraux sur la qualité du programme. Cette fiche peut contenir des questions spécifiques comme:

- Quelles caractéristiques supplémentaires l'usager veut-il suggérer?
- Quelles caractéristiques aime-t-il ou n'aime-t-il pas?
- Comment la documentation peut-elle être améliorée?

Lorsqu'un usager remplit et retourne une fiche d'évaluation, il y a lieu de l'analyser, de corriger les erreurs ou d'apporter les améliorations suggérées et de tester de nouveau.

9.7 RÉDACTION DU RAPPORT DE PROGRAMME

Un rapport de programme est un texte qui décrit les aspects importants du programme et de son utilisation. Il permet l'évolution du programme dans le temps et protège ainsi les ressources investies lors de sa mise au point. Plus précisément, le rapport doit au moins contenir les éléments suivants:

1. L'exposé du problème à résoudre

   Il s'agit d'un texte décrivant le problème que le programme doit résoudre. En lisant ce texte, l'usager peut déterminer à quelles fins le programme a été conçu.

2. Le mode d'utilisation du programme

   C'est un texte descriptif permettant à l'usager d'utiliser le programme sans même en connaître la constitution. En plus de décrire les opérations à effectuer pour mettre le programme en marche, ce texte définit généralement les données à fournir, leur forme, leurs limites, etc. Il doit aussi contenir une description de la forme des résultats que produit le programme. On peut y joindre un exemple typique de données et de résultats.

3. L'analyse

Cette partie doit éclairer le lecteur sur les stratégies envisagées pour réaliser certains traitements. La pertinence de la stratégie choisie doit être démontrée par un support théorique ou la comparaison avec d'autres stratégies.

4. Les algorithmes utilisés

Le rapport doit comprendre les algorithmes complets utilisés pour concevoir le programme, présentés de façon claire. La description des opérations apparaît en pseudo-code schématique.

5. La discussion

Dans cette partie, le programmeur porte un jugement sur divers aspects du programme, sur la solution adoptée, sur les résultats obtenus, sur les avantages et les inconvénients du programme ou de la méthode choisie et sur des suggestions pour la poursuite éventuelle des travaux. En somme, il y traite de tout point pertinent non mentionné dans les rubriques précédentes. Rappelons qu'il s'agit d'une analyse technique dans laquelle il n'y a pas de place pour les sentiments personnels.

6. Les listages du programme et les résultats obtenus

Cette partie reproduit un listage du programme imprimé. Généralement, les résultats de l'exécution font partie de ce listage. Le programme doit contenir des commentaires pertinents et essentiels à sa compréhension par un lecteur autre que le programmeur. Éviter toutefois les commentaires superflus, qui sont plus nuisibles qu'utiles.

9.8 QUESTIONS

1. Énumérer les six tâches à accomplir lorsqu'on conçoit un logiciel.

2. Pourquoi la définition du problème est-elle une tâche importante?

3. Que doit-on faire lors de la définition du problème?

4. Quelle différence y a-t-il entre la définition et l'analyse du problème?

5. Qu'entend-on par conception des algorithmes?

6. Quelles actions doit poser un programmeur pour augmenter la qualité de ses programmes?

7. Pourquoi doit-on choisir des noms d'identificateurs significatifs?

8. Les mauvais décalages d'instructions peuvent-ils générer des erreurs de syntaxe?

9. Que devrait contenir un en-tête de programme?

10. Pourquoi doit-on inscrire les dates de création et de modification d'un programme dans un en-tête?

11. Pourquoi l'usage d'un listage est-il préférable, dans certaines situations, à la correction d'erreurs à l'écran?

12. Lors de la validation, que doit-on faire si on trouve des erreurs difficiles à expliquer?

13. Énumérer les types d'erreurs qu'on peut rencontrer lors de la validation des programmes.

14. Quel est l'avantage de l'utilisation de traces de programme?

15. Qu'entend-on par validation aux limites?

16. À quoi sert la documentation d'un programme?

17. Que devrait contenir la documentation d'un programme?

9.9 EXERCICES

1. Pour chacun des énoncés suivants, distinguer les éléments qui concernent la collecte de données, le traitement des données et la présentation des résultats.

   a) Parmi trois lettres, déterminer laquelle est la première selon l'ordre alphabétique. On fournit les lettres au programme directement du clavier. Afficher la lettre trouvée.

   b) Écrire un programme qui lit 20 valeurs numériques, détermine le nombre de valeurs positives et le nombre de valeurs négatives, puis affiche ces résultats ainsi que le message «Il y a davantage de valeurs POSITIVES» ou «Il y a davantage de valeurs NÉGATIVES».

   c) Parmi une liste de nombres entiers, déterminer et afficher l'indice de la première et de la dernière occurrence du nombre 12. Le programme doit afficher des indices de valeur 0 s'il n'y a pas de nombre 12 dans la liste. L'indice est le numéro de séquence du nombre 12: ainsi, si le 4e élément de la liste est l'unique nombre 12, alors la valeur 4 sera affichée comme indice de première et de dernière occurrence.

2. Répondre aux questions suivantes en utilisant les trois opérations: collecte des données, traitement des données et présentation des résultats.

   a) Pour les énoncés a) et b) de l'exercice précédent, indiquer au moins une autre façon de résoudre l'exercice.

   b) Pour l'énoncé c) de l'exercice précédent, ajoutons les éléments suivants:
   – la longueur de la liste est fixe, mais très grande;
   – les nombres entiers de la liste sont tous inférieurs à 25.

   1° Analyser le problème et décrire l'algorithme choisi.

   2° Si la liste était accessible par le début (ordre croissant d'indice) et par la fin (ordre décroissant d'indice), utiliserait-on le même algorithme?

   3° Soit un algorithme qui chercherait la première occurrence en partant du début et la dernière occurrence en partant de la fin. Cet algorithme aurait-il une plus grande vitesse d'exécution que les autres? Expliquer.

3. En se basant sur l'énoncé c) de l'exercice 1 et sur l'algorithme de l'exercice 2b), préparer la description des identificateurs et la structure des opérations qui correspondent aux deux étapes de la conception d'un algorithme.

4. Un professionnel en graphisme peut exécuter trois types de dessin (croquis, schéma ou détaillé) en trois grandeurs différentes [normale (25 cm × 15 cm), moyenne (30 cm × 24 cm) et grande (42 cm × 35 cm)]. Ce dessinateur offre également trois formes d'expression: le noir et blanc (N/B), la couleur (C) et le phosphorescent (P). Il désire mettre au point un programme informatique qui calculera le prix de vente de ses dessins selon la taille, le type et la forme d'expression, puis construire une table de prix de vente. Selon lui, 1,5 fois le coût total, déterminé en fonction du type du dessin, de sa surface et de la forme d'expression, serait un prix de vente raisonnable. Le coût total inclut le coût fixe de travail, un coût de base variable et proportionnel à la surface du dessin et un coût variable supplémentaire qui dépend du type de dessin et de l'expression utilisée. Supposons que, pour un type et une expression donnés, le coût variable supplémentaire est le même pour chaque unité de surface. On fixe ce coût, calculé en dollars par unité de surface, à l'aide du tableau suivant:

Coût variable supplémentaire ($/cm^2)

	N/B	C	P
Croquis	0,02	0,10	0,30
Schéma	0,30	1,90	4,00
Détaillé	6,00	7,90	14,00

Le coût total se calcule comme suit:

coût total = coût fixe + (coût de base × surface) + coût variable

En supposant que le programme connaît dès le début de son exécution les valeurs des coûts fixes et des coûts de base, rédiger l'algorithme et en particulier le tableau de description des identificateurs et la structure des opérations.

5. On a demandé à un étudiant d'écrire un programme en langage C pour évaluer le polynôme suivant:

$$y = \left(\frac{x-1}{x}\right) + \frac{1}{2}\left(\frac{x-1}{x}\right)^2 + \frac{1}{3}\left(\frac{x-1}{x}\right)^3 + \frac{1}{4}\left(\frac{x-1}{x}\right)^4 + \frac{1}{5}\left(\frac{x-1}{x}\right)^5$$

Afin de simplifier l'écriture du programme, l'étudiant a défini la nouvelle variable u:

$$u = \left(\frac{x-1}{x}\right)$$

de façon à obtenir:

$$y = u + \frac{u^2}{2} + \frac{u^3}{3} + \frac{u^4}{4} + \frac{u^5}{5}$$

À la suite de cette transformation, l'étudiant a rédigé un programme en langage C:

```
/* Programme d'évaluation d'un polynôme */
void main(void)
{
    double u,x,y;
    cin >> x;
    u = x-1/x;
    y = u+pow(u/2,2.0)+pow(u/3,3.0)+pow(u/4,4.0)+pow(u/5,5.0);
    cout << "x=" << x << "   y=" << y;
}
```

Quand $x = 2$, y doit avoir une valeur d'environ 0,69. Sachant cela, exécuter le programme et identifier les *corrections* à effectuer pour que ce dernier calcule la bonne réponse.

6. Pour calculer les racines réelles d'une équation du second degré, on utilise la formule quadratique qui suit:

$$ax^2 + bx + c = 0$$

$$x = \frac{-b \pm \sqrt{b^2 - 4ac}}{2a}$$

Voici un programme en langage C qui effectue ces calculs:

```
/* Ce programme calcule les racines d'une équation quadratique. */
void main(void)
{
    double a,b,c,d,x1,x2;
    cin >> a >> b >> c;
    d  = b*b - 4*a*c;
    x1 = (-b + sqrt(d)) / (2*a);
    x2 = (-b - sqrt(d)) / (2*a);
    cout << " a=" << a << "   b=" << b << "   c=" << c << endl;
    cout << "   x1=" << x1 << "   x2=" << x2 << endl;
}
```

Ce programme ne contient pas d'erreur syntaxique. L'exécuter et effectuer sa mise au point en étudiant les valeurs limites des coefficients de l'équation et le signe du déterminant. Commenter les limites du programme.

7. On vous demande de réaliser un programme qui effectue la conversion de chiffres romains en chiffres arabes. L'usager qui entrera au clavier un nombre en chiffres romains obtiendra la conversion directe de ce nombre en chiffres arabes.

Le tableau suivant contient les principaux chiffres romains et leur valeur en chiffres arabes:

Romains	Arabes
M	1000
C	100
L	50
X	10
V	5
I	1

Pour obtenir la valeur en chiffres arabes d'un nombre romain, on additionne les valeurs en arabe de ses chiffres comme suit:

$$XVI = 10 + 5 + 1 = 16$$

Cependant, une autre règle s'applique lorsqu'un chiffre est précédé d'un chiffre plus petit que lui. Dans ce cas, on soustrait la valeur correspondante en chiffres arabes au lieu de l'additionner:

$$MCML = 1000 + (-100) + 1000 + 50 = 1950$$

8. On désire mettre au point un programme qui simule le comportement de deux robots qui se déplacent à une vitesse constante dans une chambre carrée ayant 9 m de côté. Lorsqu'un robot touche un mur, il repart en suivant un angle qui correspond à 180° moins l'angle d'incidence avec le mur. Le coin inférieur gauche de la chambre constitue le point d'origine (coordonnées: 0, 0). C'est l'usager qui fixe au début du programme les positions de départ, les vitesses de déplacement et les angles de déplacement de chaque robot. Le programme doit calculer et afficher toutes les secondes la position des deux robots et prédire les cas de collisions. Si la distance entre les robots à un instant donné est inférieure à 0,3 m, le programme détectera une collision et arrêtera ses simulations; il fera de même si l'usager presse la touche <Esc>.

9. Afin de sonder l'étendue d'une nappe phréatique, on a introduit une sonde à différents endroits d'une région donnée. Pour chaque emplacement sondé, on a pris deux mesures, soit la position du sommet et la position du fond de la nappe.

Compte tenu du fait qu'on a pris n mesures colinéaires à 5 m d'intervalle dans un même plan vertical, et ce pour m plans parallèles, on peut estimer le volume de la nappe à l'aide de l'équation suivante:

$$\sum_{j=1}^{m} \left\{ \left[\frac{1}{2} \left(f_{1j} - s_{1j} \right) + \left(f_{2j} - s_{2j} \right) + \left(f_{3j} - s_{3j} \right) + \ldots + \frac{1}{2} \left(f_{nj} - s_{nj} \right) \right] \cdot 5 \right\} d_j$$

où f_{ij} = position verticale du fond pour le i^e emplacement du plan j (m)
   s_{ij} = position verticale du sommet pour le i^e emplacement du plan j (m)
   d_j = distance linéaire entre les plans j et $j - 1$ (on considère ici que d_j = 1 m)

On sauvegarde l'information dans un fichier texte sous le format suivant: sur la première ligne, le nombre de mesures n et le nombre de plans m suivis, sur les lignes suivantes, des mesures f_{ij} et s_{ij}.

Fichier texte:

```
n m
f11 s11 f21 s21 ... fn1 sn1
f12 s12 f22 s22 ... fn2 sn2
...
f1m s1m f2m s2m ... fnm snm
```

a) Rédiger la description des identificateurs nécessaires et l'algorithme d'un programme qui estimera le volume d'eau d'une nappe phréatique à partir de données recueillies sur le terrain et mémorisées dans un fichier.

b) Écrire un programme qui permettra d'effectuer les calculs décrits précédemment.

10. On peut représenter la trajectoire que décrit un satellite artificiel autour de la Terre à l'aide de l'équation d'une ellipse:

$$r(\theta) = \frac{1}{C[1 + E\cos(\theta)]}$$

où r et θ = coordonnées polaires du satellite
   C = constante caractéristique du satellite
   E = excentricité de l'ellipse

On ne connaît pas à l'avance les valeurs de C et de E; on doit les calculer à partir des distances minimale, R_{min}, et maximale, R_{max}, entre le satellite et le centre de la Terre.

$$K = \frac{R_{min}}{R_{max}}$$

$$E = \frac{(1 - K)}{(1 + K)}$$

$$C = \frac{1}{R_{min}(1 + E)}$$

Pour plusieurs satellites lancés en orbite, on dispose des données suivantes inscrites dans un fichier texte nommé SATELLIT.DAT:

– le nom du satellite (ex.: Explorer XV);
– sa date de lancement (ex.: 27 octobre 1962);
– les distances R_{min} et R_{max} (ex.: 311; 17 300).

Il y a donc trois lignes par satellite, et on ne connaît pas le nombre de satellites inscrits dans le fichier.

On trouve la distance que parcourt le satellite lorsqu'il fait une orbite complète autour de la Terre grâce à l'intégrale suivante:

$$D = \int_0^{2\pi} r(\theta)d\theta \approx \frac{2\pi}{360} \sum_{i=0}^{360} r_i$$

Utiliser les déclarations suivantes:

```
struct type_satellite
{
    char     Nom[20];
    char     Date[20];
    double   Rayon[360];
    double   Distance;
};

ifstream  Satellite;
```

Compléter ces déclarations et écrire un programme qui traitera, comme suit, les données concernant tous les satellites inscrits dans le fichier texte:

a) Lire du fichier texte les données concernant un satellite.

b) Calculer les paramètres C et E de sa trajectoire.

c) Calculer les rayons r_i de la trajectoire et les mémoriser dans le vecteur `Rayon` pour les valeurs comprises entre 0 et 360°.

d) Calculer la distance que parcourt le satellite en faisant une orbite.

e) Sauvegarder les résultats dans un fichier binaire; l'usager lui donnera un nom au début du programme.

9.10 TRAVAIL DIRIGÉ

Ce travail permettra à l'étudiant de se familiariser avec la méthodologie de la résolution de problèmes et de concevoir des programmes de taille moyenne qui respectent les normes de documentation.

La compagnie d'électricité Hydro-Coco possède différents tarifs selon que l'électricité est consommée de jour ou de nuit. De plus, les tarifs varient en fonction du volume de consommation. La grille suivante présente les divers taux de tarification:

	Grille de tarification			
	1ers 100 kW·h		kW·h supplémentaires	
	Jour	Nuit	Jour	Nuit
Résidentiel	0,15 $/kW·h	0,09 $/kW·h	0,08 $/kW·h	0,07 $/kW·h
Commercial	0,09 $/kW·h	0,03 $/kW·h	0,08 $/kW·h	0,03 $/kW·h

La compagnie veut évaluer sa politique de tarification et effectuer une étude statistique portant sur les habitudes de consommation de ses clients. Les responsables désirent obtenir les renseignements suivants:

- la consommation mensuelle moyenne de jour et la consommation mensuelle moyenne de nuit, par type de client;
- le revenu mensuel moyen généré de jour et le revenu mensuel moyen généré de nuit, par type de client;
- le rapport entre la consommation de jour et la consommation totale, par type de client;
- les revenus totaux générés par la première tranche des 100 kW·h et ceux générés par la consommation supplémentaire.

On vous demande de concevoir un programme qui répondra à la demande de la compagnie. Il faut le préparer de façon à ce que les données soient traitées au fur et à mesure qu'elles sont lues. On peut obtenir ces données dans un fichier texte, où chaque ligne correspond à la consommation mensuelle d'un client. Ce fichier contient l'information suivante:

- une chaîne de caractères identifiant le type de client, soit «RES» pour résidentiel et «COM» pour commercial;
- deux valeurs réelles représentant le nombre de kilowatts-heures consommés de jour et de nuit.

Pour ce problème, vous devez fournir:

- une analyse du problème;
- des algorithmes en pseudo-code schématique qui décrivent la structure des opérations et les identificateurs;
- un programme en langage C/C++ qui réponde à ces exigences tout en respectant les normes de documentation (identificateurs, commentaires, en-têtes, décalages, etc.).

Créer un fichier de données sous le format décrit précédemment afin de vérifier le fonctionnement du programme. Effectuer une validation aux conditions extrêmes et exposer les limites du programme ainsi que les solutions pour y remédier, s'il y a lieu.

PROGRAMMATION PAR OBJET

Ce chapitre est une introduction aux principes de la programmation par objet. Après un bref historique du paradigme, nous présenterons les principales propriétés d'un objet: l'encapsulation, l'héritage et le polymorphisme. De plus, à l'aide de divers exemples, nous expliquerons et illustrerons les possibilités offertes par le langage C++ qui permettent d'exploiter ces propriétés.

Le paradigme objet est une façon différente de concevoir un logiciel. Dans la section 10.2, nous aborderons l'approche sous-jacente à la conception orientée par objet. Afin de bien comprendre cette approche, nous invitons le lecteur à consulter des ouvrages traitant de l'analyse et de la conception orientée par objet. Deux auteurs se distinguent, il s'agit de Grady Booch et James Rumbaugh.

10.1 HISTORIQUE

Les principes de la programmation par objet sont apparus en réponse au besoin grandissant de la maintenance des programmes de taille importante et au besoin de structuration de la connaissance, par exemple pour la modélisation en intelligence artificielle. Le fondement de ces principes réside dans le regroupement des informations et de leurs propriétés en une même entité.

Le concept d'objet n'est pas récent. En fait, il date au moins des années 1970. Il a pris racine en Norvège vers la fin des années 1960, à travers le langage Simula67 développé par Kristen Nygaard et Ole-Johan Dahl du Norwegian Computing Centre. Simula67 a été le premier langage à introduire les concepts de classe, de coroutine et de sous-classe.

Au milieu des années 1970, les scientifiques du Xerox Palo Alto Research Center (XEROX PARC) ont créé le langage Smalltalk, le premier langage par objet complet et robuste. Aujourd'hui encore, on le considère comme le plus pur des langages par objet. On doit donc à Simula et à Smalltalk la venue du concept de la programmation par objet.

Le langage C++, une extension du langage C, a été développé par Bjarne Stroustrup aux laboratoires BELL à la fin des années 1980. Son arrivée a contribué à populariser la programmation par objet.

10.2   DÉCOMPOSITION

La conception du programme d'une application doit toujours commencer par une phase d'analyse, dont le principe consiste à décomposer l'application en parties indépendantes appelées modules. Cette démarche vise à réduire le degré de complexité de l'application et à permettre au concepteur de se concentrer sur des points précis sans se soucier du reste. La méthode suivie dans les 9 chapitres précédents est axée sur la conception descendante: du traitement principal, correspondant au but final de l'application, on déduit des sous-traitements indépendants. La répétition de ce processus permet d'obtenir des traitements élémentaires correspondant à des sous-programmes de réalisation simple et facile. L'unité de décomposition est le traitement.

À l'opposé, la technique d'analyse employée en programmation par objet consiste d'abord à déterminer les entités appartenant au problème à modéliser ainsi que les opérations qui leur sont applicables et ensuite à se préoccuper de l'enchaînement de ces opérations. On parle d'analyse par conception ascendante. L'unité de décomposition regroupe cette fois l'objet et les opérations qui lui sont associées.

Le but de l'analyse orientée par objet est de modéliser le système réel de manière à le rendre le plus compréhensible possible. Pour ce faire, on doit aborder l'application en tentant de l'expliquer à l'aide des entités réelles qui sont en cause. Il faut demeurer le plus concret possible et ainsi rejeter toute entité abstraite. Ces entités sont les objets. Une fois qu'on a repéré les objets, on doit déterminer leur comportement, c'est-à-dire chercher à connaître quel changement d'état ils subissent lorsqu'un événement se produit. Chaque objet est une entité autonome. Il connaît les états qu'il peut prendre et sait comment les modifier selon les événements qui se produisent.

Par exemple, supposons qu'on désire programmer un système de jeu de billard suivant la programmation par objet. Lors de l'analyse, on identifie les entités qu'on voit lorsqu'on est devant la table de billard: la table de jeu, les boules et la queue. Si on commence à jouer en frappant sur une boule avec la queue de billard, on constate que la boule peut prendre différents états. En effet, elle peut rester immobile si on manque son coup ou bien se déplacer et aller dans une poche ou ailleurs sur la table. Des événements peuvent modifier ces états: la boule peut être frappée par la queue ou bien entrer en collision avec un bord de la table ou une autre boule. Par ailleurs, l'interaction entre les différents objets est également importante. Une collision entre deux boules provoque un changement d'état chez les deux boules. L'une d'elles passe du mouvement à l'immobilité, décide de la nouvelle direction à prendre et passe de l'immobilité au mouvement. La deuxième boule, celle qui est frappée, passe de l'immobilité au mouvement. La direction du déplacement est préalablement déterminée. Il est important de remarquer que, dans cet exemple, nous supposons que la boule sait qu'elle se déplace; c'est donc elle qui détermine sa direction et qui change d'état. C'est de cette façon qu'il faut comprendre qu'un objet est autonome. De plus, puisque la boule est un objet, on peut l'utiliser sans la modifier dans différents jeux de billard, et ce peu importe les règles du jeu.

L'approche orientée par objet correspond à une modélisation qui s'appuie sur le monde réel. C'est comme si on construisait une maquette de notre jeu de billard, soit une petite table en carton, des boules de papier et une petite queue de billard en bois. On aurait ainsi nos objets en mains et il suffirait d'observer leur comportement pour déterminer leurs différents états ainsi que les événements qui les modifient.

Cet exemple souligne certains avantages de l'approche orientée par objet. Premièrement, l'analyse résulte de l'observation du monde réel. On doit se concentrer sur l'application en tentant de l'exprimer le plus concrètement possible. Deuxièmement, l'objet est défini selon ses états et son comportement, dont il est le détenteur. Il devient alors simple d'utiliser un objet dans diverses applications.

Les langages qui offrent la programmation par objet doivent posséder une structure qui permette d'unir les caractéristiques d'une entité, soit ses états, avec les opérations qui lui sont associées, soit son comportement. Découlant de cette structure, l'entité que nous appelons objet présente les propriétés suivantes:

- l'encapsulation,
- l'héritage,
- le polymorphisme.

10.3 TYPE CLASSE

Dans cette section, nous décrirons les trois propriétés de l'objet à l'aide d'exemples de programmation. Ceux-ci peuvent déroger quelque peu aux principes de base, car ils servent par-dessus tout à illustrer les concepts le plus simplement possible. Mais tout d'abord, voyons de plus près la façon de déclarer un objet.

On doit considérer une variable de type classe, ou plus simplement un objet, comme un enregistrement amélioré ou augmenté, en ce sens qu'il contient de nouvelles particularités et offre d'autres possibilités. Comme un enregistrement, l'objet renferme des champs qu'on nomme membres et dont on peut spécifier l'accès. On identifie l'objet dans la déclaration au moyen du mot réservé *class* suivi de la description de ses membres, selon la forme générique:

```
class type_classe
{
    droit_d'accès:
      type_membre_1 Membre_1;
      type_membre_2 Membre_2;
              .
              .
      type_membre_N Membre_N;
};
```

L'exemple 10.1 présente la déclaration d'un objet représentant un rectangle.

Exemple 10.1   Déclaration d'un objet représentant un rectangle

```
// Déclaration de la classe, c'est-à-dire le type de l'objet
class type_rectangle
{
  public:                   // Droit d'accès aux membres
    int   Haut_Gauche_X,
          Haut_Gauche_Y,
          Bas_Droit_X,
          Bas_Droit_Y;
    float Circonference,
          Aire;
};

type_rectangle Figure;     // Déclaration de l'objet Figure

Figure.Haut_Gauche_X = 2; // Affectation de valeurs aux membres
Figure.Haut_Gauche_Y = 2;
Figure.Bas_Droit_X = 4;
Figure.Bas_Droit_Y = 4;
```

L'objet de type `type_rectangle`, ou de la classe `type_rectangle`, contient l'information de base nécessaire à son traitement. La variable `Figure` est dite une instance ou un objet de la classe `type_rectangle`. On peut constater, en observant cette série d'instructions, que l'accès public aux membres d'un objet est identique à l'accès aux champs d'un enregistrement. Par ailleurs, précisons qu'on appelle attributs de l'objet les membres d'une classe qui correspondent à des données. Ainsi, le champ `Haut_Gauche_X` est une donnée membre de la classe `type_rectangle` et un attribut de l'objet `Figure`.

L'exemple 10.1 montre un cas où les différences entre l'enregistrement en langage C et l'objet sont minimes; en effet, il suffit de remplacer le mot réservé `struct` par `class`. Certes, à ce niveau, les propriétés particulières de l'objet restent inutilisées, mais il y a déjà une règle qui les distingue: un droit d'accès est établi sur les champs d'une classe. Nous les avons rendus publics de manière à pouvoir les manipuler à volonté. Il existe deux autres types de droits d'accès: privé et protégé.

Droit d'accès aux membres d'une classe.   Les champs d'un enregistrement sont directement accessibles, tandis que les membres d'une classe peuvent comporter un droit d'accès qu'on précise à l'aide des termes présentés au tableau 10.1.

Tableau 10.1   Droit d'accès aux membres d'une classe

Droit d'accès	Description
`private` (privé)	Seules les fonctions membres de la classe ont accès aux membres privés.
`protected` (protégé)	À utiliser avec la propriété d'héritage (nous verrons cette notion plus loin).
`public` (public)	On a accès aux membres publics même en dehors de la portée de la classe.

De façon générale, il faut préciser que l'accès aux données de la classe est privé et que l'accès aux fonctions de la classe est public. Si on oublie d'inscrire un droit d'accès, les membres de la classe sont alors privés.

Note: Le langage C++ traite un enregistrement comme une classe à quelques différences près. Par conséquent, la majorité des éléments que nous énoncerons pour les classes s'applique également aux enregistrements.

Nous connaissons les déclarations de base qui s'appliquent à un objet; voyons maintenant la première propriété d'un objet, l'encapsulation.

10.4   ENCAPSULATION

L'encapsulation est la propriété d'un objet de posséder des membres correspondant à des données ou à des fonctions. Elle désigne le fait, pour un objet, de contenir à la fois sa description ou ses données, appelées attributs, et les traitements associés, appelés méthodes. Les attributs servent à décrire l'état de l'objet et les méthodes représentent les traitements qu'on peut effectuer sur les attributs.

Dans les déclarations suivantes, nous utilisons un nouvel opérateur nommé opérateur de résolution de portée qui correspond au symbole «::». Il permet d'accéder à une information globale même si elle est cachée par une redéclaration locale. L'exemple 10.2 illustre l'utilisation de l'opérateur de portée lorsqu'il y a des définitions globales et locales d'un même identificateur.

Exemple 10.2   Opérateur de résolution de portée «::»

```
int I = 10;   // Variable globale I

void Afficher (void)
{
    int I = 20;  // Variable locale I de la fonction Afficher()
    cout << "I locale de la fonction Afficher() " << I << endl;
    if (I)  // I locale qui vaut 20 ==> vrai
    {
        int I = 30; //Variable I du bloc d'instructions du if
        cout << "I du bloc d'instructions du if: " << I << endl;
        cout << "I globale: " << ::I << endl;
    }
}

void main(void)
{
    Afficher();
}
```

À l'exécution, on obtient:

```
I du bloc d'instructions du if: 30
I globale: 10
```

Nous nous servirons de cet opérateur pour caractériser les fonctions membres d'une classe lors de leur déclaration à l'extérieur de la classe. Rappelons qu'un objet correspond à une variable d'une classe, alors que les fonctions membres d'une classe constituent des méthodes pour l'objet.

La déclaration d'une classe prend la forme générique suivante:

```
class type_classe
{
    droit_d'accès:
       type_membre1 Membre1;
       type_membre2 Membre2;
       type_membre3 Membre3;
            .
            .
       type_membreN MembreN;
    droit_d'accès:
       Entete_Fonction1(Liste des paramètres et de leur type);
       Entete_Fonction2(Liste des paramètres et de leur type);
       Entete_Fonction3(Liste des paramètres et de leur type);
            .
            .
       Entete_FonctionM(Liste des paramètres et de leur type);
};
  type_classe::Entete_Fonction1(Liste des paramètres et de leur type)
  {
    // Partie déclaration locale de la fonction
    // Partie instructions de la fonction
  }
      .
      .
      .
  type_classe::Entete_FonctionM(Liste des paramètres et de leur type)
  {
    // Partie déclaration locale de la fonction
    // Partie instructions de la fonction
  }
```

L'exemple 10.3 présente la déclaration d'une classe renfermant des attributs et des fonctions.

Exemple 10.3   Déclaration d'une classe renfermant des attributs et des fonctions

```cpp
#include <iostream>      // Pour l'utilisation de cin et cout
#include <iomanip>       // Pour l'utilisation de setw()
using namespace std;

/*------------------------------------------------------------*/
/* FICHIER:      Point.cpp                                    */
/* AUTEUR:       Yves Boudreault                              */
/* DATE:         28 août 2000                                 */
/* DESCRIPTION: Ce programme illustre la déclaration d'une    */
/*              classe qui utilise le principe                */
/*              d'encapsulation. L'objet ainsi défini         */
/*              correspond à un point du plan.                */
/*------------------------------------------------------------*/

class type_point
{
    int   X, Y;                      // Les données membres privées
    bool Existe;

    public:
        void Lire_Point(void);       // Les fonctions membres publiques
        void Afficher_Point(void);
};

/*------------------------------------------------------------*/
/* DESCRIPTION:  type_point::Lire_Point()                     */
/*              Fonction de la classe type_point qui réalise  */
/*              la saisie des membres X et Y et qui           */
/*              initialise le membre Existe à TRUE.           */
/*                                                            */
/* PARAMÈTRE:    Aucun.                                       */
/*                                                            */
/* REMARQUE:     Les données membres ne sont pas préfixées de */
/*              l'objet, elles le sont par défaut.            */
/*------------------------------------------------------------*/
void type_point::Lire_Point(void)
{
    cout << "Donner les coordonnées écran (X,Y) du point: ";
    cin >> X >> Y;
    Existe = true;
}

/*------------------------------------------------------------*/
/* DESCRIPTION:  type_point::Afficher_Point()                 */
/*              Fonction qui réalise l'affichage du contenu   */
/*              des membres X et Y.                           */
/*                                                            */
/* PARAMÈTRE:    Aucun.                                       */
/*                                                            */
/* REMARQUE:     La même que pour la fonction Lit_Point().    */
/*------------------------------------------------------------*/
void type_point::Afficher_Point(void)
{
    cout <<"Les coordonnées du point sont (" <<setw(3) <<X;
    cout <<',' <<setw(3) <<Y <<')'<< endl;
}
```

```
/*----------------------------------------------------------*/
/* DESCRIPTION:       Fonction principale du programme.      */
/*                    Demande, lit et affiche les coordonnées */
/*                    d'un objet point en faisant appel aux  */
/*                    méthodes:                              */
/*                    -Lire_Point(),                        */
/*                    -Afficher_Point().                    */
/*                                                          */
/* PARAMÈTRE:         Aucun.                                */
/*                                                          */
/* VALEUR DE RETOUR:  Aucune.                               */
/*                                                          */
/* REMARQUE:          Aucune.                               */
/*----------------------------------------------------------*/
void main(void)
{
   type_point Un_Point;       // Déclaration de l'objet Un_Point

   Un_Point.Lire_Point();     // Appel de la méthode Lire_Point
   Un_Point.Afficher_Point(); // Appel de la méthode Afficher_Point
}
```

À l'exécution, on obtient:

```
Donner les coordonnées écran (X,Y) du point: 4 20
Les coordonnées du point sont ( 4, 20)
```

Dans cet exemple, l'objet correspond à un point du plan. Ses deux premiers attributs sont ses coordonnées (X,Y) et le troisième est une variable de type `bool` spécifiant que le point existe. La classe `type_point` contient deux fonctions, une pour la saisie des valeurs des attributs et l'autre pour l'affichage des coordonnées du point. La déclaration des fonctions s'effectue à la suite de la classe associée. Ces fonctions peuvent utiliser directement dans leurs instructions les attributs de l'objet qui les contient. C'est le cas de la fonction `Lire_Point()` qui emploie les attributs X et Y dans l'instruction de lecture. Finalement, les instructions de la fonction `main()` montrent comment on fait l'appel d'une méthode, c'est-à-dire de la même façon qu'un membre en lui donnant comme préfixe l'objet concerné.

Trois règles régissent la déclaration d'une classe renfermant des données et des fonctions:

- Les variables locales et les paramètres d'une fonction ne peuvent avoir les mêmes identificateurs que les membres de la classe.
- Une fonction doit avoir comme préfixe l'identificateur de la classe dans laquelle elle est déclarée, puisque plus d'une classe peut avoir le même nom de fonction.
- Toutes les fonctions ont implicitement leur objet d'origine comme paramètre. Le mot réservé `this` peut servir à identifier les attributs de l'objet pour lequel on déclare la méthode. Nous présenterons plus loin la façon d'utiliser le pointeur `this`.

Plus concrètement, l'encapsulation signifie que la classe comporte une partie statique, un ensemble de données, et une partie dynamique, un ensemble de fonctions traitant ses données. Le but de l'encapsulation est qu'il ne soit plus nécessaire de connaître la représentation interne d'une classe, mais qu'il suffise de savoir quelles opérations sont applicables à l'objet. L'objet aura un comportement selon le message reçu, qui correspond à l'appel d'une méthode. Par exemple, lorsqu'on pense au réfrigérateur, on pense à sa fonction première, la réfrigération et la congélation des aliments, et non à sa conception interne. Si l'appareil ne refroidit pas assez ou s'il refroidit trop, il suffit d'ajuster la température à l'aide du thermostat.

Dans le meilleur cas, les attributs de l'objet sont privés, c'est-à-dire que l'objet est défini par son comportement et non par sa structure. Cela permet d'appliquer le principe d'abstraction des données selon lequel la seule manière d'interagir avec l'objet est de lui envoyer un message l'amenant à réagir suivant la méthode concernée. Ce principe est renforcé par l'accès privé aux données.

L'encapsulation permet de faciliter l'ajustement d'un programme qui exige une modification dans sa structure de données. En comparaison, le même ajustement pour un programme conventionnel, c'est-à-dire qui n'utilise pas la notion d'objet, exige plusieurs transformations dans l'organisation des sous-programmes. L'encapsulation augmente également la compréhensibilité du programme. L'utilisation d'identificateurs de méthodes significatifs permet de saisir assez aisément la logique d'un programme à l'examen des objets et des opérations qui leur sont adressés.

L'exemple 10.4 présente un programme utilisant la notion d'encapsulation.

Exemple 10.4 Programme utilisant la notion d'encapsulation; multiplication et addition de nombres complexes définis comme des objets

Rappelons que, dans l'ensemble des nombres complexes $Z = \{a + bi: a,b \ \varepsilon \ R\}$ (où a est la partie réelle et b, la partie imaginaire), les opérations d'addition et de multiplication sont définies comme suit:

$$(a_1 + b_1i) + (a_2 + b_2i) = (a_1 + a_2) + (b_1 + b_2)i$$

$$(a_1 + b_1i) * (a_2 + b_2i) = (a_1 * a_2 - b_1 * b_2) + (a_1 * b_2 + a_2 * b_1)i$$

Nous associons un objet à un nombre complexe. La classe nommée `type_complexe` doit contenir les données membres `Part_Reelle` et `Part_Imaginaire`. Les opérations concernant l'objet sont la lecture, l'affichage, l'addition et la multiplication; elles correspondent aux fonctions membres `Lire()`, `Afficher()`, `Additionner()` et `Multiplier()`.

```
/*-------------------------------------------------------------*/
/* FICHIER:      OBJCMPLX.CPP                                  */
/* AUTEUR:       Yves Boudreault                               */
/* DATE:         28 août 2000                                  */
/* DESCRIPTION: Ce programme réalise l'addition et la          */
/*               multiplication de nombres complexes qui sont  */
/*               définis comme des objets de la classe         */
/*               type_complexe.                                */
/*-------------------------------------------------------------*/
#include <iostream>      // Pour l'utilisation de cin et cout
#include <iomanip>       // Pour l'utilisation de setw(), setprecision() et
                         // setiosflags()
#include <cmath>         // Pour l'utilisation de fabs()
using namespace std;

class type_complexe
{
    float   Part_Reelle,          // Membres privés
            Part_Imaginaire;
  public:                         // Membres publics
    float Donner_Reelle(void)
    {
        return Part_Reelle;
    };
    float Donner_Imaginaire(void)
    {
        return Part_Imaginaire;
    };
    void Lire(void);
    void Additionner(type_complexe Z1, type_complexe Z2);
    void Multiplier(type_complexe Z1, type_complexe Z2);
    void Afficher(void);
};

/*-------------------------------------------------------------*/
/* DESCRIPTION: type_complexe::Lire()                          */
/*               Fonction qui réalise la saisie d'un nombre    */
/*               complexe.                                     */
/*                                                             */
/* PARAMÈTRE:   Aucun.                                         */
/*                                                             */
/* REMARQUE:    Aucune.                                        */
/*-------------------------------------------------------------*/
void type_complexe::Lire(void)
{
   cout << setw(40) << "Inscrire la partie réelle > ";
   cin  >> Part_Reelle;
   cout << setw(40) << "Inscrire la partie imaginaire > ";
   cin >> Part_Imaginaire;
}
```

```
/*------------------------------------------------------------*/
/* DESCRIPTION: type_complexe::Additionner()                  */
/*              Fonction qui réalise l'addition des nombres    */
/*              complexes Z1 et Z2. Le résultat est inscrit    */
/*              dans l'objet appelant.                         */
/*                                                             */
/* PARAMÈTRES:  Z1 (IN): objet de la classe type_complexe.    */
/*              Z2 (IN): objet de la classe type_complexe.     */
/*                                                             */
/* REMARQUE:    Les attributs des paramètres Z1 et Z2 sont     */
/*              connus par les fonctions Donner_Reelle() et    */
/*              Donner_Imaginaire().                           */
/*------------------------------------------------------------*/
void type_complexe::Additionner(type_complexe Z1, type_complexe Z2)
{
   Part_Reelle = Z1.Donner_Reelle() + Z2.Donner_Reelle();
   Part_Imaginaire = Z1.Donner_Imaginaire() + Z2.Donner_Imaginaire();
}


/*------------------------------------------------------------*/
/* DESCRIPTION: type_complexe::Multiplier()                   */
/*              Fonction qui réalise la multiplication des     */
/*              nombres Z1 et Z2. Le résultat est inscrit      */
/*              dans l'objet appelant.                         */
/*                                                             */
/* PARAMÈTRES:  Z1 (IN): objet de la classe type_complexe.    */
/*              Z2 (IN): objet de la classe type_complexe.     */
/*                                                             */
/* REMARQUE:    Les attributs des paramètres Z1 et Z2 sont     */
/*              connus par les fonctions Donner_Reelle() et    */
/*              Donner_Imaginaire().                           */
/*------------------------------------------------------------*/
void type_complexe::Multiplier(type_complexe Z1, type_complexe Z2)
{
   Part_Reelle = Z1.Donner_Reelle() * Z2.Donner_Reelle() -
        Z1.Donner_Imaginaire() * Z2.Donner_Imaginaire();
   Part_Imaginaire = Z1.Donner_Reelle() * Z2.Donner_Imaginaire() +
        Z1.Donner_Imaginaire() * Z2.Donner_Reelle();
}


/*------------------------------------------------------------*/
/* DESCRIPTION: type_complexe::Afficher()                     */
/*              Fonction qui permet l'affichage de l'objet     */
/*              appelant.                                      */
/*                                                             */
/* PARAMÈTRE:   Aucun.                                         */
/*                                                             */
/* REMARQUE:    Aucune.                                        */
/*------------------------------------------------------------*/
```

```
void type_complexe::Afficher(void)
{
    setiosflags(ios::fixed || ios::showpoint);
    cout << setprecision(4) << Part_Reelle;
    if (Part_Imaginaire >= 0)
        cout << " + ";
    else
        cout << " - ";
    cout << setprecision(4) << fabs(Part_Imaginaire) << " i";
}

/*----------------------------------------------------------------*/
/* DESCRIPTION:       Fonction principale du programme.          */
/*                    Demande et lit deux nombres complexes.     */
/*                    Réalise l'addition et la multiplication    */
/*                    de ces deux nombres. Fait appel aux        */
/*                    fonctions membres:                         */
/*                        -Lire(),                               */
/*                        -Afficher(),                           */
/*                        -Additionner(),                        */
/*                        -Multiplier().                         */
/*                                                               */
/* PARAMÈTRE:         Aucun.                                     */
/*                                                               */
/* VALEUR DE RETOUR:  Aucune.                                    */
/*                                                               */
/* REMARQUE:          Aucune.                                    */
/*----------------------------------------------------------------*/
void main(void)
{
    type_complexe Z1, Z2, ZResultat;

      // Saisie des nombres Z1 et Z2
    cout << "Indiquer un premier nombre complexe" << endl;
    Z1.Lire();
    cout << endl << endl;
    cout << "Indiquer un deuxième nombre complexe" << endl;
    Z2.Lire();

      // Addition de Z1 et Z2 suivie de l'affichage du
      // résultat inscrit dans ZResultat

    cout << endl << endl << endl;
    cout << setw(50) << "La somme des deux nombres est: ";
    ZResultat.Additionner(Z1,Z2);
    ZResultat.Afficher();
    cout << endl << endl;

      // Multiplication de Z1 et Z2 suivie de l'affichage
      // du résultat inscrit dans ZResultat
    cout << setw(50) << "Le produit des deux nombres est: ";
    ZResultat.Multiplier(Z1,Z2);
    ZResultat.Afficher();
}
```

À l'exécution, on obtient:

```
Indiquer un premier nombre complexe
Inscrire la partie réelle > 2
Inscrire la partie imaginaire > 2

Indiquer un deuxième nombre complexe
Inscrire la partie réelle > 1
Inscrire la partie imaginaire > 1

La somme des deux nombres est: 3.0000 + 3.0000 i
Le produit des deux nombres est: 0.0000 + 4.0000 i
```

Les méthodes `Donner_Reelle()` et `Donner_Imaginaire()` font en sorte que les attributs d'un objet de la classe `type_complexe` peuvent être connus. Ces attributs sont privés, ils ne sont donc accessibles qu'à l'intérieur de leurs méthodes.

Lors de la déclaration, on peut définir une fonction membre à l'intérieur de la classe. On dit alors que cette fonction est «en ligne implicite», sans le mot `inline`. C'est le cas des fonctions membres `Donner_Reelle()` et `Donner_Imaginaire()` de la classe `type_complexe`. Nous reparlerons un peu plus loin de la fonction `inline`.

___

10.4.1 Membre caché `this` (autoréférence)

À l'intérieur d'une méthode, `this` est un attribut caché qui représente un pointeur constant vers l'objet courant. Ce dernier est l'objet qui a appelé la méthode. Chaque fois qu'on déclare ou qu'on crée un objet, l'attribut `this` est initialisé à l'adresse de l'objet. Ainsi, il existe un attribut caché qui définit la propre adresse de l'objet courant.

En langage C, la déclaration du pointeur `this` serait:

```
type_point *const this;  // this est un pointeur constant vers un
                            objet de la classe
                         // type_point
```

L'exemple 10.5 montre une utilisation pertinente et une utilisation redondante du pointeur `this`.

___

Exemple 10.5 Utilisation pertinente et utilisation redondante du pointeur caché `this`

```
class type_point
{
     float x,y;  // Membres privés
   public:        // Membres publics
     void Afficher();
     float Mesurer()
          {return(sqrt(pow(x)+pow(y)))};
     type_point Trouver_Plus_Loin(type_point);
};
```

```
// Utilisation redondante du pointeur caché this
void type_point::Afficher(void)
{
    cout << "Affichage avec this" << endl;
    cout << "("<<this->x;
    cout << ", " << this->y << ")";
}

// Utilisation pertinente de l'attribut caché this
type_point type_point::Trouver_Plus_Loin (type_point Autre)
    // Point le plus loin de l'origine entre le courant et l'autre
{
    if (Autre.Mesurer() > Mesurer())
       return Autre;
    else
       return *this;
}
```

10.4.2   Utilisation d'une classe

Il est possible d'utiliser une classe de deux façons.

1. On peut avoir un pointeur vers un objet:

```
type_point *P;
P = new type_point;
P->Initialiser();
```

2. Une classe peut en contenir une autre:

```
class type_joueur
{
    type_nom Nom;
    type_prenom Prenom;
    type_dossard Dossard;
    public:
       void Jouer();
       void Afficher();
};

class type_equipe
{
    type_joueur Joueur[12];
    public:
       void  Selectionner();
       void  Enlever();
       bool  Perdre();
       bool  Gagner();
};
```

10.4.3   Surdéfinition des opérateurs (surcharge des opérateurs)

Le langage C++ permet de définir un opérateur de telle sorte qu'il réalise l'opération désirée sur des objets ou des types prédéfinis. Ainsi, dans l'exemple 10.3, on pourrait définir l'opérateur «+» afin qu'il réalise l'addition de deux objets de la classe `type_complexe` plutôt que de la fonction `Additionner()`. Le générique de la surdéfinition d'un opérateur est le suivant:

```
type_du_résultat operator «opérateur» opérande1 opérande2...
```

Dans l'exemple 10.6, nous définissons l'opérateur «+» pour la classe `t_complexe`.

Exemple 10.6   Définition de l'opérateur «+» pour la classe `type_complexe`

```
type_complexe type_complexe::operator + (type_complexe Z)
{
    type_complexe Res;

    Res.Part_Reelle = Donner_Reelle() + Z.Donner_Reelle();
    Res.Part_Imaginaire = Donner_Imaginaire() + Z.Donner_Imaginaire();
    return Res;
}
```

Dans ce cas, on modifie la déclaration de la classe `type_complexe` en remplaçant la fonction membre:

```
void Additionner(type_complexe Z1, type_complexe Z2);
```

par l'annonce de la définition d'un opérateur comme suit:

```
type_complexe operator + (type_complexe);
```

Une fois ces modifications effectuées, il est possible d'inscrire les instructions suivantes dans la fonction principale:

```
void main(void)
{
    type_complexe Z1, Z2, ZResultat;

      // Saisie des nombres Z1 et Z2
    cout << "Indiquer un premier nombre complexe" << endl;
    Z1.Lire();
    cout << endl << endl;
    cout << "Indiquer un deuxième nombre complexe" << endl;
    Z2.Lire();

      // Addition à l'aide de l'opérateur + de Z1 et Z2;
      // affichage du résultat inscrit dans ZResultat
    cout << endl << endl << endl;
    cout << setw(50) << "La somme des deux nombres est: ";
    ZResultat = Z1 + Z2;
    ZResultat.Afficher();
}
```

De la même façon, on peut redéfinir l'opérateur de multiplication «*» pour les objets de classe `type_complexe`.

Il faut surdéfinir de façon particulière les opérateurs d'indexation «[]» et d'affectation «=».
On doit les définir obligatoirement comme des fonctions et leur résultat doit absolument
être retourné par référence.

L'exemple 10.7 montre comment définir les opérateurs «[]» et «=» pour la classe
`type_vecteur`.

Exemple 10.7   Définition des opérateurs «[]» et «=» pour la classe `type_vecteur`

```
class type_vecteur
{
    float x, y, z;
    public:
        float & operator [] (int);
        type_vecteur & operator = (const t_vecteur &);
        void afficher(type_vecteur);
};

float & type_vecteur::operator [] (int Indice)
{
    switch (Indice)
    {
        case 1: return(y); break;
        case 2: return(z); break;
        default: return(x);
    }
}

type_vecteur & type_vecteur::operator = (const type_vecteur & Vecteur)
{
    if (this == &Vecteur) return *this;
    else
    {
        x = Vecteur.x;
        y = Vecteur.y;
        z = Vecteur.z;
        return *this;
    }
}
```

Les instructions suivantes sont possibles:

```
type_vecteur A, B;

A[0] = 10.5;   // Équivalent à A.x = 10.5, mais x n'est pas accessible.
A[1] = -3.45;  // Équivalent à A.y = -3.45, mais y n'est pas accessible.
A[2] = 8.9;    // Équivalent à A.z = 8.9, mais z n'est pas accessible.

B = A;         // Affectation d'un vecteur à un autre
```

Note: Il est impossible de surcharger les opérateurs «., .*, :: et ?:» ainsi que les symboles
«#» et «##».

10.4.4   Surdéfinition de fonctions (surcharge de fonctions)

En langage C++, on peut définir plusieurs fonctions ayant le même nom. Grâce aux types et aux conversions nécessaires aux arguments de ces fonctions, le compilateur choisit la fonction appropriée selon les arguments utilisés. L'exemple 10.8 présente la surdéfinition de la fonction `Afficher()`.

Exemple 10.8   Surdéfinition de la fonction `Afficher()`

```
void Afficher(float x)
{
    cout << x << endl;
}

void Afficher(float x, float y)
{
    cout << "x= " << x << " y= " << y << endl;
}
```

Ainsi, l'appel `Afficher(-3.45);` concerne la première fonction, tandis que l'appel `Afficher(1.23,4.56);` concerne la deuxième.

Une mise en garde s'impose lorsqu'une ambiguïté survient dans l'appel. L'exemple 10.9 montre la surdéfinition de la fonction `Afficher()` qui entraîne une confusion dans l'appel imputable à la conversion de type. L'appel `Afficher(12.3)` provoque ainsi une erreur de compilation.

Exemple 10.9   Mauvaise surdéfinition de la fonction `Afficher()` entraînant une ambiguïté
                    dans l'appel

```
void Afficher (int Nbre)
{
    cout << Nbre << endl;
}

void Afficher (float Nbre)
{
    cout << Nbre << endl;
}
```

Arguments par défaut.   Dans l'en-tête d'une fonction (ou dans son prototype), on peut déclarer un ou plusieurs arguments au moyen de valeurs par défaut. Ces arguments doivent être les derniers de la liste. Quand on appelle la fonction avec moins d'arguments, ce sont les valeurs par défaut qui sont utilisées. Par exemple, pour la fonction `Afficher()` suivante:

```
int Nb_Dim;
void Afficher(float Tableau[],int Dim=Nb_Dim, int Valeur=0)
{
...
}
```

les appels suivants sont corrects:

```
Afficher(Vecteur, 20); // Équivalent à Afficher(Vecteur,20,0);
Afficher(Vecteur);     // Équivalent à Afficher(Vecteur,Nb_Dim,0);
```

Par contre, l'appel qui suit est invalide, car l'argument de type `float` est obligatoire:

```
Afficher();
```

En ce qui concerne le prototype, on peut ignorer les noms des paramètres:

```
void Afficher(float, int=20, int=0);
```

10.4.5   Fonction `inline`

Comme nous l'avons vu précédemment, il est possible de déclarer une fonction à l'intérieur de sa classe et de la définir à l'extérieur de celle-ci. Il est aussi possible de la déclarer et de la définir à l'intérieur de sa classe. Dans ce cas, il s'agit d'une fonction `inline`. Puisqu'elles n'utilisent pas la pile, ces fonctions permettent de simplifier le processus d'appel d'une fonction. Pour ce faire, on inscrit le code compilé du corps de la fonction à l'endroit où l'appel se fait dans le programme. De la sorte, on suggère au compilateur d'«expansionner» la fonction lors de la compilation et on évite ainsi les pertes de temps avec le mécanisme d'appel usuel des fonctions, le plus souvent la gestion de la pile d'exécution. Les développements `inline` ne sont pas toujours possibles. Il peut même arriver que le compilateur ignore la requête. Les candidates idéales aux développements `inline` sont les fonctions courtes qu'on utilise fréquemment.

Une fonction `inline` est dite implicite lorsqu'on inscrit sa définition directement dans la déclaration de la classe. Elle est dite explicite lorsqu'on la définit à l'extérieur de sa classe; dans ce cas, on doit faire précéder le nom de la fonction du mot réservé `inline`. L'exemple 10.10 illustre la déclaration d'une fonction `inline` qui double la valeur réelle reçue en paramètre.

Exemple 10.10   Fonction `inline` calculant le double d'une valeur réelle

```
inline float Doubler(float x)
    {return 2*x;}
```

10.4.6   Gabarits de fonctions

Supposons qu'on désire écrire trois fonctions pour permuter deux entiers, deux réels et deux enregistrements. Pour ces trois fonctions, les instructions sont les mêmes sauf que le type des éléments à permuter est différent.

En langage C++, il est possible d'utiliser des gabarits de fonctions qui permettent de généraliser un même algorithme à différents types de données. L'exemple 10.11 présente la déclaration d'un gabarit pour une fonction qui réalise la permutation de deux valeurs de type quelconque.

Exemple 10.11   Gabarit de la fonction `Permuter()`

```cpp
#include <iostream>
using namespace std;

  /* Déclaration du gabarit de */
  /* la fonction Permuter()    */

template <class type>
void Permuter(type & Un, type & Deux)
{
    type Tempo;
    Tempo = Un;
    Un = Deux;
    Deux = Tempo;
}

struct type_personne
{
    char Nom[50];
    int  Age;
};

void main(void)
{
    int  i = 10,
         j = -5;
    type_personne Moi = {"jeune homme", 25},
                  Autre = {"jeune femme", 20};

    Permuter(i, j);     // Permuter deux entiers
    cout << "i= " << i << " j= " << j << endl << endl;

    Permuter(Moi,Autre);// Permuter deux enregistrements
    cout << "Moi   nom: " << Moi.Nom << " âge: " << Moi.Age << endl;
    cout << "Autre nom: " << Autre.Nom << " âge: "<< Autre.Age;
}
```

À l'exécution, on obtient:

```
i = -5    j = 10

Moi   nom: jeune femme âge: 20
Autre nom: jeune homme âge: 25
```

10.5   HÉRITAGE

La deuxième propriété des objets, l'héritage, est la possibilité qu'a un objet d'accaparer les attributs et les méthodes d'un autre objet.

La relation d'héritage définit un lien d'une classe à une autre classe. Les classes ainsi liées suivent une organisation hiérarchique, à la manière de l'arbre de classification du règne animal ou de l'arbre des répertoires du système d'exploitation. Dans l'arbre d'héritage, la racine représente la classe la plus générale dans laquelle se trouve inscrit le comportement commun à tous. Les autres classes lui sont rattachées et correspondent à des spécialisations. L'arbre d'héritage de la figure 10.1 illustre ce principe.

Voyons, à partir de la figure 10.1, comment fonctionne l'arbre d'héritage. Un bâtiment est une construction d'une certaine importance destinée à servir d'abri. Une maison est un bâtiment servant d'habitat pour les personnes. Un édifice est un ouvrage d'architecture de proportions importantes pouvant comporter plusieurs corps de bâtiments. Un édifice est qualifié de commercial lorsqu'il abrite un ou des locaux à vocation commerciale.

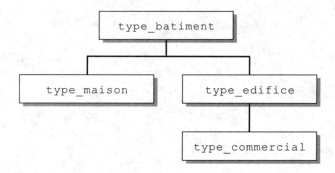

Figure 10.1   Arbre d'héritage de la classe `type_batiment`.

Dans ce contexte, le bâtiment est l'entité la plus générale. Il doit donc se situer à la racine de l'arbre d'héritage, car il contient l'information commune à tous, soit l'adresse, le nom du propriétaire et la valeur du bâtiment. Les fonctions `Obtenir_Info()` et `Afficher_Batiment()` permettent d'obtenir et d'afficher cette information.

On définit la classe `type_batiment` comme suit:

```
class type_batiment
{
    protected:
      type_adresse Adresse;
      type_nom NomProprio;
      float Valeur;
    public:
      void Obtenir_Info();
      void Afficher_Batiment();
};
```

Il est très important de noter que l'héritage des membres d'une classe dépend du droit d'accès qu'on a spécifié. Par conséquent, il faut déterminer pour chaque membre le droit d'accès de ses héritiers qui peut être public, privé ou protégé.

Rappelons la signification de ces droits d'accès:

- `public` (public): toutes les fonctions ont accès au membre;
- `private` (privé): seules les fonctions membres et amies de la classe ont accès au membre privé;
- `protected` (protégé): même chose que `private`, mais les fonctions membres et amies d'un objet de la classe qui hérite peuvent également utiliser le membre protégé.

En plus de ces droits d'accès aux membres d'une classe, il est possible de préciser le droit d'accès pour la classe de laquelle l'héritage provient. On parlera ici de classe dérivée. Par exemple:

```
class D : public A, private B, protected C
}
    ...
}
```

Ici, la classe dérivée est D et les classes de base sont A, B et C.

Voyons ci-dessous les règles concernant l'accès aux membres de la classe de base pour la classe dérivée.

Dérivation publique (`class D : public A`):

- les membres publics de la classe de base A sont membres publics de la classe dérivée D;
- les membres privés de la classe de base ne sont pas accessibles aux fonctions membres de la classe dérivée;
- les membres protégés de la classe de base sont publics pour les fonctions membres de sa classe dérivée et privés pour les utilisateurs de la classe dérivée.

Dérivation protégée (`class D : protected C`):

- les membres publics et protégés de la classe de base C sont des membres protégés de la classe dérivée D;
- les membres privés de la classe de base demeurent privés, donc inaccessibles.

Dérivation privée (`class D : private B`):

- les membres publics et protégés de la classe de base B deviennent des membres privés de la classe dérivée D;
- les membres privés de la classe de base demeurent privés, donc inaccessibles.

Le tableau 10.2 résume l'accès aux membres d'une classe de base par la classe dérivée.

Tableau 10.2   Droit d'accès aux membres d'une classe de base par la classe dérivée

Type de dérivation	Droit d'accès aux membres de la classe de base		
	Membre privé	Membre protégé	Membre public
Dérivation privée	inaccessible	protégé	public
Dérivation protégée	inaccessible	protégé	protégé
Dérivation publique	inaccessible	protégé	public

Dans le texte qui suit, nous avons accordé un droit d'accès protégé aux données membres d'une classe et un droit d'accès public aux fonctions membres. En outre, la dérivation de la classe de base s'effectue de façon publique. Ces droits d'accès donnent lieu à un héritage «conventionnel»: le descendant direct hérite des membres publics et protégés de son ascendant direct.

Une maison est une spécialisation d'un bâtiment. Dans la structure de l'arbre d'héritage, elle en est une descendante, c'est-à-dire qu'elle hérite de ses données et de ses fonctions membres en plus de posséder un membre spécifique désignant s'il s'agit d'un cottage ou d'un bungalow. Les fonctions Obtenir_Genre() et Afficher_Maison() permettent d'obtenir et d'afficher l'information propre à une maison. La déclaration de la classe type_maison est:

```
class type_maison : public type_batiment
{
    protected:
        type_genre Genre;
    public:
        void Obtenir_Genre(type_genre LeGenre);
        void Afficher_Maison(void);
};
```

La classe type_batiment placée à la suite du caractère «:» et du terme public indique que la classe type_maison hérite des données et fonctions membres de la classe type_batiment. Un objet de la classe type_maison accède ainsi aux attributs Adresse, NomProprio et Valeur et aux méthodes Obtenir_Info() et Afficher_Batiment() en plus de ses propres attributs et méthodes.

Soit Une_Maison, un objet de la classe type_maison, déclaré ainsi:

```
type_maison Une_Maison;
```

Il est possible d'effectuer les opérations suivantes dans une fonction membre de la classe `type_maison`:

```
strcpy(Adresse,"5678 rue Des Pignons"); // La valeur d'Adresse
                                         // est héritée de la
                                         // classe type_batiment
strcpy(NomProprio,"Ses occupants");      // La valeur de NomProprio
                                         // est héritée de la classe
                                         // type_batiment

Obtenir_Genre(Cottage);
```

En ce qui concerne l'héritage «simple», précisons qu'un objet peut avoir plusieurs descendants, mais ne possède toujours qu'un seul ascendant. De plus, un objet descendant peut être affecté à un objet ascendant. Ainsi, l'affectation suivante est valide:

```
Un_Batiment = Une_Maison;
```

Toutefois, l'affectation inverse est invalide. L'affectation valide suit le principe selon lequel tous les attributs de la variable se trouvant à gauche de l'opérateur d'affectation doivent se retrouver dans le terme de droite, ce qui permet le transfert de toutes les valeurs correspondantes. Dans notre exemple, il s'agit des attributs `Adresse`, `NomProprio` et `Valeur`.

Il existe un autre type d'héritage qu'on appelle l'héritage multiple. Celui-ci permet de construire des classes extrêmement complexes et déborde le cadre de ce chapitre.

Un édifice est, comme une maison, une spécialisation d'un bâtiment et correspond à un descendant de la classe `type_batiment`. Tout comme pour la classe `type_maison`, il faut inscrire dans sa définition qu'il descend de la classe `type_batiment` afin qu'il puisse bénéficier des données et des fonctions membres de cette dernière. Plus bas dans l'arbre, nous classons les édifices en fonction de leur nombre d'étages et de leur nombre d'appartements. Les fonctions `Obtenir_NbEtages_Et_NbApps()` et `Afficher_Edifice()` réalisent la saisie et l'affichage de l'information propre à un édifice. La déclaration de la classe `type_edifice` est:

```
class type_edifice : public type_batiment
{
    protected:
      int Nbre_Etages;
      int Nbre_Apps;
    public:
      void Obtenir_NbEtages_Et_NbApps(void);
      void Afficher_Edifice(void);
};
```

Un édifice commercial, comme son nom l'indique, est un édifice. Il doit donc descendre de la classe `type_edifice`. De plus, il est caractérisé par le nombre de commerces qu'il abrite et leur nom. Ainsi, la classe `type_commercial` hérite des données et des fonctions membres de la classe `type_edifice` ainsi que des données et fonctions dont cette dernière hérite, soit celles de la classe `type_batiment`, suivant le principe selon lequel un héritage se perpétue d'un niveau à l'autre dans l'arbre. La déclaration de la classe `type_commercial` est:

```
class type_commercial : public type_edifice
{
    protected:
      int  Nbre_Commerces;
      type_nom_commerce Nom_Commerce;
    public:
      void Obtenir_Nbre_Et_Nom(void);
      void Afficher_Commercial(void);
};
```

Par conséquent, pour un objet de la classe `type_commercial` dont la déclaration est:

```
type_commercial Un_Commercial;
```

les opérations suivantes sont valides dans une fonction membre de la classe `type_commercial`:

```
strcpy(NomProprio, "Bernard Lafleur");    // La valeur de NomProprio
                                          // est héritée de la classe
                                          // type_batiment
Obtenir_NbEtages_Et_NbApps();
Nbre_Commerces = 1;
```

La figure 10.2 définit les attributs et les méthodes directement accessibles pour les objets des classes `type_batiment`, `type_maison`, `type_edifice` et `type_commercial`.

L'exemple 10.12 illustre le principe d'héritage dans la définition d'une classe. Le programme utilise les classes déclarées plus haut.

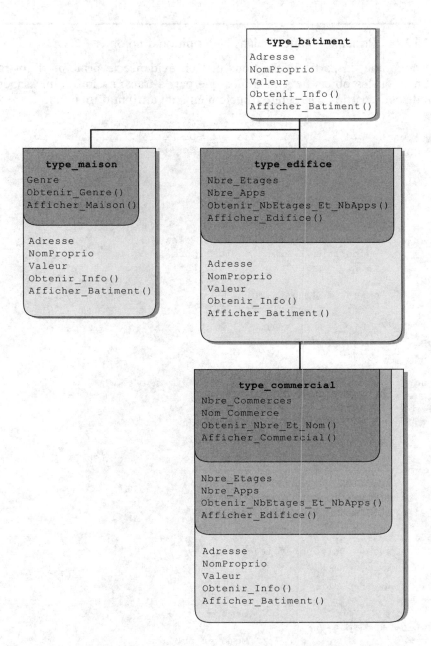

Figure 10.2 Attributs et méthodes directement accessibles pour les objets des classes `type_batiment`, `type_maison`, `type_edifice` et `type_commercial`.

Exemple 10.12   Principe d'héritage dans la définition d'un objet

Dans ce programme, la partie instructions met en évidence le principe d'abstraction des données. En effet, les objets ne sont traités que par la transmission de messages. Aucune instruction de cette partie ne se réfère directement à un attribut d'un objet.

```cpp
#include <iostream>    // Pour l'utilisation de cin, cout et getline()
#include <iomanip>     // Pour l'utilisation de setiosflags() et setw()
#include <cstring>     // Pour l'utilisation de strlen()
using namespace std;

/*-----------------------------------------------------------*/
/* FICHIER:      HERITAGE.CPP                                */
/* AUTEUR:       Yves Boudreault                             */
/* DATE:         29 août 2000                                */
/* DESCRIPTION: Ce programme définit les classes en          */
/*              respectant l'arbre de la figure 10.1. La     */
/*              partie instructions du programme montre       */
/*              diverses possibilités offertes par le        */
/*              principe d'héritage.                         */
/*-----------------------------------------------------------*/
#define MAX_ETAGE 25
#define MAX_COMMERCE 10
#define LONG_ADRESSE 120
#define LONG_NOM 80

typedef char type_adresse[120];
typedef char type_nom[80];
enum type_genre {BUNGALOW,COTTAGE};
typedef type_nom  type_nom_commerce[MAX_COMMERCE];

class type_batiment
{
    protected:        // Membres protégés
      type_adresse  Adresse;
      type_nom NomProprio;
      float Valeur;
    public:        // Membres publics
      void Obtenir_Info(void);
      void Afficher_Batiment(void);
};

class type_maison : public type_batiment
{
    protected:                    // Membre protégé
      type_genre Genre;
    public:                       // Membres publics
      void Obtenir_Genre(type_genre Le_Genre)
      {
        Genre = Le_Genre;
      }
      void Afficher_Maison(void);
};
```

```
class type_edifice : public type_batiment
{
    protected:                      // Membres protégés
        int Nbre_Etages;
        int Nbre_Apps;
    public:                         // Membres publics
        void Obtenir_NbEtages_Et_NbApps(void);
        void Afficher_Edifice(void);
};

class type_commercial : public type_edifice
{
    protected:                      // Membres protégés
        int Nbre_Commerces;
        type_nom_commerce  Nom_Commerce;
    public:                         // Membres publics
        void Obtenir_Nbre_Et_Nom(void);
        void Afficher_Commercial(void);
};

/*------------------------------------------------------------*/
/* DESCRIPTION: type_batiment::Obtenir_Info()                 */
/*              Fonction qui réalise la saisie de             */
/*              l'information propre à un bâtiment.           */
/*                                                            */
/* PARAMÈTRE:   Aucun.                                        */
/*                                                            */
/* REMARQUE:    Aucune.                                       */
/*------------------------------------------------------------*/
void type_batiment::Obtenir_Info(void)
{
    cout << "Adresse: ";
    cin.getline(Adresse, LONG_ADRESSE);
    cout << "Nom du propriétaire: ";
    cin.getline(NomProprio,LONG_NOM);
    cout << "Valeur de l'édifice: ";
    cin >> Valeur;
    cin.ignore();// Pour enlever le ENTER
}


/*------------------------------------------------------------*/
/* DESCRIPTION: type_batiment::Afficher_Batiment()            */
/*              Fonction qui réalise l'affichage de           */
/*              l'information propre à un bâtiment.           */
/*                                                            */
/* PARAMÈTRE:   Aucun.                                        */
/*                                                            */
/* REMARQUE:    Il s'agit toujours des attributs de l'objet   */
/*              appelant.                                      */
/*------------------------------------------------------------*/
void type_batiment::Afficher_Batiment(void)
{
    setiosflags(ios::showpoint || ios::fixed);
    cout << endl << endl;
```

```
   cout << "Information générale sur l'édifice" << endl <<endl;
   cout << "Adresse: " << Adresse << endl;
   cout << "Propriétaire: " << NomProprio << endl;
   cout << "Valeur: " << setw(2) << Valeur << endl;
}

/*------------------------------------------------------------*/
/* DESCRIPTION: type_maison::Afficher_Maison()              */
/*              Fonction qui affiche la valeur de l'attribut */
/*              Genre.                                       */
/*                                                          */
/* PARAMÈTRE:   Aucun.                                      */
/*                                                          */
/* REMARQUE:    L'attribut Genre est de type énumération.   */
/*------------------------------------------------------------*/
void type_maison::Afficher_Maison(void)
{
   switch (Genre)
   {
      case BUNGALOW : cout << "Genre: Bungalow"<<endl;break;
      case COTTAGE  : cout << "Genre: Cottage" <<endl;
   }
}

/*------------------------------------------------------------*/
/* DESCRIPTION: type_edifice::Obtenir_NbEtages_Et_NbApps()  */
/*              Fonction qui réalise la saisie des attributs */
/*              Nbre_Etages et Nbre_Apps pour un objet de la */
/*              classe type_edifice ou de sa descendante     */
/*              type_commercial.                            */
/*                                                          */
/* PARAMÈTRE:   Aucun.                                      */
/*                                                          */
/* REMARQUE:    Aucune.                                     */
/*------------------------------------------------------------*/
void type_edifice::Obtenir_NbEtages_Et_NbApps(void)
{
   cout << "Nombre d'étages: ";
   cin >> Nbre_Etages;
   cout << "Nombre d'appartements: ";
   cin >> Nbre_Apps;
   cin.ignore();// Pour enlever le ENTER
}

/*------------------------------------------------------------*/
/* DESCRIPTION: type_edifice::Afficher_Edifice()            */
/*              Fonction qui affiche la valeur des attributs */
/*              Nbre_Etages et Nbre_Apps pour un objet de la */
/*              classe type_edifice ou de sa descendante     */
/*              type_commercial.                            */
/*                                                          */
/* PARAMÈTRE:   Aucun.                                      */
/*                                                          */
/* REMARQUE:    Aucune.                                     */
/*------------------------------------------------------------*/
```

```
void type_edifice::Afficher_Edifice(void)
{
   cout << "Nombre d'étages: " << Nbre_Etages << endl;
   cout << "Nombre d'appartements total: " << Nbre_Apps << endl;
}
/*-------------------------------------------------------------*/
/* DESCRIPTION: type_commercial::Obtenir_Nbre_Et_Nom()         */
/*              Fonction qui saisit le nombre de commerces      */
/*              et le nom de ces commerces pour un objet de     */
/*              la classe type_commercial.                      */
/*                                                              */
/* PARAMÈTRE:   Aucun.                                          */
/*                                                              */
/* REMARQUE:    La classe type_commercial se situant au bas     */
/*              de l'arbre, aucun objet n'hérite de ses         */
/*              attributs et méthodes.                          */
/*-------------------------------------------------------------*/
void type_commercial::Obtenir_Nbre_Et_Nom(void)
{
   int Commerce;

   cout << "Nombre de commerces: ";
   cin >> Nbre_Commerces;
   cin.ignore();// Pour enlever le ENTER
   for (Commerce = 0; Commerce < Nbre_Commerces; Commerce++)  // Obtient le nom
   {                                                          // des commerces
      cout << "Commerce n°" << Commerce+1 << ": ";
                                                              // Lecture d'un
      cin.getline(Nom_Commerce[Commerce],LONG_NOM);           // Nom_Commerce[]
   }
}

/*-------------------------------------------------------------*/
/* DESCRIPTION: type_commercial::Afficher_Commercial()         */
/*              Fonction qui affiche le nombre de commerces     */
/*              et le nom de ces commerces pour un objet de     */
/*              la classe type_commercial.                      */
/*                                                              */
/* PARAMÈTRE:   Aucun.                                          */
/*                                                              */
/* REMARQUE:    La classe type_commercial se situant au bas     */
/*              de l'arbre, aucun objet n'hérite de ses         */
/*              attributs et méthodes.                          */
/*-------------------------------------------------------------*/
void type_commercial::Afficher_Commercial(void)
{
   int Commerce;

   cout << "Nombre de commerces: " << Nbre_Commerces << endl<<endl;
   cout << "Nom des commerces: " << Nom_Commerce[0] << endl;
   for (Commerce = 1; Commerce < Nbre_Commerces; Commerce++)
      cout << setw(19) <<' ' << Nom_Commerce[Commerce] << endl;
}
```

```
/*-------------------------------------------------------------*/
/* DESCRIPTION: Arreter()                                      */
/*              Fonction qui interrompt l'exécution du         */
/*              programme afin de permettre la lecture de      */
/*              l'information affichée.                        */
/*                                                             */
/* PARAMÈTRE:   Aucun.                                         */
/*                                                             */
/* REMARQUE:    Aucune.                                        */
/*-------------------------------------------------------------*/
void Arrete(void)
{
   char LitEnter;
   cout << "Appuyer sur ENTER pour continuer";
   cin.get(LitEnter);
   cout <<endl<<endl<<endl;
}

/*-------------------------------------------------------------*/
/* DESCRIPTION:      Fonction principale du programme.         */
/*                   Les instructions de cette fonction        */
/*                   soulignent l'accès à différents membres   */
/*                   de différentes classes par le biais du    */
/*                   principe d'héritage.                      */
/*                                                             */
/* PARAMÈTRE:        Aucun.                                    */
/*                                                             */
/* VALEUR DE RETOUR: Aucune.                                   */
/*                                                             */
/* REMARQUE:         La dérivation dans tous les cas est       */
/*                   publique.                                 */
/*-------------------------------------------------------------*/
void main(void)
{
   type_batiment    Un_Batiment;
   type_maison      Une_Maison;
   type_edifice     Un_Edifice;
   type_commercial  Un_Commercial;

     /* Obtention et affichage de l'information      */
     /* propre à un objet de la classe type_batiment */
   Un_Batiment.Obtenir_Info();
   Un_Batiment.Afficher_Batiment();
   Arreter();

     /* Obtention et affichage de l'information      */
     /* propre à une instance d'un objet Maison      */
   Une_Maison.Obtenir_Info();       // Fonction héritée de la classe type_batiment
   Une_Maison.Obtenir_Genre(BUNGALOW);
   Une_Maison.Afficher_Batiment(); // Fonction héritée également de type_batiment
   Une_Maison.Afficher_Maison();
   Arreter();

     /* Obtention et affichage de l'information      */
     /* propre à une instance d'un objet Edifice     */
   Un_Edifice.Obtenir_Info();       // Fonction héritée de la classe type_batiment
   Un_Edifice.Obtenir_NbEtages_Et_NbApps();
   Un_Edifice.Afficher_Batiment(); // Fonction héritée de la classe type_batiment
```

```
Un_Edifice.Afficher_Edifice();
Arreter();

  /* Obtention et affichage de l'information     */
  /* propre à une instance d'un objet Commercial */
Un_Commercial.Obtenir_Info();                    // Fonction héritée de la classe
                                                 // type_batiment
Un_Commercial.Obtenir_NbEtages_Et_NbApps();      // Fonction héritée de la classe
                                                 // type_edifice
Un_Commercial.Obtenir_Nbre_Et_Nom();
Un_Commercial.Afficher_Batiment();               // Fonction héritée de la classe
                                                 // type_batiment
Un_Commercial.Afficher_Edifice();                // Fonction héritée de la classe
                                                 // type_edifice

Un_Commercial.Afficher_Commercial();
Arreter();

  /* Exemples d'affectations possibles entre */
  /* des ascendants et des descendants       */
Un_Batiment = Une_Maison;    // Ascendant = Descendant
Un_Batiment.Afficher_Batiment();
Arreter();

Un_Edifice = Un_Commercial;  // Ascendant = Descendant
Un_Edifice.Afficher_Batiment();
Un_Edifice.Afficher_Edifice();
Arreter();
}
```

À l'exécution, on obtient:

Entrée 1

```
Adresse: 1 St-Joseph Montréal
Nom du propriétaire: Jean Drapeau
Valeur de l'édifice: 823000.00

Information générale sur l'édifice

Adresse: 1 St-Joseph Montréal
Propriétaire: Jean Drapeau
Valeur: 823000.00

          Appuyer sur Enter pour continuer
```

Entrée 2

```
Adresse: 2 côte Ste-Catherine Outremont
Nom du propriétaire: Jérôme Choquette
Valeur de l'édifice: 950000.00

Information générale sur l'édifice

Adresse: 2 côte Ste-Catherine Outremont
Propriétaire: Jérôme Choquette
Valeur: 950000.00
Genre: Bungalow

            Appuyer sur Enter pour continuer
```

Entrée 3

```
Adresse: 3 chemin de la Gare St-Félix
Nom du propriétaire: Rosario Claveau
Valeur de l'édifice: 75000.00
Nombre d'étages: 2
Nombre d'appartements: 3

Information générale sur l'édifice

Adresse: 3 chemin de la Gare St-Félix
Propriétaire: Rosario Claveau
Valeur: 75000.00
Nombre d'étages: 2
Nombre d'appartements total: 3

            Appuyer sur Enter pour continuer
```

Entrée 4

```
Adresse: 4 2e Rue Fermont
Nom du propriétaire: Marie-Louise Tremblay
Valeur de l'édifice: 2567000.00
Nombre d'étages: 3
Nombre d'appartements: 4
Nombre de commerces: 2
Commerce n° 1: La mangerie
Commerce n° 2: Tour-à-tour

Information générale sur l'édifice
```

```
Adresse: 4 2e Rue Fermont
Propriétaire: Marie-Louise Tremblay
Valeur: 2567000.00
Nombre d'étages: 3
Nombre d'appartements total: 4
Nombre de commerces: 2

Nom des commerces: La mangerie
                   Tour-à-tour

          Appuyer sur Enter pour continuer
```

Entrée 5

```
Information générale sur l'édifice
Adresse: 2 côte Ste-Catherine Outremont
Propriétaire: Jérôme Choquette
Valeur: 950000.00

          Appuyer sur Enter pour continuer
```

Entrée 6

```
Information générale sur l'édifice
Adresse: 4 2e Rue Fermont
Propriétaire: Marie-Louise Tremblay
Valeur: 2567000.00
Nombre d'étages: 3
Nombre d'appartements total: 4

          Appuyer sur Enter pour continuer
```

Le principal problème relatif au principe d'héritage est de déterminer l'ordre des objets. Souvent, le programmeur a comme premier réflexe d'ordonner les objets selon certains critères de spécialisation du point de vue des mathématiques ou de toute autre science. Toutefois, cette attitude n'a pas de fondement informatique et s'avère rarement appropriée. Il faut plutôt ordonner les objets en fonction des attributs qui seront transférés des uns aux autres et surtout de ceux qui seront utilisés. En effet, comme les méthodes n'occupent pas d'espace dans la variable objet, la quantité d'espace mémoire prise par un objet dépend uniquement de ses attributs. Ainsi, le premier objet de la hiérarchie est celui qui utilise le moins d'espace mémoire et, inversement, le dernier objet de la hiérarchie occupe le plus d'espace mémoire puisqu'il hérite des attributs des objets précédents. Il y a plusieurs façons d'organiser la hiérarchie suivant les critères utilisés. Par exemple, le principe d'occupation de la mémoire par les objets est un critère auquel on doit ajouter d'autres critères tels que les buts du problème à résoudre ou l'utilisation prévue pour les objets.

10.5.1   Héritage multiple

L'héritage multiple est la propriété qui permet à une classe d'hériter d'une autre classe même si elle n'est pas son ascendante directe. Dans l'arbre hiérarchique, cette propriété correspond à hériter d'un oncle en plus de son propre père.

Nous nous limiterons à dire qu'il est possible, en langage C++, d'utiliser l'héritage multiple. Il faut toutefois signaler que cette propriété peut rendre extrêmement complexe la structure de classes d'un programme.

10.5.2   Fonctions amies

Une fonction amie d'une classe est une fonction qui possède des propriétés particulières. En effet, celle-ci peut accéder à toutes les données membres de la classe. Elle n'est donc pas touchée par le droit d'accès imposé aux autres membres de la classe dans laquelle elle se trouve. On ne considère pas une fonction amie comme un membre de la classe; par contre, son emplacement respecte les règles de visibilité d'un identificateur. Par ailleurs, «l'amitié» ne s'hérite pas; elle n'est valide que pour la classe dans laquelle se situe la fonction amie. La principale utilisation de ce type de fonction réside dans la définition d'un opérateur, ce qui permet à la fonction d'accéder aux attributs de la classe indépendamment de leur droit d'accès. Il faut utiliser ce concept avec minutie, car il entrave les droits d'accès à la structure de classe et peut ainsi causer d'importants problèmes.

Dans l'exemple 10.13, la fonction `Afficher()` précédée du terme `friend` est une fonction amie. Les instructions de cette fonction qui n'est pas membre de la classe `type_point` accèdent directement aux attributs privés de l'objet `Un_Point`.

Exemple 10.13   Déclaration d'une fonction amie

```
class type_point
{
    float x,y;
    public:
      void Initialiser(float abscisse, float ordonnee)
      {
          x = abscisse;
          y = ordonnee;
      }
      void Afficher();                        // Fonction membre
      friend void Afficher(const type_point &);// Fonction amie
};
```

```
void type_point :: Afficher()
{
   cout << "Les coordonnées du point par la fonction membre:" <<endl<<endl;
   cout << "x= " << x << " y= " << y << endl;
}

// Fonction amie non membre de la classe type_point:
void Afficher(const type_point &Un_Point)
{
   cout <<"\nPar la fonction amie non membre de la classe type_point:";
   cout << endl << endl;
   cout << "x= " << Un_Point.x << " y= " << Un_Point.y;
}

void main()
{
   type_point Point;

      Point.Initialiser(1.5,2.8);
      Point.Afficher(); // Appel d'une fonction membre
      Afficher(Point);  // Appel avec une fonction amie de la classe type_point
}
```

À l'exécution, on obtient:

```
Les coordonnées du point par la fonction membre:

x= 1.5 y= 2.8

Par la fonction amie non membre de la classe type_point:

x= 1.5 y= 2.8
```

L'exemple 10.14 présente un programme qui calcule le produit de deux vecteurs de l'espace. Ce programme contient une fonction amie d'une classe qui réalise justement le produit vectoriel. Le prototype de cette fonction se situe dans la classe dont elle est l'amie. À l'intérieur de la fonction `main()`, l'instruction `Resultat = Multiplier(Vecteur1,Vecteur2);` montre la facilité avec laquelle on peut appeler une fonction amie.

Exemple 10.14   Produit de deux vecteurs à l'aide d'une fonction amie

```
/*-------------------------------------------------------------*/
/* FICHIER:      PRODVEC.CPP                              */
/* AUTEUR:       Yves Boudreault                          */
/* DATE:         29 août 2000                             */
/* DESCRIPTION: Ce programme effectue le produit de deux  */
/*              vecteurs de l'espace à l'aide d'une fonction */
/*              amie.                                      */
/*-------------------------------------------------------------*/
```

```cpp
#include <iostream>      // Pour l'utilisation de cin et cout
using namespace std;

    // Déclaration de la classe type_vecteur
class type_vecteur
{
      float x,y,z;
    public:
        void Initialiser(float, float, float);
        // Cette fonction membre de la classe vecteur est amie de la classe
        // Matrice
        friend type_vecteur Multiplier(const type_vecteur&, const type_vecteur&);
        void Afficher(char Nom[]);
};

/*-----------------------------------------------------------*/
/* DESCRIPTION: type_vecteur::Initialiser()                  */
/*              Fonction qui initialise les coordonnées x, y */
/*              et z. Ces coordonnées sont les attributs de  */
/*              l'objet appelant.                            */
/*                                                           */
/* PARAMÈTRES:  Dim_1, Dim_2 et Dim_3 (IN): des réels.       */
/*                                                           */
/* REMARQUE:    Aucune.                                      */
/*-----------------------------------------------------------*/
void type_vecteur::Initialiser(float Dim_1, float Dim_2, float Dim_3)
{
   x=Dim_1;
   y=Dim_2;
   z=Dim_3;
}

/*-----------------------------------------------------------*/
/* DESCRIPTION: type_vecteur::Afficher()                     */
/*              Fonction qui affiche les coordonnées x, y et */
/*              z du vecteur.                                 */
/*                                                           */
/* PARAMÈTRE:   Nom (IN): une chaîne de caractères précisant */
/*                    quel vecteur est affiché.              */
/*                                                           */
/* REMARQUE:    Aucune.                                      */
/*-----------------------------------------------------------*/
void type_vecteur::Afficher(char Nom[])
{
   cout << "Les coordonnées du vecteur " << Nom << " : ";
   cout << "(" << x<<","<<y<<","<<z<< ")" <<endl;
}

/*-----------------------------------------------------------*/
/* DESCRIPTION:     Multiplier()                             */
/*                  Fonction qui réalise le produit des      */
/*                  deux vecteurs reçus en paramètres.       */
/*                                                           */
/* PARAMÈTRES:      V (IN): vecteur à multiplier.            */
/*                  W (IN): autre vecteur à multiplier.      */
```

```
/*                                                          */
/* VALEUR DE RETOUR: Le vecteur résultant du produit        */
/*                  vectoriel.                              */
/*                                                          */
/* REMARQUE:        Il s'agit d'une fonction amie de la     */
/*                  classe type_vecteur.                    */
/*----------------------------------------------------------*/
type_vecteur Multiplier (const type_vecteur& V, const type_vecteur& W)
{
    type_vecteur Produit;

    Produit.x = V.y*W.z - V.z*W.y;
    Produit.y = -(V.x*W.z - V.z*W.x);
    Produit.z = V.x*W.y - V.y*W.x;

    return Produit;
}

/*----------------------------------------------------------*/
/* DESCRIPTION:     Fonction principale.                    */
/*                  Cette fonction montre comment utiliser  */
/*                  une fonction amie d'une classe. Il      */
/*                  s'agit de la fonction Prod_Vec().       */
/*                                                          */
/* PARAMÈTRE:       Aucun.                                  */
/*                                                          */
/* VALEUR DE RETOUR: Aucune.                                */
/*                                                          */
/* REMARQUE:        Aucune.                                 */
/*----------------------------------------------------------*/
void main()
{
    type_vecteur Vecteur1, Vecteur2, Resultat;

    Vecteur1.Initialiser(1.0,2.0,3.0); // Initialisation des deux
    Vecteur2.Initialiser(4.0,5.0,6.0); // vecteurs

    Vecteur1.Afficher("un");           // Affichage du premier vecteur
    Vecteur2.Afficher("deux");         // Affichage du deuxième vecteur

    // Appel de la fonction amie de la classe type_vecteur
    Resultat = Multiplier(Vecteur1,Vecteur2);

    Resultat.Afficher("du produit vectoriel"); // Affichage du vecteur résultat
}
```

À l'exécution, on obtient:

```
Les coordonnées du vecteur un: (1,2,3)
Les coordonnées du vecteur deux: (4,5,6)
Les coordonnées du vecteur du produit vectoriel: (-3,6,-3)
```

Surdéfinition d'opérateurs au moyen des fonctions amies. Il est possible de surdéfinir un opérateur en utilisant une fonction amie. Dans ce cas, la forme générale de la déclaration est:

```
friend type_résultat operator opérateur (classe_opérande, classe_opérande)
```

Par exemple, pour la classe `type_vecteur` de l'exemple 10.14, on surdéfinit les opérateurs d'égalité et d'inégalité en les déclarant comme suit:

```
friend bool operator == (type_vecteur, type_vecteur);
friend bool operator != (type_vecteur, type_vecteur);
```

L'exemple 10.15 présente la déclaration complète de ces opérateurs.

Exemple 10.15   Déclaration de la surdéfinition des opérateurs «==» et «!=» à l'aide d'une fonction amie

```
bool operator == (type_vecteur V, type_vecteur W)
{
  const float Epsilon = 0.0000001;
  if (abs(V.x-W.x)< Epsilon  &&        // V.x et les autres accès aux attributs
                                       // des objets V et W sont possibles
      abs(V.y-W.y) < Epsilon &&        // uniquement parce qu'il s'agit d'une
      abs(V.z-W.z) < Epsilon)          // fonction amie
      return true;
  else
     return false;
}
bool operator != (type_vecteur V, type_vecteur W)
{
   return !(V==W);
}
```

Précisons que les appels sont les mêmes avec une fonction membre ou une fonction amie. Par exemple:

```
        if (v1 == v2) ...
```

10.5.3   Constructeur et destructeur

Constructeur.   Lorsqu'il manipule des objets, le programmeur doit s'assurer de les avoir au préalable initialisés. Le langage C++ lui facilite la tâche en lui permettant d'initialiser un objet lors de sa déclaration. Cette initialisation est rendue possible par une fonction membre spéciale qui porte le même nom que la classe et ne doit pas être précédée d'un type (ni de `void`). On appelle cette fonction le constructeur de la classe. Lorsqu'une classe comporte un constructeur, le compilateur oblige le programmeur à l'utiliser dans la déclaration de l'objet.

Quand un constructeur ne contient pas de paramètre, on le qualifie de constructeur par défaut. Lorsqu'il contient un paramètre qui est une référence à sa propre classe, on l'appelle alors constructeur par recopie. L'exemple 10.16 présente différents types de constructeurs qu'on peut inscrire dans la déclaration de différentes classes.

Exemple 10.16 Classes contenant des constructeurs de différents types

1. Un constructeur sans paramètre ou par défaut

```
class type_point_1
{
    int x,y;
  public:
    type_point_1(); // Constructeur sans paramètre
    void Afficher(void);
};
```

2. Un constructeur avec paramètres

```
class type_point_2
{
    int x,y;
  public:
    type_point_2(int, int);          // Constructeur avec paramètres
    void Afficher(void);
};
```

3. Plusieurs constructeurs différents

```
class type_point_3
{
    int x,y;
  public:
    type_point_3();
    type_point_3(int x1=0, int y1=0);   // Constructeur avec valeurs
       { x=x1; y=y1; }                  // par défaut
    void Afficher(void);
};
```

4. Constructeur par recopie

```
class type_point_4
{
    int x,y;
  public:
    type_point_4(int, int);
    type_point_4(const type_point_4 & Un_Point) //Constructeur par recopie
    {
        x = Un_Point.x;
        y = Un_Point.y;
    }
    void Afficher(void);
};
```

La définition d'un constructeur est similaire à celle des autres fonctions membres. Par exemple:

```
type_point_2::type_point_2(int x1, int y1)
{
    x = x1;
    y = y1;
}
```

Lorsqu'une classe comporte un constructeur, on doit déclarer un objet en fournissant les arguments appropriés au constructeur, à moins que ce dernier soit sans paramètre ou que tous ses paramètres soient transmis par défaut. L'exemple 10.17 présente différentes déclarations d'objets dont les classes sont définies à l'exemple 10.16.

Exemple 10.17   Déclarations d'objets dépendantes des constructeurs de leur classe

```
type_point_1 Point_1;                  // Un seul constructeur sans paramètre
type_point_2 Point_2(10,10);           // Appel du constructeur avec paramètres
type_point_3 Point_3;                  // Valide parce qu'il y a un constructeur
                                       // sans paramètre et un autre avec
                                       // paramètres par défaut
type_point_4 Point_4_a(23,15);         // Appel du constructeur avec paramètres
type_point_4 Point_4_b = Point_4_a;    // Appel du constructeur par recopie
type_point_4 Point_4_c;                // Invalide parce qu'il n'y a pas de
                                       // constructeur sans paramètre ni avec
                                       // paramètres par défaut
type_point_3 * Point_3;                // Pointeur vers un objet
Point_3 = new t_point_3(63,180);
```

Destructeur.   Un destructeur est une fonction membre qui porte le même nom que sa classe et doit être précédé du symbole tilde «~». Il ne possède pas de type (ni de `void`) et ne doit pas comporter d'argument. À l'inverse d'un constructeur, un destructeur est unique et ne peut donc pas être surdéfini. On l'appelle avant de libérer de l'espace mémoire associé à l'objet. On l'utilise lorsqu'un objet sort de sa portée ou qu'on effectue un appel à l'opérateur `delete` pour un pointeur de la classe. L'exemple 10.18 présente la déclaration d'un destructeur pour la classe `type_point`.

Exemple 10.18   Déclaration d'une classe contenant un destructeur

```
class type_point
{
      int x,y;
   public:
      type_point(); // Constructeur
      ~type_point(); // Destructeur
      void Afficher(void);
};
```

Le programme de l'exemple 10.19 illustre le comportement de destructeurs.

Exemple 10.19 Comportement de destructeurs lors de l'exécution d'un programme

```
/*-------------------------------------------------------------*/
/* FICHIER:      FAMILLE.CPP                                   */
/* AUTEUR:       Yves Boudreault                               */
/* DATE:         6 octobre 2000                                */
/* DESCRIPTION: Ce programme crée des objets à l'aide de       */
/*              constructeurs et les détruit à l'aide de       */
/*              destructeurs.                                  */
/*-------------------------------------------------------------*/
#include <iostream>  // Pour l'utilisation de cin, cout et getline()
#include <cstring>   // Pour l'utilisation de strcpy()
using namespace std;

#define LONG_NOM 51

class type_famille
{
        char Nom[LONG_NOM], Prenom[LONG_NOM]; // Membres privés
   public:
        type_famille();                     // Constructeur sans argument
        type_famille(char *, char *);       // Constructeur avec argument
        ~type_famille();                    // Destructeur
        void Afficher();
        void Obtenir_Info();
};

/*-------------------------------------------------------------*/
/* DESCRIPTION: type_famille::type_famille()                   */
/*              Constructeur par défaut d'un objet de la       */
/*              classe.                                        */
/*                                                            */
/* PARAMÈTRE:   Aucun.                                        */
/*                                                            */
/* REMARQUE:    Aucune.                                       */
/*-------------------------------------------------------------*/
type_famille::type_famille()
{
   cout << "Appel du constructeur sans paramètre" <<endl;
   strcpy(Nom,"Pouce");
   strcpy(Prenom, "Tom");
}

/*-------------------------------------------------------------*/
/* DESCRIPTION: type_famille::type_famille()                   */
/*              Constructeur avec paramètres de la classe      */
/*              type_famille.                                  */
/*                                                            */
/* PARAMÈTRES:  Le_Nom (IN): le nom de la personne.           */
/*              Le_Prenom (IN): le prénom de la personne.      */
/*                                                            */
/* REMARQUE:    Aucune.                                       */
/*-------------------------------------------------------------*/
```

```
type_famille::type_famille(char * Le_Nom, char * Le_Prenom)
{
   cout << "Appel du constructeur avec paramètres" <<endl;
   strcpy(Nom, Le_Nom);
   strcpy(Prenom, Le_Prenom);
}

/*------------------------------------------------------------*/
/* DESCRIPTION: type_famille::~type_famille()                 */
/*              Le destructeur d'un objet de la classe         */
/*              type_famille.                                   */
/*                                                            */
/* PARAMÈTRE:    Aucun.                                        */
/*                                                            */
/* REMARQUE:     Aucune.                                       */
/*------------------------------------------------------------*/
type_famille::~type_famille()
{
    cout << "Destruction d'un objet de la classe type_famille" <<endl;
    Afficher();
}

/*------------------------------------------------------------*/
/* DESCRIPTION: type_famille::Obtenir_info()                  */
/*              Obtient le prénom et le nom de la personne.    */
/*                                                            */
/* PARAMÈTRE:    Aucun.                                        */
/*                                                            */
/* REMARQUE:     Aucun.                                        */
/*------------------------------------------------------------*/
void type_famille::Obtenir_Info(void)
{
   cout << "Quel est le nom de famille? ";
   cin.getline(Nom,LONG_NOM);
   cout << "Quel est le prénom? ";
   cin.getline(Prenom,LONG_NOM);
}

/*------------------------------------------------------------*/
/* DESCRIPTION: type_famille::Afficher()                      */
/*              Affiche le prénom et le nom de la personne.    */
/*                                                            */
/* PARAMÈTRE:    Aucun.                                        */
/*                                                            */
/* REMARQUE:     Aucune.                                       */
/*------------------------------------------------------------*/
void type_famille::Afficher()
{
   char LitEnter;
   cout << "Le nom de famille est " << Nom  << endl;
   cout << "Le prénom est " << Prenom;
   cout << "Appuyer sur ENTER pour continuer";
   cin.get(LitEnter);
   cout<<endl<<endl<<endl;
}
```

```
/*------------------------------------------------------------*/
/* DESCRIPTION:       Fonction principale.                    */
/*                    Cette fonction montre le comportement   */
/*                    des constructeurs et des destructeurs.  */
/*                    Les affichages obtenus permettent de    */
/*                    mieux comprendre leurs comportements.   */
/*                                                            */
/* PARAMÈTRE:         Aucun.                                  */
/*                                                            */
/* VALEUR DE RETOUR:  Aucune.                                 */
/*                                                            */
/* REMARQUE:          Aucune.                                 */
/*------------------------------------------------------------*/
void main(void)
{
   type_famille Papa;                         // Construction de quatre objets
   type_famille Maman("Soleil", "Marie"); // de la classe type_famille
   type_famille Soeur = Maman;
   type_famille * Frere;                      // Un pointeur vers un objet de la classe

   cout <<endl<<"Affichage de l'information sur la soeur" <<endl;
   Soeur.Afficher();

   cout << "Avec new, on appelle le constructeur." <<endl;
   Frere = new type_famille("Miel","Léo");
   Frere->Afficher();

   cout << "Avec delete, on appelle le destructeur." <<endl;
   delete Frere;
   Frere = NULL;
}
```

À l'exécution, on obtient:

Affichage 1

```
Appel du constructeur sans paramètre
Appel du constructeur avec paramètres

Affichage de l'information sur la soeur
Le nom de famille est Soleil
Le prénom est Marie


Appuyer sur ENTER pour continuer
```

Affichage 2

```
Avec new, on appelle le constructeur.
Appel du constructeur avec paramètres

Affichage de l'information sur le frère
Le nom de famille est Miel
Le prénom est Léo


Appuyer sur ENTER pour continuer
```

Affichage 3

```
Avec delete, on appelle le destructeur.
Destruction d'un objet de la classe type_famille
Le nom de famille est Miel
Le prénom est Léo

Appuyer sur ENTER pour continuer
```

Affichage 4   Sortie du programme

```
Destruction d'un objet de la classe type_famille
Le nom de famille est Soleil
Le prénom est Marie

Appuyer sur ENTER pour continuer
```

Affichage 5   Sortie du programme

```
Destruction d'un objet de la classe type_famille
Le nom de famille est Soleil
Le prénom est Marie

Appuyer sur ENTER pour continuer
```

Affichage 6   Sortie du programme

```
Destruction d'un objet de la classe type_famille
Le nom de famille est Pouce
Le prénom est Tom

Appuyer sur ENTER pour continuer
```

Les deux premiers affichages de cet exemple soulignent l'appel des constructeurs lors de la déclaration. Le deuxième affichage illustre particulièrement l'appel du constructeur lorsqu'on utilise l'opérateur new. L'affichage du nom et du prénom de l'objet en témoigne. À l'inverse, l'utilisation de l'opérateur delete implique un appel aux destructeurs. L'affichage à la case 3 du message «Destruction d'un objet de la classe type_famille» le prouve. Les affichages 4, 5 et 6 montrent que le destructeur est appelé lorsque l'objet sort de sa portée.

10.6   POLYMORPHISME

Les objets sont polymorphes, ce qui signifie par définition qu'ils peuvent prendre plusieurs formes. Suivant le principe du polymorphisme, on perçoit l'objet différemment selon sa composition ou sa réaction à un message. Ce principe découle directement de la notion d'héritage.

Nous avons vu que l'héritage permet à un objet d'accéder aux propriétés d'un autre objet. Ainsi, l'objet peut se présenter ou être perçu comme un objet d'un type dont il hérite.

Le polymorphisme se manifeste également dans la faculté d'un objet de réagir de façon différente à une méthode, faculté liée au principe d'héritage. En fait, il est possible de déclarer le même en-tête d'une méthode dans des objets distincts et d'introduire ces objets dans une même branche de l'arbre d'héritage. La méthode concernée, qui sert à réaliser une fonction particulière, est définie de nouveau dans chacun des objets où une adaptation est nécessaire.

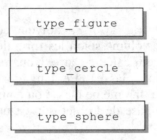

Figure 10.3 Arbre d'héritage de la classe `type_figure`.

Pour redéfinir une méthode d'un ascendant dans un descendant, il faut y retranscrire son en-tête intégralement, c'est-à-dire le même nom et la même liste de paramètres et de types. Un objet hérite de toutes les méthodes non redéfinies par lui-même ou ses ascendants. Ces méthodes demeurent accessibles; il suffit de préciser leur désignation complète, soit le type de l'objet suivi du point et du nom de la méthode.

Pour clarifier ces notions, prenons l'exemple d'un programme qui calcule le périmètre, l'aire et le volume d'un cercle et d'une sphère. Tout d'abord, analysons le problème pour en déduire l'arbre d'héritage. Les deux figures géométriques ont comme points communs un nom, un périmètre, une aire et un volume. Ces caractéristiques communes apparaissent dans une classe nommée `type_figure` se trouvant à la racine de l'arbre d'héritage. Par la suite, pour déterminer le périmètre et l'aire d'un cercle, on doit connaître son rayon. Il en va de même pour calculer l'aire et le volume d'une sphère. Cette information supplémentaire particulière à chaque figure conduit à la définition de deux classes distinctes: `type_cercle`, la descendante de la classe `type_figure`, et `type_sphere`, la descendante de la classe `type_cercle`. La classe `type_cercle` contient comme donnée la longueur du rayon. Nous avons choisi de placer cette donnée dans la classe `type_cercle` plutôt que dans `type_figure` afin de permettre l'ajout d'autres figures, par exemple un rectangle qui aurait sa longueur et sa largeur comme données. En structurant l'information de la sorte, on obtient l'arbre d'héritage présenté à la figure 10.3.

Voyons maintenant les opérations propres à chaque classe. La classe `type_figure` doit permettre l'affichage de l'information qu'elle contient. La déclaration de la classe `type_figure` est la suivante:

```
class type_figure
{
    protected:
      type_mot NomFigure;
      float Aire,
            Perimetre,
            Volume;
    public:
      void AfficherInfo();
};
```

Les classes `type_cercle` et `type_sphere` doivent contenir la longueur du rayon et calculer le périmètre, l'aire et le volume selon les formules appropriées. Pour ces classes, nous avons énoncé une fonction qui calcule l'aire. Nous reprenons la même déclaration de fonction pour chacune des deux classes. Le langage C++ permet de surdéfinir des fonctions membres à l'intérieur d'une même classe ou dans des classes dérivées. À l'appel, c'est la fonction de la classe de base de l'objet qui est utilisée et cette décision se prend lors de la compilation.

La classe `type_cercle` possède une fonction qui lui permet d'obtenir la longueur du rayon. La classe `type_sphere` hérite de cette caractéristique. En plus de leur constructeur respectif, les objets des classes `type_cercle` et `type_sphere` possèdent une fonction servant au calcul de l'aire, une fonction calculant le périmètre du cercle pour la classe `type_cercle` et une fonction calculant le volume de la sphère pour la classe `type_sphere`. La déclaration de ces deux classes s'énonce comme suit:

```
class type_cercle : public type_figure
{
    protected:
      float Rayon;
    public:
      type_cercle();
      void CalculerAire();
      void CalculerPerimetre();
      void ObtenirRayon()
      {
        cout << "Quel est le rayon? ";
        cin >> Rayon;
      };
};

class type_sphere : public type_cercle
{
    public:
      type_sphere();
      void CalculerAire();
      void CalculerVolume();
};
```

L'appel de la fonction `CalculerAire()` est identique pour un objet de la classe `type_cercle` et pour un objet de la classe `type_sphere`, même si les calculs de l'aire d'un cercle et de l'aire d'une sphère sont différents. C'est le principe du polymorphisme: des objets de classes différentes réagissent de façon différente à l'appel d'une même méthode. Ce phénomène est possible grâce à l'utilisation des méthodes surdéfinies.

L'exemple 10.20 illustre l'utilisation de méthodes surdéfinies pour la réalisation du polymorphisme. Dans ce programme, on se sert des déclarations des objets de classes `type_figure`, `type_cercle` et `type_sphere` vues précédemment.

Exemple 10.20   Utilisation des méthodes surdéfinies pour la réalisation du polymorphisme

```
/*-------------------------------------------------------------*/
/* FICHIER:     FIGURES.CPP                                    */
/* AUTEUR:      Yves Boudreault                                */
/* DATE:        6 octobre 2000                                 */
/* DESCRIPTION: Ce programme permet le calcul de l'aire et     */
/*              du périmètre d'un cercle ainsi que le          */
/*              calcul de l'aire et du volume d'une sphère.    */
/*              La méthode surdéfinie CalculerAire() servant   */
/*              au calcul de l'aire du cercle et de la sphère*/
/*              illustre le concept de polymorphisme.          */
/*-------------------------------------------------------------*/
#include <iostream>  // Pour l'utilisation de cin et cout
#include <iomanip>   // Pour l'utilisation de setiosflags() et setprecision()
#include <cstring>   // Pour l'utilisation de strcpy()
#include <cmath>     // Pour l'utilisation de pow()
using namespace std;

#define PI 3.14159
#define LONG_MOT 20

typedef char type_mot[LONG_MOT];

class type_figure
{
   protected:
      type_mot NomFigure;
      double  Aire,
              Perimetre,
              Volume;
   public:
      void AfficherInfo();
};
```

```
class type_cercle : public type_figure  // Hérite de la classe type_figure
{
   protected:
       double Rayon;                     // Sert à la fois pour le cercle
   public:                               // et la sphère
       void ObtenirRayon()               // Fonction «inline»
       {
           cout << "Quel est le rayon? ";
           cin >> Rayon;
       };
       type_cercle();                    // Constructeur
       void CalculerAire();              // La fonction surdéfinie
       void CalculerPerimetre();
};

class type_sphere : public type_cercle  // Hérite de la classe type_cercle
{
   public:
       type_sphere();                    // Constructeur
       void CalculerAire();              // La fonction surdéfinie
       void CalculerVolume();
};

/*-------------------------------------------------------------*/
/* DESCRIPTION: type_figure::AfficherInfo()                    */
/*              Fonction qui affiche les attributs communs à   */
/*              une figure. Il peut s'agir d'un objet de       */
/*              classe type_cercle ou de classe type_sphere.   */
/*                                                             */
/* PARAMÈTRE:   Aucun.                                         */
/*                                                             */
/* REMARQUE:    type_figure est la racine de l'arbre           */
/*              d'héritage.                                     */
/*-------------------------------------------------------------*/
void type_figure::AfficherInfo(void)
{
   setiosflags(ios::showpoint||ios::fixed);
   cout << "Nom de la figure: " << NomFigure << endl;
   cout << "Aire: " << setprecision(2) << Aire << endl;
   cout << "Périmètre: " << setprecision(2) << Perimetre << endl;
   cout << "Volume: " << setprecision(2) << Volume;
}

/*-------------------------------------------------------------*/
/* DESCRIPTION: type_cercle::type_cercle()                     */
/*              Constructeur d'un objet Cercle qui initialise  */
/*              les attributs Nom_Figure, Volume et Rayon.     */
/*                                                             */
/* PARAMÈTRE:   Aucun.                                         */
/*                                                             */
/* REMARQUE:    type_cercle hérite de la classe type_figure.   */
/*              Le volume du cercle est nul.                    */
/*-------------------------------------------------------------*/
```

```
type_cercle::type_cercle(void)
{
   strcpy(NomFigure,"Cercle"); // Initialisation du nom
   Volume = 0.0;               // Le volume est nul
   ObtenirRayon();             // Obtention de la longueur du rayon
}

/*-------------------------------------------------------------*/
/* DESCRIPTION: type_cercle::CalculerAire()                    */
/*              Fonction qui calcule l'aire d'un cercle.       */
/*                                                             */
/* PARAMÈTRE:   Aucun.                                         */
/*                                                             */
/* REMARQUE:    Cette fonction est définie également dans la   */
/*              classe type_sphere.                            */
/*-------------------------------------------------------------*/
void type_cercle::CalculerAire(void)
{
   Aire = PI* pow((double)Rayon,2.0);
}

/*-------------------------------------------------------------*/
/* DESCRIPTION: type_cercle::CalculerPerimetre()               */
/*              Fonction qui calcule le périmètre d'un         */
/*              cercle.                                        */
/*                                                             */
/* PARAMÈTRE:   Aucun.                                         */
/*                                                             */
/* REMARQUE:    Aucune.                                        */
/*-------------------------------------------------------------*/
void type_cercle::CalculerPerimetre(void)
{
   Perimetre = 2*PI*Rayon;
}

/*-------------------------------------------------------------*/
/* DESCRIPTION: type_sphere::type_sphere()                     */
/*              Constructeur d'un objet «sphere» qui           */
/*              initialise les attributs NomFigure et          */
/*              Perimetre.                                      */
/*                                                             */
/* PARAMÈTRE:   Aucun.                                         */
/*                                                             */
/* REMARQUE:    Le périmètre de la sphère est nul.             */
/*-------------------------------------------------------------*/
type_sphere::type_sphere(void)
{
   strcpy(NomFigure, "Sphere"); // Initialisation du nom de la figure
   Perimetre = 0.0;             // Le périmètre est nul
                                // Le rayon s'obtient par l'entremise du cercle
}

/*-------------------------------------------------------------*/
/* DESCRIPTION: type_sphere::CalculerAire()                    */
/*              Fonction qui calcule l'aire d'une sphère.      */
/*                                                             */
```

```
/* PARAMÈTRE:    Aucun.                                        */
/*                                                             */
/* REMARQUE:    Cette fonction est définie également dans la   */
/*              classe type_cercle.                            */
/*-------------------------------------------------------------*/
void type_sphere::CalculerAire(void)
{
   Aire = 4*PI*pow(Rayon,2.0);
}

/*-------------------------------------------------------------*/
/* DESCRIPTION: type_sphere::CalculerVolume()                  */
/*              Fonction qui calcule le volume d'une sphère.   */
/*                                                             */
/* PARAMÈTRE:    Aucun.                                        */
/*                                                             */
/* REMARQUE:    Aucune.                                        */
/*-------------------------------------------------------------*/
void type_sphere::CalculerVolume(void)
{
   Volume = (4.0/3)*PI*pow(Rayon,3.0);
}

/*-------------------------------------------------------------*/
/* DESCRIPTION:    Fonction principale.                        */
/*                 Cette fonction souligne l'utilisation       */
/*                 d'une fonction surdéfinie, CalculerAire(),  */
/*                 qui est membre des classes type_cercle      */
/*                 et type_sphere.                             */
/*                                                             */
/* PARAMÈTRE:       Aucun.                                     */
/*                                                             */
/* VALEUR DE RETOUR: Aucune.                                   */
/*                                                             */
/* REMARQUE:        Aucune.                                    */
/*-------------------------------------------------------------*/
void main(void)
{

   cout.setf(ios::fixe!ios::showpoint);
   type_cercle Un_Cercle;
   Un_Cercle.CalculerAire();
   Un_Cercle.CalculerPerimetre();
   Un_Cercle.AfficherInfo();

   cout <<endl<<endl<<endl;

   type_sphere Une_Sphere;
   Une_Sphere.CalculerAire();
   Une_Sphere.CalculerVolume();
   Une_Sphere.AfficherInfo();
}
```

À l'exécution, on obtient:

Entrée 1

```
Quel est le rayon? 2
Nom de la figure: Cercle
Aire: 12.57
Périmètre: 12.57
Volume: 0.00
```

Entrée 2

```
Quel est le rayon? 3.5
Nom de la figure: Sphere
Aire: 153.94
Périmètre: 0.00
Volume: 179.59
```

Ce programme définit la fonction membre `CalculerAire()` dans les classes `type_cercle` et `type_sphere`, créant ainsi deux définitions distinctes de cette fonction. Ce faisant, il empêche le descendant de la classe `type_sphere` d'hériter de cette méthode de l'objet de la classe `type_cercle`.

Fonction virtuelle. Lorsqu'on utilise la surdéfinition de fonction dans le contexte de l'héritage, il est possible de préciser à l'exécution quelle fonction membre doit servir selon la classe de l'objet concerné. Dans ce cas, on utilise une fonction dite virtuelle qui se reconnaît à son en-tête identique d'un descendant à l'autre et précédé du mot réservé `virtual`.

Pour une classe contenant une méthode virtuelle, on conseille de prévoir un constructeur lors de la création d'objets. Contrairement à une fonction membre qui peut être statique ou virtuelle, un constructeur est toujours statique. Quant à la fonction membre, elle est statique par défaut. La principale différence entre une fonction statique et une fonction virtuelle réside dans le moment de l'appel qui a lieu à la compilation pour la première et à l'exécution pour la seconde.

La notion de fonction virtuelle est essentielle lorsqu'un programme utilise des pointeurs à des objets plutôt qu'uniquement des objets. Avec le langage C++, il est possible de déclarer un pointeur comme un pointeur à la classe de base et s'en servir comme pointeur à n'importe quelle classe dérivée. Par exemple, on peut utiliser un pointeur à la classe `type_figure` comme un pointeur à la classe `type_cercle` ou `type_sphere`. Toutefois, l'inverse est impossible.

Le programme de l'exemple 10.21 montre comment utiliser le pointeur d'une classe de base servant à créer des objets de classes dérivées; toutefois, l'accès aux membres y sera erroné. Les fonctions `CalculerAire()`, `CalculerPerimetre()` et `CalculerVolume()` sont ajoutées à la classe de base `type_figure`. Ces fonctions attribuent la valeur 0 aux attributs `Aire`, `Perimetre` et `Volume`. Ainsi, la définition de la classe devient :

```
class type_figure
{
   protected:
       type_mot  NomFigure;
       double    Aire,
                 Perimetre,
                 Volume;
   public:
       void AfficherInfo();
       void calculerAire()  {Aire =0;}
       void CalculerPerimetre() {Perimetre=0;}
       void CalculerVolume(){Volume=0;}
};
```

On ajoute la déclaration type_figure *PtrFigure; à la fonction main(). La création d'un objet de type type_cercle s'effectue à l'aide de l'instruction PtrFigure = new type_cercle;. Contrairement à ce qu'on pourrait penser, les appels PtrFigure ->CalculerAire(), PtrFigure->CalculerPerimetre() et PtrFigure ->AfficherInfo() ne sont pas des appels qui s'appliquent à un objet de type type_cercle. Le compilateur a plutôt retenu que le type de la variable PtrFigure était type_figure *. Puisqu'il n'a aucune indication lui précisant de déterminer le type lors de l'exécution, il considère l'expression *PtrFigure ou PtrFigure-> de type type_figure. C'est pourquoi le programme affiche 0 pour les valeurs de l'aire et du périmètre du cercle, ces valeurs provenant des fonctions CalculerAire() et CalculerPerimetre() de la classe type_figure.

Exemple 10.21   Déclaration d'un pointeur à la classe de base permettant de créer des objets des classes dérivées

```
/*-------------------------------------------------------------*/
/* FICHIER:     FIGURES.CPP                                    */
/* AUTEUR:      Yves Boudreault                                */
/* DATE:        11 janvier 2001                                */
/* DESCRIPTION: Ce programme permet le calcul de l'aire et     */
/*              du périmètre d'un cercle ainsi que le calcul   */
/*              de l'aire et du volume d'une sphère.           */
/* REMARQUE:    La déclaration des fonctions n'est pas         */
/*              répétée. Les fonctions demeurent identiques.   */
/*-------------------------------------------------------------*/
#include <iostream>    // Pour l'utilisation de cin et cout
#include <iomanip>     // Pour l'utilisation de setiosflags() et setprecision()
#include <cstring>     // Pour l'utilisation de strcpy()
#include <cmath>       // Pour l'utilisation de pow()
using namespace std;
```

```
#define PI 3.14159
#define LONG_MOT 20

typedef char type_mot[LONG_MOT];

class type_figure
{
   protected:
     type_mot NomFigure;
     double Aire,
            Perimetre,
            Volume;
   public:
     void AfficherInfo();
     void CalculerAire() {Aire =0;}
     void CalculerPerimetre() {Perimetre=0;}
     void CalculerVolume(){Volume=0;}
};

class type_cercle : public type_figure   // Hérite de la classe type_figure
{
   protected:                            // Sert à la fois pour le cercle
     double Rayon;                        // et la sphère
   public:
     void ObtenirRayon()                  // Fonction "inline"
     {
         cout << "Quel est le rayon? ";
         cin >> Rayon;
     };
     type_cercle();                       // Constructeur
     void CalculerAire();                 // La fonction surdéfinie
     void CalculerPerimetre();
};

class type_sphere : public type_cercle   // Hérite de la classe type_cercle
{
   public:
     type_sphere();                       // Constructeur
     void CalculerAire();                 // La fonction surdéfinie
     void CalculerVolume();
};

/*------------------------------------------------------------*/
/* DESCRIPTION:        Fonction principale                    */
/*                     Cette fonction souligne l'utilisation  */
/*                     d'un pointeur à une classe de base pour*/
/*                     construire des objets des classes      */
/*                     dérivées.                              */
/* PARAMÈTRE:          Aucun.                                 */
/* VALEUR DE RETOUR:   Aucune.                                */
/* REMARQUE:           Aucune.                                */
/*------------------------------------------------------------*/
```

```
void main(void)
{
    cout.setf(ios::fixed|ios::showpoint);

    type_figure *PtrFigure;

    PtrFigure = new type_cercle;     // Création d'un objet de type_cercle
    PtrFigure->CalculerAire();       // Les fonctions appelées sont
    PtrFigure->CalculerPerimetre();  // celles de la classe
    PtrFigure->AfficherInfo();       // type_figure
    delete PtrFigure;

    cout << endl << endl;

    PtrFigure = new type_sphere;     // Création d'un objet de type_sphere
    PtrFigure->CalculerAire();       // Les fonctions appelées sont
    PtrFigure->CalculerVolume();     // celles de la classe
    PtrFigure->AfficherInfo();       // type_figure
    delete PtrFigure;
}
```

À l'exécution, on obtient :

```
Quel est le rayon? 3
Nom de la figure: Cercle
Aire: 0.00
Périmètre: 0.00
Volume: 0.00

Quel est le rayon? 5
Nom de la figure: Sphere
Aire: 0.00
Périmètre: 0.00
Volume: 0.00
```

Pour bien résoudre le type des expressions `*PtrFigure` ou `PtrFigure->` au moment de l'exécution, il faut que les fonctions surdéfinies soient virtuelles dans la classe de base. Pour ce faire, le mot réservé `virtual` doit précéder la déclaration de la fonction dans la définition de la classe. La déclaration de la classe `type_figure` devient donc:

```
class type_figure
{
    protected:
        type_mot  NomFigure;
        double    Aire,
                  Perimetre,
                  Volume;
```

```
  public:
    void AfficherInfo();
    virtual void CalculerAire() {Aire =0;}
    virtual void CalculerPerimetre() {Perimetre=0;}
    virtual void CalculerVolume(){Volume=0;}
};
```

Il s'agit de la seule et unique modification à apporter au programme de l'exemple 10.21. On ne doit pas répéter le terme `virtual` pour les fonctions surdéfinies dans les classes dérivées. Une fois cette modification effectuée, on obtient à l'exécution:

```
Quel est le rayon? 3
Nom de la figure: Cercle
Aire: 28.27
Périmètre: 18.85
Volume: 0.00

Quel est le rayon? 5
Nom de la figure: Sphere
Aire: 314.16
Périmètre: 0.00
Volume: 523.60
```

Classe abstraite. Une classe est dite abstraite lorsqu'elle ne peut pas posséder d'objet. La déclaration d'une classe doit contenir au moins une fonction virtuelle pure pour devenir abstraite. L'ajout des caractères « = 0 » à la suite de la signature d'une fonction virtuelle la rend pure. L'exemple 10.22 montre quelle modification apporter à la classe `type_figure` pour la rendre abstraite.

Exemple 10.22   Modification de la classe `type_figure` pour la rendre abstraite

```
class type_figure
{
    protected:
      type_mot NomFigure;
      double Aire,
             Perimetre,
             Volume;
    public:
      void AfficherInfo();
      virtual void CalculerAire() = 0 ;  // La fonction virtuelle pure
                                    // qui rend la classe abstraite
      virtual void CalculerPerimetre() {Perimetre=-100;}
      virtual void CalculerVolume() {Volume=-100;}
};
```

Pour cette nouvelle déclaration, il est impossible de déclarer des objets de la classe `type_figure`. Par exemple, la déclaration `type_figure Figure;` provoque une erreur à la compilation. Par contre, il est possible de déclarer un pointeur à cette classe.

Gabarit de classe. Certaines structures de données classiques comprennent des manipulations assez standard. C'est le cas des piles et des files avec les opérations d'ajout, de retrait ainsi que de vérification de structure vide ou pleine. Dans ces manipulations, les algorithmes sont indépendants de la nature des éléments que contient la structure. Par contre, on doit ajuster ces structures en fonction du type de ces éléments. Pour pallier cet inconvénient, le langage C++ permet à l'usager de fixer des paramètres de classes pour obtenir des gabarits de classes. Semblables aux gabarits de fonctions, les gabarits de classes se définissent comme à l'exemple 10.23.

Exemple 10.23   Déclaration d'un gabarit de classe pour la structure de pile

```
template <class type>
class type_pile
{
   type * Sommet;
   int MAX_ELEM;
   int Ind_Som;
   public:
     void Ajouter(type t)
     {
        Sommet[++Ind_Som] = t;
     }
     type Retirer(type t)
     {
        return Sommet[Ind_Som--];
     }
};
```

On vient de fixer des paramètres pour un type. Lorsqu'il y a des classes de piles de différents types, on doit faire une déclaration semblable à celle-ci:

```
type_pile <int> Tete_Entier;   // Une pile d'entiers
type_pile <char> Tete_Car;     // Une pile de caractères
```

Nous avons utilisé l'expression gabarit de classe, mais de nombreux termes servent à désigner le même concept: patron de classe, modèle de classe, classe générique et générateur de classe.

10.7   CONCLUSION

Cette présentation des possibilités offertes par le langage C++ ne constitue qu'un survol. Nous avons introduit diverses notions portant sur les classes et les objets sans toutefois les approfondir. Revoyons ci-dessous les principaux ajouts du langage C++ par rapport au langage C.

Entrée et sortie:	Le fichier d'en-tête pour les entrées et les sorties est `iostream.h`. Le terme `cin` est l'entrée standard et `cout`, la sortie standard. Le traitement des entrées et des sorties se fait en fonction des types de variables concernées.
Commentaire:	Le symbole «//» précède une ligne de commentaires.
Fonction `inline`:	La définition de fonctions `inline` remplace l'utilisation des macros. Il s'agit de fonctions compilées dont le code correspondant est inséré directement à l'emplacement où figure leur appel. Le code de la fonction `inline` doit se retrouver dans tous les modules à compiler.
Conversion explicite:	On peut avoir recours à un nouveau format pour une conversion explicite. On inscrit celle-ci comme s'il s'agissait d'un appel à une fonction.
Variable `const`:	Il est impossible de modifier les variables de classes `const`. On les utilise de préférence aux constantes définies parce qu'elles sont plus souples. L'initialisation d'une variable s'effectue comme un appel à une fonction.
Paramètre `const`:	Un paramètre est de classe `const` lorsqu'il n'est pas modifié par la fonction. Cette déclaration aide le compilateur à optimiser le code.
Déclaration des structures:	La déclaration des structures, des unions et des types énumération peut se faire sans l'usage de mots clés. L'utilisation des types définis n'est plus requise.
Opérateur de résolution de portée:	Cet opérateur permet d'avoir accès à des variables de la portée englobante.
Passage par adresse «&»:	Le passage de paramètres par adresse permet de modifier une variable à distance. Quant au paramètre référencé, il sert à définir un «surnom» pour l'argument. Le passage par adresse évite la préparation d'une copie de la variable.
Argument par défaut:	Il est possible de spécifier des valeurs par défaut pour les arguments à transmettre. Il faut absolument attribuer les valeurs par défaut de la droite vers la gauche.
Surdéfinition de fonctions:	On peut définir deux fonctions portant le même nom pourvu qu'elles soient différenciées par leurs paramètres (en type ou en nombre). C'est le contexte qui détermine la fonction qui doit être appelée (langage fortement typé).
Gabarit de fonction ou de classe:	Le gabarit permet de ne pas associer de types précis aux paramètres d'une fonction ni à une classe et ainsi de généraliser ces dernières.
Allocation dynamique:	L'allocation dynamique s'effectue au moyen des opérateurs `new` et `delete` plutôt qu'avec les fonctions `malloc()` et `free()`. Pour des blocs de mémoire, il faut ajouter les crochets, «[]», sinon le destructeur n'est appelé que pour le premier élément.

Les techniques et les outils conventionnels deviennent rapidement inadéquats dans le développement de logiciels de plus en plus complexes et toujours en expansion. La programmation par objet introduit de nouveaux principes qui favorisent la réalisation de grands projets. Ces principes offrent de grands avantages qui préservent les règles fondamentales de la programmation structurée. Il s'agit:

- de l'abstraction des données, selon laquelle il est possible d'interagir avec l'objet uniquement par l'entremise de ses méthodes;

- de la «modularité», c'est-à-dire que la structure de base correspond à des objets dont il est facile de modifier la définition sans provoquer trop de répercussions sur les autres objets;

- de la facilité de réutilisation: un objet étant défini par son comportement, il est alors facile de l'inclure dans une bibliothèque par la suite, soit pour l'utiliser tel quel, soit pour construire des objets plus spécifiques, par spécialisation et composition des objets existants;

- de la compréhensibilité: lorsqu'on considère le comportement et non les attributs de l'objet, il est plus simple de remplir les fonctions d'un programme à travers les méthodes de ses objets.

10.8   QUESTIONS

1.   Quels deux langages ont permis la venue du concept de programmation par objet?

2.   Qu'est-ce que la conception descendante?

3.   En quoi consiste la technique d'analyse employée en programmation par objet?

4.   Peut-on considérer l'analyse employée en programmation par objet comme une approche descendante?

5.   Quelles sont les propriétés inhérentes à un objet?

6.   Quelle restriction s'applique au type objet et non à l'enregistrement?

7.   Qu'est-ce que l'encapsulation?

8.   Est-il vrai qu'une méthode doit être absolument une fonction et non une procédure?

9.   Quel est le but de l'encapsulation?

10.   Qu'entend-on par message reçu par un objet?

11.   Peut-on utiliser le même nom de méthode pour plusieurs objets?

12.   Qu'est-ce que le principe d'abstraction des données?

13.   Pourquoi dit-on que l'encapsulation facilite la maintenance des logiciels?

14.   Que sert à identifier le mot réservé `this`?

15.   Qu'est-ce que la propriété d'héritage?

16. Comment déclare-t-on un objet descendant qui hérite d'un objet situé à la racine de l'arbre d'héritage?

17. De quelles façons organise-t-on une hiérarchie?

18. Qu'est-ce que le polymorphisme?

19. Pourquoi dit-on que le polymorphisme découle directement de la notion d'héritage?

10.9 EXERCICES

1. Soit les déclarations suivantes:

```
class type_exemple
{
    int  A, B;
  public:
    void Agir(int& X);
};

type_exemple Premier;
int N;
```

Donner un exemple d'application de la méthode `Agir()` sur l'objet `Premier` en prenant comme paramètre `N`.

2. Soit les déclarations suivantes:

```
class type_classe
{
   int A, B;
   public:
      void Initialiser_A(void);
      void Initialiser_B(void);
};
void type_classe::Initialiser_A(void)
{
   cout << "Indiquer la valeur de A: ";
   cin >> A;
}
void type_classe::Initialiser_B(void)
{
   cout << "Indiquer la valeur de B: ";
   cin >> B;
}
void main(void)
{
   type_classe Objet;
   int Entier;
   Entier = Objet.A + Objet.B;
}
```

Trouver l'erreur qui s'est glissée dans les instructions précédentes.

3. Que doit-on faire pour remédier au problème de l'exercice 2?

4. Soit les déclarations suivantes:

```
class type_compose
{
        int A, B;
    public:
        int AplusB(void);
};
```

Écrire la fonction `AplusB()` qui donne comme résultat la somme de A et B d'un objet de la classe `type_compose`.

5. Considérons le type de l'exercice 4 et l'objet `Compose` déclaré comme suit:

```
type_compose Compose;
```

En utilisant la méthode `AplusB()`, donner l'instruction qui permet d'afficher à l'écran la somme des attributs A et B de l'objet `Compose`.

6. Donner la déclaration d'une classe `type_super_compose` qui est la descendante de la classe `type_compose`, déclarée à l'exercice 5, et qui contient un membre de plus, soit `Chaine`, de type chaîne de caractères.

7. Donner la déclaration de la classe `type_date` qui contient trois données membres, soit le jour, le mois et l'année. Écrire deux fonctions membres: la première, `Initialiser()`, permet d'initialiser une date et la deuxième, `Afficher()`, affiche son contenu.

8. Qu'obtient-on à l'exécution des instructions suivantes?

```
type_date Date;
Date.Initialiser(30,7,1966);
Date.Afficher();
```

9. Soit la déclaration suivante:

```
class type_classe
{
    private:    // Par défaut
        char Car;
        int Valeur;
    public:
        type_classe(char Lettre, int Nbre);
        type_classe();
        void Afficher();
};
```

Indiquer si les énoncés suivants sont justes.

a) `type_classe Un_Objet('a',25);`
b) `type_class Autre_Objet;`
c) `type_class Un_Autre_Objet();`

d) `Un_Objet.Car = 'L';`

e) `Autre_Objet = Un_Autre_Objet;`

f) `Un_Autre.type_classe():`

g) `Un_Objet.Afficher();`

h) `Un_Objet.Valeur = Un_Autre.Valeur;`

i) `Un_Objet = type_classe();`

10. Déclarer la classe `type_argent` qui possède:

   - les données membres dollar et cent;
   - les constructeurs suivants qui servent à initialiser les données membres:

```
type_argent(long Dollar, int Cent);
type_argent(long Dollar);
type_argent();
```

   - deux fonctions qui permettent de lire et d'afficher un montant;
   - l'opérateur «+» qui est surdéfini selon la déclaration suivante:

```
friend type_argent operator + (const type_argent &Montant1,
                               const type_argent &Montant2);
```

11. Soit les déclarations suivantes:

```
class type_a
{
    private:
      int prive.a;
    protected:
      int protege.a;
    public:
      int public.a;
};

class type_b : private type_a
{
    ...
};

class type_c : protected type_a
{
    ...
};

class type_d : public type_a
{
    ...
};
```

Préciser le droit d'accès aux classes dérivées `type_b`, `type_c` et `type_d` de chacune des données membres de la classe de base `type_a`.

12. Une université de pointe désire modifier la structure de ses bases de données. Pour ce faire, elle veut construire la hiérarchie des personnes qui fréquentent l'établissement à l'aide d'une représentation de type objet. L'université désire conserver le nom de

toutes les personnes et disposer d'une fonction qui lui permettrait d'initialiser et de modifier cette donnée membre. L'université est fréquentée par des étudiants et des employés. Les dossiers des étudiants doivent contenir leur nom, leur statut (libre, temps partiel ou plein temps) et leur moyenne. De plus, il faut prévoir des fonctions qui pourront modifier le statut et la moyenne. Les employés sont divisés en deux catégories: le corps enseignant (chargés de cours, chargés d'enseignement et professeurs) et le personnel (de bureau et d'entretien). Pour tous les employés, on devra prévoir un champ salaire et une fonction qui permette de fixer les salaires. On vous demande d'écrire en langage C++ les déclarations des classes qui permettent de représenter cette hiérarchie.

13. Dans le contexte de l'exercice 12, une chargée de cours obtient un poste de chargée d'enseignement. Donner les instructions qui permettent d'effectuer ce changement, en supposant que l'enseignante est de la classe suivante:

```
type_enseignant Enseignante;
```

14. En se basant sur l'exercice 12, écrire une fonction membre, `Fixer_Salaire()`, qui permette de demander à l'usager un nouveau salaire et de fixer les salaires des deux catégories d'employés: le corps enseignant et le personnel.

15. En se basant sur l'exercice 12, écrire une fonction membre, `Lire_Nom()`, qui permette de retourner le nom de n'importe quelle personne fréquentant l'université (étudiant ou employé).

16. Déclarer une classe nommée `type_rationnel` qui permettra la manipulation des nombres rationnels sous la forme `a/b`. Cette classe doit contenir deux données membres privées pour le numérateur et le dénominateur. Les valeurs doivent être simplifiées: ainsi 2/4 devient 1/2.

    a) Déclarer un constructeur qui initialise le numérateur et le dénominateur.

    b) Déclarer les fonctions membres qui réalisent les opérations suivantes:
       - additionner deux nombres rationnels;
       - soustraire deux nombres rationnels;
       - multiplier deux nombres rationnels;
       - diviser deux nombres rationnels;
       - afficher un nombre rationnel.

    Il faut simplifier le résultat pour chaque opération.

17. Une file est une structure de données qu'on utilise fréquemment (art. 11.3.2). La diversité des files provient des éléments qu'elles contiennent: ainsi, on peut avoir une file d'entiers, une file de chaînes de caractères, une file d'enregistrement, etc. C'est pourquoi il est pertinent de créer un gabarit de classe pour une file, ce qui permet de construire cette dernière de façon dynamique et de mémoriser ses éléments à l'aide d'une liste à liens simples. Donner la déclaration du gabarit de classe pour une file.

18. Soit la déclaration de la classe suivante:

```
class type_message
{
        char Message[120];
        int NombreRecus;

    public:
        type_message(char UnMessage[], int Recu);   /* constructeur 1 */
        type_message(char UnMessage[]);               /* constructeur 2 */
        type_message(int Recu=0);                     /* constructeur 3 */

        void Recevoir(char UnMessage[]);
        void Afficher();
        void Inverser();
        void Lire();
        void Effacer();
};
```

a) Pour chacun des objets déclarés dans le programme ci-dessous, préciser le constructeur qui sera appelé.

```
        void main()
        {
i)          type_message   Salut;
ii)         type_message   Allo("Allô",0);
iii)        type_message   JeTaime(2);
iv)         type_message   HoHey("HoHey");
        }
```

b) Écrire la fonction `Lire()` de la classe `type_message` qui demande un message, le lit et le mémorise dans l'attribut `Message`. La fonction augmentera aussi l'attribut `NombreRecus` de un.

c) Écrire la fonction `Recevoir()` qui reçoit en paramètre un nouveau message et l'affecte à l'attribut `Message`. La fonction augmentera aussi l'attribut `NombreRecus` de un.

19. Un logiciel de gestion des inventaires d'un magasin de disques utilise une classe `type_disque` permettant de représenter les différents titres en magasin.

```
class type_disque
{
    char Artiste[30]; // Nom de l'artiste
    char Titre[30];   // Titre du disque
    double Prix;       // Prix de vente du disque
    int A_Vendre;      // Quantité de disques à vendre

    // Fonction privée s'assurant que le prix obtenu est
    // positif et ne comporte pas plus de 2 décimales.
    void Valider_Prix( double Prix_Fourni );
```

```
      public:
      // Constructeur 1
      // Les attributs Artiste et Titre sont initialisés à une chaîne de caractères
      // vide; les attributs Prix et A_Vendre sont initialisés à 0.
         type_disque();

      // Constructeur 2
      // Reçoit en paramètre le nom de l'artiste, le titre du disque ainsi que son
      // prix et la quantité en stock; ces valeurs doivent être attribuées
      // respectivement aux attributs: Artiste, Titre, Prix et A_Vendre.
         type_disque( char Lartiste[30],char Letitre[30],double Leprix,int stock=0);

      // Constructeur 3
      // Utilisé pour les disques qui ne possèdent pas de titre; dans ce cas,
      // l'attribut Titre doit être initialisé à la même valeur que Artiste.
         type_disque( char Lartiste[30], double Leprix, int stock = 0 );
         double Obtenir_Prix();
         bool Vendre_Disques( int Vendu );
};

void type_disque::Valider_Prix( double Prix_Fourni )
{
   if ( Prix_Fourni > 0 )
      Prix = bcd( Prix_Fourni, 2 );  // Arrondit le prix à 2 décimales.
   else
      Prix = 0;
}
```

a) Écrire l'implantation des trois constructeurs. En plus d'initialiser les différents attributs, le constructeur doit faire appel à la fonction privée `Valider_Prix()`, qui s'assure que le prix fourni est correct. L'implantation de la fonction `Valider_Prix()` est fournie.

b) Pour chacun des objets déclarés dans le programme ci-dessous, préciser le constructeur appelé. Inscrire dans votre cahier uniquement le numéro du constructeur (1, 2 ou 3).

```
      void main( void )
      {
i)       type_disque Letigre( "Roger Letigre", "Grands succès", 12 );
ii)      type_disque Turgeon( "Stéphane Turgeon", 24 );
iii)     type_disque Lepixel( "Roger Lepixel", 18.50, 5 );
iv)      type_disque Rappette;
      }
```

c) Écrire la fonction `Obtenir_Prix()` qui doit retourner la valeur de l'attribut `Prix` au point d'appel.

d) Écrire la fonction booléenne `Vendre_Disques()` qui reçoit en paramètre le nombre d'exemplaires (vendus) demandés par le client. Si ce nombre est supérieur à la quantité à vendre, la fonction retourne `false`. Dans le cas contraire, la fonction soustrait le nombre d'exemplaires vendus de la quantité à vendre et retourne `true`.

20. On cherche à construire une classe permettant de faire des opérations sur des fractions rationnelles. Une fraction rationnelle est une fraction dont les deux membres (le numérateur `'Num'` et dénominateur `'Den'`) sont des entiers. La valeur réelle équivalente est R=Num/Den. Dans notre cas, on considère que le dénominateur est strictement positif.

Cette classe obéit à la déclaration suivante:

```
#include <iostream.h>
#include <fstream.h>
#include <math.h>

class type_fraction
{
    private:
        int Num, Den;

        // Réduction de la fraction   Fonction que vous n'avez pas à écrire
        void Reduire(void);

    public:
    // constructeur
        type_fraction(int N=0,int D=1);

    // Affichage d'une fraction
        void Afficher(void) { cout<<Num<<«/»<<Den<<endl;}

    // Addition de 2 fractions
        type_fraction Additionner(type_fraction Ajout);

    // Multiplication de 2 fractions
        type_fraction Multiplier(type_fraction Facteur);

    // Retourne R=num/den ; la valeur réelle équivalente
        double DonnerReel(void);
};
```

Il est possible de réduire une fraction; par exemple 10/15 peut se ramener à 2/3, car 10 et 15 sont tous deux divisibles par 5. C'est l'objet de la fonction membre `reduction(void)`. *Dans cette classe, on désire qu'**en tout temps** la représentation interne de la fraction rationnelle soit sous forme **réduite**.*

a) Écrire le constructeur `type_fraction(int N=0,int D=1);`

où `N` et `D` sont respectivement le numérateur et le dénominateur. Ces valeurs sont affectées aux attributs `Num` et `Den`.

b) Écrire la fonction `type_fraction Additionner(type_fraction Ajout);`

Cette fonction permet de faire l'addition de l'objet courant et une autre fraction rationnelle. Le résultat est retourné au point d'appel.

c) Écrire la fonction double `DonnerReel(void);`

Cette fonction permet de renvoyer à l'appelant la valeur réelle équivalente à la fraction rationnelle.

d) Compléter le programme suivant en inscrivant l'instruction ou les instructions correspondant à chacun des trois commentaires.

```
void main()
{
    type_fraction Q1(2,4), Q2(3,5), Resultat;

    // Affecter à Resultat l'addition de Q1 et Q2

    // Afficher la valeur de Resultat

    // Afficher la valeur réel de Resultat

}
```

LISTES CIRCULAIRES À LIENS DOUBLES

Nous avons vu au chapitre 7 qu'une liste linéaire à liens simples comporte des articles du même type, comprenant un ou plusieurs champs d'information et un pointeur. Ce pointeur, ou lien, est destiné à recevoir l'adresse de l'article suivant de la liste. Une liste linéaire commence à l'article dont l'adresse se trouve dans un pointeur de tête et se termine à l'article dont le lien pointe à la constante NULL. Il s'agit là de la forme de structure chaînée la plus simple. Toutefois, elle présente deux inconvénients:

– parce qu'il n'y a qu'un seul lien par article, on doit nécessairement parcourir la liste toujours dans le même sens. Il n'est donc pas possible, lorsqu'on a localisé un article particulier, de remonter directement aux articles précédents. Pour atteindre ces derniers, on doit parcourir de nouveau la liste en comptant les articles pour s'arrêter à l'article désiré ou encore gérer plusieurs pointeurs auxiliaires;

– en raison de la désignation particulière des premier et dernier articles de la liste, les opérations d'insertion et de retrait d'articles diffèrent légèrement selon l'endroit où elles s'appliquent dans la liste. Il devient nécessaire d'effectuer des tests pour traiter ces cas particuliers, ce qui alourdit les algorithmes des opérations de traitement.

Plusieurs applications exigent que le programme parcoure une liste dans les deux sens, notamment la recherche d'articles particuliers basée sur les relations existant entre articles contigus d'une liste. Par ailleurs, il est toujours préférable de chercher à définir des structures de données qui ne comportent pas de situations limites nécessitant un traitement spécial. Nous présentons dans ce chapitre une structure, appelée liste circulaire à liens doubles, qui possède ces deux caractéristiques.

Dans un premier temps, nous définirons les caractéristiques d'une liste circulaire. Dans un deuxième temps, nous décrirons les classes qui s'appliquent à la gestion d'une telle structure de données et leur réalisation. Enfin, dans un troisième temps, nous illustrerons par une étude de cas l'utilisation de listes circulaires et de certaines structures particulières comme les piles et les files d'attente.

11.1 GESTION D'UNE LISTE CIRCULAIRE À LIENS DOUBLES

Pour illustrer notre définition d'une liste circulaire à liens doubles, nous utilisons une classe qui contient trois attributs comme celle de la figure 11.1. Nous désignons cette classe par le terme nœud. Chaque nœud de la liste comporte un ou plusieurs attributs d'information ainsi que deux liens qui pointent chacun, respectivement, au nœud suivant et au nœud précédent. La figure 11.1 illustre un nœud d'une liste circulaire à liens doubles. La case illustrée représente un espace mémoire réservé à une variable dont l'adresse est connue d'un pointeur.

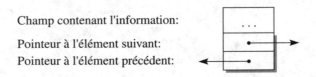

Champ contenant l'information:

Pointeur à l'élément suivant:

Pointeur à l'élément précédent:

Figure 11.1 Nœud d'une liste circulaire à liens doubles.

Une «liste circulaire à liens doubles avec nœud factice» est une structure de données ayant les caractéristiques suivantes:

1. Bien qu'il ne soit pas obligatoire d'utiliser un nœud factice, nous en recommandons l'utilisation puisqu'il permet de généraliser les divers traitements effectués sur la liste circulaire à liens doubles. Le début de la liste est désigné par un pointeur de tête qui contient l'adresse d'un nœud factice. Ce nœud est dit factice parce qu'il ne sert qu'à établir des liens avec les nœuds suivant et précédent. On ne conserve donc jamais de données dans les champs d'information du nœud factice. La figure 11.2 donne la représentation d'une liste circulaire à liens doubles.

2. Une liste circulaire vide comporte un nœud factice dont les liens pointent à lui-même, comme on le voit à la figure 11.3.

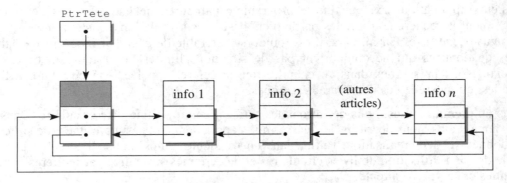

Figure 11.2 Représentation d'une liste circulaire à liens doubles.

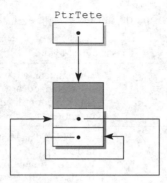

Figure 11.3   Représentation d'une liste vide.

3. L'insertion et le retrait de nœuds dans une liste circulaire s'effectuent exactement de la même façon pour tous les nœuds, peu importe leur position.

Pour être en mesure d'accéder à la liste, il faut prévoir un pointeur à au moins un nœud de la liste, le premier, par exemple. De ce premier nœud, nommé ici `PtrTete`, il sera possible d'accéder à tous les autres nœuds en empruntant successivement le champ `PtrSuivant`. De façon similaire, à partir du nœud initial `PtrTete`, on pourra accéder à tous les autres nœuds par le biais des champs `PtrPrecedent`.

Les opérations possibles sur des structures de listes sont les suivantes:
— la création de la liste;
— l'insertion d'un nouveau nœud dans la liste;
— l'élimination d'un nœud de la liste;
— le retrait d'un nœud de la liste;
— la recherche d'une information dans la liste;
— la vérification de l'état de la liste;
— l'affichage du contenu de la liste;
— la destruction de la liste.

De plus, grâce à un pointeur nommé `PtrCourant`, on pourra référer au nœud courant utilisé lors de la dernière opération. Ce pointeur servira à réaliser certaines opérations sur la liste. Les fonctions de la liste manipulant le pointeur courant sont:
— le déplacement du pointeur courant au nœud de tête;
— le déplacement du pointeur courant au nœud suivant;
— le déplacement du pointeur courant au nœud précédent;
— l'affichage de l'information du nœud auquel réfère le pointeur courant;
— la vérification de la position du pointeur courant dans la liste.

La gestion d'une liste suppose la déclaration d'une classe, nommée `type_liste`, contenant les fonctions membres et les attributs énumérés précédemment. Le tableau 11.1 présente les attributs et les fonctions de la classe `type_liste`.

Tableau 11.1   Attributs et fonctions de la classe `type_liste`

Classe `type_liste`			
Attribut	Protégé	`PtrTete`	Un pointeur au premier nœud de la liste. Il s'agit de l'élément factice
		`PtrCourant`	Un pointeur utilitaire servant à réaliser plusieurs opérations
Fonction	Publique	`Constructeur`	la création d'une liste vide
		`Constructeur Copie`	la création d'une nouvelle liste par copie
		`EstOK()`	la vérification de l'état de la liste
		`EstVide()`	précise si la liste est vide ou non
		`Inserer()`	l'insertion d'un nouveau nœud
		`Inserer()`	l'insertion d'un nœud existant identifié par son adresse
		`Eliminer()`	l'élimination d'un nœud de la liste, ce qui libère l'espace
		`Retirer()`	le retrait d'un nœud de la liste afin de le déplacer
		`Rechercher()`	la recherche d'une information dans la liste
		`Afficher()`	l'affichage du contenu de la liste
		`DeplacerAuSuivant()`	le déplacement du pointeur courant au nœud suivant
		`DeplacerAuPrecedent()`	le déplacement du pointeur courant au nœud précédent
		`DeplacerAlaTete()`	le déplacement du pointeur courant au nœud de tête
		`AfficherCourant()`	l'affichage de l'information située au nœud courant
		`CourantEnTete()`	la vérification de la position du pointeur courant
		`Destructeur`	libère l'espace mémoire occupé par les nœuds

La liste gère les nœuds, en ajoute ou en retire au besoin, selon les opérations indiquées dans le tableau 11.1. La classe, nommée `type_noeud`, ne servira qu'à mémoriser l'information et à réaliser le chaînage entre ces informations.

L'information propre à la classe `type_noeud` apparaît dans le tableau 11.2.

Tableau 11.2   Attributs de la classe `type_noeud`

Classe `type_noeud`			
Attribut	Public	`Info`	Information à mémoriser
		`PtrSuivant`	Pointeur au nœud suivant
		`PtrPrecedent`	Pointeur au nœud précédent
Fonction	Publique	`Constructeur`	Initialise les pointeurs à NULL
		`Constructeur avec paramètre`	Initialise les pointeurs à NULL et copie l'information reçue en paramètre
		`Destructeur`	Affecte NULL aux deux pointeurs

La déclaration de la classe `type_noeud`, de ses deux constructeurs et de son destructeur est montrée dans l'exemple 11.1.

Exemple 11.1 Déclaration de la classe `type_noeud`, de ses deux constructeurs et de son destructeur

```
// Fichier Noeud.h
// Déclaration de la classe type_noeud
#ifndef TYPENOEUD
#define TYPENOEUD

template <class TYPEINFO>
class type_noeud  // Classe pour stocker les éléments de la liste
{
   public:
     type_noeud();
     type_noeud (const TYPEINFO&);
     ~type_noeud();
     TYPEINFO Info;
     type_noeud<TYPEINFO> * PtrSuivant,      // Pointeur à l'élément suivant
                          * PtrPrecedent;    // Pointeur à l'élément précédent
};

// Constructeur
template <class TYPEINFO>
type_noeud<TYPEINFO>::type_noeud(): PtrSuivant(NULL),PtrPrecedent(NULL) {};

// Constructeur avec paramètre pour l'information à mémoriser
template <class TYPEINFO>
type_noeud<TYPEINFO>::type_noeud(const TYPEINFO& Nouveau):
   Info(Nouveau), PtrSuivant(NULL), PtrPrecedent(NULL) {};

// Destructeur
template <class TYPEINFO> type_noeud<TYPEINFO>::~type_noeud()
   { PtrSuivant=PtrPrecedent = NULL; }

#endif
```

Tous les attributs de la classe `type_noeud` sont publics. Par conséquent, un objet de la classe `type_noeud` peut accéder à ses attributs n'importe où dans le programme où il réside. Un accès libre aux attributs d'une classe augmente les possibilités d'erreurs. Afin de pallier cet inconvénient, les nœuds sont, d'une certaine façon, incrustés («encapsulés») dans la liste et seules les fonctions propres à la liste permettent d'y avoir accès. Ces fonctions réalisent des opérations sécuritaires; étant donné qu'il faut les appeler pour accéder à la liste, il ne peut se produire de manipulations maladroites sur les nœuds. Cette façon de faire satisfait au concept d'encapsulation selon lequel les attributs d'une classe doivent être privés, c'est-à-dire accessibles uniquement à l'intérieur des opérations de la classe.

La classe `type_noeud` est générique puisqu'il faut y inscrire une valeur dont le type est approprié à l'application développée. La classe `type_liste` gérant un ensemble de nœuds, elle doit également être générique.

L'exemple 11.2 présente la déclaration de la classe `type_liste`.

Exemple 11.2   Déclaration de la classe `type_liste`

```cpp
// Fichier ListeDouble.h
// Déclaration de la classe type_liste
// Les fonctions membres sont définies dans le même fichier puisqu'il s'agit
d'une classe générique
#indef LISTE_DOUBLE
#define LISTE_DOUBLE
#include "noeud.h"     // Pour l'utilisation de la classe type_noeud
#include <iostream>    // Pour l'utilisation de cout
#include <cstdlib>     // Pour l'utilisation de NULL
using namespace std;

template <class TYPEINFO>
class type_liste
{
   protected:
     type_noeud<TYPEINFO> * PtrTete;      // Pointeur sur l'élément factice de la
                                          // liste
     type_noeud <TYPEINFO> *PtrCourant;   // Pointeur sur le nœud courant où
                                          // plusieurs opérations seront réalisées

   public:
   // constructeurs et destructeurs:
     type_liste();
     type_liste(const type_liste& Liste);
     ~type_liste();

   // fonctions membres:
     bool EstVide() const              // Précise si la liste est vide ou non
     {
         return bool(PtrTete->PtrSuivant == PtrTete &&
                PtrTete->PtrPrecedent== PtrTete);
     }

     bool EstOK()     // Précise si la liste est bien construite ou non
     { return bool(PtrTete == NULL); }
     bool Inserer(TYPEINFO Nouveau); // Insère un nouvel élément dans la liste

     bool Rechercher(const TYPEINFO &EltInfo);  // Recherche une information dans
                                                // la liste

     void Afficher();       // Affiche le contenu de la liste

     bool Eliminer(TYPEINFO Retrait); // Élimine l'élément Retrait de la liste

     type_noeud<TYPEINFO>* Retirer(TYPEINFO Retrait);    // Retire le nœud de la
                                                         // liste sans libérer
                                                         // l'espace mémoire

     void Inserer(type_noeud<TYPEINFO>* );    // Insère un nœud existant dans la liste
```

```
    void DeplacerAuSuivant()    // Déplace le pointeur courant au suivant
        { PtrCourant=PtrCourant->PtrSuivant;}

    void DeplacerAuPrecedent() // Déplace le pointeur courant au précédent
        { PtrCourant=PtrCourant->PtrPrecedent;}

    void DeplacerAlaTete()      // Déplace le pointeur courant à la tête
        {PtrCourant = PtrTete;}

    TYPEINFO DonnerInfoCourant()   // Retourne l'information du nœud courant
        { return PtrCourant->Info;}

    bool CourantEnTete() // Vérifie si le pointeur courant est situé à la tête
    {
        if (PtrCourant==PtrTete)
          return true;
        else
          return false;
    }
};
// Attention: à la fin du fichier, on trouvera l'énoncé #endif
```

11.2   DESCRIPTION DES OPÉRATIONS DE LA CLASSE `type_liste`

Comme nous venons de le voir, la classe `type_liste` est une classe générique. Lorsqu'il déclarera un objet de cette classe, le programmeur déterminera le type de l'information à y inscrire. Les manipulations possibles de cette information et, par le fait même, de la liste sont les suivantes:

- la création;
- la vérification de l'état;
- l'insertion;
- le retrait;
- l'élimination;
- l'affichage;
- la destruction et la remise en disponibilité de la mémoire libérée;
- les manipulations du pointeur courant.

Les manipulations s'effectuent à l'aide des fonctions membres de la classe.

11.2.1   Constructeur sans paramètre: `type_liste()`

Pour créer une nouvelle liste circulaire, il suffit de créer un nœud factice et d'affecter son adresse à ses pointeurs `PtrSuivant` et `PtrPrecedent` (fig. 11.4). On peut créer autant de listes circulaires qu'on le désire à l'intérieur d'un même programme, puisque chaque objet de la classe `type_liste` possède un pointeur `PtrTete` distinct. Le pointeur `PtrCourant` pointe également à la tête de la liste.

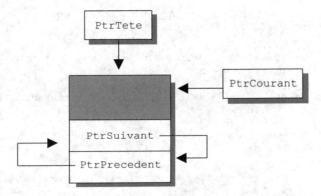

Figure 11.4 Création d'une liste circulaire à liens doubles et élément factice.

L'exemple 11.3 illustre la déclaration du constructeur sans paramètre. Le constructeur vérifie s'il y a suffisamment d'espace mémoire disponible pour insérer un nouveau nœud au moyen de l'instruction if (PtrTete!=NULL). En effet, lorsque l'espace mémoire disponible est insuffisant, l'adresse mémoire attribuée est l'adresse NULL.

Exemple 11.3 Déclaration du constructeur sans paramètre de la classe type_liste

```
/*-------------------------------------------------------------*/
/* DESCRIPTION: Constructeur sans paramètre                    */
/*              Crée une nouvelle liste et l'associe aux       */
/*              pointeurs PtrTete et PtrCourant.               */
/*                                                             */
/* PARAMÈTRE:   Aucun.                                         */
/*                                                             */
/* REMARQUE:    La liste créée ne comporte que le nœud         */
/*              factice.                                        */
/*              S'il n'y a pas assez de mémoire disponible,    */
/*              PtrTete = NULL.                                 */
/*-------------------------------------------------------------*/
template <class TYPEINFO>
type_liste<TYPEINFO>::type_liste()
{
   PtrTete = new type_noeud<TYPEINFO>;  // Création du nœud factice
   PtrCourant = PtrTete;

   if (PtrTete!=NULL)
      PtrTete->PtrSuivant=PtrTete->PtrPrecedent=PtrTete;
}
```

11.2.2 Constructeur par copie

Le constructeur par copie reçoit en paramètre un objet de classe `type_liste` dont il doit faire une copie, c'est-à-dire qu'il doit transcrire le contenu de la liste transmise en paramètre dans la liste de l'objet en création. Pour ce faire, il doit parcourir la liste reçue en paramètre à l'aide de son pointeur `PtrCourant` en empruntant le champ `PtrSuivant` de chaque nœud. Chaque fois qu'il rencontre un nœud, il en crée un nouveau dans lequel il inscrit la même information et qu'il ajoute à la fin de la liste. Il en résulte deux objets ayant un contenu identique. Afin de bien comprendre le fonctionnement du constructeur par copie, on peut examiner à l'exemple 11.4 l'algorithme du parcours d'une liste circulaire à liens doubles avec un nœud factice. L'exemple 11.5 qui suit présente le constructeur par copie.

Exemple 11.4 Algorithme d'un parcours de liste circulaire à liens doubles avec nœud factice

```
Description : Parcours d'une liste du premier au dernier nœud.

  ->>>> STRUCTURE DES OPÉRATIONS <<<<
    Positionner PtrCourant au nœud suivant du nœud PtrTete

 * TANT QUE PtrCourant est différent de PtrTete
      Réaliser l'opération désirée sur le nœud
      Se déplacer au noeud suivant dans la liste
```

L'opération d'insertion d'un nœud dans la liste se fait grâce à la fonction `Inserer()` (art. 11.2.8), juste avant le nœud pointé par `PtrCourant`. Puisque le pointeur `PtrCourant` est initialisé à la tête, le nouveau nœud se retrouve à la fin de la liste. Le constructeur s'assure que l'allocation mémoire des nœuds s'effectue correctement. Si une erreur survient, la construction de la liste prend fin et le destructeur est appelé afin de libérer tous les nœuds de la liste mal construite; `PtrTete` reçoit la valeur `NULL`.

Exemple 11.5 Déclaration du constructeur par copie de la classe `type_liste`

```
/*------------------------------------------------------------*/
/* DESCRIPTION: Constructeur par copie                        */
/*              Crée une nouvelle liste qui est la copie de   */
/*              la liste reçue en paramètre.                   */
/*                                                            */
/* PARAMÈTRE:   Liste(IN): liste dont on veut une copie.      */
/*                                                            */
/* REMARQUE:    L'information des deux listes, celle en       */
/*              paramètre et la nouvelle construite, est      */
/*              identique. Par contre, l'emplacement mémoire  */
/*              est distinct.                                  */
/*------------------------------------------------------------*/
```

```
template <class TYPEINFO>
type_liste<TYPEINFO>::type_liste(const type_liste& Liste)
{
    bool EspaceOK = true;  // Permet de savoir si l'allocation est correcte
    type_noeud<TYPEINFO> *Ptrtampon;
    PtrTete = new type_noeud<TYPEINFO>;// Création du nœud factice
    PtrCourant = PtrTete;

    if (PtrTete!=NULL)
    {
        PtrTete->PtrSuivant=PtrTete->PtrPrecedent=PtrTete;

        // Parcourir la liste dont on fait la copie
        PtrTampon=Liste.PtrTete -> PtrSuivant;
        while (PtrTampon!=Liste.PtrTete && EspaceOK)
        {
            // L'insertion s'effectue à la fin de la liste, donc avant PtrCourant
            if (!Inserer(PtrTampon -> Info))
            {
                this->~type_liste();  // Destruction de la liste en construction
                PtrTete = NULL;
                EspaceOK = false;
            }
            PtrTampon=PtrTampon -> PtrSuivant
        }
    }
}
```

La fonction booléenne `EstOK()` permet de savoir si la création de la liste s'est déroulée correctement en vérifiant si la valeur du pointeur `PtrTete` est `NULL`. Puisque la création d'une liste nécessite l'attribution de mémoire pour les données à mémoriser, il se peut que la quantité d'espace mémoire disponible soit insuffisante. Dans ce cas, l'opérateur `new` retourne l'adresse `NULL`. Les deux constructeurs affectent la valeur `NULL` au pointeur `PtrTete` lorsqu'il y a un problème d'attribution de mémoire lors de la construction de la liste. Le programmeur sait alors que la liste n'a pu être construite et qu'il est impossible de réaliser une opération sur cette liste.

11.2.3   Vérification d'une liste vide: `EstVide()`

Dans plusieurs cas, il est utile de vérifier si la liste est vide ou non avant d'effectuer une opération. Souvent, une liste vide signifie qu'il n'y a aucune opération à réaliser. Nous avons déjà vu qu'une liste est vide lorsque les attributs `PtrSuivant` et `PtrPrecedent` du nœud identifié par `PtrTete` pointent tous deux vers `PtrTete`. La fonction `EstVide()` se résume à une seule instruction. L'exemple 11.6 présente sa déclaration. La fonction retourne `true` si la liste est vide, `false` autrement.

Exemple 11.6 Déclaration de la fonction `EstVide()` de classe `type_liste`

```
template <class TYPEINFO>
bool type_liste<TYPEINFO>::EstVide() const
{
    return bool(PtrTete->PtrSuivant == PtrTete &&
                PtrTete->PtrPrecedent== PtrTete);
}
```

11.2.4   Recherche d'une information dans la liste: `Rechercher()`

La recherche permet de vérifier la présence d'une information particulière dans la liste. La fonction `Rechercher()` retourne `true` si l'information est dans la liste et le pointeur `PtrCourant` sera situé sur le nœud contenant l'information recherchée. Si l'information est absente, le résultat est `false` et le pointeur est situé sur la tête de la liste. Cette fonction doit exécuter un parcours de liste comme celui de l'exemple 11.4; toutefois, il faut modifier l'expression booléenne en ajoutant la proposition «et l'information courante est différente de l'information recherchée». L'exemple 11.7 présente la déclaration de la fonction `Rechercher()`.

Exemple 11.7 Déclaration de la fonction `Rechercher()` de classe `type_liste`

```
/*------------------------------------------------------------*/
/* DESCRIPTION:       Rechercher()                            */
/*                    Cette fonction recherche une information*/
/*                    dans la liste; elle retourne une valeur */
/*                    booléenne précisant si l'information est */
/*                    présente ou non.                        */
/*                                                            */
/* PARAMÈTRE:         InfoCherchee (IN): l'information        */
/*                                       recherchée dans la   */
/*                                       liste.               */
/*                                                            */
/* VALEUR DE RETOUR: true si présente, false autrement.       */
/*                                                            */
/* REMARQUE:          Dans certaines classes de nœuds, il     */
/*                    faut surcharger l'opérateur !=.         */
/*------------------------------------------------------------*/
template <class TYPEINFO>
bool type_liste<TYPEINFO>::Rechercher(const TYPEINFO & InfoCherchee)
{
    DeplacerAlaTete();    // Placer PtrCourant sur PtrTete
    DeplacerAuSuivant(); // Placer PtrCourant sur le suivant de PtrTete
                         // Parcourir la liste pour rechercher le nœud contenant
                         // l'information recherchée reçue en paramètre
```

```
    while ((!CourantEnTete())&& (DonnerInfoCourant()!=InfoCherchee))
      DeplacerAuSuivant();
  // PtrCourant pointe sur l'information si elle est dans la liste
      return bool(PtrCourant!= PtrTete);
}
```

11.2.5   Insertion d'un nœud dans une liste circulaire: Inserer()

L'insertion d'un nouveau nœud dans une liste circulaire doit se faire comme suit:

– attribuer l'espace mémoire au nouveau nœud;
– inscrire l'information dans le nouveau nœud;
– déterminer la position d'insertion (déplacement de PtrCourant);
– actualiser les liens.

Avant de poursuivre, il est important de vérifier le résultat de l'attribution de l'espace mémoire. En effet, aucune des opérations subséquentes ne s'exécutera si l'attribution de mémoire est incorrecte. Le nouveau nœud est inséré avant le nœud pointé par le pointeur courant PtrCourant. Rappelons qu'à la création de la liste, PtrCourant est sur la tête de la liste, soit le nœud factice. La fonction Inserer() retourne la valeur true si l'insertion est réussie, false autrement.

La figure 11.5 est une représentation graphique de l'insertion d'un nœud dans une liste circulaire à liens doubles. Les chiffres entre parenthèses correspondent aux instructions de l'exemple 11.8 qui ont permis de modifier les pointeurs correspondants. L'exemple 11.8 illustre la déclaration de la fonction Inserer().

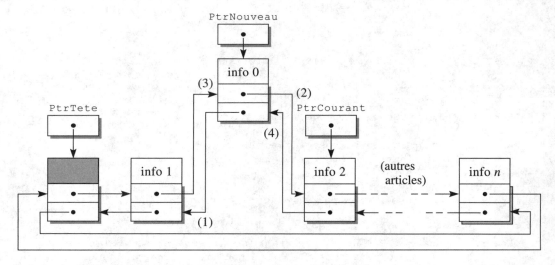

Figure 11.5 Insertion d'un nœud dans une liste circulaire à liens doubles.

Exemple 11.8 Déclaration de la fonction `Inserer()` de classe `type_liste`

```
/*-----------------------------------------------------------*/
/* DESCRIPTION:        Inserer()                             */
/*                     Cette fonction insère un nouveau nœud  */
/*                     dans la liste avant le nœud pointé par */
/*                     PtrCourant.                           */
/*                                                           */
/* PARAMÈTRE:          Info(IN): l'information à inscrire dans */
/*                            le nouveau nœud.               */
/*                                                           */
/* VALEUR DE RETOUR:   true si l'insertion est correcte, false */
/*                     autrement.                            */
/*                                                           */
/* REMARQUE:           Une insertion ne peut avoir lieu      */
/*                     s'il n'y a pas assez d'espace mémoire */
/*                     pour le nouveau nœud.                 */
/*-----------------------------------------------------------*/
template <class TYPEINFO>
bool type_liste<TYPEINFO>::Inserer(TYPEINFO Info)
{
   type_noeud<TYPEINFO> *PtrNouveau;
   bool Reussi=false;

   PtrNouveau = new type_noeud<TYPEINFO>; // Allouer un nouveau nœud
   if (PtrNouveau!=NULL)
   {
      Reussi = true;              // L'espace mémoire est bien attribué
      PtrNouveau->Info = Info; // Inscription de l'information reçue en paramètre

              //L'insertion se fait avant PtrCourant
      PtrNouveau->PtrSuivant = PtrCourant; // (1) fig. 11.5
      PtrCourant->PtrPrecedent->PtrSuivant=PtrNouveau;  // (2)
      PtrNouveau->PtrPrecedent = PtrCourant->PtrPrecedent;   // (3)
      PtrCourant->PtrPrecedent= PtrNouveau; // (4)
   }
   return (Reussi);
}
```

11.2.6   Retrait d'un nœud de la liste: `Retirer()`

Le retrait d'un nœud consiste à extraire un nœud d'une liste sans toutefois libérer l'espace mémoire qu'il occupe. La fonction `Retirer()` recherche initialement le nœud à retirer avec la fonction `Rechercher()`. Le pointeur `PtrCourant` pointera sur le nœud si l'information est présente. Une fois le nœud à retirer repéré, il y a actualisation des pointeurs appartenant au nœud qui le précède et au nœud qui le suit. La fonction `Retirer()` retourne au point d'appel l'adresse du nœud retiré, lequel pourra ensuite se voir insérer à un endroit différent dans la liste ou dans une autre liste et même détruire. Par contre, si l'information est absente de la liste, la fonction retourne la valeur `NULL`. L'exemple 11.9 présente la déclaration de la fonction `Retirer()`.

Exemple 11.9   Déclaration de la fonction `Retirer()` de classe `type_liste`

```
/*-----------------------------------------------------------*/
/* DESCRIPTION:        Retirer()                             */
/*                     Cette fonction retire un élément de la */
/*                     liste et retourne son adresse au point */
/*                     d'appel afin de l'insérer ailleurs dans */
/*                     la même liste ou dans une autre liste. */
/*                                                           */
/* PARAMÈTRE:          Info (IN): l'information à retirer de la */
/*                               liste.                      */
/*                                                           */
/* VALEUR DE RETOUR: L'adresse du nœud retiré.               */
/*                                                           */
/* REMARQUE:           Aucune.                               */
/*-----------------------------------------------------------*/
template <class TYPEINFO>
type_noeud<TYPEINFO>* type_liste<TYPEINFO>::Retirer( TYPEINFO Info)
{
    type_noeud<TYPEINFO> * PtrRetrait=NULL;

    if (Rechercher(Info))
    {       // Retrait de l'élément pointé par PtrRetrait
        PtrRetrait = PtrCourant;
        PtrCourant = PtrCourant->PtrSuivant;
        PtrRetrait->PtrPrecedent->PtrSuivant = PtrRetrait->PtrSuivant;
        PtrRetrait->PtrSuivant->PtrPrecedent = PtrRetrait->PtrPrecedent;
        PtrRetrait->PtrSuivant = PtrRetrait->PtrPrecedent=NULL;
    }
    return PtrRetrait;
}
```

11.2.7   Élimination d'un nœud appartenant à une liste: `Eliminer()`

La fonction `Eliminer()` retire un nœud de la liste à l'aide de la fonction `Retirer()` vue précédemment et libère l'espace mémoire grâce à l'opérateur `delete`. L'exemple 11.10 montre la déclaration de la fonction `Eliminer()`.

Exemple 11.10   Déclaration de la fonction `Eliminer()` de la classe `type_liste`

```
/*-----------------------------------------------------------*/
/* DESCRIPTION:        Eliminer()                            */
/*                     Cette fonction retire un élément de la */
/*                     liste à l'aide de la fonction Retirer() */
/*                     et libère l'espace avec delete.       */
/*                                                           */
```

```
/* PARAMÈTRE:          Info (IN): l'information à retirer de   */
/*                         la liste.                           */
/*                                                             */
/* VALEUR DE RETOUR: true si le nœud est éliminé, false        */
/*                   autrement.                                */
/*                                                             */
/* REMARQUE:            Aucune.                                */
/*-------------------------------------------------------------*/
template <class TYPEINFO>
bool type_liste<TYPEINFO>::Eliminer(TYPEINFO Info)
{
   type_noeud<TYPEINFO> * PtrRetrait;
   bool Reussi = false;

   PtrRetrait = Retirer(Info);
   if (PtrRetrait != NULL)
   {
      Reussi = true;
      delete PtrRetrait;
   }
   return Reussi;
}
```

11.2.8   Insertion d'un nœud: `Inserer()`

Pour réintroduire un nœud dans une liste, on a recours à la fonction `Inserer()` qui reçoit l'adresse d'un nœud en paramètre. La fonction `Inserer()` n'alloue pas de nouvel espace mémoire puisque le nœud existe déjà; par conséquent, il suffit de faire l'insertion avant le nœud pointé par `PtrCourant` et d'actualiser les liens de la liste. L'exemple 11.11 présente la déclaration de la fonction `Inserer()`.

Exemple 11.11   Déclaration de la fonction `Inserer()` de classe `type_liste`

```
/*-------------------------------------------------------------*/
/* DESCRIPTION:         Inserer()                              */
/*                      Cette fonction insère avant le noeud    */
/*                      pointé par PtrCourant un élément de     */
/*                      la liste préalablement retiré par la    */
/*                      fonction Retirer().                     */
/*                                                             */
/* PARAMÈTRE:           PtrAjout(IN): adresse du nœud à ajouter */
/*                         dans la liste.                       */
/*                                                             */
/* VALEUR DE RETOUR: Aucune.                                   */
/*                                                             */
/* REMARQUE:            Aucune.                                */
/*-------------------------------------------------------------*/
```

```
template <class TYPEINFO>
void type_liste<TYPEINFO>::Inserer(type_noeud<TYPEINFO>*PtrAjout)
{
                // L'insertion se fait avant PtrCourant
   PtrAjout->PtrSuivant = PtrCourant;
   PtrAjout->PtrPrecedent = PtrCourant->PtrPrecedent;
   PtrCourant->PtrPrecedent->PtrSuivant=PtrAjout;
   PtrCourant->PtrPrecedent= PtrAjout;
}
```

11.2.9   Affichage du contenu de la liste: `Afficher()`

Pour voir le contenu de chacun des nœuds de la liste, il faut inclure dans le programme un appel à la fonction `Afficher()`. Il s'agit d'une autre fonction qui doit parcourir les nœuds les uns à la suite des autres en empruntant l'attribut `PtrSuivant`. L'exemple 11.12 présente la déclaration de la fonction `Afficher()`.

Exemple 11.12   Déclaration de la fonction `Afficher()` de classe `type_liste`

```
/*------------------------------------------------------------*/
/* DESCRIPTION:        Afficher()                            */
/*                     Cette fonction affiche le contenu de la */
/*                     liste.                                 */
/*                                                            */
/* PARAMÈTRE:          Aucun.                                 */
/*                                                            */
/* VALEUR DE RETOUR:   Aucune.                                */
/*                                                            */
/* REMARQUE:           Peut nécessiter la surcharge de        */
/*                     l'opérateur <<.                        */
/*------------------------------------------------------------*/
template <class TYPEINFO>
void type_liste<TYPEINFO>::Afficher()
{
   type_noeud<TYPEINFO> * PtrTampon;

   if  (!EstVide())        // Parcours et affichage de la liste
   {
      for (PtrTampon = PtrTete->PtrSuivant; PtrTampon != PtrTete;
           PtrTampon = PtrTampon->PtrSuivant)
        cout << PtrTampon ->Info << ' ';
      cout << endl;
   }
   else
      cout << " La liste est vide ";
}
```

11.2.10   Fonctions concernant le pointeur `PtrCourant`

La classe `type_liste` contient cinq fonctions composées d'une seule instruction permettant des manipulations sur le pointeur `PtrCourant`:

— `DeplacerAuSuivant()` déplace `PtrCourant` au nœud suivant;

— `DeplacerAuPrecedent()` déplace `PtrCourant` au nœud précédent;

— `DeplacerAlaTete()` déplace `PtrCourant` à la tête de la liste;

— `AfficherCourant()` affiche l'information située au nœud pointé par `PtrCourant`;

— `CourantEnTete()` vérifie si le pointeur `PtrCourant` est situé à la tête de la liste; si c'est le cas, la fonction retourne `true`, autrement elle retourne `false`.

11.2.11   Destruction d'une liste circulaire: `~type_liste()`

La destruction d'une liste doit se faire nœud par nœud. Pour ce faire, les instructions du destructeur correspondent à parcourir la liste en retirant chaque nœud à l'aide de la fonction `Eliminer()`, qui libère l'espace occupé grâce à l'opérateur `delete`. L'exemple 11.13 illustre la déclaration du destructeur de la classe `type_liste`.

Exemple 11.13   Déclaration du destructeur de la classe `type_liste`

```
/*-----------------------------------------------------------*/
/* DESCRIPTION:        Destructeur                           */
/*                     Cette fonction détruit la liste au    */
/*                     complet en libérant l'espace mémoire  */
/*                     qu'elle occupe au moyen de la fonction */
/*                     Eliminer().                           */
/*                                                           */
/* PARAMÈTRE:          Aucun.                                */
/*                                                           */
/* VALEUR DE RETOUR:   Aucune.                               */
/*                                                           */
/* REMARQUE:           Cette fonction utilise la fonction    */
/*                     Eliminer().                           */
/*-----------------------------------------------------------*/
template <class TYPEINFO>
type_liste<TYPEINFO>::~type_liste()
{
   while (!EstVide() )
      Eliminer(PtrTete->PtrSuivant->Info);   // Élimine le nœud

   delete PtrTete;
   PtrTete=NULL;
}
```

11.3   LISTES, PILES ET FILES D'ATTENTE

Les piles et les files d'attente sont des structures particulières de listes qu'on utilise pour répondre aux besoins de certaines applications. La principale distinction entre une liste, d'une part, et les piles et les files d'attente, d'autre part, concerne le mode d'accès aux données. Ainsi, la forme générale d'une liste permet l'insertion et le retrait d'un nœud à un endroit quelconque; par contre, dans une pile ou une file d'attente, ces mêmes opérations s'effectuent toujours par rapport à un point désigné. Selon les règles appliquées, on obtient alors des listes avec des propriétés spéciales qui répondent tout à fait aux besoins de certaines applications.

Une pile ou une file d'attente peut se construire à partir d'une liste linéaire à liens simples. Toutefois, nous considérons plutôt ici la structure de liste circulaire à liens doubles, afin d'utiliser les classes développées aux sections précédentes.

11.3.1 Piles

On considère une liste circulaire comme une pile lorsque toutes les insertions et tous les retraits s'effectuent du même côté du nœud factice. Il s'ensuit que le dernier nœud inséré dans la pile est nécessairement le premier nœud retiré. Ce mode d'accès est désigné par l'acronyme LIFO (de l'anglais *Last In, First Out*).

On peut représenter le fonctionnement d'une pile par le distributeur d'assiettes d'une cafétéria (fig. 11.6). Il s'agit d'un plateau, monté sur un ressort vertical, sur lequel on dépose une pile d'assiettes prêtes à servir. Le tout est entouré d'un boîtier, généralement chauffé pour retenir la chaleur des aliments déposés dans les assiettes. Une seule assiette dépasse du boîtier, de sorte qu'il faut absolument prendre celle qui est immédiatement disponible. On ne peut accéder autrement aux autres assiettes de la pile et on ne peut en prendre plusieurs à la fois. On recharge le distributeur en déposant une assiette à la fois sur la pile.

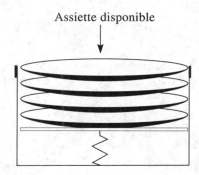

Figure 11.6 Distributeur d'assiettes.

Une pile est une liste dont les opérations d'insertion et de retrait se font uniquement au début de la liste. Cet énoncé indique clairement que la classe pile est une spécialisation de la classe `type_liste`. La classe pile, nommée `type_pile`, s'approprie toutes les caractéristiques d'une liste en héritant de la classe `type_liste` et se distingue par ses deux fonctions spécifiques: l'ajout et le retrait. L'exemple 11.14 présente la déclaration de la pile. La classe `type_pile` ne contient pas de constructeur spécifique. Elle utilise automatiquement les constructeurs de la classe de base `type_liste`. Les exemples 11.15 et 11.16 présentent les fonctions `Inserer()` et `Retirer()` de la classe `type_pile`, respectivement.

Exemple 11.14 Déclaration de la classe `type_pile`

```
// Fichier Pile.h
// Déclaration de la classe type_pile
// Les fonctions membres sont définies dans le même fichier
// puisqu'il s'agit d'une classe générique
#ifndef PILE
#define PILE
#include "listedouble.h" // pour l'utilisation de la classe type_liste
template <class TYPEINFO>
class type_pile : public type_liste<TYPEINFO>
{
    public:
        bool  Inserer(const TYPEINFO& Nouveau);
        TYPEINFO  Retirer();
};
// Attention: à la fin du fichier, on trouvera l'énoncé #endif
```

Exemple 11.15 Déclaration de la fonction `Inserer()` de classe `type_pile`

```
/*-------------------------------------------------------------*/
/* DESCRIPTION:       Inserer()                                */
/*                    Cette fonction insère un nouvel élément   */
/*                    au début de la pile.                     */
/*                                                             */
/* PARAMÈTRE:         Info(IN): l'information à inscrire dans   */
/*                              le nouveau nœud.               */
/*                                                             */
/* VALEUR DE RETOUR: true si l'insertion est correcte, false   */
/*                    autrement.                               */
/*                                                             */
/* REMARQUE:          Cette fonction fait appel à la fonction   */
/*                    Inserer() de la classe de base           */
/*                    type_liste.                              */
/*-------------------------------------------------------------*/
```

```
template <class TYPEINFO>
bool type_pile<TYPEINFO>::Inserer(const TYPEINFO &NouvelInfo)
{
   bool Reussi = false;

   DeplacerAlaTete();    // Placer PtrCourant à la tête
   DeplacerAuSuivant(); // Placer PtrCourant sur le suivant de la tête

   // Le nouvel élément devient le premier nœud de la liste
   if (type_liste<TYPEINFO>::Inserer(NouvelInfo))
      Reussi = true;
   return Reussi;

}
```

Exemple 11.16 Déclaration de la fonction `Retirer()` de classe `type_pile`

```
/*-----------------------------------------------------------*/
/* DESCRIPTION:        Retirer()                             */
/*                     Cette fonction retire l'élément situé à */
/*                     la tête de la pile.                   */
/*                                                           */
/* PARAMÈTRE:          Aucun.                                */
/*                                                           */
/* VALEUR DE RETOUR:   Le nœud retiré.                       */
/*                                                           */
/* REMARQUE:           Cette fonction est une surdéfinition de */
/*                     la fonction Retirer() de la classe    */
/*                     type_liste. Elle fait appel à la      */
/*                     fonction Retirer() de la classe       */
/*                     type_liste en lui précisant de retirer */
/*                     le premier élément de la liste.       */
/*-----------------------------------------------------------*/
template <class TYPEINFO>
TYPEINFO type_pile<TYPEINFO>::Retirer()
{
   TYPEINFO Retrait;
   type_noeud<TYPEINFO> *PtrRetrait=NULL;
   if (!Vide())
   {
      PtrRetrait = type_liste<TYPEINFO>::Retirer(PtrTete->PtrSuivant->Info);
      Retrait = PtrRetrait->Info;
      delete PtrRetrait;
   }

   return PtrRetrait;
}
```

Les piles ont de nombreuses applications en informatique, particulièrement dans les problèmes de simulation numérique. Les unités centrales de traitement des ordinateurs possèdent d'ailleurs un jeu d'instructions internes pour la gestion des piles en mémoire. Ces dernières servent à assurer un appel et un retour ordonné des sous-programmes et à transmettre des paramètres. Enfin, la récursivité, c'est-à-dire la propriété qu'a un sous-programme de s'appeler lui-même pour simplifier certains algorithmes, est intimement liée au concept et à l'utilisation d'une pile.

11.3.2 Files d'attente

Une liste circulaire est considérée comme une file d'attente unidirectionnelle lorsque toutes les insertions se font d'un côté du nœud factice et que tous les retraits s'effectuent du côté opposé. Il s'ensuit que le premier nœud inséré dans la file est aussi le premier retiré. Cette structure est appelée en anglais *Queue* et le mode d'accès est désigné par FIFO (de l'anglais *First In, First Out*).

Un exemple familier est la file d'attente d'un centre bancaire (fig. 11.7). Les clients ont accès au guichet dans l'ordre de leur arrivée. Une caractéristique très intéressante des files d'attente est de permettre le couplage entre deux processus asynchrones. Par exemple, l'intervalle de temps entre l'arrivée de chaque client ainsi que le temps requis pour servir chacun peuvent varier grandement. Si plusieurs clients arrivent en même temps, la file s'allonge momentanément. Si le centre bancaire ouvre plus de guichets, le temps moyen d'attente diminue et la file d'attente raccourcit. Elle se vide complètement si le temps moyen de service est inférieur à l'intervalle de temps entre les arrivées et s'allonge indéfiniment dans le cas contraire.

Les applications des files d'attente sont très nombreuses. On les retrouve notamment dans les programmes de traitement de transactions telles que les réservations de sièges d'avion ou de billets de théâtre ainsi que dans les programmes de simulations, d'acquisition, de traitement en temps réel de signaux et de systèmes de traitement par lots, etc.

Il existe une autre catégorie de file d'attente dite bidirectionnelle ou, en anglais, *DeQueue* (*Double-ended Queue*). Cette structure autorise l'insertion et le retrait d'articles de chaque côté de l'article factice. Ce type de file d'attente combine donc les caractéristiques d'une pile et celles d'une file d'attente conventionnelle.

Ceux qui arrivent par la suite doivent se mettre à la fin.

Le premier arrivé passe le premier.

Caissier

Figure 11.7 File d'attente d'un centre bancaire.

Une file est une liste dans laquelle les opérations d'insertion et de retrait suivent des règles précises. En fait, l'insertion d'un nouveau nœud s'effectue à la fin de la file et le retrait retire le nœud situé au début de la file. Comme la pile, la classe file, nommée `type_file`, s'approprie toutes les caractéristiques d'une liste en héritant de la classe `type_liste` et se distingue par ses deux fonctions spécifiques: l'ajout et le retrait. L'exemple 11.17 présente la déclaration de la file. Les exemples 11.18 et 11.19 présentent respectivement les fonctions `Inserer()` et `Retirer()` de la classe `type_file`.

Exemple 11.17   Déclaration de la classe `type_file`

```
// Fichier File.h
// Déclaration de la classe type_file
// Les fonctions membres sont définies dans le même fichier
// puisqu'il s'agit d'une classe générique
#ifndef FILE
#define FILE
#include "listedouble.h"  // Pour l'utilisation de la classe type_liste
template <class TYPEINFO>
class type_file::public type_liste<TYPEINFO>
{
   public:
     bool Inserer(const TYPEINFO& Nouveau);
     TYPEINFO  Retirer();
};
// Attention: à la fin du fichier, on trouvera l'énoncé #endif
```

Exemple 11.18   Déclaration de la fonction `Inserer()` de classe `type_file`

```
/*------------------------------------------------------------*/
/* DESCRIPTION:      Inserer()                          */
/*                   Cette fonction insère un nouvel élément */
/*                   à la fin de la file.               */
/*                                                      */
/* PARAMÈTRE:        Info(IN): l'information à inscrire dans */
/*                        le nouveau noeud.             */
/*                                                      */
/* VALEUR DE RETOUR: true si l'insertion est correcte, false */
/*                   autrement.                         */
/*                                                      */
/* REMARQUE:         Il s'agit d'une surdéfinition de la    */
/*                   fonction Inserer() de la classe de base */
/*                   type_liste.                        */
/*------------------------------------------------------------*/
```

```
template <class TYPEINFO>
bool type_file<TYPEINFO>::Inserer(const TYPEINFO &NouvelInfo)
{
    bool Reussi = false;

    DeplacerAlaTete();   // Assure que PtrCourant est sur la tête de la liste

    // Insertion à la fin de la liste
    if (type_liste<TYPEINFO>::Inserer(NouvelInfo))
        Reussi = true;
    return Reussi;

}
```

Exemple 11.19   Déclaration de la fonction `Retirer()` de classe `type_file`

```
/*--------------------------------------------------------------*/
/* DESCRIPTION:        Retirer()                                */
/*                     Cette fonction retire l'élément situé à  */
/*                     la tête de la file.                      */
/*                                                              */
/* PARAMÈTRE:          Aucun.                                   */
/*                                                              */
/* VALEUR DE RETOUR:   Le noeud retiré.                         */
/*                                                              */
/* REMARQUE:           Cette fonction est une surdéfinition de  */
/*                     la fonction Retirer() de la classe       */
/*                     type_liste. Elle fait appel              */
/*                     à la fonction Retirer() de la classe     */
/*                     type_liste en lui précisant de retirer   */
/*                     le premier élément de la liste.          */
/*--------------------------------------------------------------*/
template <class TYPEINFO>
TYPEINFO type_file<TYPEINFO>::Retirer()
{
    type_noeud<TYPEINFO> *PtrRetrait=NULL;
    TYPEINFO Retrait;
    if (!EstVide())
    {
        PtrRetrait =type_liste<TYPEINFO>::Retirer(PtrTete->PtrSuivant->Info);
        Retrait = PtrRetrait->Info;
        delete PtrRetrait;
    }

    return Retrait;

}
```

Étude de cas: Évaluation d'une expression arithmétique en notation polonaise postfixée

On peut récrire une expression arithmétique écrite en notation symétrique, telle que 34 + 25, en notation polonaise postfixée en déplaçant l'opérateur à la fin. L'expression précédente devient, en notation polonaise postfixée, 34 25 +. Une caractéristique particulière des expressions en notation polonaise postfixée est son absence d'ambiguïté, du fait qu'elle ne contient que des opérateurs et des opérandes. Les parenthèses, accolades ou crochets sont inutiles. L'expression en notation symétrique:

$$\{-23 / (25 - 12) + 4\} \times (31 - 27)$$

correspond en notation polonaise postfixée, à:

$$-23\ 25\ 12 - / 4 + 31\ 27 - *$$

Quoique cette dernière expression semble plus complexe que la première, elle présente comme avantage une simplicité d'évaluation par le balayage de ses éléments l'un à la suite de l'autre, et ce une seule fois. Le traitement des expressions en notation polonaise postfixée requiert l'utilisation d'une pile, comme suit. Si un élément de l'expression est un nombre, il est ajouté à la pile. S'il s'agit d'un opérateur, il y a retrait de deux opérandes de la pile, exécution de l'opération puis ajout du résultat à la pile. À la fin, le seul élément restant dans la pile est le résultat. Voici l'algorithme correspondant:

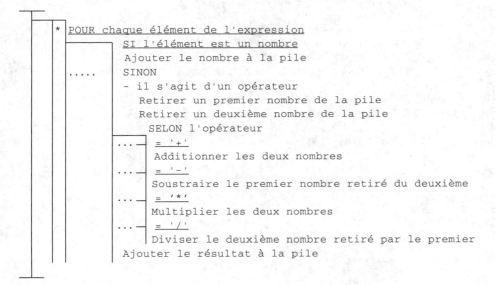

```
*  POUR chaque élément de l'expression
        SI l'élément est un nombre
        Ajouter le nombre à la pile
.....   SINON
        - il s'agit d'un opérateur
          Retirer un premier nombre de la pile
          Retirer un deuxième nombre de la pile
            SELON l'opérateur
...─┤   = '+'
        Additionner les deux nombres
...─┤   = '-'
        Soustraire le premier nombre retiré du deuxième
...─┤   = '*'
        Multiplier les deux nombres
...─┤   = '/'
        Diviser le deuxième nombre retiré par le premier
        Ajouter le résultat à la pile
```

Appliquons cet algorithme à l'expression précédente écrite en notation polonaise postfixée, soit

$$-23\ 25\ 12 - / 4 + 31\ 27 - *$$

L'algorithme traite les éléments de l'expression les uns à la suite des autres. Nous indiquons l'élément traité par une flèche et nous décrivons l'action ou les actions à droite de la pile, sous l'expression.

Traitement du premier élément, -23. Il s'agit d'un nombre, il va sur la pile.

$$\downarrow$$
-23 25 12 - / 4 + 31 27 – *

PILE
-23

Ajout de –23 à la pile

Déplacement au prochain élément, 25. Il s'agit d'un nombre, il va sur la pile.

$$\downarrow$$
-23 25 12 - / 4 + 31 27 – *

PILE
25
-23

Ajout de 25 à la pile

Déplacement au prochain élément, 12. Il s'agit de nouveau d'un nombre, également ajouté à la pile.

$$\downarrow$$
-23 25 12 - / 4 + 31 27 – *

PILE
12
25
-23

Ajout de 12 à la pile

Déplacement au prochain élément, -. Il s'agit d'un opérateur. Il faut retirer deux nombres de la pile, exécuter l'opération et ajouter le résultat à la pile.

$$\downarrow$$
-23 25 12 - / 4 + 31 27 – *

PILE
13
-23

Retrait de 12 de la pile
Retrait de 25 de la pile
Ajout de 25 – 12 = 13 à la pile

Déplacement au prochain élément, /. Il s'agit d'un opérateur. Il faut retirer deux nombres de la pile, exécuter l'opération et ajouter le résultat à la pile.

$$\downarrow$$
$$\text{-23 25 12 - / 4 + 31 27 − *}$$

PILE

-1

Retrait de 13 de la pile
Retrait de −23 de la pile
Ajout de -23 / 13 = -1 à la pile

Déplacement au prochain élément, 4. Il s'agit de nouveau d'un nombre. Il va sur la pile.

$$\downarrow$$
$$\text{-23 25 12 - / 4 + 31 27 − *}$$

4
-1

Ajout de 4 à la pile

Déplacement au prochain élément, +. Il s'agit d'un opérateur. Il faut retirer deux nombres de la pile, exécuter l'opération et ajouter le résultat à la pile.

$$\downarrow$$
$$\text{-23 25 12 - / 4 + 31 27 − *}$$

3

Retrait de 4 de la pile
Retrait de −1 de la pile
Ajout de -1 + 4 = 3 à la pile

Déplacement au prochain élément, 31. Il s'agit d'un nombre. Il va sur la pile.

$$\downarrow$$
$$\text{-23 25 12 - / 4 + 31 27 − *}$$

Ajout de 31 à la pile

31
3

Déplacement au prochain élément, 27. Il s'agit d'un nombre. Il va sur la pile.

$$\downarrow$$
$$-23 \ 25 \ 12 \ - \ / \ 4 \ + \ 31 \ 27 \ - \ *$$

Ajout de 27 à la pile

```
| 27 |
| 31 |
|  3 |
|____|
```

Déplacement au prochain élément, -. Il s'agit d'un opérateur. Il faut retirer deux nombres de la pile, exécuter l'opération et ajouter le résultat à la pile.

$$\downarrow$$
$$-23 \ 25 \ 12 \ - \ / \ 4 \ + \ 31 \ 27 \ - \ *$$

```
| 4 |
| 3 |
|___|
```
Retrait de 27 de la pile
Retrait de 31 de la pile
Ajout de 31 − 27 = 4 à la pile

Déplacement au prochain élément, *. Il s'agit d'un opérateur. Il faut retirer deux nombres de la pile, exécuter l'opération et ajouter le résultat à la pile.

$$\downarrow$$
$$-23 \ 25 \ 12 \ - \ / \ 4 \ + \ 31 \ 27 \ - \ *$$

```
| 12 |
|____|
```
Retrait de 4 de la pile
Retrait de 3 de la pile
Ajout de 3 * 4 = 12 à la pile

Une fois le balayage de l'expression terminé, le résultat de l'expression est la valeur restante dans la pile, soit 12.

Identification des objets et des classes

Dans ce problème, nous allons utiliser les structures de liste présentées précédemment, notamment les structures de pile et de file.

Expression: il s'agit de l'entité de base de notre application; l'expression est lue, validée, évaluée et son résultat est affiché.

File: à la base, une file sert à mémoriser les opérateurs et les opérandes selon l'ordre de lecture; la préservation de cet ordre est essentielle.

Pile: l'évaluation de l'expression nécessite l'utilisation d'une pile; lors de l'évaluation, les éléments, opérateurs ou opérandes, sont retirés de la file selon l'ordre de lecture.

Élément: une classe élément s'avère nécessaire pour distinguer et manipuler adéquatement les opérandes et les opérateurs.

Identification des attributs et des opérations de chaque classe

Les classes pile et file, vues précédemment, sont deux classes jouant le rôle de contenant dans l'application.

Une expression peut comporter des opérandes de types divers, par exemple, entier, réel ou complexe. Pour cette raison, une expression est une classe générique où le programmeur pourra préciser le type des opérandes. L'expression utilise une file pour mémoriser les opérandes et les opérateurs lors de la lecture, puis requiert une pile pour son évaluation. Les fonctions qui s'appliquent à une expression sont:

– la lecture de l'expression;
– la résolution et la validation de l'expression;
– l'affichage de la solution.

Le tableau 11.3 résume l'information utile au sujet d'une expression.

Tableau 11.3   Description de la classe `type_expression`

Classe `type_expression`			

Attribut	Privé	`Pile`
		`File`
		`Resultat`
			la pile utilisée pour résoudre l'équation
			la file où sont mémorisés les opérateurs et les opérandes
			le résultat de l'expression

Fonction	Publique	`Constructeur`
		`Lire()`
		`Resoudre()`
		`AfficherSol()`
			la création d'une expression vide
			la lecture de l'expression
			la résolution de l'expression
			l'affichage du résultat de l'expression

L'expression se compose d'éléments correspondant à des opérandes et à des opérateurs. Un attribut doit permettre de reconnaître la nature de l'élément, opérande ou opérateur, et un second attribut doit donner sa valeur. Puisque l'élément est manipulé à partir de l'expression, il faut prévoir une interface composée de fonctions pour le traitement des attributs de l'élément. Ces fonctions sont les suivantes:

– l'affectation d'une valeur à l'attribut `Valeur`;
– l'affectation d'une valeur à l'attribut `Operateur`;
– la requête retournant la valeur de l'opérateur;
– la requête retournant la valeur d'un opérande;
– la réalisation de l'opération arithmétique (+, -, *, /);
– l'affichage de l'élément.

Le tableau 11.4 décrit un élément.

Tableau 11.4 Description de la classe `type_element`

Classe `type_element`			
Attribut	Privé	Opérateur Valeur	true s'il s'agit d'un opérateur, false autrement la valeur de l'élément

Fonction	Publique	`FixerValeur()`
		`FixerOperateur()`
		`EstOperateur()`
		`DonnerOperateur()`
		`DonnerValeur()`
		Opérateur `!=`
		Opérateur `+`
		Opérateur `-`
		Opérateur `*`
		Opérateur `/`
			donne à l'attribut Valeur la valeur reçue
			donne à l'attribut Opérateur la valeur reçue
			retourne true s'il est un opérateur, false autrement
			retourne la valeur de l'opérateur en caractère
			retourne la valeur de l'opérande
			vérifie si deux éléments sont différents
			effectue la somme de deux éléments
			effectue la différence de deux éléments
			effectue la multiplication de deux éléments
			effectue la division de deux éléments

	Amie	Opérateur `<<`	surcharge de l'opérateur pour l'affichage

Le fichier ELEMENT.H contient la déclaration de la classe élément nommée `type_element`:

```cpp
// Fichier Element.h
// Déclaration de la classe type_element
// Les fonctions membres sont définies dans le fichier Element.cpp
#ifndef ELEMENT
#define ELEMENT
#include <iostream>  // Pour l'utilisation de la classe ostream
using namespace std;
class type_element
{
    bool Operateur;   // Précise s'il s'agit d'un opérateur ou non
    int Valeur;       // Valeur de l'élément

  public:
      // Fixe à Valeur l'argument transmis
    void FixerValeur(int );
      // Fixe à Opérateur l'argument transmis
    void FixerOperateur(bool );
      // Retourne vrai s'il s'agit d'un opérateur, faux autrement
    bool EstOperateur() const;
      // Retourne la valeur de l'opérateur
    char DonnerOperateur();
      // Retourne la valeur de l'opérande
    int DonnerValeur();
      // Retourne vrai si les deux éléments sont différents,
      // faux autrement
    bool operator != (const type_element&);
        // Réalise l'addition de deux éléments
```

```
      type_element operator + (type_element);
          // Réalise la soustraction de deux éléments
      type_element operator - (type_element);
          // Réalise la multiplication de deux éléments
      type_element operator * (type_element);
          // Réalise la division entre deux éléments
      type_element operator / (type_element);
              // Opérateur ami pour l'affichage d'un élément
      friend ostream& operator << (ostream & ,const type_element&);

};

#endif
```

Le fichier ELEMENT.CPP contient la déclaration des fonctions de la classe `type_element`:

```
#include "Element.h"
// Fonctions de la classe type_element

// Fixe l'attribut Valeur selon le paramètre
void type_element::FixerValeur(int UneValeur)
{
    Valeur = UneValeur;
}

// Retourne true s'il s'agit d'un opérateur, false autrement
bool type_element::EstOperateur() const
{
    return Operateur;
}

// Retourne la valeur de l'opérateur
char type_element::DonnerOperateur()
{
    return char(Valeur);
}

// Retourne la valeur de l'attribut Valeur, un opérande
int type_element::DonnerValeur()
{
    return Valeur;
}

// Fixe l'attribut Opérateur selon le paramètre
void type_element::FixerOperateur(bool UnOperateur)
{
    Operateur = UnOperateur;
}

// Retourne true si deux éléments sont différents, false autrement
bool type_element::operator !=(const type_element& Autre)
```

```
{
    return bool( Autre.Valeur != Valeur ||
              Autre.Operateur != Operateur);
}

// Réalise l'opération d'addition et retourne le résultat
type_element type_element::operator +(type_element Ajout)
{
    type_element Somme;

    Somme.Operateur=false;
    Somme.Valeur = Valeur+Ajout.Valeur;
    return Somme;
}

// Réalise l'opération de soustraction et retourne le résultat
type_element type_element::operator -(type_element Retrait)
{
    type_element Difference;

    Difference.Operateur=false;
    Difference.Valeur = Valeur-Retrait.Valeur;
    return Difference;
}

// Réalise l'opération de multiplication et retourne le résultat
type_element type_element::operator *(type_element Facteur)
{
    type_element Produit;

    Produit.Operateur=false;
    Produit.Valeur = Valeur*Facteur.Valeur;
    return Produit;
}

// Réalise l'opération de division et retourne le résultat
type_element type_element::operator /(type_element Diviseur)
{
    type_element Quotient;

    Quotient.Operateur=false;
    Quotient.Valeur = Valeur/Diviseur.Valeur;
    return Quotient;
}

// Opérateur ami permettant l'affichage d'un élément
ostream& operator << (ostream &Sortie, const type_element & Element)
{
    Sortie << Element.Valeur << endl;

    return Sortie;
}
```

La déclaration de la classe `type_expression` est dans le fichier EXPRESSION.H. Puisqu'il s'agit d'une classe générique, la déclaration des fonctions s'y trouve également. Nous avons inclus l'algorithme des fonctions `Lire()` et `Resoudre()` juste avant leur déclaration.

```
// Fichier Expression.h
// Déclaration de la classe type_expression
// Les fonctions membres sont définies dans le même fichier
// puisqu'il s'agit d'une classe générique
#ifndef EXPRESSION
#define EXPRESSION

#include "Pile.h"      // Pour l'utilisation de la classe type_pile
#include "File.h"      // Pour l'utilisation de la classe type_file
#include <cstring>     // Pour l'utilisation de la fonction strlen()
#include <cctype>      // Pour l'utilisation de la fonction isdigit()
#include <cstdlib>     // Pour l'utilisation de la fonction atoi()
using namespace std;

template <class TYPEINFO>
class type_expression
{
      type_pile <TYPEINFO> Pile;    // La pile permettant l'évaluation de
                                    // l'expression
      type_file <TYPEINFO> File;    // La file où est mémorisé chaque élément de
                                    // l'expression
   public:
         // Le constructeur par défaut
      type_expression():Pile(),File(){;}
         // Lit l'expression et la mémorise dans la liste
      void Lire();
         // Résout l'expression à l'aide de la pile
      void Resoudre();
         // Affiche la solution
      void AfficherSol();

};
```

Algorithme de la fonction `Lire()`

```
  - Auteur       : Yves Boudreault
  - Description : Fonction Lire()
                      Réalise la lecture de l'expression, l'interprète et mémorise
                      les opérateurs et opérandes dans une file.

  - 01 Description des identificateurs
  -
  - IDENTIFICATEUR     TYPE                   DESCRIPTION
  - Element            TYPEINFO               Information concernant l'opérateur ou
  -                                           l'opérande à insérer dans la file
  - ChEntier           Chaîne de car.         Chaîne où est construit l'entier
  - Expression         Chaîne de car.         Chaîne permettant de lire l'expression
  -                                           du clavier
  -
```

```
->>> STRUCTURE DES OPÉRATIONS<<<<

Demander l'expression
Lire l'expression
-  Interprétation de l'expression
        *  TANT QUE chaque caractère de l'expression n'est pas traité
            - 02 Vérifier s'il s'agit d'un nombre
                SI le caractère est un chiffre OU un '-' suivi d'un chiffre
                - 04 Composition d'un nombre entier
                    *  TANT QUE le caractère est un chiffre
                       Ajouter le chiffre au nombre
                       Déplacer au prochain caractère

                Convertir la chaîne de caractères du nombre en entier
                Affecter l'entier obtenu à l'attribut Valeur de l'Élément
                Affecter false à l'attribut Opérateur de l'Élément
                Insérer l'Élément dans la file

            - 03 Vérifier s'il s'agit d'un opérateur
                SI le caractère n'est pas un espace ni la terminaison de la chaîne
                 Affecter true à l'attribut Opérateur de l'Élément
                 Affecter la valeur de l'opérateur à l'attribut Valeur
                 Insérer l'Élément dans la file
        .....   SINON
                   - Probablement un espace
                       Déplacer au prochain caractère de l'expression
```

Fonction `Lire()`

```
/*------------------------------------------------------------*/
/* DESCRIPTION :     Lire()                               */
/*                   Cette fonction lit une expression et */
/*                   insère individuellement chaque opérande */
/*                   et opérateur dans une file.          */
/*                                                        */
/* PARAMÈTRE:        Aucun.                               */
/*                                                        */
/* VALEUR DE RETOUR: Aucune.                              */
/*                                                        */
/* REMARQUE:         La file est un attribut de la classe */
/*                   type_expression.                     */
/*------------------------------------------------------------*/
```

```cpp
template<class TYPEINFO>
void type_expression<TYPEINFO>::Lire()
{
    const char Espace=' ';
    TYPEINFO Element;
    char ChEntier[20];
    char Expression[80];
    unsigned int i, j;

    cout << "Préciser une expression ";
    cin.getline(Expression,80);

    // Analyse de l'expression
    i=0;
    while (i<strlen(Expression))
    {
        // S'il s'agit d'un nombre
        if (isdigit(Expression[i]) ||
          (Expression[i]=='-' && isdigit(Expression[i+1])))
        {
            // Recherche des chiffres du nombre
            j=0;
            do
            {
                ChEntier[j]=Expression[i];
                j++;
                i++;
            }
            while (isdigit(Expression[i]));

            ChEntier[j]='\0';
            Element.FixerValeur(atoi(ChEntier)); // Fixe la valeur en convertissant
                                                 // la chaîne
            Element.FixerOperateur(false);       // Il ne s'agit pas d'un opérateur

            File.Inserer(Element);               // Insère l'élément dans la file
        }

        // Détection d'un opérateur
        if (Expression[i] != Espace && Expression[i]!='\0')
        {
            Element.FixerOperateur(true);            // Il s'agit d'un opérateur
            Element.FixerValeur(int(Expression[i])); // Fixe la valeur selon l'ordre
                                                     // ASCII du caractère
            File.Inserer(Element);                   // Insère l'élément dans la file
            i++;
        }
        else  // Saute le caractère, probablement un espace
            i++;
    }
}
```

Algorithme de la fonction `Resoudre()`

```
- Auteur       : Yves Boudreault
- Description : Fonction Resoudre()
-              Évalue l'expression et valide par le fait même l'exactitude de
-              l'expression.

- 01 Description des identificateurs
-
- IDENTIFICATEUR           TYPE              DESCRIPTION
- Element                  TYPEINFO          Information concernant l'opérateur ou
-                                            l'opérande retiré de la file
- Operande1, Operande2     TYPEINFO          Les opérandes retirés de la pile pour
-                                            réaliser l'opération
- ExpressionValide         Booléen           VRAI si l'expression est correcte,
-                                            FAUX autrement

->>> STRUCTURE DES OPÉRATIONS<<<<
- Évaluation de l'expression
  *   TANT QUE la file n'est pas vide et que l'expression est correcte
      Retirer un élément de la file
      - 02 Vérifier s'il s'agit d'un opérateur
          SI l'élément retiré est un opérateur
          Retirer deux éléments de la pile
          - 04 Vérifier l'exactitude de l'expression
              SI un des deux éléments n'est pas un opérande
              - L'expression est incorrecte
              Affecter FAUX à ExpressionValide
          - 05 Effectuer l'opération si l'expression est correcte
              SI l'expression est correcte
              -06 Réaliser l'opération selon l'opérateur
              SELON l'opérateur

              ...—    = '+'
                      Insérer dans la pile la somme des deux opérandes
              ...—    = '-'
                      Insérer dans la pile la différence des deux opérandes
              ...—    = '*'
                      Insérer dans la pile le produit des deux opérandes
              ...—    = '/'
                      Insérer dans la pile le quotient des deux opérandes
          .....       SINON
                      Insérer l'élément opérande dans la pile
Affecter le dernier élément de la pile à l'attribut Resultat
      SI la pile n'est pas vide
          Affecter FAUX à ExpressionValide
Retourner ExpressionValide
```

Fonction `Resoudre()`

```
/*------------------------------------------------------------*/
/* DESCRIPTION:        Resoudre()                             */
/*                     Cette fonction résout une expression en */
/*                     notation polonaise postfixée à l'aide   */
/*                     d'une pile.                            */
/*                                                            */
/* PARAMÈTRE:          Aucun.                                  */
/*                                                            */
/* VALEUR DE RETOUR:   VRAI si l'expression peut être résolue, */
/*                     FAUX autrement.                        */
/*                                                            */
/* REMARQUE:           La pile est un attribut de la classe    */
/*                     type_expression.                       */
/*------------------------------------------------------------*/
template <class TYPEINFO>
bool type_expression<TYPEINFO>::Resoudre()
{
   TYPEINFO Element, Operande1, Operande2;
   bool ExpressionValide = true;

   // Tant que la file n'est pas vide
   while (!File.EstVide() && ExpressionValide)
   {
      Element = File.Retirer(); // Retirer un élément de la file
      if (Element.EstOperateur())
      {
         Operande2 = Pile.Retirer();
         Operande1 = Pile.Retirer();
         // Deux opérandes doivent être retirés, autrement l'expression
         // est incorrecte
         ExpressionValide = !(Operande1.EstOperateur() ||
                              Operande2.EstOperateur());

         if (ExpressionValide)
            // Réalise l'opération selon l'opérateur en retirant deux
            // opérandes de la pile et insère le résultat dans la pile
            switch(Element.DonnerOperateur())

            {

               case '+' : Pile.Inserer(Operande1+Operande2);
                     break;

               case '-' : Pile.Inserer(Operande1-Operande2);
                     break;

               case '*' : Pile.Inserer(Operande1*Operande2);
                     break;

               case '/' : Pile.Inserer(Operande1/Operande2);
                     break;
```

```
            default  : ExpressionValide = false;

            }
        }

        else
            Pile.Inserer(Element);

    }
    Resultat = Pile.Retirer();
    // S'il reste un autre élément, l'expression est incorrecte
    if (!Pile.EstVide())
        ExpressionValide = false;
    return ExpressionValide;

}


/*-----------------------------------------------------------*/
/* DESCRIPTION:        AfficherSol()                        */
/*                     Cette fonction affiche la solution de */
/*                     l'expression lue à partir du clavier. */
/*                                                          */
/* PARAMÈTRE:          Aucun.                               */
/*                                                          */
/* VALEUR DE RETOUR:   Aucune.                              */
/*                                                          */
/* REMARQUE:           La solution est le seul élément restant */
/*                     dans la pile.                        */
/*-----------------------------------------------------------*/
template <class TYPEINFO>
void type_expression<TYPEINFO>::AfficherSol()
{
    cout << endl << "Le résultat est" << Pile.Retirer() << endl;
}


#endif
```

Une représentation des classes selon le langage UML (*Unified Model Language*) permet d'avoir une bonne vue d'ensemble des classes et de leurs liens. Pour ne pas alourdir le diagramme de la figure 11.8, nous n'avons pas détaillé les classes `type_noeud`, `type_liste`, `type_pile` et `type_file`.

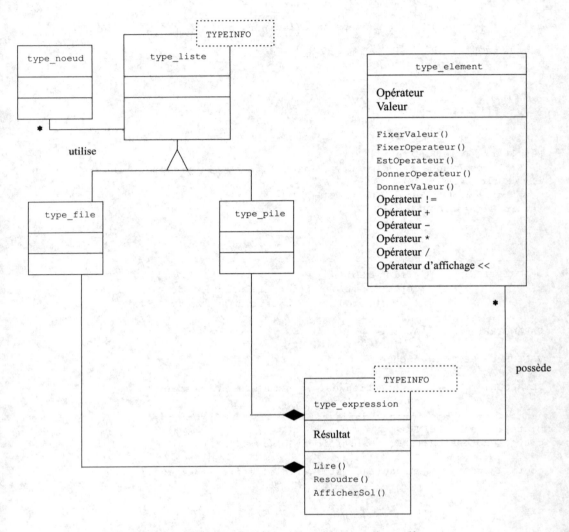

Figure 11.8 Les différentes classes et leurs liens.

Le programme utilise les classes `type_element` et `type_expression` pour la manipulation d'une expression dont les opérandes sont des entiers.

Programme général

```
#include <iostream>      // Pour l'utilisation de cout
#include "Element.h"     // Pour l'utilisation de la classe type_element
#include "Expression.h"  // Pour l'utilisation de la classe type_expression
using namespace std;
```

```
void main()
{
    type_expression<type_element> Expression;

    Expression.Lire();
    if  (Expression.Resoudre())
        Expression.AfficherSol();
    else
    cout << "Expression incorrecte " << endl;
}
```

À l'exécution, on obtient:

> Préciser une expression -23 16 *
>
> Le résultat est −368
>
> Préciser une expression 34 12 + 25 - /
> Expression incorrecte

11.4   QUESTIONS

1. Que comporte une liste linéaire à liens simples?

2. Quels sont les inconvénients de l'utilisation de listes linéaires à liens simples?

3. Qu'est-ce qu'une liste circulaire à liens doubles?

4. Pourquoi qualifie-t-on de factice le nœud désigné par un pointeur de tête dans une liste circulaire?

5. Quelle restriction doit-on appliquer au nœud factice?

11. Quels nœuds nécessitent un traitement particulier lors de leur insertion dans une liste circulaire à liens doubles ou de leur retrait d'une telle liste?

12. Comment insère-t-on un nœud dans une liste circulaire?

13. Comment retire-t-on un nœud d'une liste circulaire?

17. Qu'est-ce qu'une pile?

18. Qu'est-ce qu'une file?

19. Que désigne-t-on par le terme anglais *DeQueue*?

11.5   EXERCICES

1. Écrire la classe nœud nécessaire pour construire une liste circulaire à liens doubles qui contient les nom, prénom et numéro de matricule des étudiants d'une classe.

2. Trouver un exemple de la vie courante où on applique régulièrement et intuitivement le concept de pile et de file d'attente.

3. Si un pointeur occupe 4 octets d'espace mémoire et qu'on a alloué 120 nœuds de 24 octets, quelle économie d'espace peut-on faire en utilisant une liste à liens simples au lieu d'une liste à liens doubles avec élément factice?

4. Soit les déclarations suivantes:

```
struct type_info
{
    char Nom[11];
    int Age;
};

class type_noeud
{
    public:
    type_info Info;
    type_noeud *PtrSuivant,
               *PtrPrecedent;
};
type_noeud *PtrTete, *PtrAux;
```

De quel type sont les entités désignées par:

a) `*PtrTete`   **b)** `PtrTete->PtrSuivant`   **c)** `*(PtrTete->PtrSuivant->PtrSuivant)`

d) `PtrTete->PtrSuivant->Info.Age;`   **e)** `PtrTete->Info.Nom[10]`

5. À l'aide des déclarations de l'exercice 4, on a construit une liste circulaire dont le nœud factice est désigné par le pointeur `PtrTete` et les autres nœuds contiennent les informations suivantes:

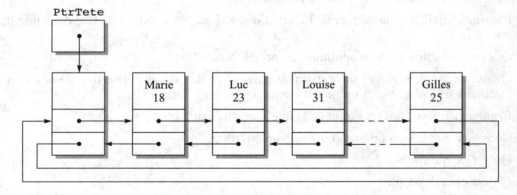

Qu'obtiendra-t-on à l'exécution des énoncés suivants?

a) `cout << PtrTete->PtrPrecedent->Info.Nom << PtrTete->PtrPrecedent->Info.Age;`

b) `PtrAux = PtrTete->PtrSuivant->PtrSuivant->PtrSuivant;`
   `cout << PtrAux->PtrPrecedent->Info.Nom;`

6. Ajouter à la classe `type_liste` une fonction qui parcourt une liste semblable à celle de l'exercice 4 et qui donne comme résultat le nombre de personnes dont l'âge est compris entre 17 et 35 ans inclusivement.

7. Ajouter à la classe `type_liste` une fonction qui retire d'une liste semblable à celle de l'exercice 4 les personnes qui ont moins de 18 ans.

8. On ajoute les fonctions `Creer()` et `Changer()` à la classe `type_liste` et on construit l'objet `Liste` de façon à ce qu'il contienne l'information décrite par l'enregistrement `type_info`:

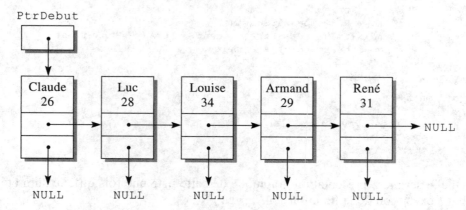

```
#include <cstdlib>  // Pour l'utilisation de NULL
using namespace std;
// Déclaration
struct type_info
{
    char Nom[10];
    int Age;
};
type_liste <type_info> Liste;

template class<TYPEINFO>
void type_liste<TYPEINFO>::Creer(void)
{
/*-------------------------------------------------------*/
/* Création de la liste comme indiqué précédemment  */
/*-------------------------------------------------------*/
}

template class<TYPEINFO>
void type_liste<TYPEINFO>::Changer(void)
{
    type_noeud *PtrTemp, *PtrAux;

    PtrTemp = PtrTete;
    while (!(PtrTemp->Age % 2) && (PtrTemp->PtrSuivant != NULL))
    {
        PtrAux = PtrTemp;
        PtrTemp = PtrTemp->PtrSuivant;
    } // While
    if (PtrTemp->PtrSuivant != NULL)
      PtrTemp->PtrSuivant->PtrPrecedent = PtrTemp;
```

```
            else
                PtrTemp->PtrPrecedent = PtrAux;
            if (PtrAux->PtrPrecedent == NULL)
                PtrTemp->PtrPrecedent = PtrAux;
            PtrTemp = PtrTete;
            while (PtrTemp->PtrPrecedent == NULL)
            {
                PtrAux = PtrTemp;
                PtrTemp = PtrTemp->PtrSuivant;
                PtrTemp->PtrSuivant->PtrPrecedent = PtrAux->PtrSuivant;
                PtrTemp->PtrPrecedent = PtrAux;
            }   // While
    }       // Changer

void main()
{
    type_liste<type_info> Liste;
    Liste.Creer();
    Liste.Changer();
}
```

a) Quelle sera la représentation graphique de cette liste une fois qu'elle aura été modifiée par l'exécution de la fonction `Changer()`?

b) Si on exécutait les instructions suivantes à partir de la liste initiale, qu'obtiendrait-on à l'affichage?

```
        ...
    cout << "De la boucle do_while: ";
    PtrTemp = PtrTete;
    do
        PtrTemp = PtrTemp->PtrSuivant;
    while (PtrTemp->Nom[0] != 'L');
    cout << PtrTemp->PtrSuivant->Nom;
            ...
    cout << endl;
    cout << "De la boucle while: ";
    PtrTemp = PtrTete;
    while (PtrTemp->PtrSuivant != NULL)
    {
        if (strlen(PtrTemp->Nom) >= 6)
            if (PtrTemp->Nom[5] == 'e')
                cout << PtrTemp->PtrSuivant->Nom;
            else
                cout << PtrTemp->Nom;
        PtrTemp = PtrTemp->PtrSuivant;
    }
```

9. Ajouter une fonction à la classe `type_liste` qui permette de construire une liste ordonnée à liens doubles de caractères entrés au clavier. La fonction doit lire les caractères entrés au clavier jusqu'à ce que l'usager entre un chiffre. La liste circulaire à liens doubles se construit au fur et à mesure, et les caractères sont ordonnés de façon croissante ou décroissante. À la fin, le programme affichera la liste triée des caractères.

10. Ajouter une fonction à la classe `type_liste` qui puisse concaténer deux listes circulaires à liens doubles. La fonction acceptera comme arguments deux pointeurs de listes doublement chaînées et retournera un pointeur à la liste créée. Il est à noter que les listes données en arguments peuvent être vides.

11. Un vétérinaire sauvegarde quotidiennement, dans une liste circulaire à liens doubles, l'information concernant les animaux qu'il traite. L'information se compose de la catégorie de l'animal (chien, chat, oiseau, etc.) ainsi que de ses nom, adresse, âge, etc. À la fin de la journée, on doit subdiviser la liste par catégories d'animaux afin de les sauvegarder dans leur liste respective. On vous demande d'écrire un constructeur qui reçoive comme arguments la liste de départ et une catégorie d'animaux, puis qui en extraie (et crée) la sous-liste des animaux désirés.

12. On a programmé un robot mécanique afin qu'il réalise un cycle de x tâches dans un ordre prédéterminé. Toutefois, des problèmes mécaniques surviennent parfois lors des opérations, et on doit alors arrêter le robot de toute urgence ou lui demander d'annuler l'effet de ses dernières tâches. Lors de sa remise en marche, le robot doit continuer son cycle là où on l'avait interrompu ou ramené. On vous demande de simuler le comportement de ce robot en écrivant un programme qui utilise une liste circulaire à liens doubles pour la représentation des tâches.

L'usager devra préciser le nombre x et le type de tâches à réaliser. Pour chacune des tâches, il devra aussi spécifier le nombre y de tâches dont on doit annuler l'effet en cas d'incident ($y = 0$ correspond à un arrêt sur place).

13. Pour la fête de Noël, vous êtes invité à dîner chez des amis. L'hôte vous confie la tâche de déterminer dans quel ordre les invités seront assis à table. Dans la mesure du possible, il aimerait qu'il y ait une alternance entre homme et femme et que les voisins de table soient des personnes du même groupe d'âge. Il vous donne une feuille contenant le nom, le prénom et l'âge de chaque invité.

Après avoir analysé le problème, vous décidez de procéder comme suit:

a) Vous créez trois listes circulaires à liens doubles et à nœud factice que vous désignez par les variables `Hommes`, `Femmes` et `Table` (*voir les déclarations ci-dessous*).

b) Dans la liste identifiée par `Hommes`, vous insérez des nœuds contenant le nom, le prénom et l'âge des hommes. Vous faites de même avec la liste identifiée par `Femmes`. La liste identifiée par `Table` est vide pour le moment.

c) Tant que les listes identifiées par `Hommes` et par `Femmes` ne sont pas vides, vous prélevez alternativement un nœud de chacune de ces listes et vous l'insérez dans la liste `Table`.

d) Les listes n'étant pas nécessairement de même longueur, vous faites en sorte que les nœuds de la liste qui n'est pas encore vide soient transférés dans la liste `Table`.

e) Vous parcourez la liste identifiée par `Table` et vous affichez à l'écran le nom et le prénom des invités.

Écrire en langages C et C++ les instructions qui permettent de réaliser les étapes c), d) et e) de l'algorithme précédent.

L'information à inscrire dans un nœud est sous la forme:

```
struct type_info
{
    char Nom[20], Prenom[20];
    int Age;
};
type_pile<type_info> Hommes, Femmes, Table;
```

14. Une grande banque vous demande de simuler le comportement de ses clients qui utilisent le guichet automatique. Des spécialistes du comportement humain ont observé les faits suivants: à une heure donnée de la journée, il se présente une personne toutes les *x* secondes. En moyenne, chaque personne occupe le guichet pendant deux minutes. Toute personne qui a attendu plus de 10 minutes et qui a plus de 3 personnes devant elle quitte la file. On vous demande de réaliser un programme qui permette de simuler le comportement des gens dans les files en fonction de la fréquence *y* des arrivées spécifiée au départ par l'usager.

15. Une région de l'écran forme un domaine fermé si, à partir de n'importe quel point de la frontière, on peut se déplacer en empruntant une case adjacente (voisine) qui appartient également à la frontière du domaine.

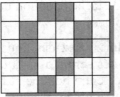 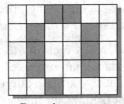

Domaine fermé   Domaine ouvert

Les cases de la région sont inscrites dans une liste doublement chaînée circulaire qui comporte un élément factice. On se sert de la structure de données suivante:

```
struct type_case
{
    int X, Y;
};
```

Les cases de la frontière du domaine sont inscrites dans la liste selon l'ordre d'un parcours du domaine dans le sens horaire. De cette façon, on peut facilement savoir si le domaine est fermé en vérifiant simplement si la case suivante dans la liste est l'une des 8 voisines de la case courante. Si cette condition est satisfaite pour chaque élément de la liste, il s'agit d'un domaine fermé. Dans le cas contraire, on peut déduire que le domaine n'est pas fermé.

a) Écrire une fonction booléenne qui utilise quatre paramètres, soit les coordonnées (x, y) de la case courante et les coordonnées (x, y) de la case suivante. La fonction retourne `true` s'il s'agit de cases voisines ou `false` autrement.

La figure qui suit montre la case courante, dont les coordonnées sont (x, y) de même que ses 8 cases voisines. Par exemple, si la position de la case courante est $(3, 5)$, les positions des 8 voisines sont:

$(2, 4), (3, 4), (4, 4), (2, 5), (4, 5), (2, 6), (3, 6)$ et $(4, 6)$

$(x\text{-}1, y\text{-}1)$ 1	$(x, y\text{-}1)$ 2	$(x\text{+}1, y\text{-}1)$ 3
$(x\text{-}1, y)$ 8	(x, y)	$(x\text{+}1, y)$ 4
$(x\text{-}1, y\text{+}1)$ 7	$(x, y\text{+}1)$ 6	$(x\text{+}1, y\text{+}1)$ 5

b) Ajouter une fonction à la classe `type_liste` qui retourne `true` s'il s'agit d'un domaine fermé ou `false` autrement.

16. Le problème de Joséphus:

x personnes sont assises autour d'une table ronde et elles doivent toutes mourir, sauf une. On compte n personnes en tournant vers la droite à partir de la personne A, et la n^e personne est exécutée. Le processus recommence à partir de la $(n - 1)^e$ personne dans le groupe qui compte maintenant une personne de moins et se poursuit jusqu'à ce qu'il ne reste qu'un survivant. Écrire un programme qui demande le nombre de personnes assises autour de la table, leur nom et le rang de la personne A. Le programme détermine alors le nom de la personne qui survit au massacre. Utiliser des listes circulaires à liens doubles pour représenter les personnes autour de la table.

17. Quatre contenants renferment un nombre distinct de «Macgadgets». On désire appliquer un processus qui permettra d'obtenir à un élément près le même nombre de «Macgadgets» dans chaque contenant.

La structure qu'on utilise est une liste circulaire doublement chaînée sans élément factice qu'on définit à l'aide des déclarations suivantes:

```
type_liste<int> Contenant;
```

Cette liste possède quatre éléments, qui sont en fait les contenants, dans lesquels les nombres de «Macgadgets» sont mémorisés. Les voisins immédiats d'un contenant sont les éléments précédent et suivant dans la liste. Le contenu de la liste est illustré ci-après:

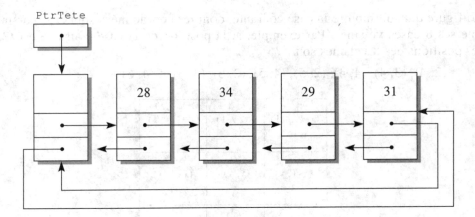

Le processus, qui doit respecter certaines règles basées sur le principe des vases communicants, se décrit comme suit:

– pour chacun des quatre contenants, et ce à tour de rôle:

  – déterminer le voisin immédiat ayant le moins de «Macgadgets»;

  – si ce voisin contient moins de «Macgadgets» que le contenant courant, alors transférer la moitié (un nombre entier) de la différence de «Macgadgets» entre les deux contenants dans le contenant voisin;

– répéter ces opérations tant qu'il est possible de transférer un «Macgadget» d'un voisin à l'autre.

Écrire et ajouter à la classe `type_liste` la fonction `Equilibrer` qui équilibre la liste selon cet algorithme.

18. Une liste permet de mémoriser plusieurs mots. Chaque nœud de la liste aura la forme suivante:

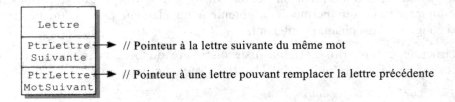

Par **exemple, la liste suivante** mémorise les mots:

```
BEAU
BETA
BILE
BIT
COUT
```

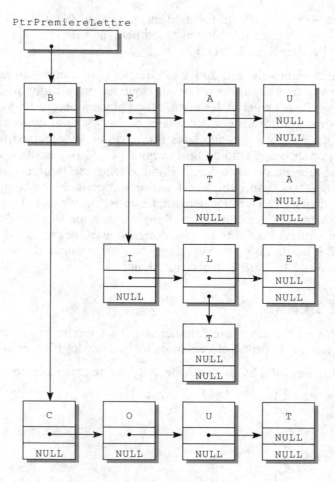

À partir du champ `PtrPremiereLettre`, le programme détermine un premier mot en parcourant la liste liée par le champ `PtrLettreSuivante`. Il obtient ensuite un autre mot en allant au champ `PtrLettreMotSuivant`, et ce pour une lettre dont ce champ n'est pas `NULL`. Cette nouvelle lettre remplace la précédente dans le mot, et la suite du mot se compose de la liste formée par le champ `PtrLettreSuivante`.

a) Donner la déclaration d'une classe permettant de mémoriser cette liste.

b) Ajouter la fonction `Afficher1erMot()` à cette classe qui permettra d'afficher le premier mot en partant du pointeur `PtrPremiereLettre` et en parcourant la liste liée par les champs `PtrLettreSuivante`, et ce jusqu'à la rencontre d'un `NULL`.

c) Ajouter une fonction qui reçoive en paramètres un mot (une chaîne de caractères), puis qui retourne le nombre de cases examinées lors de la recherche du mot dans la liste. On considère que le mot est bien dans la liste. Le programme réalise la recherche du mot en comparant les lettres du mot avec celles situées dans la liste.

Par exemple, si on appelle la fonction au moyen de la chaîne `BIT` et du pointeur `PtrPremiereLettre`, la fonction retournera la valeur 5. Les cases examinées seront, dans l'ordre: **B**, E, **I**, L et **T**.

19. Une firme d'ingénieurs-conseils qui travaille pour le compte d'une agence spatiale réalise des travaux de traitements de signaux qui servent à l'identification nocturne de profils terrestres. Pour recueillir les données, on place à bord d'un avion de reconnaissance des caméras à ultrasons qui permettent de mesurer l'altitude d'une région circulaire couvrant 360°. On représente sous forme d'une liste circulaire à liens doubles l'information portant sur l'altitude de la région. Les listes contiennent 360 éléments correspondant à une mesure par degré. Compte tenu que la précision des instruments de mesure est de ±5 %, concevoir une fonction qui permette de comparer deux profils et de dire si la différence entre les deux demeure à l'intérieur de la marge d'erreur des appareils de mesure. Ne pas oublier que l'angle absolu de l'avion n'est pas toujours le même: ainsi, si le degré 0 d'une mesure correspond au degré 123 d'une autre mesure pour un même lieu, on doit comparer la mesure du premier degré du premier signal avec la mesure du 124ᵉ degré du deuxième signal.

11.6 TRAVAIL DIRIGÉ

Ce travail permettra à l'étudiant de manipuler des listes circulaires à liens doubles et les différentes opérations qu'on peut y effectuer, de même que des piles et des files d'attente.

1. Construire un fichier, METEO.DAT, contenant les données météorologiques suivantes:

Montréal	12
Québec	9
Ottawa	17
Toronto	21
Vancouver	28
Halifax	10

Écrire un programme qui permette de lire le fichier METEO.DAT et qui construise une liste circulaire à liens doubles contenant, pour chaque ville lue, son nom et la température qu'on y a enregistrée.

Écrire deux fonctions qui permettent d'afficher la liste des villes et les températures qu'on y a enregistrées, la première, par ordre alphabétique, et la deuxième, par ordre croissant de température.

2. Le problème de la tour de Hanoï peut se résumer comme suit: supposons qu'on dispose de trois piquets et de *x* disques de différentes grandeurs. Le but consiste à déplacer les disques, disposés préalablement dans un piquet par ordre croissant de taille, d'un piquet à l'autre sans jamais en mettre un sur un autre de plus petite taille.

Ex.: $x = 3$

Écrire un programme qui permette de représenter les trois piquets du problème de la tour de Hanoï sous forme de trois piles initialisées, comme le montre l'exemple correspondant à la situation initiale. C'est le joueur qui doit préciser le nombre de disques. Le programme doit aussi permettre à un joueur de déplacer les disques d'un piquet à l'autre en vérifiant la validité de chaque déplacement et lui annoncer la fin du jeu dès qu'il a réussi à déplacer tous les disques sur un autre piquet.

ANALYSE ET CONCEPTION ORIENTÉES PAR OBJET

12.1 ANALYSE ORIENTÉE PAR OBJET

Pour aborder la notion d'analyse orientée par objet, définissons au départ un objet comme une entité similaire à une variable, et la classe comme le type de cette variable. De la même façon qu'il peut y avoir plusieurs variables d'un même type, il peut y avoir plusieurs objets d'une même classe. Par exemple, on parlera spécifiquement de l'objet `Nouvel Observateur` et de l'objet `Actualite` comme des variables de la classe `Magazine`.

L'analyse orientée par objet vise à définir les classes d'objets les plus adéquates dans le contexte du problème à résoudre en établissant les attributs et les fonctions propres à chacune. Pour ce faire, on procède à l'analyse de chaque objet potentiel sous deux angles complémentaires qui sont l'aspect statique et l'aspect dynamique. L'aspect statique d'un objet précise son identité, ses relations avec les autres objets, ses attributs et ses opérations. Dans la résolution du problème, chaque objet a un rôle précis à jouer. L'aspect dynamique d'un objet souligne ce rôle dans l'application qui servira à résoudre le problème. Afin de connaître les actions correspondant à chaque objet, on découpe l'ensemble des opérations envisagées en diverses séquences et, puisqu'une application orientée par objet exige généralement une grande interaction entre ses objets, une séquence peut concerner plus d'un objet. Pour chaque objet, on examine la séquence d'opérations le concernant en particulier afin de déceler de nouveaux attributs et de nouvelles fonctions. L'aspect dynamique permet donc de connaître les opérations requises pour répondre aux stimuli des objets qui s'interpellent.

Une analyse orientée par objet se fait en deux temps. Dans un premier temps, on examine les objets sans tenir compte de leurs interactions. On tente alors de regrouper les objets dans des classes en fonction de leurs attributs et de leurs opérations propres. Dans un deuxième temps, on revoit l'ensemble des classes établies dans le contexte de l'application. De nouveaux attributs et opérations peuvent alors s'ajouter aux précédents, soulignant les liens et les interactions possibles entre les classes.

L'analyse vise à repérer et à discerner les données du problème qui permettront de définir les classes les plus adéquates. Plusieurs auteurs proposent diverses méthodes pour y parvenir. Parmi les plus connues, citons les approches des auteurs suivants: G. Booch, P. Coad, E. Yourdon, Y. Jacobson et J. Rumbaugh. La méthode que nous proposons ici, par ailleurs inspirée de leurs travaux, consiste à aborder l'analyse par objet en cinq étapes:

1. identification des objets et des classes;

2. identification des attributs et des opérations de chaque classe;

3. identification des relations entre les classes: associations et agrégations;

4. structuration et simplification des classes: concept d'héritage;

5. ajout d'attributs et d'opérations en fonction du comportement global du système.

Bien que l'application de cette méthode ne garantisse pas l'obtention d'une solution unique, l'information qu'on en tirera sera des plus pertinentes et permettra au programmeur d'implanter les classes nécessaires au problème à résoudre. L'analyse étant un processus itératif, il faudra répéter le cycle des cinq étapes jusqu'à l'obtention d'une structure de classes complète qui réponde aux spécifications du problème à résoudre.

Dans les articles qui suivent, nous décrirons en détail chacune des cinq étapes de l'analyse par objet.

12.1.1   Identification des objets et des classes

Compte tenu de l'énoncé du problème, il s'agit d'établir les classes potentielles, notamment à partir des substantifs. Un substantif est un mot ou un groupe de mots qui désigne un être, une chose ou une idée. Les classes retenues doivent jouer un rôle dans la résolution du problème. À ce stade, il ne faut pas se préoccuper des structures de données abstraites, telles les structures de listes, les structures arborescentes, etc. Prenons comme exemple l'énoncé suivant:

> Réaliser un programme permettant la compression d'images numériques en teintes de gris par approximation fractale.

À première vue, on peut relever les classes potentielles suivantes:

```
Compression    Gris
Image          Approximation
Teinte         Fractale
```

Il y aura lieu par la suite de conserver certaines de ces classes et d'en rejeter d'autres en fonction de certains critères. Nous exposerons plus loin quelques-uns des critères sur lesquels on se fonde pour déterminer les classes à conserver.

12.1.2   Identification des attributs et des opérations de chaque classe

Attribut.   Un attribut correspond à un substantif possessif. Par exemple, la *vitesse* de l'avion ou la *couleur* de l'automobile. Par contre, un adjectif correspond plutôt à une valeur d'un attribut, disons l'automobile *verte* ou l'avion *supersonique*.

L'attribut est une caractéristique ou une donnée intrinsèque à l'objet. L'ensemble des attributs d'un objet sert à représenter ses différents états. Ainsi, en énumérant les différents états d'un objet de la classe, il est possible de reconnaître les attributs permettant de le distinguer. Prenons comme exemple un court énoncé traitant d'une station de radio.

> Une station musicale est syntonisée sur un poste de radio
> en marche. Le volume au maximum, la musique s'entend
> des kilomètres à la ronde.

Outre les attributs descriptifs tels que la couleur, la marque, le numéro de série, etc., on a besoin d'un attribut pour préciser l'état de la radio (en marche ou non), d'un autre attribut pour nommer l'indicatif de la station syntonisée et d'un dernier encore pour indiquer le niveau du volume.

Opération. L'opération correspond à un verbe ou à une action. Voici quelques énoncés grâce auxquels nous illustrerons le concept d'opération.

> Un avion quitte sa position à l'aéroport. Il s'engage sur la
> piste et se dirige vers son point de décollage. Quelques
> instants plus tard, il décolle et prend son envol.

Dans cette brève description du décollage, l'avion connaît divers états: immobile, en circulation, en décollage, en vol. Le passage d'un état à un autre exige la modification de certains attributs. Les opérations servent à effectuer ces modifications.

On reconnaît cinq types d'opérations:
- modificateur: une opération qui altère l'état d'un objet;
- sélecteur: une opération qui accède à l'état d'un objet;
- itérateur: une opération qui accède à plusieurs parties d'un objet, et ce dans un ordre défini;
- constructeur: une opération qui crée un objet et initialise son état;
- destructeur: une opération qui détruit un objet.

À cette étape, les opérations identifiées agissent soit sur l'objet, soit sur certains de ses attributs. On établira à une étape ultérieure les opérations qui concernent les interactions entre les classes par un examen attentif des interactions possibles entre les différents objets de l'application.

Une technique permettant de répertorier efficacement les opérations consiste à utiliser une grille dans laquelle on consigne chaque objet, ses états et ses opérations. On remplit la grille au fur et à mesure de la lecture de la description du problème à résoudre, en précisant pour chaque objet identifié les états observés et les opérations déduites. L'exemple 12.1 présente une grille d'identification d'objets, d'états et d'opérations pour un énoncé un peu plus détaillé concernant un vol d'avion.

Exemple 12.1   Identification des objets à partir d'un énoncé

Soit l'énoncé suivant:

> Les passagers se sont enregistrés pour le vol. Leurs bagages ont été acheminés
> dans la soute de l'avion. L'embarquement des passagers est terminé.

L'avion quitte sa position à l'aéroport. Il s'engage sur la piste et se dirige vers son point de décollage. Quelques instants plus tard, il décolle et prend son envol.

Rendu à destination, l'avion atterrit. Il se dirige vers le quai de débarquement et s'immobilise. Les passagers débarquent et vont récupérer leurs bagages.

Analyser l'énoncé et définir les objets du point de vue d'un passager voyageant à bord de cet avion. Le passager peut voyager avec plus d'une valise et d'autres bagages.

Solution

Objet	États	Opérations
Avion	immobile, circule, décolle, vole	démarrer, se déplacer, décoller, voler, atterrir
Valise	vide, pleine, ouverte, fermée, verrouillée, déverrouillée	déverrouiller, ouvrir, remplir, fermer, verrouiller
Passager	attente, enregistrement, embarquement, débarquement, récupération des bagages	enregistrer, embarquer, s'asseoir, récupérer les bagages

On peut représenter graphiquement une classe à l'aide d'un rectangle divisé en trois parties (fig. 12.1). La première partie correspond au nom de la classe. La deuxième partie reçoit les différents attributs de la classe. La troisième partie comporte les opérations de la classe. Par exemple, pour une classe nommée Passager, on reconnaît les attributs: Nom, Prenom et Numero de siege; et les opérations: Enregistrer() et Embarquer().

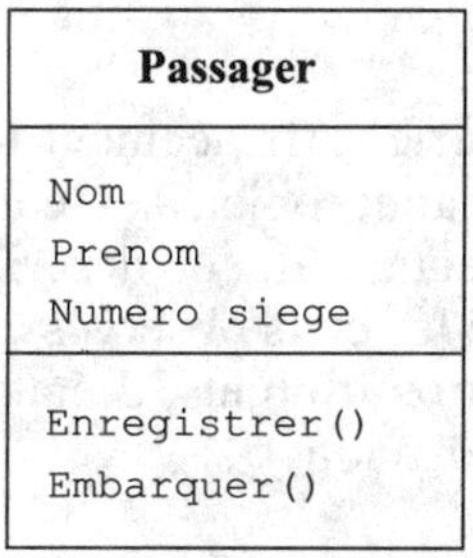

```
        Passager
    ┌─────────────────┐
    │ Nom             │
    │ Prenom          │
    │ Numero siege    │
    ├─────────────────┤
    │ Enregistrer()   │
    │ Embarquer()     │
    └─────────────────┘
```

Figure 12.1 Classe Passager.

Dans la grille d'identification des objets de l'exemple 12.1, on examine l'objet précis Valise. Toutefois, un passager peut voyager avec d'autres types de bagage, comme un sac à dos ou un sac à main. La classe Bagages serait appropriée pour regrouper ces différents objets.

12.1.3   Identification des relations entre les classes: associations et agrégations

Association.   Il faut souvent établir plusieurs classes pour réaliser une application donnée. Les objets de classes différentes interagissent en s'échangeant des données ou en se répartissant des tâches. Les classes possèdent des liens qui définissent leurs types d'interaction ou de relation. L'association correspond à un lien entre des classes. Il peut s'agir:

- d'un verbe ou plus particulièrement d'un verbe d'état;
- d'un lien physique (suite de, contenu dans);
- d'une action de déplacement (conduire, transférer, déposer);
- d'un terme de communication (parler à, transmettre à);
- d'un terme de propriété (à, partie de);
- d'une expression satisfaisant à certaines conditions (travailler pour, marier à, gérer par).

Une association désigne une opération qui concerne plus d'un objet. L'association «le passager est dans l'avion» souligne le lien entre les classes `Avion` et `Passager`. Par contre, l'énoncé «le passager marche dans le corridor pour atteindre le quai d'embarquement de l'avion» ne concerne que le passager et ne représente donc pas une association. D'une certaine façon, dans une association, un objet initie une opération qui mettra en jeu un autre objet.

Une association peut décrire une propriété structurelle du domaine d'application. Par exemple, la relation entre la classe de base et la classe dérivée est une association «est une sorte de». De cette façon, on peut affirmer qu'une valise est une sorte de bagage. Nous traiterons de ce type d'association, nommé héritage, lorsque nous définirons l'étape 4 de la méthode. En outre, l'assemblage de classes ou la composition d'une entité à l'aide de plusieurs classes est une association «se compose de» ou «est une partie de». Un avion se compose d'un moteur, d'une carlingue et d'ailes. Cette association porte le nom d'agrégation. Nous verrons plus loin les agrégations.

Dans la mesure du possible, les classes, les attributs et les associations doivent représenter des informations indépendantes. Le nom d'une association doit être significatif et révélateur de la situation entre deux classes.

Une grille peut également servir à énumérer les associations. Dans une telle grille, chaque rangée comporte trois colonnes dans lesquelles on inscrit respectivement une première classe, une action précisant l'association entre deux classes puis une deuxième classe. Il convient cependant d'éviter les répétitions et les formulations qui ne constituent qu'une lecture inversée d'une association déjà établie. Il s'agit d'un outil intermédiaire facilitant la recherche d'associations en vue de résoudre le problème. L'exemple 12.2 présente une grille pour l'application concernant un passager qui voyage en avion.

Exemple 12.2   Grille des associations concernant un passager qui voyage en avion

Si on définit les associations de l'énoncé de l'exemple 12.1, on obtient la grille suivante:

Classe	Association	Classe
Passager	embarque dans	Avion
Bagages	appartient à	Passager
Bagages	est déposé dans	Avion

Du point de vue schématique, on représente une association par un trait qui relie deux classes. Au-dessus de ce trait apparaît la signification du lien. Par exemple, entre la classe Passager et la classe Avion, on peut représenter l'association «un passager embarque dans l'avion» (fig. 12.2).

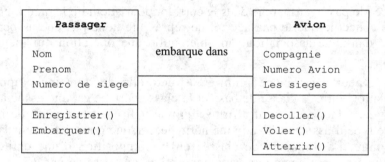

Figure 12.2   Représentation de l'association «le passager embarque dans l'avion».

L'association est une relation bidirectionnelle. Les énoncés «le passager embarque dans l'avion» ou «l'avion contient le passager» représentent tous deux l'association entre la classe Passager et la classe Avion. Par convention et surtout pour ne pas alourdir inutilement le diagramme, on n'indique la relation que dans un sens.

Un autre aspect de l'association qu'il faut spécifier est la cardinalité, ou multiplicité. La cardinalité correspond au nombre d'objets d'une classe concernés par l'association. Par exemple, un maximum de 450 passagers peuvent monter à bord d'un avion. Par contre, un passager ne peut être que dans un seul avion à la fois. Ce cas constitue une association de un à plusieurs. Il est à noter que le nombre 1 est sous-entendu si aucun nombre n'apparaît dans l'association. La figure 12.3 inclut la cardinalité pour la classe Passager.

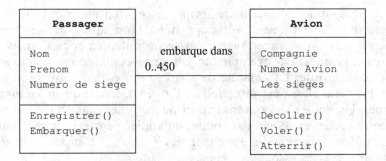

Figure 12.3   La cardinalité indique qu'un avion peut accueillir de 0 à 450 passagers.

La cardinalité ou le nombre d'objets concernés par une association est une information extrêmement importante à l'étape d'implantation. En effet, elle permet une meilleure adéquation de la classe par l'apport d'une information utile pour sa construction. La cardinalité peut varier grandement d'une association à l'autre. La figure 12.4 présente les notations servant à préciser la cardinalité des objets dans une association. La constante k correspond à un nombre entier positif.

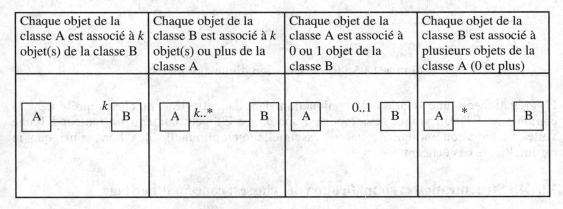

Figure 12.4   Notations servant à préciser la cardinalité des objets dans une association.

Il est possible de préciser la cardinalité de diverses façons. Par exemple:

indique qu'un ou plusieurs objets de la classe A sont associés à 1 ou 3 ou de 5 à 7 objets de la classe B.

Agrégation. L'agrégation est une autre forme de relation entre des classes. Dans cette relation, une classe est constituée d'objets appartenant à d'autres classes. Pour reconnaître une agrégation, il suffit d'observer si une classe possède des composantes déjà inscrites dans des classes existantes. Par exemple, un voilier se compose entre autres d'une coque, d'un moteur et d'une voile. La notation de l'agrégation est un petit losange. Un losange noirci indique que cette classe est essentielle à l'agrégat, tandis qu'un losange vide signale un lien optionnel. Un voilier ne pouvant exister ou naviguer sans coque, on noircira le lien d'agrégation entre voilier et coque. Par contre, un voilier peut exister sans voile ni moteur; il s'agit là d'un lien d'agrégation optionnel. La figure 12.5 propose le diagramme de l'agrégation de trois classes associées à la classe `Voilier`.

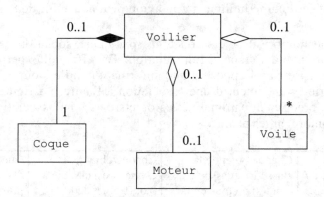

Figure 12.5 Représentation d'une agrégation.

L'agrégation est une relation de conjonction dans laquelle les branches représentent la conjonction ET. Un voilier se compose d'une coque ET peut contenir un moteur ET une voile. La notation indique la nature essentielle ou optionnelle des liens ainsi que la cardinalité, le cas échéant.

12.1.4 Structuration et simplification des classes: concept d'héritage

L'héritage est une propriété qui permet de bénéficier des structures communes de plusieurs classes. La façon de tirer profit de ces structures communes consiste à les inscrire dans une superclasse, ou classe de base. Ce processus est la généralisation. Cependant, les classes menant à la création d'une classe de base peuvent conserver des caractéristiques qui leur sont propres. Le fait de définir les particularités qui distinguent ces classes correspond au processus de spécialisation.

Les classes susceptibles de générer une classe de base doivent avoir une certaine proximité sémantique. Les caractéristiques de la classe de base correspondent aux attributs, aux associations et aux opérations semblables qu'on retrouve dans différentes classes. Les sous-classes ou classes dérivées découlent de l'examen des adjectifs des noms de classes. À titre d'exemple, examinons le cas des wagons formant un convoi ferroviaire. Les wagons ont de toute évidence des caractéristiques communes: un numéro d'identification, une couleur et un poids. Par contre, il y en a de différentes sortes: des wagons céréaliers, des wagons pour le bétail, des wagons pour passagers, etc. Ces sortes de wagons constituent des sous-classes ou classes dérivées de la classe de base plus générale `Wagon`.

La représentation graphique de la relation d'héritage est de type hiérarchique. La classe de base vient en premier lieu et les classes dérivées apparaissent en dessous. Le symbole qui identifie l'héritage lui-même est un triangle placé à proximité de la classe de base. La figure 12.6 illustre la relation d'héritage entre les classes `Wagon`, `Cerealier`, `Betail` et `Passagers`.

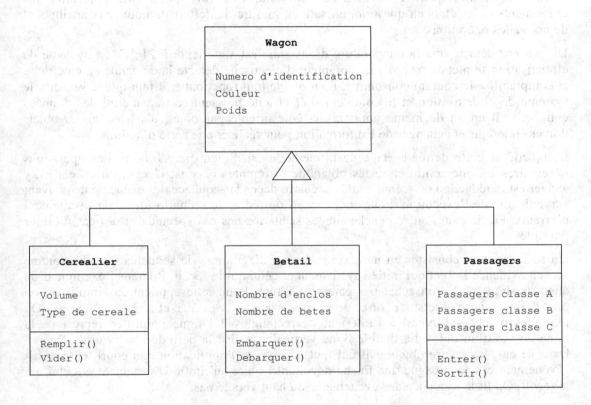

Figure 12.6   Relation d'héritage entre des wagons.

La structure hiérarchique est une relation disjointe représentée par un arbre dont les branches correspondent à la conjonction OU exclusif. De cette façon, on précise qu'un wagon est un wagon céréalier OU un wagon pour le bétail OU un wagon pour passagers. Un wagon ne peut être à la fois un wagon céréalier et un wagon pour le bétail.

12.1.5   Ajout d'attributs et d'opérations en fonction du comportement global du système

Cette étape examine l'aspect dynamique d'un système en fonction du comportement recherché. Par définition, un système se compose d'objets qui interagissent entre eux. Selon la séquence des actions prévues en ce qui a trait aux objets, il y a lieu de définir de nouveaux attributs et de nouvelles opérations. Pour ce faire, on prend en quelque sorte un cliché du système à un instant donné révélant l'état de chaque objet; l'instant suivant, on prend un nouveau cliché. Entre les deux prises, il se peut que des objets aient changé d'état, c'est-à-dire qu'un événement est survenu. Une fois qu'on aura déterminé les événements et les états en question, on sera en mesure de définir de nouveaux attributs et de nouvelles opérations.

Un senseur détecte que la température d'une salle est supérieure à 21 °C. Le système de climatisation se met en marche. Le compteur d'électricité détecte la demande en électricité et comptabilise le courant consommé. Pour que le tout fonctionne, il faut que le senseur, le système de climatisation et le compteur d'électricité puissent se transmettre des données entre eux. Il en va de même pour un système orienté par objet, dans lequel les objets doivent interagir et échanger de l'information pour réaliser une série d'actions.

L'objectif de cette dernière étape de la méthode est d'identifier de nouvelles opérations nécessaires à l'interaction entre les objets de différentes classes. Une façon efficace d'y arriver est la rédaction de scénarios. Un scénario décrit la séquence des événements pouvant survenir lors de l'exécution. Pour commencer, on rédige le scénario idéal, sans traitement d'erreurs. Par la suite, on se penche sur les scénarios des cas spéciaux et des cas d'erreur possibles.

Un scénario peut consister en un texte ou en un diagramme de séquence. Le diagramme met en évidence l'objet qui initie l'événement et celui qui le reçoit. Prenons l'exemple d'un client désirant régler un achat par paiement direct. Pour cette application simplifiée, on peut définir quatre objets: `Client`, `Vendeur`, `Banque Vendeur` et `Banque Client`. On place les objets, soulignés, à l'intérieur de rectangles. La ligne pointillée représente la ligne de vie d'un objet. La double ligne verticale précise la période d'activité de l'objet. Dans ce cas, les quatre objets existent tout au long de l'application. Un court texte décrit l'événement et accompagne une flèche dévoilant l'objet qui initie l'événement et celui qui le reçoit. On lit la séquence des événements du haut vers le bas.

Voici ce qu'on obtient à la lecture du scénario simplifié du règlement des articles représenté par le diagramme de séquence de la figure 12.7. Le client remet sa carte bancaire au vendeur. Le vendeur introduit dans le lecteur la carte bancaire, qui doit être validée par la banque du client. La banque confirme la validité de la carte bancaire. Le vendeur remet le clavier au client. Le vendeur entre le montant à payer et le transmet au client. Le client accepte la transaction et entre son numéro d'identification personnel (NIP). La transaction est acceptée par la banque du client. Le montant est transféré de la banque du client à la banque du vendeur. Le vendeur remet au client ses articles, sa carte bancaire et son relevé de transaction.

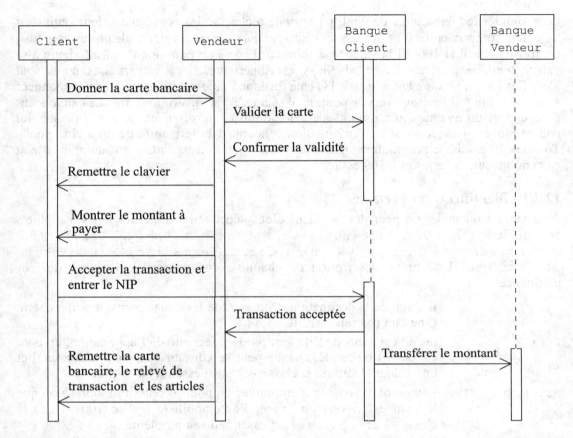

Figure 12.7 Diagramme de séquence représentant le règlement d'un achat par paiement direct.

La rédaction de scénarios permet généralement de mettre en évidence de nouvelles opérations à ajouter au diagramme de classes de l'application.

12.2 RÉSOLUTION DE PROBLÈME

Il est possible de se rendre sur l'île Du-Grand-Cru en empruntant l'un des douze ponts qui la relient à la rive. Toutefois, en raison de travaux de maintenance, les ponts ne sont pas ouverts en permanence. Les automobilistes ou les camionneurs désirant se rendre sur l'île doivent choisir le pont qui convient afin d'éviter les problèmes de circulation.

Le ministère des Transports désire étudier les effets des fermetures des ponts sur les automobilistes et les camionneurs. Il réclame le développement d'un programme simulant les tentatives d'accès à l'île par les ponts.

Pour simuler les fermetures de pont, on attribue à chacun des ponts une valeur seuil, soit un entier compris entre 0 et 50. On leur attribue une seconde valeur, aléatoire cette fois, comprise entre 0 et 100. Si la valeur aléatoire attribuée à un pont donné est inférieure à sa valeur seuil, le pont est fermé; si elle y est supérieure, il est ouvert. Les ponts sont identifiés par un nombre entier de 0 à 11. Une fois que l'automobiliste ou que le camionneur a fixé son choix, il se dirige vers ce pont; là, il saura s'il est ouvert ou fermé. Le camionneur a cependant un avantage par rapport à l'automobiliste. En effet, un de ses collègues lui communique à chaque essai de l'information concernant la fermeture de un à cinq ponts. Tous les 20 essais, le programme affiche les statistiques correspondant à l'automobiliste et au camionneur, et ce jusqu'à 100 essais.

12.2.1   Identification des classes

À la lecture du texte, on peut dresser la liste des substantifs, donc des classes d'objets potentielles: `Ile`, `Pont`, `Automobiliste`, `Camionneur`, `Choix`, `Circulation`, `Tentative`, `Acces`, `Essai`, `Valeur seuil`, `Information`, `Informateur`, `Statistique`. Une brève description de chaque entité permettra de juger de leur pertinence.

`Ile`:	il s'agit de la destination; l'île possède les douze ponts; à prime abord, il ne faut pas rejeter cette classe.
`Pont`:	les douze ponts de l'île font partie intégrante de l'application; un pont est ouvert ou fermé; chaque pont se voit attribuer une valeur seuil et une valeur aléatoire; la classe `Pont` est essentielle au problème.
`Automobiliste`:	l'automobiliste tente d'emprunter un pont; il réussit ou non selon que le pont est ouvert ou fermé; l'automobiliste réalise 100 essais; la classe `Automobiliste` est essentielle au problème.
`Camionneur`:	le camionneur tente également d'emprunter un pont; le camionneur obtient de l'information concernant la fermeture de certains ponts; le camionneur réalise 100 essais; la classe `Camionneur` est essentielle au problème.
`Choix`:	l'automobiliste et le camionneur effectuent un choix de pont; il s'agit d'une opération appartenant à ces entités; **à rejeter**.
`Circulation`:	la problématique de la circulation réside dans l'accès aux ponts reliés à une île; le terme circulation n'apporte pas d'éléments nouveaux; **à rejeter**.
`Tentative`:	le camionneur et l'automobiliste effectuent 100 tentatives ou essais; le nombre des essais et le succès de chacun sont des attributs qui appartiennent aux classes `Camionneur` et `Automobiliste`; **à rejeter**.
`Acces`:	l'automobiliste et le camionneur tentent d'accéder aux ponts; l'accès correspond à une tentative; **à rejeter**.
`Essai`:	il s'agit d'un synonyme de tentative; **à rejeter**.

`Valeur seuil:`	chacun des ponts se voit attribuer une valeur seuil et une valeur aléatoire à chaque essai; ces valeurs sont clairement associées aux ponts et seront des attributs de cette classe; **à rejeter**.
`Information:`	l'information consiste en la confirmation de l'ouverture ou de la fermeture de ponts; l'information s'adresse uniquement au camionneur; l'information est transmise par un informateur; l'information représente une donnée constituant un attribut de la classe `Information`; **à rejeter**.
`Informateur:`	l'informateur transmet au camionneur le nom ou plus spécifiquement le numéro de un à cinq ponts qui sont fermés; l'informateur possède l'information; la classe `Informateur` est celle à laquelle on associe l'information; la classe `Informateur` est essentielle au problème.
`Statistique:`	le but de la simulation est d'obtenir des statistiques; les données statistiques recherchées sont le nombre d'essais réussis par le camionneur et le nombre d'essais réussis par l'automobiliste; ces données sont la propriété des classes `Camionneur` et `Automobiliste`; **à rejeter**.

Par conséquent, pour ce problème, on retient les classes `Ile`, `Pont`, `Automobiliste`, `Camionneur` et `Informateur`.

12.2.2   Identification des attributs et des opérations de chaque classe

Afin de connaître les attributs et les opérations des classes retenues, on doit remplir une grille d'identification d'un objet de chaque classe. Le tableau 12.1 présente la grille d'identification des objets.

Tableau 12.1   Grille d'identification des objets: simulation des accès à l'île Du-Grand-Cru

Objet	États	Opérations
`Ile`		Posséder des ponts
`Pont`	Ouvert, fermé	Fixer le seuil, déterminer l'état, indiquer l'état
`Automobiliste`	Succès, échec	Choisir un pont, vérifier l'état du pont choisi, afficher la statistique
`Camionneur`	Succès, échec	Choisir un pont, vérifier l'état du pont choisi, afficher la statistique
`Informateur`		Trouver l'information concernant la fermeture de certains ponts, transmettre l'information

Dans le tableau 12.1, on constate que l'objet Ile n'a aucun état et que l'opération «posséder» précise une appartenance. Pour cette raison, la classe Ile s'avère inutile pour la simulation; on peut la rejeter. Dans le contexte de l'application de simulation des accès aux ponts d'une île, on regroupe les attributs et les opérations déduits de la grille dans leur classe respective (fig. 12.8).

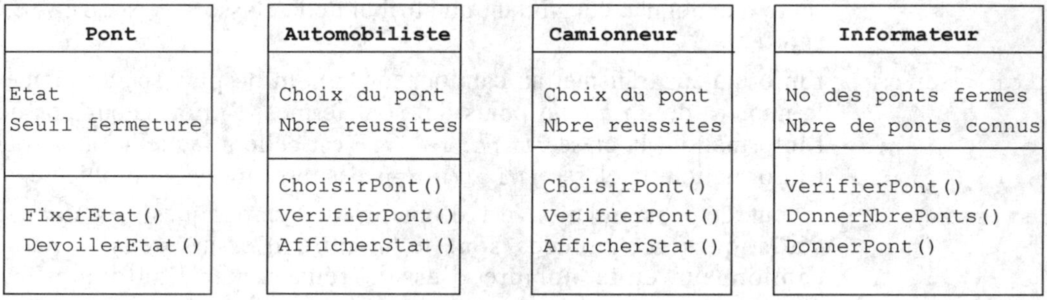

Pont	Automobiliste	Camionneur	Informateur
Etat Seuil fermeture	Choix du pont Nbre reussites	Choix du pont Nbre reussites	No des ponts fermes Nbre de ponts connus
FixerEtat() DevoilerEtat()	ChoisirPont() VerifierPont() AfficherStat()	ChoisirPont() VerifierPont() AfficherStat()	VerifierPont() DonnerNbrePonts() DonnerPont()

Figure 12.8   Les classes de la simulation des accès aux ponts de l'île Du-Grand-Cru.

12.2.3   Identification des relations entre les classes: associations et agrégations

Jusqu'à présent, l'application ne contient pas d'agrégation puisqu'aucune entité n'est une partie d'une autre. Par contre, on reconnaît certaines associations. Pour les déterminer, on remplit une grille des associations à partir de l'énoncé du problème (tabl. 12.2).

Tableau 12.2   Grille des associations: simulation des accès aux ponts de l'île

Classe	Association	Classe
Automobiliste	choisit	Pont
Camionneur	choisit	Pont
Informateur	informe	Camionneur
Informateur	vérifie	Pont

La figure 12.9 regroupe dans un diagramme les classes et les associations établies jusqu'à maintenant.

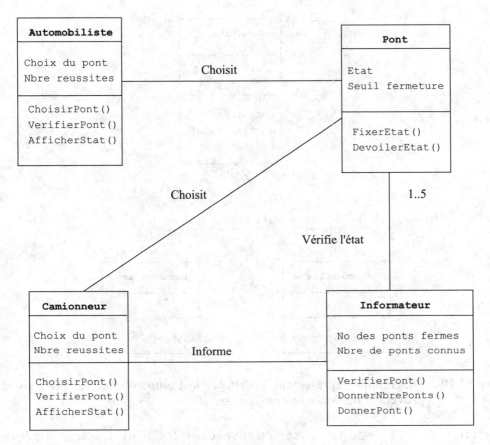

Figure 12.9 Diagramme des classes et des associations de la simulation.

12.2.4 Structuration et simplification des classes à l'aide du concept d'héritage

Les classes `Automobiliste` et `Camionneur` ont plusieurs éléments en commun, notamment elles ont les mêmes attributs et trois opérations identiques. Il faut regrouper ces propriétés communes dans une classe de base et préciser les propriétés spécifiques à chacune dans une sous-classe respective. On insère les propriétés communes dans une classe de base nommée `Conducteur`. Les classes `Automobiliste` et `Camionneur` héritent alors de cette classe. Le diagramme de la figure 12.10 montre cet héritage.

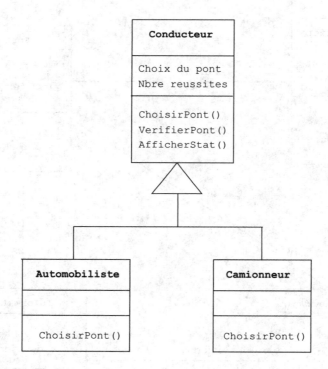

Figure 12.10   Diagramme représentant l'héritage de l'automobiliste et du camionneur provenant de la classe `Conducteur`.

L'opération `ChoisirPont()` se retrouve dans les trois classes. La fonction `ChoisirPont()` de la classe de base `Vehicule` sera une fonction virtuelle pure, ce qui fera de la classe de base une classe abstraite. Une fonction virtuelle pure est une fonction virtuelle sans code. Il en découle qu'un objet de la classe `Conducteur` ne peut exister, car un conducteur est soit un automobiliste, soit un camionneur. La figure 12.11 présente le diagramme qui incorpore les associations et l'héritage.

12.2.5   Ajout d'attributs et d'opérations en fonction du comportement global du système

Des scénarios sous forme de texte et sous forme de diagramme de séquence permettent d'analyser le comportement du système. Au départ, on décrit le scénario idéal, puis des scénarios de cas d'exception et des scénarios de cas d'erreur.

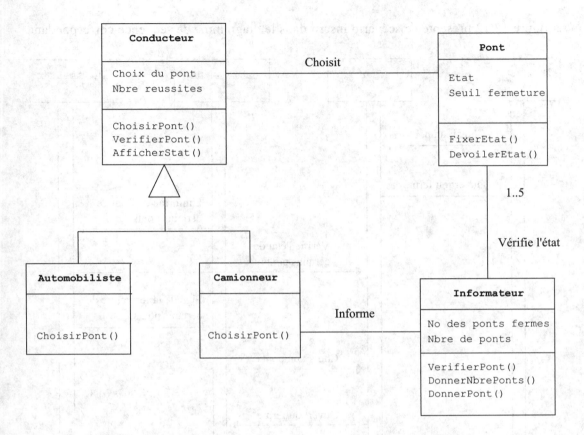

Figure 12.11   Diagramme incorporant les associations et l'héritage.

Scénario 1: scénario idéal

L'automobiliste choisit un pont parmi les douze.
Le pont choisi est ouvert ou fermé.
L'automobiliste comptabilise son succès ou son échec.
Le camionneur s'informe de la fermeture de certains ponts.
L'informateur vérifie l'état de certains ponts.
L'informateur transmet l'information sur la fermeture de certains ponts.
Le camionneur choisit un pont parmi ceux dont il ne connaît pas l'état.
Le pont choisi est ouvert ou fermé.
Le camionneur comptabilise son succès ou son échec.
Affichage des statistiques de l'automobiliste et du camionneur.

La figure 12.12 présente ce scénario inscrit dans le diagramme de séquence correspondant.

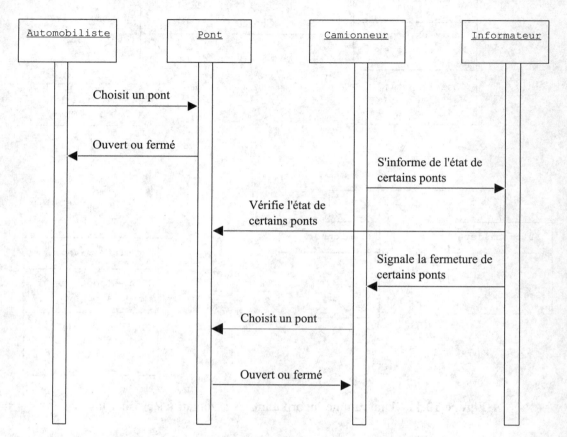

Figure 12.12   Diagramme de séquence du scénario idéal de la simulation des accès aux ponts de l'île.

Dans le contexte du problème, un scénario de cas d'erreur examinerait un pont qui n'existe pas. Rappelons que l'énoncé du problème indique que les ponts sont identifiés par un nombre entier de 0 à 11. Supposons qu'un conducteur prend pour acquis que les ponts sont identifiés de 1 à 12. Lorsqu'il veut se rendre au pont 12, qui n'existe pas, il provoque l'erreur. Par la suite, les opérations s'enchaînent comme suit: le camionneur ou l'automobiliste est informé de son erreur; on lui indique les choix de ponts possibles; il choisit un pont existant.

Supposons que l'automobiliste commet cette erreur.

Scénario 2: choix d'un pont qui n'existe pas

L'automobiliste choisit un pont parmi les douze.
Le pont choisi n'existe pas.
L'automobiliste est informé de son erreur.
Les choix possibles de ponts sont précisés.
L'automobiliste choisit un pont parmi les douze.

(la suite est identique au scénario idéal)

La figure 12.13 illustre le diagramme de séquence correspondant au scénario de cas d'erreur.

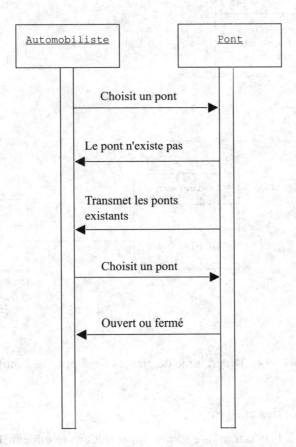

Figure 12.13 Diagramme de séquence pour le scénario du choix d'un pont qui n'existe pas.

Un scénario de cas d'erreur similaire peut s'énoncer pour le camionneur. Il s'agit dans ce cas de remplacer uniquement la classe `Automobiliste` par la classe `Camionneur`. Ce faisant, on met à jour une nouvelle opération, soit la transmission d'information au sujet des ponts existants. On doit ajouter cette opération, `PreciserPonts()`, à la classe `Pont`.

La figure 12.14 illustre le diagramme de classes final.

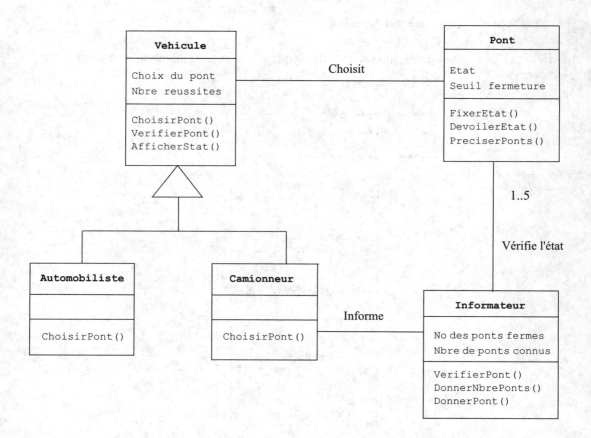

Figure 12.14   Diagramme de classes final pour la simulation.

12.2.6   Implantation des classes

L'information propre à la classe `type_pont` apparaît dans le tableau 12.3.

Tableau 12.3 Attributs et opérations de la classe `type_pont`

Classe `type_pont`			
Attribut	Privé	`Etat`	État du pont, ouvert ou fermé
		`Seuil_Fermeture`	Seuil servant à préciser si le pont est ouvert ou fermé
Fonction	Publique	`type_pont()`	Constructeur qui fixe aléatoirement l'état du pont
		`FixerEtat()`	Fixe aléatoirement l'état du pont
		`DevoilerEtat()`	Dévoile l'état du pont
		`PreciserPont()`	Précise les numéros de ponts existants

L'exemple 12.3 présente la déclaration de la classe `type_pont`.

Exemple 12.3 Déclaration de la classe `type_pont`

```
// Fichier Pont.h
#ifndef PONT
#define PONT
#define NBPONTS 12

#include <iostream>  // Pour l'utilisation de cout
using namespace std;

enum type_etat {OUVERT, FERME};

class type_pont
{
  public:
    type_pont() {FixerEtat();}  // Constructeur fixant l'état des ponts
    void FixerEtat();
    type_etat DevoilerEtat() { return Etat;}
    void PreciserPont();

  private:
    type_etat Etat;
    int SeuilFermeture;
};
// Remarque: le destructeur est implicite ici puisque aucune opération
//           spécifique n'est nécessaire lors de la libération de la mémoire.
#endif
```

L'exemple 12.4 présente la déclaration de la fonction `FixerEtat()` et de la fonction `PreciserPont()`. La fonction `FixerEtat()` détermine un seuil à l'aide d'une valeur aléatoire comprise entre 0 et 50. Une seconde valeur aléatoire, comprise entre 0 et 100, permet d'établir l'état du pont: si cette valeur aléatoire est inférieure au seuil, alors le pont est fermé; à l'inverse, le pont est ouvert. La fonction `PreciserPont()` affiche un message à l'effet que les ponts sont identifiés par un nombre de 0 à 11.

Exemple 12.4   Déclaration des fonctions `FixerEtat()` et `PreciserPont()` de la classe `type_pont`

```cpp
// Fichier Pont.cpp
#include "Pont.h"
#include <cstdlib> // Pour l'utilisation de rand()
using namespasce std;

/*---------------------------------------------------------------*/
/* DESCRIPTION:  FixerEtat()                                     */
/*               Fixe le seuil et l'état du pont.                */
/*                                                               */
/* PARAMÈTRES:   Aucun.                                          */
/*                                                               */
/* REMARQUE:     Les valeurs aléatoires sont générées à          */
/*               l'aide de la fonction rand().                   */
/*---------------------------------------------------------------*/
void type_pont::FixerEtat()
{
    SeuilFermeture = rand()%51;
    if ((rand()%101)<SeuilFermeture)
        Etat=FERME;
    else
        Etat=OUVERT;
}


/*---------------------------------------------------------------*/
/* DESCRIPTION:  PreciserPont()                                  */
/*               Affiche un message à l'effet que les ponts      */
/*               sont identifiés par un nombre de 0 à 11.        */
/*                                                               */
/* PARAMÈTRES:   Aucun.                                          */
/*                                                               */
/* REMARQUE:     Aucune.                                         */
/*---------------------------------------------------------------*/
void type_pont::PreciserPont()
{
    cout << "Les ponts sont identifiés par un nombre ";
    cout << "de 0 à 11."<< endl <<endl;
}
```

Le tableau 12.4 regroupe les données de la classe `type_conducteur`. Il s'agit d'une classe abstraite puisqu'un conducteur est associé à un automobiliste ou à un camionneur. Il ne peut y avoir d'objet `Conducteur` seul.

Tableau 12.4   Attributs et opérations de la classe `type_conducteur`

Classe `type_conducteur`			
Attribut	Protégé	`Choix` `NbReussites`	Le choix de pont pour un essai donné Le nombre de choix correspondant à un pont ouvert

Fonction	Publique	`type_conducteur()`
		`ChoisirPont()`
		`VerifierPont()`
		`AfficherStat()`
			Constructeur initialisant le nombre de réussites à 0
			Fonction virtuelle pure, rend la classe abstraite
			Vérifie l'état du pont et comptabilise la réussite
			Affiche le nombre de réussites

L'exemple 12.5 présente la déclaration de la classe `type_conducteur`.

Exemple 12.5   Déclaration de la classe `type_conducteur`

```
// Fichier Conducteur.h
#ifndef CONDUCTEUR
#define CONDUCTEUR

#include <iostream>   // Pour l'utilisation de cout
using namespace std;
#include "pont.h"     // Pour l'utilisation de la classe type_pont

class type_conducteur
{
  public:
     type_conducteur() {Reussite=0;} // Le constructeur initialise le nombre
                              // d'accès réussis
     virtual void ChoisirPont(type_pont []) =0;  // Fonction virtuelle pure
     void AfficherStat() { cout<< " Nombre d'accès réussis "
                         << Reussite << endl;}
     void VerifierPont(type_etat Etat)
       // Si le pont choisi est ouvert, la réussite est comptabilisée
     {  if (Etat==OUVERT) Reussite++;  }
  protected:
     int Choix;
     int Reussite;
};

#endif
```

Le tableau 12.5 contient les données de la classe `type_automobiliste`. Cette classe hérite de la classe de base `type_conducteur`. Elle se distingue par la façon de choisir un pont.

Tableau 12.5   Attributs et opérations de la classe `type_automobiliste`

		Classe `type_automobiliste`	
Attribut			
Fonction	Publique	`ChoisirPont()`	Choisit un pont pour l'automobiliste de façon aléatoire

L'exemple 12.6 illustre la déclaration de la classe `type_automobiliste`.

Exemple 12.6   Déclaration de la classe `type_automobiliste`

```
// Fichier Automobile.h
#ifndef AUTOMOBILISTE
#define AUTOMOBILISTE

#include "Conducteur.h" // Pour l'utilisation de la classe type_conducteur
#include "Pont.h"       // Pour l'utilisation de la classe type_pont

class type_automobiliste : public type_conducteur
{
   public:
      void ChoisirPont(type_pont []);
};


#endif
```

On peut lire la déclaration de la fonction `ChoisirPont()` de la classe `type_automobiliste` à l'exemple 12.7. Le choix du pont résulte de la génération aléatoire d'un nombre de 0 à 11.

Exemple 12.7   Déclaration de la fonction `ChoisirPont()` de la classe `type_automobiliste`

```
// Fichier Automobile.cpp
#include "Automobile.h" // Pour l'utilisation de la classe type_automobiliste
#include <cstdlib>      // Pour l'utilisation de rand()

using namespace std;

/*-------------------------------------------------------------*/
/* DESCRIPTION:      ChoisirPont ()                      */
/*                   Cette fonction détermine le choix de    */
/*                   pont de l'automobiliste. Elle vérifie   */
/*                   l'état du pont et comptabilise la       */
/*                   réussite s'il y a lieu.                 */
/*                                                            */
```

```
/* PARAMÈTRES:          Pont(IN): tableau des douze ponts de     */
/*                        l'île.                                 */
/*                                                               */
/* VALEUR DE RETOUR: Aucune.                                     */
/*                                                               */
/* REMARQUE:            Le choix s'effectue à l'aide de la       */
/*                      fonction rand() qui retourne une valeur  */
/*                      entière pseudo-aléatoire.                */
/*-------------------------------------------------------------*/
void type_automobiliste::ChoisirPont(type_pont Pont[])
{
   Choix = rand()% NBPONTS; // Retourne une valeur entre 0 et 11
   VerifierPont(Pont[Choix].DevoilerEtat()); // Vérifie l'état du pont choisi et
                                             // comptabilise la réussite s'il y
                                             // a lieu

}
```

Comme nous l'avons défini, l'informateur est celui qui facilite le choix du camionneur en l'avisant de la fermeture de certains ponts. Le tableau 12.6 regroupe les données relatives à la classe type_informateur.

Tableau 12.6 Attributs et opérations de la classe type_informateur

Classe type_informateur			
Attribut	Privé	NbrePontsConnus	Le nombre de ponts dont l'informateur sait qu'ils sont fermés
Fonction	Publique	type_informateur() VerifierPont() DonnerPont() DonnerNbrePonts()	Constructeur initialisant le nombre de ponts à 0 Trouve de un à cinq ponts fermés Donne le numéro d'un pont fermé Donne le nombre de ponts dont la fermeture est connue

L'exemple 12.8 illustre la déclaration de la classe type_informateur.

Exemple 12.8 Déclaration de la classe type_informateur

```
// Fichier Informateur.h
#ifndef INFORMATEUR
#define INFORMATEUR

#include "Pont.h"  // Pour l'utilisation de la classe type_pont

class type_informateur
{
```

```
   private:
      int NbrePonts;
      int InfoPont[5];
   public:
      type_informateur();
      void VerifierPont(type_pont PontFerme[]);
      int DonnerPont(int Compteur);
      int DonnerNbrePonts() {return NbrePonts;}
};

#endif
```

L'exemple 12.9 présente la déclaration du constructeur et des fonctions `VerifierPont()` et `DonnerPont()`. Le constructeur initialise l'attribut `NbrePontsConnus` à 0 ainsi que toutes les valeurs du tableau `InfoPont` à -1; ces valeurs signifient que l'informateur n'a aucune information. La fonction `VerifierPont()` est la plus intéressante de cette classe. Tout d'abord, on associe un nombre aléatoire N, de 1 à 5, au nombre de ponts pour lesquels on aura l'information qu'ils seront fermés. Il est possible de modifier cette valeur lorsqu'elle est supérieure au nombre de ponts effectivement fermés. Dans ce cas, la valeur attribuée à N correspondra exactement au nombre de ponts fermés. Un parcours aléatoire du tableau des ponts permet ensuite de déterminer N ponts fermés. On a recours à un tableau de booléens afin d'éviter de choisir plus d'une fois le même pont. L'indice du tableau, de 0 à 11, est associé à un pont. Lorsqu'un nombre est choisi, la valeur «`false`» initiale de l'indice correspondant du tableau devient «`true`» de façon à préciser que ce nombre a été sélectionné. De cette façon, une valeur déjà choisie indiquera de tirer une autre valeur au hasard. Enfin, les numéros des N ponts fermés découverts s'inscrivent dans le tableau `InfoPont`.

Exemple 12.9 Déclaration du constructeur et des fonctions `VerifierPont()` et `DonnerPont()` de la classe `type_informateur`; présentation de l'algorithme de la fonction `VerifierPont()`

```
// Fichier Informateur.cpp
#include "Informateur.h"  // Pour l'utilisation de la classe type_informateur
#include <cstdlib>        // Pour l'utilisation de rand()
using namespace std;

/*----------------------------------------------------------*/
/* DESCRIPTION: Constructeur sans paramètre.                */
/*              Crée un nouvel informateur et initialise    */
/*              tous les ponts dont la fermeture est connue */
/*              à -1.                                        */
/*                                                          */
/* PARAMÈTRES:  Aucun.                                      */
/*                                                          */
/* REMARQUE:    Aucune.                                     */
/*----------------------------------------------------------*/
```

```
type_informateur::type_informateur()
{
    int Compteur;
    NbrePontsConnus=0;    // Aucune fermeture de pont connue
                          // Initialisation des ponts à -1, c.-à-d. aucun
    for (Compteur = 0; Compteur < 5; Compteur++)
        InfoPont[Compteur]=-1;
}


/*-------------------------------------------------------------*/
/* DESCRIPTION:        DonnerPont()                         */
/*                     Cette fonction retourne le numéro d'un */
/*                     pont fermé.                          */
/*                                                          */
/* PARAMÈTRES:         Compteur(IN): l'indice utilisé dans le */
/*                                tableau InfoPont.         */
/*                                                          */
/* VALEUR DE RETOUR:  Le numéro d'un pont fermé.           */
/*                                                          */
/* REMARQUE:           Aucune.                              */
/*-------------------------------------------------------------*/
int type_informateur::DonnerPont(int Compteur)
{
    return InfoPont[Compteur];
}
```

Fonction `VerifierPont()` de la classe `type_informateur`

```
    Auteur: Yves Boudreault
    Description: FONCTION VerifierPont() de la classe type_informateur


    - 01 Description des identificateurs
    - IDENTIFICATEUR     TYPE         DESCRIPTION
    - Pont (IN)          Tableau      Tableau des douze ponts
    - NbPontFerme        Entier       Nombre de ponts fermés
    - NbPont             Entier       Nombre de ponts dont la fermeture est connue
    - DejaTire           Tableau      Tableau servant à vérifier si un pont de
    -                                 booléens a déjà été tiré au hasard

    - >>> STRUCTURE DES OPÉRATIONS <<<
       Initialiser le tableau DejaTire à faux
       Déterminer le nombre de ponts fermés
    - 02 Déterminer le nombre de ponts dont la fermeture sera connue
    Tirer aléatoirement une valeur comprise entre 1 et 5 et l'affecter à NbPont
              SI NbPont>NbPontFerme
                 NbPont = NbPontFerme
```

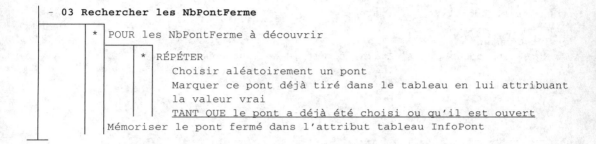

```
    - 03 Rechercher les NbPontFerme
          *  POUR les NbPontFerme à découvrir
               *  RÉPÉTER
                    Choisir aléatoirement un pont
                    Marquer ce pont déjà tiré dans le tableau en lui attribuant
                    la valeur vrai
                    TANT QUE le pont a déjà été choisi ou qu'il est ouvert
             Mémoriser le pont fermé dans l'attribut tableau InfoPont
```

Implantation de la fonction `VerifierPont()` de la classe `type_informateur`

```
/*-------------------------------------------------------------*/
/* DESCRIPTION:        VerifierPont()                          */
/*                     Cette fonction permet à l'informateur   */
/*                     de connaître la fermeture de certains   */
/*                     ponts (un à cinq).                      */
/*                                                             */
/* PARAMÈTRES:         Pont(IN): tableau des douze ponts de    */
/*                          l'île.                             */
/*                                                             */
/* VALEUR DE RETOUR:   Aucune.                                 */
/*                                                             */
/* REMARQUE:           L'information provient de la            */
/*                     vérification du contenu du tableau des  */
/*                     ponts.                                  */
/*-------------------------------------------------------------*/
void type_informateur::VerifierPont(type_pont Pont[])
{
   int Compteur;
   int NoPont, NbPontFerme;
   bool DejaTire[NBPONTS]; // Pour éviter de choisir un pont plus d'une fois

   // Initialiser toutes les entrées du tableau DejaTire à false
   // et compter le nombre de ponts fermés
   for (Compteur = NbPontFerme = 0; Compteur < 12; Compteur++)
   {
      DejaTire[Compteur]=false;
      if (Pont[Compteur].DevoilerEtat()==FERME) // un pont fermé?
         NbPontFerme++;
   }
   // Déterminer le nombre de ponts dont la fermeture sera connue
   NbrePontsConnus = (rand()%5) + 1;
   if (NbrePontsConnus > NbPontFerme)  // Pour éviter de rechercher plus
      NbrePontsConnus = NbPontFerme;   // de ponts fermés qu'il n'y en a.
```

```
    // Rechercher les NbrePontsConnus ponts fermés
    for (Compteur = 0; Compteur < (NbrePonts-1); Compteur++)
    {
        do
            NoPont = rand()%NBPONTS;
        while (DejaTire[NoPont] || Pont[NoPont].DevoilerEtat()==OUVERT);
        InfoPont[Compteur]=NoPont;
        DejaTire[NoPont]=true;
    }
}
```

Nous avons vu précédemment que la classe `type_automobiliste` héritait de la classe `type_conducteur`. La classe `type_camionneur` hérite également de la classe de base `type_conducteur`. La classe `type_camionneur` se distingue par la stratégie servant à sélectionner un pont. Rappelons que le camionneur bénéficie d'information au sujet de la fermeture de certains ponts. Le tableau 12.7 présente l'information propre à la classe `type_camionneur`.

Tableau 12.7   Fonction de la classe `type_camionneur`

Classe `type_camionneur`			
Attribut			
Fonction	Publique	`ChoisirPont()`	Sélectionne un pont pour le camionneur de façon aléatoire

L'exemple 12.10 illustre la déclaration de la classe `type_camionneur`.

Exemple 12.10   Déclaration de la classe `type_camionneur`

```
// Fichier Camionneur.h
#ifndef CAMIONNEUR
#define CAMIONNEUR
#include <cstdlib>      // Pour l'utilisation de rand()
#include "Conducteur.h" // Pour l'utilisation de la classe type_vehicule
#include "Pont.h"       // Pour l'utilisation de la classe type_pont
using namespace std;

class type_camionneur : public type_conducteur
{
    public:
        void ChoisirPont(type_pont[]);
};

#endif
```

L'exemple 12.11 présente la déclaration de la fonction `ChoisirPont()` de la classe `type_camionneur`. Le camionneur choisit un pont parmi ceux au sujet desquels il n'a reçu aucune information. Pour ce faire, il tire aléatoirement une valeur; si cette valeur correspond au numéro d'un pont qui est fermé, il tire alors une nouvelle valeur. Ce processus se poursuit jusqu'à l'obtention d'un numéro de pont dont l'état est inconnu.

Exemple 12.11   Déclaration de la fonction `ChoisirPont()` de la classe `type_camionneur`

Fonction `ChoisirPont` de la classe `type_camionneur`

```
Auteur: Yves Boudreault
Description: FONCTION ChoisirPont() de la classe type_camionneur

- 01 Description des identificateurs
- IDENTIFICATEUR        TYPE              DESCRIPTION
- Pont (IN)             Tableau           Tableau des douze ponts
- Informateur           type_informateur  L'informateur connaissant la
-                                         fermeture de un à cinq ponts
- NbrePonts             Entier            Nombre de ponts dont la
-                                         fermeture sera connue
- PontFerme             Booléen           Vrai si le pont choisi est
-                                         fermé, faux autrement

- >>> STRUCTURE DES OPÉRATIONS <<<
Demander à l'informateur de trouver l'information (Fonction VerifierPont())
Attribuer à NbrePonts le nombre de ponts dont l'informateur connaît la
fermeture
- Choisir un pont dont la fermeture n'est pas connue
 RÉPÉTER
    Choisir un pont aléatoirement
    Initialiser PontFerme à faux
    - 02 Vérifier si l'informateur sait que le pont choisi est fermé
  * TANT QUE l'état de tous les ponts de l'informateur n'a pas été
    vérifié et que la fermeture du pont n'est pas connue
    SI l'informateur sait que le pont choisi est fermé
        Attribuer vrai à PontFerme
  * TANT QUE l'informateur sait que le pont choisi est fermé
Vérifier l'état du pont choisi (Fonction VerifierEtat)
```

Implantation de l'algorithme de la fonction `ChoisirPont()`

```cpp
// Fichier Camionneur.cpp
#include "Camionneur.h"    // Pour l'utilisation de la classe type_camionneur
#include "Informateur.h"   // Pour l'utilisation de la classe type_informateur
#include <cstdlib>         // Pour l'utilisation de rand()
```

```
/*-------------------------------------------------------------*/
/* DESCRIPTION:        ChoisirPont()                           */
/*                     Cette fonction détermine le choix de    */
/*                     pont du camionneur.                     */
/*                                                             */
/* PARAMÈTRES:         Pont(IN): tableau des douze ponts de    */
/*                         l'île.                              */
/*                                                             */
/* VALEUR DE RETOUR:   Aucune.                                 */
/*                                                             */
/* REMARQUE:           Le camionneur bénéficie d'une           */
/*                     information supplémentaire par rapport  */
/*                     à l'automobiliste.                      */
/*-------------------------------------------------------------*/
void type_camionneur::ChoisirPont(type_pont Pont[])
{
    type_informateur Informateur;
    int NbrePonts, NoPont;
    bool PontFerme;

    Informateur.VerifierPont(Pont); // L'informateur s'enquiert de la fermeture
                                    // de certains ponts
    NbrePonts= Informateur.DonnerNbrePonts();// Nombre de ponts dont la
                                             // fermeture est connue

    do      // Choix du pont parmi ceux dont la fermeture probable est inconnue
    {
        Choix = rand()%NBPONTS;
        PontFerme=false;
        for (NoPont = 0; NoPont < NbrePonts && !PontFerme; NoPont++)
            if (Informateur.DonnerPont(NoPont)==Choix)
                PontFerme=true;

    }
    while (PontFerme) ;

    VerifierPont(Pont[Choix].RetournerEtat());
}
```

C'est la fonction principale du programme qui réalise la simulation. Elle consiste en une structure itérative de 100 essais de l'automobiliste et du camionneur. À l'exécution, la fonction détermine et affiche le nombre de ponts ouverts et le nombre de réussites correspondant à l'automobiliste et au camionneur, et ce tous les 20 essais. L'exemple 12.12 présente la fonction principale de la simulation des accès aux ponts de l'île Du-Grand-Cru ainsi que l'affichage résultant d'une exécution du programme.

Exemple 12.12   Simulation des accès aux ponts d'une île par un automobiliste et un camionneur

```cpp
#include <iostream>      // Pour l'utilisation de cout
#include "Automobile.h" // Pour l'utilisation de la classe type_automobiliste
#include "Camionneur.h" // Pour l'utilisation de la classe type_camionneur
#include "Pont.h"        // Pour l'utilisation de la classe type_pont
#include <cstdlib>       // Pour l'utilisation de srand()
#include <ctime>         // Pour l'utilisation de time()
using namespace std;
#define NBESSAIS 100

void main(void)
{
   srand(time(0)); //À placer avant les déclarations puisque le
                   // constructeur type_pont() génère des nombres
                   // aléatoires
   type_pont Pont[NBPONTS];
   type_automobiliste Automobiliste;
   type_camionneur Camionneur;
   int NbEssais, NbPontOuverts=0, NoPont;

   // Vérifier et afficher le nombre de ponts ouverts
   for (NoPont = 0; NoPont < NBPONTS; NoPont++)
      if (Pont[NoPont].DevoilerEtat()==OUVERT)
         NbPontOuvert++;
   cout << "Nombre de ponts ouverts: "<< NbPontOuvert <<endl;

   // Boucle de la simulation des 100 essais
   for (NbEssais = 0; NbEssais < NBESSAIS; NbEssais++)
   {
      Automobiliste.ChoisirPont(Pont);
      Camionneur.ChoisirPont(Pont);
      if ((NbEssais+1)%20==0) // Tous les 20 essais, afficher les stat.
      {
         cout << "Essai no"<< (NbEssais+1)<< endl;
         cout << " Automobiliste ";
         Automobiliste.AfficherStat();
         cout << " Camionneur      ";
         Camionneur.AfficherStat();
         cout<< endl;
      }
   }
}
```

À l'exécution, on obtient:

```
Nombre de ponts ouverts: 6
Essai no 20
 Automobiliste  Nombre d'accès réussis 12
 Camionneur     Nombre d'accès réussis 16

Essai no 40
 Automobiliste  Nombre d'accès réussis 24
 Camionneur     Nombre d'accès réussis 29

Essai no 60
 Automobiliste  Nombre d'accès réussis 35
 Camionneur     Nombre d'accès réussis 38

Essai no 80
 Automobiliste  Nombre d'accès réussis 47
 Camionneur     Nombre d'accès réussis 51

Essai no 100
 Automobiliste  Nombre d'accès réussis 55
 Camionneur     Nombre d'accès réussis 61
```

RÉPONSES AUX QUESTIONS ET SOLUTIONS AUX EXERCICES

CHAPITRE 1

Réponses aux questions

1. Octets, kilo-octets (ko), méga-octets (Mo) ou giga-octets (Go).

2. La mémoire vive, la mémoire morte et la mémoire secondaire que constituent les disques, les disquettes, etc.

3. L'UCT (l'unité centrale de traitement), l'unité d'entrée et de sortie et l'unité de mémoire.

4. a) Le clavier   b) L'écran

5. a) En apposant un collant sur l'encoche de protection.
   b) En plaçant l'obturateur en position fermée dans la fenêtre de protection.

6. a) Pistes   b) Secteurs

7. La structure qui contient un ensemble d'informations de même nature sur un sujet donné.

8. L:NOM.EXT

   où   L: = indicatif du lecteur où se situe le fichier

      NOM = nom du fichier représenté par une suite de lettres, de chiffres et de caractères spéciaux comportant un maximum de huit symboles

      .EXT = extension représentée par le caractère «.» suivi d'au moins un et d'au plus trois symboles (lettres, chiffres ou caractères spéciaux)

9. Le système d'exploitation est un ensemble de programmes permettant l'utilisation des ressources logicielles et matérielles d'un micro-ordinateur.

10. Un logiciel qui contient les outils nécessaires pour développer un programme, depuis sa rédaction jusqu'à son exploitation.

11. Un fichier contenant un programme écrit en langage de programmation, par exemple en langage C.

12. Édition, compilation, liaison et exécution.

13. Oui, en ne sauvegardant pas le fichier modifié.

CHAPITRE 2

Réponses aux questions

1. À l'aide de la barre oblique accompagnée d'un astérisque ou de deux barres obliques; dans ce dernier cas, le commentaire se termine obligatoirement à la fin de la ligne. Ex.:

   ```
           /* Voici un commentaire */
   ou bien   // Voici un autre commentaire
   ```

2. Un mot réservé est un identificateur spécial des langages C et C++. Ex.: `for`, `if`, `else`, `case`, `switch`, `while`.

3. Dans la partie instructions.

4. Le point-virgule sert à séparer les instructions.

5. L'opérateur d'affectation, «=».

6. La partie déclarations.

7. a) Selon le besoin, c'est-à-dire s'il y a des variables à utiliser dans les instructions.

8. a), b), e), f), g), h), i), l), n) et q).

9. À indiquer au compilateur d'inclure un fichier d'en-tête ou un autre qui contient des déclarations utiles pour le fichier en question.

10. `int`, `short`, `long` et `unsigned`.

11. a) `#define ESPACE "`
    b) `#define ZERO 0`
    c) `#define PI 3.141592654`
    d) `#define EPSILON 1E8 // ou EPSILON 0.00000001`
    e) `#define EULER 2.7181828182`

12. a) `const float Taxe_TPS = 0.09;`
    b) `const float Vitesse = 0.0, Acceleration = 0.0;`
    c) `const char Trace[25] = "Trace provenant de =>"; (ou Trace[])`
    d) `const bool Continuer = true; // n'importe quelle valeur !=0`

13. a) `int NbVoitures; // ou unsigned int NbVoitures;`
    b) `float MasseTotale; // ou double MasseTotale;`
    c) `float TempMax; // ou double TempMax;`
    d) `float DistTerreLune; // ou double DistTerreLune;`
    e) `char TypeSang[4];`
    f) `bool BacteriePresente;`

14. a) `int, 2`   d) `int, 1`   g) `float, 13.9`   j) `int, 6`
    b) `int, 1`   e) `int, 13`   h) `int, 1`
    c) `int, 0`   f) `float, 6.6`   i) `int, 1`

15. a), c), d), e), g), h), i), j), k), n), q), r), s) et t).

16. a), b) et c) `false`   d) `true`

17. a) `true`   b) `false`   c) `false`   d) `false` si A==`false`, `true` autrement
    e) `true`

18. La fonction `strlen()`.

19. À l'aide de la fonction `strcat()`.

20. a) ABC
    DEFGHIJKLMNOP

    b) Ma soeur a un beau bateau blanc
    et
    bleu

    c) ****
    * *
    * *
    ****

21. a) chaîne de caractères, `"3 + 4 * 12"`   d) `int, 16`   g) `int, 105`
    b) `int, 25`   e) `int, 7`   (utiliser le numéro ASCII
    c) `int, 11`   f) `int, -9`   des caractères)

22. a) 6   b) 0   c) 3   d) 5

23. `y = log10(x);`

24. `SecX = 1/cos(x);`
    `CosecX = 1/sin(x);`
    `CotX = cos(x)/sin(x); // ou CotX = 1/tan(x);`

25. `ArcSinX = asin(x);`

26. a) `5 + 10*((5.0 - 1)/(4 + 5));`
    b) `5*3 + 2 + (20.0/6)*pow(10.0,2.0);`
    c) `(tan(x) + pow(cos(x),2.0))/(exp(x) - pow(x,7.0));`

27. Une instruction composée débute par l'accolade ouvrante, se poursuit avec plusieurs instructions simples séparées par des points-virgules et se termine par l'accolade fermante.

Solutions aux exercices

1. A vaut 96 et B vaut 96.

2. A vaut 4, B vaut 1, C vaut 7, D vaut 80 et E vaut -10.

3. `Reponse` vaut `true`.

4.
```
const float RayonA = 0.10,  RayonB = 0.20,RayonC = 0.20;
const float OmegaA = 6.0,   OmegaB = 6.0, OmegaC = 12.0;
const float AlphaA = 3.0,   AlphaB = 3.5, AlphaC = 2.0;
```

5. a)
```
#include <cmath>
#define GRAVITATION 6.67E-11

double Masse1, Masse2, Distance, Force;
Force = GRAVITATION*(Masse1*Masse2)/(pow(Distance,2.0));
```

b)
```
#include <cmath>
using namespace std;
#define PI 3.141592654
#define LUMIERE 2.997924E8
#define PLANCK 6.6252E-34
#define BOLTZMANN 5.6687E-8

double Energie, Lambda, Temperature;

Energie = (2*PI*LUMIERE*PLANCK)/
          (pow(Lambda,5.0)*(exp((LUMIERE*PLANCK)/
          (BOLTZMANN*Lambda*Temperature)) - 1));
```

c)
```
#include <cmath>
using namespace std;
#define PI 3.141592654

double Rho, Rayon, Longueur, Resistance;
Resistance = Rho*Longueur/(PI*pow(Rayon,2.0));
```

6. a)
```
Valide = ((Ligne % 2) == 0) ^ ((Colonne % 2) == 0);
```
   b)
```
Valide = ((abs(NouvelleLigne - Ligne) == 2) &&
          (abs(NouvelleColonne - Colonne) == 1)) ||
         ((abs(NouvelleLigne - Ligne) == 1) &&
          (abs(NouvelleColonne - Colonne) == 2));
```

7.
```
#include <iostream>
#include <cmath>
using namespace std;
#define PI 3.141592654
void main(void)
{               // Surface d'un cercle
   double Surface, Rayon;

   cout << "Quel est le rayon? ";
   cin >> Rayon;
   Surface = PI*pow(Rayon,2.0);
   cout << "La surface est" << Surface;
}
```

8.
```cpp
#include <iostream>
#define <cmath>
using namespace std;
#define PI 3.141592654
void main(void)
{      // Volume d'une sphère
    double Volume, Rayon;

    cout << "Quel est le rayon? ";
    cin >> Rayon;
    Volume = (4.0/3)*PI*pow(Rayon,3.0);
    cout << "Le volume est: " << Volume;
}
```

9.
```cpp
#include <iostream>
#include <cmath>
using namespace std;
#define CONST_G 9.81
void main(void)
{        //Temps de chute d'un corps
    double Temps, Hauteur;

    cout << "Quelle est la hauteur? ";
    cin >> Hauteur;
    Temps = sqrt((2*Hauteur)/CONST_G);
    cout << "Le temps de chute est: " << Temps;
}
```

10.
```cpp
#include <iostream>
using namespace std;
void main(void)
{        // Moyenne de 5 nombres
    float N1, N2, N3, N4, N5, Moyenne;

    cout << "Entrer 5 nombres séparés par des èspaces: ";
    cin >> N1 >> N2 >> N3 >> N4 >> N5;
    Moyenne = (N1 + N2 + N3 + N4 + N5)/5.0;
    cout << "La moyenne est: " << Moyenne;
}
```

11.
```cpp
#include <iostream>
using namespace std;
void main(void)
{        // Masse du volume d'eau
    const int GrammesParLitre = 1000;
    float NbLitres, Masse;

    cout << "Quel est le nombre de litres? ";
    cin >> NbLitres;
    Masse = NbLitres*GrammesParLitre;
    cout << "La masse du volume d'eau est: " << Masse;
}
```

12.
```
#include <iostream>
#include <cmath>
using namespace std;
#define NBAVOGADRO   6.02217E23
#define DENSITEOR   19.28
#define MASSEATOMIQUE   196.967
void main(void)
{        // Caractéristiques d'un cube d'or
    double Cote, Masse, NbAtomes, MasseAtome, VolumeMoyen;

    cout << "Entrer la longueur du côté d'un cube d'or ";
    cin >> Cote;
    Masse = DENSITEOR*pow(Cote,3.0);
    NbAtomes = (Masse/MASSEATOMIQUE)*NBAVOGADRO;
    MasseAtome = Masse/NbAtomes;
    VolumeMoyen = pow(Cote,3.0)/NbAtomes;
    cout<< "Masse                   : " << Masse << endl;
    cout<< "Nombre d'atomes         : " << NbAtomes << endl;
    cout<< "Masse d'un atome        : " << MasseAtome << endl;
    cout<< "Volume moyen d'un atome : " << VolumeMoyen;
}
```

13.
```
#include <iostream>
using namespace std;
#define POINTEBUL 100
#define FACTEUR   300
void main(void)
{        // Point d'ébullition de l'eau
    float Altitude, Temp;

    cout << "Quelle est l'altitude? ";
    cin >> Altitude;
    Temp = POINTEBUL - (Altitude/FACTEUR);
    cout << "La température d'ébullition est: " << Temp;
}
```

14.
```
const int NbAppels = 40,
          Duree    = 5,
          NbMinutesDansHeure = 60;

long NbRecep; // Pas de fraction de réceptionniste!
float NbAppelsParRecep;
```

a) `NbRecep = NbAppels*Duree/NbMinutesDansHeure;`

b)
```
NbAppelsParRecep = (float) NbAppels/NbRecep;
     // La conversion de NbAppels en float est nécessaire pour
     // forcer une division réelle
```

15. **Soit les déclarations suivantes:**

```
const int DistanceTotale = 100;
const float Laps = 9.77;

float Vmoy, PosX, temps, Vitesse;
```

a) ```
Vmoy = DistanceTotale/Laps;
```

b) ```
PosX = temps*Vmoy;
```

c) ```
Vitesse = PosX/temps;
```

16. ```cpp
#include <iostream>
using namespace std;
void main(void)
{            // Résistance
    const int R1 = 200,
              R2 = 280,
              R3 = 310;

    float Requiv;

    Requiv = 1/(1.0/R1 + 1.0/R2 + 1.0/R3);
    cout << "La résistance équivalente est: " << Requiv;
}
```

17. ```cpp
#include <cmath>
using namespace std;
```

a) ```
y = a*pow(x,2.0) + b*x + c;
```

b) ```
y = exp(x);
```

c) ```
Lambda = log(x + y);
```

18. ```cpp
#include <iostream>
#include <cstring>
using namespace std;
void main(void)
{   // Nombre de caractères d'une chaîne
    char Chaine[100];

    cout<< "Entrer une chaîne de caractères:" << endl;
    cin >> Chaine;
    cout<< "La longueur de la chaîne est: "
        << strlen(Chaine);
}
```

19. ```cpp
#include <iostream>
#include <cstring>
using namespace std;
void main(void)
{                // Écriture de noms
    const char Celebrite1[] = "Leonardo";
    const char Celebrite2[] = "DaVinci";

    char Nom[100];

    strcpy(Nom, Celebrite1);    // Copier "Leonardo" dans la chaîne Nom
    strcat(Nom, " ");           // Ajouter un espace à la chaîne Nom
    strcat(Nom, Celebrite2);    // Ajouter "DaVinci" à la chaîne Nom
}
```

20.
```cpp
#include <iostream>
#include <cstring>
using namespace std;
void main(void)
{                   // Les 5 derniers caractères en majuscules
    char Chaine[11];

    cout<< "Appuyer sur 10 caractères et ";
    cout<< "appuyer ensuite sur [Enter]: ";
    cin >>Chaine;

    cout << "Voici les 5 derniers caractères";
    cout << toupper(Chaine[5]) << toupper(Chaine[6]);
    cout << toupper(Chaine[7]) << toupper(Chaine[8]);
    cout << toupper(Chaine[9]);
}
```

21.
```cpp
#include <iostream>
using namespace std;
void main(void)
{                   // Nom et prix d'un article
    char  NomArticle[30];
    float Prix;

    cout<< "Article: ";
    cin >>NomArticle;
    cout<< "Prix: ";
    cin >>Prix;
    cout<< "L'article " << NomArticle;
    cout<< " coûte " << Prix << " $.";
}
```

CHAPITRE 3

Réponses aux questions

1. Le programme s'arrête temporairement et attend que l'usager entre au clavier une valeur destinée à la variable suivie de <ENTER>.

2. Puisque les caractères entrés sont temporairement placés dans un tampon, il est facile d'effacer les caractères erronés à l'aide des touches <Backspace> et <Del>.

3. Non, car lorsqu'une quantité réelle est lue, un point est automatiquement placé à la suite du dernier chiffre saisi.

4. Les nombres, les caractères ou les chaînes de caractères.

5. Le tampon aura l'aspect suivant:

4	5		1	3	4	.	9	9	←	↓										

6. a) Rencontre des caractères de fin de ligne, d'un tabulateur ou d'un espace.

   b) Rencontre des caractères de fin de ligne (ou un caractère précisé) ou de fin de fichier, ou bien la lecture du nombre maximal de caractères précisés.

7. a) L'espace et le tabulateur sont exclus de la chaîne.

   b) L'espace et le tabulateur sont lus et insérés dans la chaîne.

8. S'il y a plus de caractères à lire que le nombre spécifié dans la définition de la chaîne, il y a mémorisation de caractères en trop dans des espaces qui ne leur sont pas réservés, ce qui peut causer de graves ennuis.

9. S'il y a moins de caractères à lire que le nombre spécifié dans la définition de la chaîne, il n'y a aucun problème, car les espaces supplémentaires ne sont tout simplement pas utilisés.

10. La variable *Marque* reçoit la valeur *Toyoroc*, alors que *Modele* reçoit la valeur *Rouleroc*.

Le tampon d'entrée aura l'aspect suivant:

| T | o | y | o | r | o | c | ← | ↓ | R | o | u | l | e | r | o | c | ← | ↓ | |

11. On les appelle des caractères étendus. Ils se composent de deux caractères, soit #0 suivi d'un autre caractère. Certaines touches du clavier telles que les flèches, les caractères d'édition et les caractères de fonction sont des caractères dits étendus.

12. a) Le tampon de lecture aura l'aspect suivant:

Carac vaut le caractère 'A'.

   b) Le tampon de lecture aura l'aspect suivant:

La touche <ENTER> inscrit deux caractères dans le tampon de lecture: <←> et <↓>. La fonction get() lit ces deux caractères et mémorise dans la variable Carac le dernier caractère lu, soit <↓>, qui correspond ici au caractère ASCII #10.

13. Les quantités à afficher peuvent être de type int (ou tout autre type d'entier), float (ou tout autre type de réel), char ou chaîne de caractères.

14. À partir de la position courante du curseur.

15. Une spécification insuffisante, par exemple cout << setw(1) << 12;, est ignorée et la valeur est affichée sur le nombre nécessaire de colonnes, sans décalage.

16. Il n'y a aucune différence.

17. Le premier `cout <<` affichera le nombre 100 sur 3 colonnes, alors que le deuxième affichera le nombre 100 précédé de 3 espaces, donc sur 6 colonnes.

18. Pour afficher en notation scientifique:
```
cout << setiosflags(ios::scientific); ou cout.setf(ios::scientific);
cout << QuantiteReelle;
```
Pour afficher en notation usuelle (partie entière séparée de la partie fractionnaire par un point):
```
cout << setiosflags(ios::fixed || ios::showpoint); ou
        cout.setf(ios::fixed || ios::showpoint);
cout << setw(10) << setprecision(2) << QuantiteReelle;
```

19. L'instruction affichera la valeur 2.7 sur 3 colonnes; elle ignorera donc la première spécification. C'est le principe selon lequel toute spécification insuffisante est ignorée afin de préserver l'intégrité de la quantité qui régit ce comportement.

20. `cout << setw(10+strlen(Chaine)) << Chaine;`

21. On conserve l'information dans des fichiers textes sous forme de caractères et on y accède à l'aide des expressions `fichier >>` et `fichier <<`.

22. Les fichiers créés par l'éditeur de programme et par certains traitements de texte, les fichiers contenant des courriels, etc.

23. L'éditeur de programme et certains traitements de texte permettent de créer des fichiers textes.

24. `ifstream Fichier;`
`TypeDesVariables VariablesALire;`

`VariablesALire` représente une ou plusieurs variables dans lesquelles on désire placer l'information lue et `TypeDesVariables` représente le type des variables qu'on veut lire.

25. Une erreur d'exécution est signalée lors de l'ouverture.

26. `ofstream Fichier;`
`TypeDesVariables VariablesAEcrire;`

`VariablesAEcrire` représente une ou plusieurs variables contenant les informations à écrire et `TypeDesVariables` représente le type des variables.

27. Si le fichier n'existe pas déjà, la fonction `fichier.open()` le crée automatiquement. S'il existe, son contenu est effacé.

28. La fonction `fichier.eof()` retourne la valeur vrai lorsque la fin d'un fichier est atteinte.

29. L'opération la plus importante est de fermer le fichier à l'aide de la fonction `fichier.close()`. Si on omet cette opération, on risque de perdre des données et le gestionnaire de fichiers du système d'exploitation ne pourra plus, éventuellement, permettre au programme d'ouvrir des fichiers.

Solutions aux exercices

1. `0.0123`

2. a) 1. `Nom vaut Jean-Charles.`
      2. `Nom vaut 2001.`
      3. `Nom vaut Marc-Aurèle-Fortin-Simard => grave problème, chaîne trop longue.`

   b) 1. `Age vaut 12.`
      2. `Age vaut 12.`
      3. `Erreur: format numérique incorrect.`

   c) 1. `Choix vaut 'S'.`
      2. `Choix vaut 'S'.`
      3. `Choix vaut '8'.`

   d) 1. `Poids vaut 105.0.`
      2. `Poids vaut 10.0.`
      3. `Poids vaut 105.15.`

   e) 1. `Nom vaut Nathalie et Age vaut 25.`
      2. `Nom vaut Jean-Sebastien suivi d'une erreur d'exécution.`
      3. `Nom vaut Marie_Curie et Age vaut 53.`

   f) 1. `Choix vaut '1', Age vaut 23, Poids vaut 50.5 et Nom vaut Bin.`
      2. `Choix vaut 's', Age vaut 12, Poids vaut 45.0 et Nom vaut Alfredo.`
      3. `Choix vaut 'B', Age vaut 231, Poids vaut -4.0 et Nom vaut Oméga.`

3. A

4. D

5. ```
   Lu1 contient J'aime
   Lu2 contient et
   Lu3 contient J'aime•
   Lu4 contient e
   ```

6. b

7. a) `Nombre d'itérations50`   e) `A`
   b) `• • •50`   `•12.34`
   c) `Après 50 itérations, la valeur est_12.3`   f) `(ligne vide)`
   d) `• • • •A`   `Valeur100`
   ```

8.
```cpp
#include <iostream>
using namespace std;
void main(void)
{
    char Mot[5];

    cout << "Entrer un mot de 4 lettres: ";
    cin  >> Mot;
    cout << Mot[3];
    cout << Mot[2];
    cout << Mot[1];
    cout << Mot[0];
}
```

9.
```cpp
#include <iostream>
using namespace std;
void main(void)
{
    char Chaine[6];

    cout << "Entrer une chaîne de 5 caractères: ";
    cin  >> Chaine;
    cout << Chaine[0] <<' ';
    cout << Chaine[1] <<' ';
    cout << Chaine[2] <<' ';
    cout << Chaine[3] <<' ';
    cout << Chaine[4];
}
```

10.
```cpp
#include <iostream>
using namespace std;
void main(void)
{
    int Nombre1, Nombre2;
    clrscr();
    cout << "Entrer 2 nombres entiers positifs séparés par un espace" << endl;
    cout << "le plus petit en premier: ";
    cin >> Nombre1 >> Nombre2;
    cout << endl << "Affiche 1 s'ils sont multiples ou 0 autrement --> ";
    cout << ((Nombre2 % Nombre1) == 0) << endl;
}
```

11.
```cpp
#include <iostream>
#include <iomanip>
#include <fstream>
#include <cstring>
using namespace std;
void main(void)
{
    const float CoutParCaractere = 0.03;
    ifstream Fichier;
    char Ligne1[121], Ligne2[121];
    float CoutTotal;
```

```
      Fichier.open("FICHIER.EXT");
      Fichier.getline(Ligne1,120);
      Fichier.getline(Ligne2,120);
      CoutTotal = (strlen(Ligne1) + strlen(Ligne2))*CoutParCaractere;
      cout << "Le coût de la transmission est: " ;
      cout << setw(6) << setprecision(2) << CoutTotal << " $";
      Fichier.close();
   }
```

12.
```
   #include <iostream>
   #include <iomanip>
   using namespace std;
   void main(void)
   {
      int Entier1, Entier2;

      cout  << "Entrer 2 nombres entiers positifs et inférieurs à 180: ";
      cin >> Entier1 >> Entier2;
      cout  << setw(6) << Entier1;
      cout  << setw(15) << Entier1 <<" | " << Entier2 << endl;
      cout  << 'x' << setw(5) << Entier2;
      cout  << setw(15) <<' ' << " |-----" << endl;
      cout  <<"------" << setw(18) <<' ';
      cout  << Entier1 / Entier2 << "  r " << Entier1 % Entier2 << endl;
      cout  << setw(6) << (Entier1*Entier2) << endl;
   }
```

13.
```
   #include <iostream>
   #include <fstream>
   #include <iomanip>
   using namespace std;
   #define LONG 20
   void main(void)
   {
      const char   NomFichier[LONG] = "NOTE.DAT";
      const float      PonderationQ = 0.25,
                       PonderationF = 0.50;

      char Prenom[LONG], Nom[LONG];
      float Quiz1, Quiz2,
          Final, Moyenne;
      ifstream Entree;
      ofstream Sortie;
      char  NomFichierResultat[LONG];

      cout << "Fichier résultat: ";
      cin >> NomFichierResultat;
      Entree.open(NomFichier);
      Entree >>Prenom >>Nom >>Quiz1 >> Quiz2 >> Final;
      Entree.close();
      Moyenne = (Quiz1 + Quiz2)*PonderationQ + Final*PonderationF;
```

```
        Sortie.open(NomFichierResultat);
        Sortie <<Prenom << ' ' <<Nom;
        Sortie <<setw(4) <<setprecision(1) <<Moyenne;
        Sortie.close();
    }

14. #include <iostream>
    #include <fstream>
    #include <iomanip>
    using namespace std;
    void main(void)
    {
        ifstream Fic_Lire;
        int Numero;
        unsigned char Region;
        float Amende, TotalAmendes;
        TotalAmendes = 0.0;
        Fic_Lire.open("b:\\INFR0001.ENV"); // Pour avoir une ligne oblique inversée
                                           // dans une chaîne, il faut la doubler
        Fic_Lire >>Numero >>Region >>Amende;
        Fic_Lire.close();
        TotalAmendes +=  Amende;
        cout << setiosflags(ios::showpoint | ios::fixed);
        cout <<"Région: " <<setw(4) <<Region;
        cout <<" Amende: " <<setw(12) <<setprecision(2) <<Amende <<" $";
        cout << endl;

        Fic_Lire.open("b:\\INFR0002.ENV");
        Fic_Lire >> Numero >>Region >>Amende;
        Fic_Lire.close();
        TotalAmendes +=  Amende;
        cout <<"Région: " <<setw(4) <<Region;
        cout <<"Amende: " <<setw(12) <<setprecision(2) <<Amende <<" $";
        cout << endl;

        Fic_Lire.open("b:\\INFR0003.ENV");
        Fic_Lire >>Numero >>Region >>Amende;
        Fic_Lire.close();
        TotalAmendes +=  Amende;
        cout <<"Région: " <<setw(4) <<Region;
        cout <<"Amende: " <<setw(12) <<setprecision(2) <<Amende <<" $";
        cout << endl;

        cout <<"--------------------------------------" <<endl;
        cout <<"Total des amendes : ";
        cout <<setw(12) <<setprecision(2) <<TotalAmendes <<" $";
    }
```

15.
```
#include <iostream>
#include <fstream>
#include <iomanip>
#include <cstring>
using namespace std;
void main(void)
{
    const char NomFichier[15] = "b:\\IMPOT.DAT";
    const float Impot = 0.15;

    ifstream Fichier;
    char Nom[31], Prenom[31];
    float Salaire, ImpotAPayer;

    Fichier.open(NomFichier);
    Fichier >>Nom >> Prenom >>Salaire;
    ImpotAPayer = Impot*Salaire;
    cout <<"Employé: " << Nom << ' ' << Prenom
        <<setw(30-strlen(Nom)-strlen(Prenom)) <<' ';
    cout <<"Impôt: " <<setw(10) <<setprecision(2) <<ImpotAPayer <<" $" <<endl;
    Fichier >>Nom >> Prenom >>Salaire;
    ImpotAPayer = Impot*Salaire;
    cout <<"Employé: " <<Nom <<' ' <<Prenom
        <<setw(30-strlen(Nom)-strlen(Prenom)) <<' ';
    cout <<"Impôt: " << setw(10) << setprecision(2) <<ImpotAPayer <<" $" <<endl;
    Fichier >>Nom >> Prenom >>Salaire;
    ImpotAPayer = Impot*Salaire;
    cout <<"Employé: " <<Nom <<' ' <<Prenom
        <<setw(30-strlen(Nom)-strlen(Prenom)) <<' ';
    cout <<"Impôt: " << setw(10) << setprecision(2) <<ImpotAPayer <<" $" <<endl;
    Fichier.close();
}
```

16.
```
#include <iostream>
#include <fstream>
#include <iomanip>
#include <cstring>
using namespace std;
void main(void)
{
    char Verbe[20];
    char VerbeConj[20];

    cout <<"Quel est le verbe à conjuguer? ";
    cin >>Verbe;

    strncpy(VerbeConj,Verbe,strlen(Verbe)-2); // Enlever  les  deux  dernières
                                              // lettres «er» du verbe
    VerbeConj[strlen(Verbe) - 2] = '\0';      // Placer  une  marque  de  fin
                                              // de chaîne (strncpy() ne le
                                              // fait pas)
    strcat(VerbeConj,"e");                    // Ajouter la lettre «e» au verbe
                                              // à la 1^{re} personne
```

```
        cout <<"Je " <<VerbeConj <<endl;                 // Afficher le pronom et le verbe

        strncpy(VerbeConj,Verbe,strlen(Verbe)-2);
        VerbeConj[strlen(Verbe) - 2] = '\0';
        strcat(VerbeConj,"es");                          // Ajouter les lettres «es» au verbe
                                                         // à la 2e personne

        cout <<"Tu " <<VerbeConj << endl;

        strncpy(VerbeConj,Verbe,strlen(Verbe)-2);
        VerbeConj[strlen(Verbe) - 2] = '\0';
        strcat(VerbeConj,"e");                           // Ajouter la lettre «e» au verbe
                                                         // à la 3e personne

        cout <<"Il/Elle " <<VerbeConj <<endl;

        strncpy(VerbeConj,Verbe,strlen(Verbe)-2);
        VerbeConj[strlen(Verbe) - 2] = '\0';
        strcat(VerbeConj,"ons");                         // Ajouter les lettres «ons» à
                                                         // la 1re personne du pluriel

        cout <<"Nous " <<VerbeConj <<endl;

        strncpy(VerbeConj,Verbe,strlen(Verbe)-2);
        VerbeConj[strlen(Verbe) - 2] = '\0';
        strcat(VerbeConj,"ez");                          // Ajouter les lettres «ez» à la
                                                         // 2e personne du pluriel

        cout <<"Vous " <<VerbeConj <<endl;

        strncpy(VerbeConj,Verbe,strlen(Verbe)-2);
        VerbeConj[strlen(Verbe) - 2] = '\0';
        strcat(VerbeConj,"ent");                         // Ajouter les lettres «ent» à
                                                         // la 3e personne du pluriel

        cout <<"Ils/Elles " <<VerbeConj <<endl;
    }

20. #include <iostream>
    #include <fstream>
    using namespace std;
    void main (void)
    {
        ofstream Fichier;
        char Mot[8];
        Fichier.open("Secret.Cle");
        cout << "Quel est le mot à crypter? ";
        cin >> Mot;
        Mot[0] += 26;   Mot[1] += 26;
        Mot[2] += 26;   Mot[3] += 26;
        Mot[4] += 26;   Mot[5] += 26;
        Mot[6] += 26;

        Fichier << Mot;
        Fichier.close();
        cout << Mot;
    }
```

CHAPITRE 4

Réponses aux questions

1. Les instructions d'un programme qui permettent de choisir le traitement selon la situation.

2. Les instructions qui permettent la répétition d'un même traitement.

3. Oui, on doit obligatoirement la mettre entre parenthèses.

4. Dans `cin >> Age >> nombre;`, remplacer `nombre` par `Nombre`.

   Remplacer `if (Age = Nombre)` par `if (Age==Nombre)`.

   Dans la dernière instruction `cout`, remplacer «`>>`» par «`<<`».

5. Lorsqu'on doit choisir d'exécuter une instruction ou un bloc d'instructions parmi plusieurs en fonction de la valeur d'une variable ou d'une expression.

6. Les types entiers, `char` ou énumération.

7. Afin de lui associer tout autre cas qu'on aurait pu oublier.

8. Non, étant donné que la sélection doit se faire sur un ensemble dénombrable de valeurs du type de l'expression.

9. Il permet de décrire le jeu de valeurs possibles d'une variable au moyen d'une liste d'identificateurs explicites et évocateurs.

10. Le compilateur attribue une valeur scalaire ordinale: le premier de la liste reçoit par défaut la valeur 0, le deuxième, la valeur 1, etc. Cependant, des valeurs peuvent être explicitement affectées lors de la déclaration de l'énumération.

11. `= =`, `!=`, `>`, `<`, `>=` et `<=`.

12. On doit définir un tableau de chaînes de caractères, de même dimension que le nombre d'éléments compris dans la liste d'énumération, puis initialiser les chaînes à l'aide d'un texte qui décrit chaque identificateur de la liste. Pour lire une valeur énumérée, on demande à l'usager d'écrire l'équivalent textuel de la valeur et on cherche l'indice de l'élément correspondant dans le tableau.

13. On doit inscrire dans le corps de la boucle une instruction qui modifie le test du `while` afin de s'assurer que l'expression de type booléen devient fausse à un moment donné au cours de l'exécution.

14. L'affichage sera `Bonjour`. Il n'entre pas dans la boucle `while` puisque `!Livre` est faux au départ.

15. Contrairement à l'instruction `while`, la boucle `do-while` exécute les instructions au moins une fois même si l'expression est fausse dès le départ, car le test est placé à la fin.

16. L'instruction `for` permet d'exécuter un nombre prédéterminé de répétitions.

17.
```
for (Age= 77;Age<=7;Age--)
cout << Age << endl;
```

18. a) Faux

    b) Faux

    c) Vrai

19. Parce que les entrées d'un tableau possèdent une valeur quelconque au départ.

20. La valeur de l'élément du tableau sera prise dans une portion de la mémoire attribuée à d'autres fins, ce qui peut entraîner des conséquences imprévisibles.

Solutions aux exercices

1. a)
```
if (X > I)
    Resultat = X - I;
else
    Resultat = X + I;
```

   b)
```
while (I > 0)
   {
   if (I%2 != 0)
    cout << I << endl;
   I--;
   }
```

   c)
```
for (Resultat=1, I=1; I<=5; I++)
    Resultat *= X;
```

   d)
```
do
   {
   cout <<"I= ";
   cin >> I;
   }
while (I > 0);
```

2. a) Chaîne de caractères   b) Caractère   c) Entier   d) Entier

3. c) 25

4. Entrer un nombre: <u>2</u> (Aucun affichage ensuite)

5. 111

6. d)

7. 5
   10
   0

8. 1 1
   2 1 2
   3 2 1 3

9. b)

10. a) 4   b) 0   c) 5   d) 10

11. c)

12. ```
être:
e nez
terre
chang
Le ne
```

13. a) `float Superficie_Lot[Nb_Etage][Lots_Max_Par_Etage];`

    b) `Superficie_Lot[3][2] = 200;`

    c)
```
int Lot, Etage, bool Trouver;

Lot = 0;
Etage = 0;
Trouver = false;
while ((Etage < Nb_Etage) && !Trouver)
{
    if (Superficie_Lot[Etage][Lot] >= 60 &&
        Superficie_Lot[Etage][Lot] <= 100)
    Trouver = true;
    else
    {
        Lot++;
        if (Lot >= Lots_Max_Par_Etage)
        {
            Lot = 1;
            Etage ++;
        }
    }
}   // du while()
if (Trouver)
{
    cout << "Local trouvé à l'étage "<< Etage+1;
    cout << "le lot "<< Lot+1;
}
else
    cout << "Il n'y a pas de local répondant à votre demande";
```

14. a) `iii`       b) `ii`

    c) ```
000
110
222
```       d) `Enfin...`

**15.**
```
type_etage Etage;
int Local;

Nb_Total = 0;
for (Etage=Etage2; Etage<=Etage4; int(Etage)++)
    for (Local=0; Local<=59; Local++)
        Nb_Total += Nb_Places[A][Etage][Local];
```

17.
```cpp
#include <iostream>       // Pour l'utilisation de cin et cout
#include <cmath>          // Pour l'utilisation de pow(), sqrt() et abs()
using namespace std;
void main(void)
{   //Calcul de la norme
    float  VecteurX[100];
    int Indice;
    float Norme,
        NormeInf;
    unsigned char Dimension;  // ou int Dimension

    cout <<"Quelle est la dimension du vecteur? (entre 0 et 100) ";
    cin >> Dimension;
    Dimension -='0';
    for (Indice=0; Indice<Dimension; Indice++)
    {
      cout <<"VecteurX[" <<Indice <<"] = ";
      cin >> VecteurX[Indice];
    }

    /* Instructions pour le calcul des 2 normes */

    Norme = 0;
    for (Indice=0; Indice<Dimension; Indice++)
      Norme +=  pow(VecteurX[Indice],2.0);
    Norme = sqrt(Norme);
    cout << endl << "Norme = " << Norme << endl;

    NormeInf = abs(VecteurX[0]);
    for (Indice=1; Indice<Dimension; Indice++)
      if (abs(VecteurX[Indice]) > NormeInf)
        NormeInf = abs(VecteurX[Indice]);
    cout << "Norme Inf. = " << NormeInf;
}
```

18.
```cpp
#include <iostream>
#include <cmath>
using namespace std;

#define EPSILON 10E-3
void main()
{
    double X[100], Y[100];
    double Xc, Yc;
    bool Converge = true;
    int i;
```

```
   cout << "Préciser le point constant (Xc,Yc) ";
   cin >> Xc   >> Yc;

   cout << "Préciser le point initial de la suite (X0,Y0)";
   cin >> X[0] >> Y[0];

   // Détermination des points de la suite et de sa convergence
   for (i=0; i<100 && Converge; i++)
   {
      X[i+1] = pow(X[i],2) - pow(Y[i],2) + Xc;
      Y[i+1] = 2 * X[i] * Y[i] + Yc;
      Converge = bool(sqrt(pow(X[i+1]-X[i],2) + pow(Y[i+1]-Y[i],2)) <= EPSILON);
   }

   cout << endl << endl;
   if (Converge)
      cout << "La suite est convergente";
   else
      cout << "La suite est divergente, le test n'est pas satisfait"
           << " au " << i << " e point";
}
```

19.
```
#include <iostream>
using namespace std;
void main(void)
{
   int N,u;

   cout << "Entrez la valeur de u0 ";
   do
      cin >> u;
   while ( u<=0 );

   N=0;

   do
   {
      if (u % 2 == 0)
         u /= 2
      else
         u = 3*u +1;
      N++;
      cout << 'U' <<N << " = " <<u << endl;
   }
   while (u!=1);

   cout << N << " Termes nécessaires pour arriver au cycle";
}
```

21.
```
#include <iostream>     // Pour l'utilisation de cin et cout
#include <iomanip>      // Pour l'utilisation de setiosflag(), setw() et setprecision()
#include <cstdlib>      // Pour l'utilisation de srand() et rand()
```

```cpp
#include <ctime>        // Pour l'utilisation de time()
using namespace std;
void main(void)
{    //Fiabilité d'une chaîne d'embouteillage
    float Moyenne, Volume;
    int Nb_Bouteilles;

    srand(time(0));      // Utilise comme germe, l'heure courante en secondes
    Moyenne = 0;
    for (Nb_Bouteilles=1; Nb_Bouteilles<=100; Nb_Bouteilles++)
       Moyenne += (750 + (rand()%2) - 1.3);  // Volume de la nouvelle bouteille
                                             // Variation de -1.3 à 0.3
    Moyenne/=100;
    cout << setiosflags(ios::fixed|ios::showpoint);
    if ((Moyenne >= 749.22) && (Moyenne <= 750.78))
    {
       cout << "La moyenne est" << setw(7) << setprecision(2) << Moyenne;
       cout << " tout va bien!" << endl;
    }
    else
    {
       cout << "La moyenne est" << setw(7) << setprecision(2) << Moyenne;
       cout << " il y a un problème";
    }
}
```

22.
```cpp
#include <iostream>
#include <cstring>
#include <cstdlib>
using namespace std;
void main()
{
    char Entier[20];
    int Pos;

    srand(0);
    cout <<"Entrer un nombre entier: ";
    cin >> Entier;
    for(Pos=0;Pos<strlen(Entier);Pos++)
    switch(Entier[Pos])
    {
       case '0': cout << "—"; break;
       case '1': cout << ".—"; break;
       case '2': cout << "..—"; break;
       case '3': cout << "...—"; break;
       case '4': cout << "....-"; break;
       case '5': cout << "....."; break;
       case '6': cout << "-...."; break;
       case '7': cout << "—..."; break;
       case '8': cout << "—.."; break;
       case '9': cout << "—."; break;
    }
}
```

25.
```cpp
#include <iostream>        // Pour l'utilisation de cin et cout
using namespace std;
void main(void)
{     // Lecture d'un texte entré au clavier

    char Car1, Car2;
    int Nb_Couples=0,
        Longueur_Texte=0;

    cout << "Écrire le texte caractère par caractère et le terminer par *" << endl;
    cin.get(Car1);
    do
    {
        Longueur_Texte ++;
        cin.get(Car2);
        if (Car1 == Car2)
          Nb_Couples++;
        Car1 = Car2;
    }
    while (Car2 != '*');

    cout << "La longueur du texte est de " << Longueur_Texte <<" caractères" << endl;
    cout << "Le nombre de couples de lettres consécutives identiques est "
         << Nb_Couples;
}
```

26.
```cpp
#include <iostream>        // Pour l'utilisation de cin et cout
#include <cctype>          // Pour l'utilisation de toupper() et isalpha()
using namespace std;
void main(void)
{
    char Voyelle[6] ={'A','E','I','O','U','Y'};
    char Consonne[20]   ={'B','C','D','F','G','H','J','K','L','M',
                          'N','P','Q','R','S','T','V','W','X','Z'};
    int Indice;
    bool EstVoyelle, EstConsonne;
    char CarLu;

    do
    {
        EstVoyelle = false;
        EstConsonne = false;
        cout << "Entrer un caractère: ";
        CarLu = toupper(cin.get());  // Lecture et conversion en majuscule
        for (Indice=0;Indice<6 && !EstVoyelle;Indice++)
            if (Voyelle[Indice]==CarLu)
                EstVoyelle = true;
        if (!EstVoyelle)
            for (Indice=0; Indice<20; Indice++)
                if (Consonne[Indice] == CarLu)
                    EstConsonne = true;
```

```
          if (EstVoyelle)
             cout << " est une voyelle" << endl;
          else
             if (EstConsonne)
                cout << " est une consonne" << endl;
             else
                cout << " n'est pas une voyelle ni une consonne, TERMINÉ! ";

       }
    while (isalpha(CarLu));
 }
```

32.
```
#include <iostream>      // Pour l'utilisation de cin et cout
using namespace std;
void main(void)
{    // La multiplication égyptienne;
    int A, B, X, Y;
    int Produit;

    cout <<"Donner deux entiers => ";
    cin >>A >>B;

    Produit = 0;
    X = A;
    Y = B;

    while (Y > 0)
    {
      if (Y%2 != 0)
      {
         Produit += X;
         Y --;
      }
      else
      {
         X = 2*X;
         Y = Y / 2;
      }
    }
    cout <<"Le produit de " <<A <<" et " <<B <<" est " <<Produit;
}
```

34.
```
#include <iostream>
#include <fstream>
using namespace std;
void main()
{
    int Graphe[50][50];
    int Depart, Arrivee;
    int NbStations=0;
    ifstream FicGraphe;
    // Initialisation du tableau Graphe
```

```
      for (Depart=0;Depart<50;Depart++)
        for (Arrivee=0;Arrivee<50;Arrivee++)
            Graphe[Depart][Arrivee]=0;

      // Lecture du fichier et remplissage du graphe
      FicGraphe.open(«Graphe.txt»);
      if (!FicGraphe.fail())
      {
        //Lecture initiale
        FicGraphe >> Depart;
        while (!FicGraphe.eof())
        {
            FicGraphe >> Arrivee;
            // Enregistre l'arc dans le graphe
            Graphe[Depart-1][Arrivee-1]=1;
            // Vérifie le nombre de stations
            if (Depart>NbStations)
              NbStations = Depart;
            if (Arrivee>NbStations)
              NbStations = Arrivee;
            // Lecture d'une nouvelle ligne
            FicGraphe >> Depart;
        }
        cout << " Le nombre de stations est " << NbStations;
      }
      else
        cout << " Problème d'ouverture du fichier";
    }
```

35.
```
    #include <iostream>
    #include <cstring>
    using namespace std;
    void main(void)
    {
      int Nb_Paquet,    // Nombre de paquets de six (6)
          p, l;
      char Chaine[200]; // La chaîne à encrypter
      char Lettre;       // Lettre tampon pour la permutation
      int Index;        // Position d'un caractère dans la chaîne

      cout << "Inscrire une chaîne de caractères : ";
      cin.getline(Chaine,200);

      // Déterminer le nombre de paquets de 6
      Nb_Paquet = strlen(Chaine) / 6;

      // Pour chaque paquet permuter les lettres
      for ( p=0; p < Nb_Paquet; p++)
      {
        Index = p * 6;   // Calcul de la position selon le paquet
        // Permutation des caractères du paquet
```

```
        for ( l=0; l < 3; l++)
        {
            Lettre = Chaine[Index+l];
            Chaine[Index+l] = Chaine[Index+5 -l];
            Chaine[Index+5 -l] = Lettre;
        }
    }

    // Remplacer chaque caractère par celui situé deux
    // positions après
    for ( p=0; p < strlen(Chaine); p++)
        Chaine[p] = Chaine[p] + 2;

    cout << Chaine << endl;
}
```

37.
```
#include <iostream>
#include <fstream>
#include <cstring>
using namespace std;
void main()
{
    ifstream FicOriginal;
    ofstream FicCopie;
    char NomFichier[50], Ligne[150];

    cout << "Fichier à traiter: ";
    //Lecture du nom du fichier à traiter
    cin.getline(NomFichier,50);
    //Ouverture du fichier original
    FicOriginal.open(NomFichier);
    if (!FicOriginal.fail())
    {
        //Ouverture du fichier à créer nommé Filtre.txt
        FicCopie.open("filtre.txt");
        //Lecture initiale du fichier
        //Lecture d'une première ligne dans le fichier original
        FicOriginal.getline(Ligne,150);
        while (!FicOriginal.eof())
        {
            //Détection du début d'un script
            if (strcmp(Ligne,»<%») ==0)
            {
                //Lecture d'une autre ligne dans le fichier
                FicOriginal.getline(Ligne,150);
                //Boucle de lecture du script jusqu'à la rencontre
                //de la balise "%>"
                while (strcmp(Ligne,"%>")!=0)
                    FicOriginal.getline(Ligne,150);
            }
```

```
            // S'il ne s'agit pas d'un script, la ligne est copiée
            else
               //Écriture de la ligne dans le fichier copie
               FicCopie << Ligne <<endl;
            //Lecture d'une autre ligne dans le fichier
            FicOriginal.getline(Ligne,150);
         }
         //Fermeture des deux fichiers
         FicOriginal.close();
         FicCopie.close();
      }
      else
         cout << "Problème d'ouverture du fichier original";
}
```

CHAPITRE 5

Réponses aux questions

1. Il indique combien d'espace mémoire est nécessaire pour stocker le contenu de la variable ainsi que la manière dont il doit la traiter.

2. Simple, construit et pointeur.

3. Les propriétés des types simples sont déterminées par le langage informatique et, dans une certaine mesure, par le compilateur et échappent donc au contrôle du programmeur. À l'opposé, les propriétés des types construits sont entièrement définies par ce dernier.

4. Un choix judicieux de structure de données, conçue à partir des types offerts par le langage, facilitera grandement l'écriture des instructions du programme.

5. Faux.

6. Les erreurs sont:
    ```
    Pomme  Pomme_Rouge; // Pomme n'est pas un type
    Date   1993;        // 1993 ne peut pas être un identificateur
    ```

7. Commencer le nom d'un identificateur de type par `type_nom`.

8. Ce procédé permet d'assurer la compatibilité entre les variables de type non prédéfini. La déclaration d'un type est essentielle quand on utilise ce dernier comme paramètre d'un sous-programme.

9. Un sous-programme est un groupe d'instructions reliées à des tâches très spécifiques qu'il réalise chaque fois qu'il est appelé en cours d'exécution. Ex.: le sous-programme `pow()`.

10. Cela permet de réduire la complexité des programmes. Ainsi, les sous-programmes peuvent être testés et mis au point indépendamment les uns des autres, en plus d'être modulaires et faciles à modifier.

11. Oui.

12. En écrivant son identificateur dans une instruction.

13. Ils représentent les valeurs qui seront transmises à la fonction pour être traitées au moment de l'exécution.

14. Les résultats doivent avoir une valeur unique, soit entière ou réelle, ou bien ils peuvent être une variable de type caractère ou pointeur.

15. Oui.

16. L'argument est la variable utilisée dans l'appel d'un sous-programme. Il correspond au paramètre dans la déclaration du sous-programme.

17. Faux.

18. On utilise la transmission par valeur pour donner de l'information au sous-programme et la transmission par adresse pour obtenir de l'information du sous-programme.

    Transmission par valeur: la valeur de l'argument est transmise au paramètre; si le paramètre change de valeur, alors l'argument demeure intact.

    Transmission par adresse: la valeur et l'adresse de l'argument sont transmises au paramètre; si le paramètre change de valeur, alors l'argument change également.

19. 1. Il doit y avoir correspondance entre le nombre et le type des arguments dans le sous-programme appelant de même qu'entre le nombre et le type des paramètres dans le sous-programme appelé.

    2. L'argument dans un appel doit absolument être une variable si le paramètre correspondant est transmis par adresse. L'argument ne peut pas être une constante ou une expression.

    3. Si le paramètre est transmis par valeur, l'argument dans l'appel peut être une variable, une constante ou une expression.

20. On transmet un paramètre par valeur s'il correspond à une information que le sous-programme reçoit et par adresse s'il correspond à une information que le sous-programme doit retransmettre.

21. Lors de la transmission par valeur, les arguments et les paramètres associés utilisent des zones mémoires distinctes. Par contre, lors de la transmission par adresse, les arguments et les paramètres associés utilisent la même zone mémoire.

22. 1. Un sous-programme peut accéder à tous les identificateurs de sa propre partie déclarations.

    2. Un sous-programme peut accéder à tous les identificateurs déjà déclarés avant lui (sauf ceux à l'intérieur d'un sous-programme) et à ceux des fichiers d'en-tête inclus dans le programme (`#include <*.h>`).

    3. Un sous-programme ne peut pas accéder aux identificateurs déclarés dans les autres sous-programmes.

4. Si des identificateurs locaux dans un sous-programme portent le même nom que des identificateurs d'une variable globale, la règle 1 prime sur la règle 2.

23. On appelle variables globales les variables qui sont déclarées dans la partie déclarations précédant toutes les déclarations des fonctions et que tout le programme reconnaît. On peut les utiliser pour manipuler une information commune à plusieurs fonctions.

24. Premièrement, il est plus facile de comprendre le flot d'information entrant et sortant du sous-programme lorsqu'on utilise des paramètres. Deuxièmement, on évite ainsi qu'une instruction erronée d'un sous-programme modifie une variable globale et entraîne des effets secondaires très difficiles à déceler.

25. La récursivité est la propriété que possède une fonction de s'appeler elle-même en utilisant simplement et efficacement une structure interne, soit la pile. La récursivité est intimement liée à la formulation mathématique dite par récurrence.

Solutions aux exercices

1. 4 `(Un();  Deux();  Un();  Deux();)`

   L'affichage sera:
   ```
   Bonjour
   Allô
   Bonjour
   Allô
   ```

2. Il y a une erreur: `Message` est une variable locale de la fonction `Un()`.

3. Aucune erreur.

4. 4

5. 0

6. 0 4

7. 4 0

8. 4 0

9. d)

10. a) Valide, il s'agit d'une conversion explicite mais dangereuse du résultat de la fonction `H()` en type `int`.
    b) Valide.
    c) Valide, mais en général on doit recevoir la valeur retournée par la fonction `H()`.
    d) Valide.
    e) Valide.
    f) Invalide, il manque un argument à la fonction `H()`.

g) Invalide, la fonction `Estimer()` est sans type et ne retourne aucune valeur.

h) Valide.

i) Invalide, on ne doit pas transmettre une constante `Max` à un paramètre par adresse `B`.

j) Valide.

11. `10.00_   3.00_   3.33_`

12. a) `3`

    b) `X:6 I:3 J:5 Y:3`

    c) `X:6 I:9 J:5 Y:3`

    d) `X:6 I:0 J:5 Y:5`

    e) `X:6 I:3 J:5 Y:0`; il s'agit d'un appel à un paramètre par adresse au moyen d'une constante et la majorité des compilateurs ne l'accepte pas.

    f) `X:6 Y:3 I:5 J:3`

13.
```
!uomauoma
r
9
2
```

14.
```
i= 1   F   2   2
i= 2   X   3   1
i= 3   N   2   2
```

16.
```
float Module(float Vecteur[], int Dimension)
{   // Exige l'inclusion du fichier <math.h>
    int Indice;
    float Norme;
    Norme = 0;
    for (Indice=0; Indice<Dimension; Indice++)
       Norme += pow(Vecteur[Indice],2.0);
    return (sqrt(Norme));
}
```

17.
```
double CalculerCout2(char Pays[], double Duree)
{
    enum type_pays {Canada,Chine,Etats_Unis,Finlande,France};
    char Nom[France+1][12]={"Canada","Chine","États-Unis",
                            "Finlande","France"};
    double CoutMin[France+1] = {0.27,0.32,0.65,0.57,0.82};
    type_pays UnPays;
    double Cout=0;

    for (UnPays=Canada;UnPays<=France; int(UnPays)++)
        if (strcmp(Pays, Nom[UnPays])==0)
            Cout = CoutMin[UnPays]*Duree;
    return (Cout);
}
```

19.
```
typedef int Matrice[50][50];

void Multiplier(Matrice A, Matrice B, Matrice C, int Dimension)
{
    int Ligne, Colonne, K;

    for (Ligne=0; Ligne<Dimension; Ligne++)
        for (Colonne=0; Colonne<Dimension; Colonne++)
        {
            C[Ligne][Colonne] = 0;
            for (K=0; K<Dimension; K++)
                C[Ligne][Colonne] +=  A[Ligne][K] * B[K][Colonne];
        }
}
```

20.
```
bool EstCol(int Mat[][MAX_DIM], int NbLignes, int NbColonnes,
                                int Ligne, int Colonne)
{
    bool MaxSurLigne = true;
    bool MinSurColonne = true;
    int i, j;

    // Détermine s'il est un max sur sa ligne
    for (j=0; MaxSurLigne && j<NbColonnes; j++)
    if (Mat[Ligne][j]> Mat[Ligne][Colonne])
        MaxSurLigne = false;

    // Détermine s'il est un min sur sa colonne
    for (i=0; MinSurColonne && i<NbLignes; i++)
      if (Mat[i][Colonne]< Mat[Ligne][Colonne])
        MinSurColonne= false;

    return (bool(MaxLigne && MinColonne));
}
```

21.
```
#include <cstring>        // Pour l'utilisation de strlen()
bool Anagramme(char Mot1[], char Mot2[])
{
    int I, J,
      Longueur;
    bool Trouver;

    if ((strlen(Mot1) == strlen(Mot2)) && (strcmp(Mot1,Mot2)!=0))
    {
      Longueur = strlen(Mot1);
      I = 0;
      do
      {
        J=0;
        Trouver = false;
```

```
            while (!Trouver &&  J< Longueur) // Chercher le caractère courant de
            {                                // Mot1 dans Mot2
              if (Mot1[I] == Mot2[J])
              {
              Trouver = true;                // Si le programme trouve le
                                             // caractère, il le remplace par
              Mot2[J] = ' ';                 // un espace pour qu'il ne soit pas
              }                              // pris une deuxième fois dans Mot2.
              else
              J++;
            }  // While
            I++;
          }  // do
          while (Trouver && I<Longueur);     // Si un caractère de Mot1 est absent
          return Trouver;                    // de Mot2, le programme s'interrompt
          }   // if (strlen())              // tout de suite, car il ne s'agit
                                             // pas d'anagrammes. S'il y a une
                                             // correspondance complète des
                                             // lettres, ce sont des anagrammes.

      else
          return false;                      // Les deux mots ne sont pas de la
    }                                        // même longueur, ils ne sont donc
                                             // pas des anagrammes.
```

22. ```
    char TrouverGagnant(char Jeu[3][3])
    {
        int Ligne, Colonne;
        char Gagnant;
        bool Trouver, DonnerVerdict;

        Trouver = false;
        DonnerVerdict = false;
        Gagnant = 'N';

        Ligne = 0;    // Vérifier s'il y a un gagnant sur une ligne
        while (!Trouver && Ligne<3)
        {
          Trouver = Jeu[Ligne][0] != ' ' ? true : false;
          for (Colonne=1;Colonne<3;Colonne++)
              if (Jeu[Ligne][Colonne]!=Jeu[Ligne][0]) Trouver=false;
          Ligne++;
        }
        if (Trouver)
        {
          Gagnant = Jeu[Ligne-1][0];
          DonnerVerdict = true;
        }

        Colonne = 0; // Vérifier s'il y a un gagnant sur une colonne
```
```

```
   while (!Trouver && Colonne<3)
   {
      Trouver = Jeu[0][Colonne] != ' ' ? true : false;
      for (Ligne=1; Ligne<3; Ligne++)
          if (Jeu[Ligne][Colonne]!=Jeu[0][Colonne]) Trouver = false;
      Colonne++;
   }
   if (Trouver && !DonnerVerdict)
      Gagnant = Jeu[0][Colonne-1];

   if (!Trouver)    // Vérifier s'il y a un gagnant sur la diagonale
   {
      Trouver = Jeu[0][0] != ' ' ? true : false;
      for (Ligne=1; Ligne<3; Ligne++)
      if   (Jeu[Ligne][Ligne]!=Jeu[0][0])
          Trouver = false;
      if   (Trouver)
          Gagnant = Jeu[0][0];
   }
   if (!Trouver) // Vérifier s'il y a un gagnant sur l'autre diagonale
   {
      Trouver = Jeu[0][2] != ' ' ? true : false;
      for (Ligne=1; Ligne<3; Ligne++)
          if (Jeu[Ligne][2-Ligne]!=Jeu[0][2]) Trouver = false;
      if (Trouver)
          Gagnant = Jeu[0][2];
   }
   return Gagnant;
}
```

23.
```
double DeterminerGrandMontant(double DollarUSA, double Taux_USA, double FF,
                              double Taux_FF, double Yen,double Taux_Yen)
{
    double  USA_Can, FF_Can, Yen_Can;

    USA_Can = DollarUSA*Taux_USA;
    FF_Can =   FF*Taux_FF;
    Yen_Can = Yen*Taux_Yen;

    if (USA_Can > FF_Can)
       if (USA_Can > Yen_Can)
          return USA_Can;
       else
          return Yen_Can;
    else
       if (FF_Can > Yen_Can)
          return FF_Can;
       else
          return Yen_Can;
}
```

24.
```
float Calculer_Cp(float Theta, float Vitesse, int Temperature,float &Mach)
{
    const float Gamma=1.4, R=256;
    float Cp=0;
    Mach = Vitesse / sqrt(Gamma*R*Temperature);
    if (Mach>1)
        Cp = (2*Theta) / (sqrt(Mach*Mach-1));
    return Cp;
}
```

25.
```
void Oter_Les_Redondances(int UnTableau[], int& Nb)
{
    int Indice,                    // Pour le parcours du tableau
        Unique;// Le nombre de valeurs uniques dans le tableau

    Unique = 0;
    for (Indice=1; Indice<Nb; Indice++)
        if (UnTableau[Indice] != UnTableau[Unique])
        {
            UnTableau[Unique] = UnTableau[Indice];
            Unique++;
        }
    Nb = Unique;
}
```

26.
```
typedef int type_tableau[500];

void Inserer(type_tableau Tab, int Nouveau)
{
    int Index, Ref;
    bool Trouver;

    Index = 0;
    Trouver = false;
    while ((Index < 500) && !Trouver)   // Rechercher la position d'insertion
    {
        if (Tab[Index] > Nouveau)
        {
            Ref = Index;
            Trouver = true;
        }
        Index++;
    }
    if (Trouver)
    {
        for (Index=498; Index<=Ref; Index--) // Décaler les valeurs d'une
            Tab[Index+1] = Tab[Index];       // position plus élevée dans le
        Tab[Ref] = Nouveau;                  // tableau à partir de la fin
                                             // jusqu'à la position d'insertion

    }
}
```

28.
```cpp
#define N 20

bool PlusGrand(int Un[], int Deux[], int Base)
{
    unsigned long NbUn, NbDeux;
    int i;
    NbUn = NbDeux = 0;
    for (i=0;i<N;i++)
    {
        NbUn+= pow(Base,i)*Un[N-i-1];
        NbDeux += pow(Base,i)*Deux[N-i-1];
    }
    if (NbUn > NbDeux)  // ou return (bool(NbUn > NbDeux))
        return true;
    else
        return false;
}
```

29.
```cpp
void Determiner(int Nb_Echos, unsigned float Echo[], int& Nb_Amis,
                int& Nb_Ennemis, int& Nb_Ufos)
{
    Nb_Amis = Nb_Ennemis = Nb_Ufos = 0;
    for (int No=0; No < Nb_Echos;No++)
        if ((Echo[No] >=1) && (Echo[No] <=100))
            Nb_Amis++;
        else
            if ((Echo[No] >100) && (Echo[No]<=200))
                Nb_Ennemis++;
            else
                Nb_Ufo++;
}
```

32.
```cpp
void  Choisir_Mot(char Mot[50])
{
    char Nom_Fichier[50];
    char Categorie[8];
    int I, Ligne_Mot;
    ifstream Fichier;

    srand(time(0));
    cout << "Quelle est la catégorie désirée? ";
    cin >> Categorie;

    Fichier.open(Categorie);
    Ligne_Mot = random(250) +1;

    for (I=1; I<=Ligne_Mot; I++)
        Fichier >> Mot;
    Fichier.close();

    cout << "Mot à deviner: ";
    for (I=0; I<strlen(Mot); I++)
        cout << '_';
}
```

35.
```
void Fusionner(float Tab1[], int Nb1, float Tab2[], int Nb2,
                float TabRes[], int &NbRes)
{

    int i1=0,i2=0; // Indices des deux tableaux
    NbRes = 0

    // Tant qu'on n'a pas parcouru entièrement les 2 tableaux
    // et qu'on ne déborde pas du tableau résultant.
    while (!(i1 == Nb1 && i2 == Nb2) && (NbRes < DIM_MAX))
    {
        // Affecter le plus petit nombre des deux tableaux dans le tableau
        // résultant.
        if (i1 >= Nb1)
        {
            TabRes[NbRes] = Tab2[i2];
            i2++;
        }
        else
            if (i2 >= Nb2)
            {
                TabRes[NbRes] = Tab1[i1];
                i1++;
            }
            else
                if (Tab1[i1] < Tab2[i2])
                {
                    TabRes[NbRes] = Tab1[i1];
                    i1++;
                }
                else
                {
                    TabRes[NbRes] = Tab2[i2];
                    i2++;
                }
        NbRes++;

    }
}
```

36.
```
bool Trouver_Sortie(void)
{
    void Remplir_Grille(int LaGrille[10][10], int Dim);
    int Ligne,Colonne,Temp,NbVues,MaxCases, Dim;
    int Grille[10][10];

    cout << "Entrez la dimension de la grille (2 à 10) : ";
    cin >> Dim;
    MaxCases = Dim*Dim;
```

```
        if ((Dim >= 2) && ( Dim <= 10))
        {
           // Initialiser la grille
           Remplir_Grille(Grille,Dim);

           Colonne = Ligne = NbVues = 0;
           do
           {
              cout <<"NbVues= "  << NbVues << " de ["<<Ligne <<"]
                     ["<<Colonne<<«] on va à ";
              Temp = Grille[Ligne][Colonne] % 10; // Besoin de Temp car on
                                                  // modifierait Colonne
              Ligne = Grille[Ligne][Colonne] / 10; // avant de trouver Colonne.
              Colonne = Temp;
              cout << " [" << Ligne <<"]["<<Colonne <<"]»<<endl;
              NbVues++;
           }
           while (((Colonne != (Dim-1)) || (Ligne != (Dim-1)))
                                    && (NbVues < MaxCases));

               // Décision
           return bool(NbVues < MaxCases)

        }
    }


37. enum type_etat {Mort, Vivant};

    void GenererProchaine(type_etat Jeu[20][20])
    {
       int Nombre_Voisins;
       type_etat Nouveau[20][20];

          // Calculer le nouveau tableau
          for (int i=1; i<=23; i++)
          {
             for (int j=1; j<=23; j++)
             {
                // Calculer le nombre de voisins
                Nombre_Voisins = 0;
                for (int k=-1; k<=1; k++)
                   for (int l=-1; l<=1; l++)
                      if ( Jeu[k+i][l+j] == Vivant && (k!=0 || l!=0) )
                         Nombre_Voisins ++;

                // Déterminer le sort de la cellule
                if (Nombre_Voisins == 3)
                   Nouveau[i][j] = Vivant;
                if (Nombre_Voisins >= 4 || Nombre_Voisins <2)
                   Nouveau[i][j] = Mort;
                // 2 ou 3 voisins: survie (ne pas toucher)
             }
          }
```

```
                // Copier le tableau dans Jeu
                for (int i=1; i<=23; i++)
                  for (int j=1; j<=23; j++)
                      Jeu[i][j] = Nouveau[i][j];
            }
```

38.
```
    int CompterPrenom(char Prenom[]);
    void Compter(char NomFichier[],int &NbNoms, int &NbPrenoms)
    {
        ifstream Fic;
        char Nom[41], Prenom[101];
        char Adr[101], Tel[101];
        NbNoms = NbPrenoms = 0;

        Fic.open(NomFichier);
        if (Fic.fail())
            cout << "Problème d'ouverture du fichier";
        else
        {
            Fic >> Nom;
            while (!Fic.eof())
            {
                Fic.getline(Prenom, 101);
                NbNoms++;
                NbPrenoms += CompterPrenom(Prenom);
                Fic.getline(Adr,101);
                Fic.getline(Tel,101);

                Fic >> Nom;
            }
            Fic.close();
        }
    }
```

39.
```
    int Normaliser(float Moy, float Ecart, int NbValeurs, float& Norm)
    {
        double Normalise;
        double Somme_Ui = 0.0;
        int i;
        srand(time(0));   //Initialisation du germe
        if( Ecart < 0 )
          return(0);
        else
        {    //Sommation des Ui
      for ( i = 0 ; i < NbValeurs ; i++ )
         Somme_Ui += rand()/double(MAXINT);

         Normalise = (Somme_Ui - NbValeurs/2) /sqrt(NbValeurs/12);
         Norm = (Normalise * Ecart) + Moy; return(1);
        }
    }
```

CHAPITRE 6

Réponses aux questions

1. Lorsqu'on veut relier sous un même identificateur des données diverses mais logiquement interreliées.

2. On effectue l'initialisation d'une variable de type enregistrement en inscrivant l'opérateur d'affectation, l'accolade ouvrante, les valeurs propres à chaque champ séparé par des virgules et enfin l'accolade fermante.

   Exemple:
   ```
   struct  type_personne
   {
       char Nom[50];
       char No_Tel[15];
   };
   type_personne Bart = {"Bart Simpson", "342-2449"};
   ```

3. En écrivant le nom de la variable, suivi d'un point, suivi du nom du champ:

   ```
   Variable_enregistrement.Champ
   ```

4. Faux. Les variables peuvent être de différents types.

5. Des fichiers textes et des fichiers binaires.

6. Lorsqu'on désire sauvegarder des séquences de caractères telles que des textes ou des instructions d'un programme, il peut être plus convivial de manipuler des fichiers facilement accessibles par des commandes simples du système d'exploitation (affichage, impression, etc.).

7. La longueur des lignes étant variable, l'accès à une ligne particulière ne peut se faire que de façon séquentielle.

8. Ces fichiers présentent une défaillance lorsqu'il s'agit d'efficacité de stockage ou de manipulation de grande quantité d'informations.

9. Un fichier qui contient généralement des données inintelligibles et dont les éléments sont représentés de façon binaire.

10. Étant donné que tous les éléments d'un même type occupent le même espace, on peut facilement déterminer la position d'un élément, ce qui permet un accès direct à l'information.

11. L'information est sous forme codée et est généralement inintelligible.

12. À se placer à une position donnée dans un fichier binaire.

13. La position 0.

14. Séquentiel, direct et indexé.

15. Mode dans lequel on dispose, en plus du fichier de données, d'un fichier-index qui contient des mots clés permettant de localiser chaque enregistrement.

16. a) Fichier texte

Avantages: – Création facile avec un éditeur ou un traitement de textes.
                – Conservation sous forme lisible en ASCII.

Inconvénients: – Temps d'accès accru en raison de la traduction des valeurs numériques.
                – En moyenne, exige plus d'espace mémoire que les fichiers binaires.
                – On ne peut pas être à la fois en mode écriture et en mode lecture.

b) Fichier binaire

Avantages: – Facilité et rapidité d'accès direct.
                – Mise à jour simplifiée par la possibilité d'écrire et de lire.
                – Pas de traduction pour les valeurs numériques.

Inconvénients: – La gestion n'est possible que par la programmation.
                – Il faut connaître la structure des éléments pour lire ou écrire.

Solutions aux exercices

1. a)
```
struct type_temps
    {
    int Heure;
    int Minute;
    int Seconde;
    };
```

b)
```
typedef char type_chaine [120];
struct type_livre
    {
    type_chaine Auteur;
                Titre;
                Editeur;
    int  Annee;
    };
```

c)
```
struct type_electricite
    {
    float  Intensite;
    float  Voltage;
    };
```

d)
```
struct type_complexe
    {
    float Reelle;
    float Imaginaire;
    };
```

2. **a)**
```
typedef char type_chaine[120];
struct type_fiche
{
    type_chaine   Nom,
                  Prenom,
                  Adresse;
    char          Code_Postal[7];
};
```

b)
```
struct type_envoi
{
    type_fiche Expediteur,
           Destination;
};
```

3.
```
typedef char type_chaine[120];
struct            type_employe
{
    type_chaine Nom,
                Prenom;
    float       Hre_Travail,
                Taux_Horair_Reg,
                Heures_Supp,
                Salaire_Brut,
                Impot,
                Salaire_Net;
};
```

4.
```
void main(void)
{
    typedef char type_chaine[120];
    struct type_employe
    {
        type_chaine   Nom,
                      Prenom;
        float         Hre_Travail,
                      Taux_Horaire,
                      Heures_Supp,
                      Salaire_Brut,
                      Impot,
                      Salaire_Net;
    };

type_employe  Employe[100];
ifstream Fichier;
int Compteur;

Fichier.open("Employe.dat");
for (Compteur=0; Compteur<100; Compteur++)
{
    Fichier >>Employe[Compteur].Nom >>Employe[Compteur].Prenom;
```

```
    Fichier >>Employe[Compteur].Hre_Travail >>Employe[Compteur].Taux_Horaire;
    Employe[Compteur].Heures_Supp = Employe[Compteur].Hre_Travail - 40;
    if (Employe[Compteur].Heures_Supp < 0)
    {
        Employe[Compteur].Heures_Supp = 0;
        Employe[Compteur].Salaire_Brut =    Employe[Compteur].Hre_Travail *
                        Employe[Compteur].Taux_Horaire;
    }
    else
        Employe[Compteur].Salaire_Brut =  40 * Employe[Compteur].Taux_Horaire
            + 1.5 * (Employe[Compteur].Taux_Horaire * Employe[Compteur].Heures_Supp);

    if (Employe[Compteur].Salaire_Brut <= 500)
        Employe[Compteur].Impot = 0.25 * Employe[Compteur].Salaire_Brut;
    else
        Employe[Compteur].Impot = 0.35 * Employe[Compteur].Salaire_Brut;
    Employe[Compteur].Salaire_Net = Employe[Compteur].Salaire_Brut - Impot
}
Fichier.close();
}
```

5. a) Affichage du nom de toutes les stations de la ligne bleue.
    b) Affichage du nom des stations appartenant à la fois à la ligne orange et à la ligne verte.
    c) Affichage des numéros des circuits d'autobus disponibles à la station 1 de la ligne jaune.
    d) (0+25+1+16) × 72 octets

6. a)
```
strcpy(Magasin[Meuble].Nom, "Meuble");
strcpy(Magasin[Sport].Nom, "Sport");
strcpy(Magasin[Cuisine].Nom, "Cuisine");
strcpy(Magasin[Disque].Nom, "Disques");
```
    b)
```
strcpy(Magasin[Meuble].Chef.Nom, "Bureau");
strcpy(Magasin[Meuble].Chef.Prenom, "Jean");
Magasin[Meuble].Chef.No_Social = 251314218;
```
    c)
```
cout <<"Nom: ";
cin >> Personne.Nom;
cout <<"Prenom: ";
cin >>Personne.Prenom;
cout <<"Numéro d'assurance sociale: ";
cin >>Personne.No_Social;
```
    d)
```
Magasin[Sport].Employe[4] = Personne;
```
    e)
```
Personne = Magasin[Disque].Employe[0];
if (strcmp(Magasin[Disque].Chef.Nom,Personne.Nom)==0 &&
  strcmp(Magasin[Disque].Chef.Prenom,Personne.Prenom)==0 &&
  Magasin[Disque].Chef.No_Social == Personne.No_Social)
    cout << "Il s'agit de la même personne" ;
else
    cout << "Il ne s'agit pas de la même personne";
```

7. **a)**
```
Ordinateur.Modele = Portable;
strcpy(Ordinateur.Marque,"IBM");
Ordinateur.Processeur = 800;
Ordinateur.Ram.Dimension = 128;
Ordinateur.Ram.Unite = Mo;
Ordinateur.Peri[0] = Clavier;
Ordinateur.Peri[1] = Moniteur;
Ordinateur.Peri[2] = Imprimante;
Ordinateur.Nb_Peri = 3;
```

b)
```
#include <iostream>    // Pour l'utilisation de cin et cout
#include <cstring>     // Pour l'utilisation de strcmp(), strupr() et toupper()
#include <cctype>
using namespace std;

void Lit_Description (type_ordinateur &Ordinateur)
{
    char Reponse[120];
    int No;

    cout <<"Modèle: ";
    cin >>Reponse;
    if (strcmp(strupr(Reponse),"Portable")==0)  // Déterminer le modèle
                                                // d'ordinateur de type
                                                // énumération
        Ordinateur.Modele = Portable;           // Comparer avec une chaîne
                                                // de caractères
    else
        Ordinateur.Modele = Bureau;
    cout <<"Marque: ";
    cin >> Ordinateur.Marque;
    cout <<"Processeur: ";
    cin >>Ordinateur.Processeur;
    cout <<"Dimension RAM: ";
    cin >> Ordinateur.Ram.Dimension;
    cout << "Unité (Ko/Mo); ";
    cin >>Reponse;

    if (strcmp(strupr(Reponse),"KO")==0)
        Ordinateur.Ram.Unite = ko;
    else
        Ordinateur.Ram.Unite = Mo;

    cout <<"Pour chacun des périphériques suivants,";
    cout <<"indiquer par Oui ou Non s'il est inclus" <<endl;

    No = 0;                                 // Placer les périphériques dans le
    cout <<"Modem=> "; cin >>Reponse;       // tableau et compter le nombre de
                                            // périphériques avec No
    if (toupper(Reponse[0]) == 'O')
        Ordinateur.Peri[No++] = Modem;
```

```
        cout <<"Imprimante=> "; cin >>Reponse;
        if (toupper(Reponse[0]) == 'O')
            Ordinateur.Peri[No++] = Imprimante;

        cout <<"Moniteur=> "; cin >>Reponse;
        if (toupper(Reponse[0]) == 'O')
            Ordinateur.Peri[No++] = Moniteur;

        cout <<"Clavier= "; cin >>Reponse;
        if (toupper(Reponse[0]) == 'O')
            Ordinateur.Peri[No++] = Clavier;
        Ordinateur.NbPeri = No;
}
```

8.
```
#include <fstream>     // Pour l'utilisation de ifstream, open(), fail() et close()
using namespace std;

bool Fichier_Existe(char Nom[50])
{
   ifstream Fichier;

   Fichier.open(Nom);
   if (Fichier.fail())
      return false;
   else
   {
      Fichier.close();
      return true;
   }
}
```

9.
5	12.1
10	102.2
25	15.5
20	28.4
15	76.3

11. a)
```
int ChercherNom(char Nom[], type_personne TabNoms[76])
{
    int i;
    int NoPlace=-1;
    for (i=0;i<76 && NoPlace==-1;i++)
       if (strcmp(TabNoms[i].Nom,Nom)==0)
          NoPlace = i;
    return NoPlace;
}
```

b)
```
int TrouverDegre(char NomDebut[], char NomFin[], type_personne TabNoms[76])
{
    int Degre, i;

    i=ChercherNom(NomDebut, TabNoms);

    i = TabNoms[i].Lien;
```

```
        Degre = 1;
        while (strcmp(TabNoms[i].Nom,NomFin)!=0)
        {
            Degre++;
            i = TabNoms[i].Lien;
        }
        return Degre;
    }
```

12.   `fstream Fic_Cours;`

a)
```
void Changer_Nom(type_prof Nom_Prof, int No)
{
    type_cours Un_Cours;

    Fic_Cours.open("COURS.DAT",ios::binary|ios::in|ios::out);
    Fic_Cours.seekg(No*sizeof(type_cours),ios::beg);
    Fic_Cours.Read((*char) &Un_Cours, sizeof(type_cours));
    strcpy(Un_Cours.Prof,Nom_Prof);
    Fic_Cours.seekp(No*sizeof(type_cours),ios::beg);
    Fic_Cours.write((char *) &Un_Cours, sizeof(type_cours));
    Fic_Cours.close();
}
```

b)
```
strcpy(Nouveau_Cours.Nom,"ING5050");
Nouveau_Cours.Credit = 3;
strcpy(Nouveau_Cours.Prof,"Denis Hébert");
Fic_Cours.seekp(0L, ios::end);
Fic_Cours.write((char *) &Nouveau_Cours, sizeof(type_cours));
```

13.
```
void Afficher( char NomFichier[], int Partie1, int Partie2)
{
    ifstream Fichier;
    type_adresse Adresse;

    Fichier.open(NomFichier,ios::binary);

    if (!Fichier.fail())
    {
      Fichier.read((char*)&Adresse,sizeof(type_adresse));
      while (!Fichier.eof())
      {
        if (Adresse.Partie[0]==Partie1 &&  Adresse.Partie[1]==Partie2)
          cout << Adresse.Nom << endl;
        Fichier.read((char*)&Adresse,sizeof(type_adresse));
      }
      Fichier.close();
    }
    else
      cout << «Problème d'ouverture du fichier»;

}
```

16.
```cpp
#include <fstream>
#include <iostream>
#include <cctype>
using namespace std;

struct type_joueur
{
    char Prenom[30];
    char Nom_Famille[30];
    char JouePosition[30];
    float Salaire;
};

void main()
{
    fstream Fic;
    type_joueur Joueur;
    int NoJoueur;
    char Reponse[5];
    Fic.open("Joueurs.Bin",ios::binary|ios::in|ios::out);

    cout << "Quel est le numéro du joueur: ";
    cin >> NoJoueur;
    Fic.seekg(NoJoueur*sizeof(type_joueur),ios::beg);
    Fic.read((char*) &Joueur, sizeof(type_joueur));

    // Affiche l'information du joueur
    cout << "L'information du joueur est: " << endl;
    cout << "Prénom : " << Joueur.Prenom << endl;
    cout << "Nom : " << Joueur.Nom_Famille << endl;
    cout << "Joue : " << Joueur.JouePosition << endl;
    cout << "Salaire : " << Joueur.Salaire;

    cout<< "L'information est-elle correcte? ";
    cin >> Reponse;
    if (toupper(Reponse[0])!='O')
    {
        //Demande l'information sur le joueur
        cout << "L'information du joueur est: " << endl;
        cout << "Prénom : " ;
        cin >> Joueur.Prenom;
        cout << "Nom : " ;
        cin >> Joueur.Nom_Famille;
        cout << "Joue : " ;
        cin >> Joueur.JouePosition;
        cout << "Salaire : ";
        cin >> Joueur.Salaire;

        //Transcrit l'information dans le fichier
        Fic.seekp(NoJoueur*sizeof(type_joueur),ios::beg);
        Fic.write((char*)&Joueur, sizeof(type_joueur));
    }
    cout << "Consultation terminée ";
    Fic.close();
}
```

```
17. struct type_donnee
    {
        float Temp,
              Pression,
              Taux_O2,
              Taux_CO2;
    };

    bool  ValiderTemp(float Temp );
    bool  ValiderPression(float Pression);
    bool  ValiderTaux_O2(float Taux_O2);
    bool  ValiderTaux_CO2(float Taux_CO2);

    void main()
    {
        fstream Fichier;
        type_donnee Donnee;
        int NbBonnes, NbDonnees;

        Fichier.open(«Navette.Bin»,ios::binary|ios::in);

        NbBonnes=0;
        Fichier.seekg(0L,ios::end);
        NbDonnees = Fichier.tellg()/sizeof(type_donnee);

        Fichier.seekg(0L,ios::beg);
        for (int i=0; i<NbDonnees; i++)
        {
          Fichier.read((char*)&Donnee, sizeof(type_donnee));
          NbBonnes +=   int(ValiderTemp(Donnee.Temp))
                     + int(ValiderPression(Donnee.Pression))
                     + int(ValiderTaux_O2(Donnee.Taux_O2))
                     + int(ValiderTaux_CO2(Donnee.Taux_CO2));
        }

        cout << "Le nombre total de fautes de l'expédition est"
             << 4*NbDonnees - NbBonnes;
        Fichier.close();
    }

19. int Ajouter(char Nom_Fichier[], unsigned long Pos, type_bien_materiel Bien)
    {
        fstream Fichier;
        type_bien_materiel Temp;
        unsigned NbElements;

        fichier.open("BIENS.DAT ", ios::binary|ios::in|ios::out) ;
        fichier.seekg(0, ios::end);
        NbElements = fichier.tellg()/sizeof(type_bien_materiel);

        if (Pos>=0 && Pos<NbElements)
        {
            // Préserver l'ancienne donnée
            fichier.seekg(Pos*sizeof(type_bien_materiel),ios::beg);
```

```
        fichier.read((char*) &Temp, sizeof(type_bien_materiel));

        // Écrire la nouvelle donnée à sa position
        fichier.seekg(Pos*sizeof(type_bien_materiel), ios::beg);
        fichier.write((char*) &Bien, sizeof(type_bien_materiel));

        // Reporter à la fin l'ancienne donnée
        fichier.seekg(0, ios::end);
        fichier.write((char*) &Temp, sizeof(type_bien_materiel));
        return 1 ;
    }
    else
        return 0;
}
```

22.
```
int LouerFilm(char Titre[])
{
    ifstream    FicIndex;
    fstream     FicFilm;
    unsigned long int   NbFilms;
    int         i;
    bool        FilmTrouve, FilmEmprunt;
    type_index  FilmInd;
    type_film   Film;

    FicIndex.open("INDEX.BIN", ios::binary);
    FicIndex.seekg(0,ios::end);
    NbFilms = FicIndex.tellg()/sizeof(type_index);
    FilmEmprunt = false;
    FilmTrouve = false;

        // Recherche du film dans le fichier index
    FicIndex.seekg(0,ios::beg);
    for (i=0; i<NbFilms && !FilmTrouve; i++)
    {
        FicIndex.read((char*) &FilmInd, sizeof(type_index));
        if (strcmp(FilmInd.Titre, Titre)==0)
            FilmTrouve = true;
    }

    //              OU
    //FicIndex.read((char*)&FilmInd, sizeof(type_index));
    //while (!FicIndex.eof()&& !FilmTrouve)
    //{
    //   if (strcmp(FilmInd.Titre, Titre)==0)
    //      FilmTrouve = true;
    //   FicIndex.read((char*)&FilmInd, sizeof(type_index));
    //}

    // Si le film a été trouvé
    if (FilmTrouve)
    {               // Lecture dans le fichier des films
```

```
      FicFilm.open("FILMS.BIN", ios::binary|ios::in|ios::out);
      FicFilm.seekg(FilmInd.PosDuFilm*sizeof(type_film),ios::beg);
      FicFilm.read((char*) &Film, sizeof(type_film));

               //Si le film est disponible, m.a.j. champ disponible
      if (Film.Disponible != 0)
      {
         FilmEmprunt = true;
         Film.Disponible—;
         FicFilm.seekg(FilmInd.PosDuFilm*sizeof(type_film),ios::beg);
         FicFilm.write((char*) &Film, sizeof(type_film));
      }
      FicFilm.close();
   }

   FicIndex.close();
   return int(FilmTrouve && FilmEmprunt);
}
```

25.
```
#include <fstream>    // Pour l'utilisation de ifstream, ofstream, seekg(),
                      //       tellg(), write(), read(), open(), eof() et close()
#include <cstring>    // Pour l'utilisation de strcmp() et strcpy()
using namespace std;

struct type_etudiant
{
   char   Nom[15];
   float  NbCredits;
};
   struct type_index
   {
     char Cle_Nom[15];
     int  Position;
   };

void Ordonne_Index(fstream&FichierInx)
{
   type_index Index1, Index2, Tampon;
   int I, J, NbElement;
   FichierInx.seekg(0L,ios::end);
   NbElement = FichierInx.tellg() / sizeof(type_index);
   for (I=0; I<=NbElement-2; I++)
   {
     FichierInx.seekg(I*sizeof(type_index),ios::beg);
     FichierInx.read((char *) &Index1, sizeof(type_index));
     for (J=(I + 1); J<=NbElement-1; J++)
     {
       FichierInx.seekg(J*sizeof(type_index),ios::beg);
       FichierInx.read((char *) &Index2, sizeof(type_index));
       if (strcmp(Index2.Cle_Nom,Index1.Cle_Nom) <0) // Le deuxième précède
                                                     // le premier selon
                                                     // l'ordre alphabétique
```

```
            {       //Permuter les deux Index dans le fichier
               FichierInx.seekg(J*sizeof(type_index),ios::beg);
               FichierInx.write((char *) &Index1, sizeof(type_index));
               FichierInx.seekg(I*sizeof(type_index),ios::beg);
               FichierInx.write((char *) &Index2, sizeof(type_index));
               Index1 = Index2;
            }  // if
         }  // for (J)
      }  // for (I)
}

void main(void)
{
   ifstream   FichierTxt;
   ofstream   FichierBin;
   fstream FichierInx;
   type_etudiant Etudiant;
   type_index   UnIndex;
      FichierTxt.open("f:\\ACC-SEQ.DAT");
      FichierBin.open("f:\\ACC-DIR.DAT",ios::binary);
      FichierInx.open("f:\\FI-INDX.DAT",ios::binary!ios::in!ios::out);
      while (!FichierTxt.eof())
      {
         FichierTxt >>Etudiant.Nom; // Lecture dans le fichier texte
         if (FichierTxt.eof())
            break;
         FichierTxt >>Etudiant.NbCredits;
         FichierBin.write((char*) &Etudiant, sizeof(type_etudiant)); // Écriture
                                                                     // dans le
                                                                     // fichier
                                                                     // binaire

         strcpy(UnIndex.Cle_Nom, Etudiant.Nom);
         UnIndex.Position = FichierBin.tellp() -1;
         FichierInx.write((char *) &UnIndex, sizeof(type_index)); // Écriture
                                                                  // dans le
                                                                  // fichier
                                                                  // indexé

      }
      Ordonne_Index(FichierInx);
      FichierTxt.close();
      FichierBin.close();
      FichierInx.close();
}
```

CHAPITRE 7

Réponses aux questions

1. Pour optimaliser le temps d'exécution de certains algorithmes.

2. Au moment de la compilation du programme.

3. L'attribution statique d'espace mémoire.

4. Lorsqu'on ne connaît pas la dimension des variables ou lorsque la quantité de données à garder simultanément disponibles en mémoire fluctue continuellement durant l'exécution du programme.

5. Une variable qui mémorise comme information une adresse mémoire.

6. Non, elles peuvent être de n'importe quel type, simple ou construit.

7. Au fur et à mesure que le besoin l'exige.

8. En faisant précéder l'identificateur d'un astérisque «*», ex.:

```
int *Ptr_Entier;
```

9. La fonction `malloc()` en langage C et l'opérateur `new` en langage C++.

10. À l'aide du pointeur précédé du symbole «*».

11. À l'aide du pointeur suivi des symboles «->» ou bien au moyen de la parenthèse ouvrante suivie d'un astérisque, du pointeur, de la parenthèse fermante et d'un point. Ex.: (*pointeur).

12. À l'aide de la fonction `free()` en langage C et de l'opérateur `delete` en langage C++.

13. En utilisant la fonction `malloc()` ou l'opérateur `new`; si on obtient l'adresse `NULL`, cela signifie qu'il ne reste plus suffisamment de mémoire contiguë de la dimension demandée.

14. Une liste qui utilise un seul pointeur pour constituer la chaîne d'éléments et dont le dernier élément pointe sur `NULL`.

15. Un seul sens, soit celui des pointeurs (depuis la tête jusqu'à la fin).

16. En inscrivant la constante `NULL` dans le pointeur `Suivant` du dernier élément de la liste.

Solutions aux exercices

1. a) Affichage de l'adresse contenue dans `P1`.
    b) Affichage d'un entier.
    c) Erreur (ou avertissement), affectation d'un pointeur à un réel vers un pointeur à un entier.
    d) Erreur, `X` n'est pas un pointeur.

    e) Aucun problème.
    f) Erreur, `17` est un entier et non l'adresse d'un entier.

2. a) `type_personne*`   b) `type_personne`
    c) `char`   d) `type_personne`
    e) `int`   f) `type_personne`

g) `type_personne*`   h) `chaîne de caractères (char*)`

3. 10 20
    20 20
    30 30
    40 40

4. 10 20
    20 20
    30 20
    30 40

5. Les instructions a), g) et h) sont incorrectes.

6. a)   b)

7. a)
```
struct type_ville
{
    char Nom[20];
    type_ville *PtrSuivant;
};
```

b)
```
struct type_patient
{
    char Nom[20];
    type_patient *PtrSuivant;
};
```

c)
```
struct type_local
{
    char Identification [20];
    type_local *PtrSuivant;
};
```

8. a) i) et iv) sont syntaxiquement correctes
    b) iv)
    c) ii)
    d) i)   Faux
       ii) Vrai
       iii) Faux
       iv) Faux
       v)   Faux

9. a)

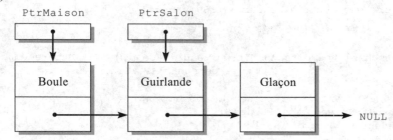

    b)

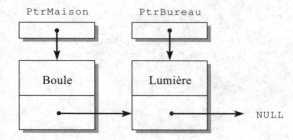

    c)

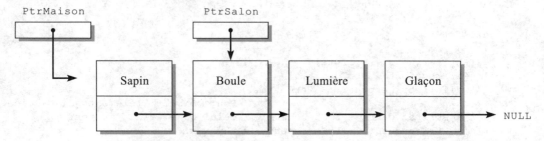

10. a) `Classe[11].Note[2] = 15.5;`   c) 3°

    b) `Fichier.open("ELEMENT.BIN",ios::binary) // Facultative`   d) 2°
       `Fichier.seekg(0L,ios::end);`
       `Nbre = Fichier.tellg() / sizeof(type_element);`
       `Fichier.close();                              // Facultative`

11.
```
void Chercher_Personne(char Nom_Chercher[], type_personne*PtrChercheur,
                                 type_personne *PtrTete)
{
    bool Trouver;

    PtrChercheur = PtrTete;
    Trouver = false;
    while (!Trouver && (PtrChercheur!=NULL))
    {
        if (strcmp(PtrChercheur->Nom, Nom_Chercher)==0)
            Trouver = true;
        else
            PtrChercheur = PtrChercheur->PtrSuivant;
    }
}
```

12.
```
void Inserer_Personne(type_personne*PtrNouveau, type_personne*PtrPrecedent,
                                 type_personne*&PtrFin)
{
    PtrNouveau->PtrSuivant = PtrPrecedent->PtrSuivant;
    PtrPrecedent->PtrSuivant = PtrNouveau;
    if (PtrPrecedent == PtrFin)
        PtrFin = PtrNouveau;
}
```

13. Faire la vérification à l'aide de `Gestion_Liste_Lineaire_Simple`.

14.
```
void Retirer_Personne(type_personne*PtrRetrait, type_personne*&PtrTete,
                                 type_personne*&PtrFin)
{
    type_personne *PtrPrecedent,
                  *PtrChercheur;

    if (PtrRetrait == PtrTete)
    {
        PtrTete = PtrTete->PtrSuivant;
        if (PtrRetrait == PtrFin)        // Il y avait un seul élément dans la
            PtrFin = NULL;               // liste
    }
    else
    {
        PtrChercheur = PtrTete;
        PtrPrecedent = PtrTete;
        while (PtrChercheur != PtrRetrait)
        {                                         // Pour pointer l'élément qui précède
            PtrPrecedent = PtrChercheur; // celui qu'il faut retirer.
            PtrChercheur = PtrChercheur->PtrSuivant;
        }
        PtrPrecedent->PtrSuivant = PtrChercheur->PtrSuivant;
        if (PtrRetrait == PtrFin)
            PtrFin = PtrPrecedent;
    }
}
```

15.
```
#include <stdlib.h>
struct type_article
{
    char Nom_Article[20];
    float Prix;
    int Stock;
    type_article *PtrSuivant;
};
double CalculerMontant(int Seuil, int Quantite, type_article *PtrTete)
{
    double Montant = 0;
    type_article *PtrCourant = PtrTete;

    while (PtrCourant != NULL)
    {
        if (PtrCourant->Stock < Seuil )     // Accepter ( <= Seuil )
            Montant += Quantite * (PtrCourant->Prix);
        PtrCourant = PtrCourant -> PtrSuivant;
    }
    return Montant;
}
```

17. a)

b)

c)

d)

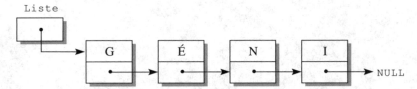

e)

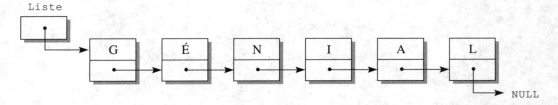

18.

Reponse1	Reponse2	Reponse3
improbus	improbus	locution
	vincit	labor
	omnia	omnia
	labor	vincit
	locution	improbus

19. Contenu de la liste:

```
16 9 4 1 0
Fin
```

Contenu de la liste:

```
16 4 0
Fin
```

Contenu de la liste:

```
<ligne vide>
Fin
```

20. Affichage:

```
Physique 10
Chimie 30
Informatique 35
Electrique 15
Mecanique 25
Civil 20
<ligne vide>
```

Affichage:

```
Physique 10
Chimie 30
```

Affichage:

```
<ligne vide>
<ligne vide>
```

Affichage:

```
Physique: 12
Electrique: 7
Civil:  2
```

21.
```
type_liste* Concatene(type_liste *PtrTete,type_liste *PtrTete)
{
    type_liste *PtrAux, *PtrTete;

    if (PtrTete1 == NULL)
       PtrTete = PtrTete2;
    else
    {
       PtrTete = PtrTete1;
       PtrAux = PtrTete1;
       while (PtrAux->PtrSuivant != NULL)
             PtrAux = PtrAux->PtrSuivant;
       PtrAux->PtrSuivant = PtrTete2;
    }
    return PtrTete;
}
```

CHAPITRE 8

Réponses aux questions

1. – Programmes formés de modules comportant un seul point d'entrée et un seul point de sortie.
   – Utilisation exclusive de structures séquentielles, alternatives et répétitives.
   – Écriture de modules de petite taille.
   – Utilisation d'un style d'écriture clair et systématique.

2. Les instructions if, if-else et switch.

3. Parce qu'ils sont plus faciles à comprendre et à entretenir.

4. Analyse qui consiste à diviser le problème initial en sous-problèmes et à raffiner chacun d'eux successivement jusqu'à ce que tout le problème soit résolu.

5. La séquence des opérations à effectuer pour résoudre un problème.

6. Le pseudo-code et le pseudo-code schématique.

7. Le pseudo-code schématique est une représentation schématique du pseudo-code afin d'illustrer le flux de contrôle du programme.

8. Un commentaire qu'on utilise lorsqu'une tâche contiendra dans son raffinement des structures décisionnelles ou répétitives.

9. À résumer un ensemble d'opérations qui devront être explicitées.

10. Les instructions `for`, `while` et `do-while`.

11. En pseudo-code schématique, le symbole «*» indique la condition de sortie.

12.
```
/* Exemple de pseudo-code schématique */
if (Expression_Booleenne)
  Structure séquentielle des opérations du SI;
else if (Expression_Booleenne)
    Structure séquentielle des opérations du SINON SI;
  else
      Structure séquentielle des opérations du SINON;
```

13. Parce que la décomposition permet d'appliquer la méthode de conception descendante et facilite la résolution du problème.

14. Il représente le fractionnement du problème à l'aide d'un arbre qui expose la structure des sous-programmes.

15. Cinq (y compris la fonction principale).

16. Un logiciel qu'on peut utiliser avec divers ordinateurs sans y apporter de modifications trop onéreuses.

17. Parce que cela permet le passage direct à la phase de liaison avec le programme qui utilise le fichier des sous-programmes et empêche la modification inopinée du code source des sous-programmes.

18. Un ensemble de fonctions regroupées sous un thème et accompagnées d'un mode d'emploi ainsi que d'une description sommaire des algorithmes utilisés.

19. Cette directive permet l'accès aux déclarations inscrites dans le fichier `stdlib.h` à partir du programme qui le contient.

20. On se sert de l'énoncé `#include <NomFichier.h>` dans le fichier source et de la bibliothèque compilée lors de l'édition des liens.

21. – Définition des besoins
    – Relevé des logiciels offerts
    – Évaluation sommaire et élimination préliminaire
    – Évaluation détaillée
    – Consultation des usagers des logiciels
    – Banc d'essai
    – Prise de décision
    – Négociation des acquisitions

- Implantation
- Validation des opérations

22. Un programme qui lit des données entrées au clavier et affiche les résultats à l'écran.

23. L'affichage d'un message indiquant à l'usager la nature des entrées doit toujours précéder la lecture des données. L'usager doit avoir la possibilité d'interrompre le défilement des affichages trop longs.

24. Les dialogues par questions et réponses, par menu et par formulaire.

25. Le dialogue par formulaire, car il donne une vue d'ensemble de ce qui a été fait et de ce qui reste à faire.

26. Lors de la réalisation de programmes ayant un nombre restreint d'options.

Solutions aux exercices

1.

```
    —    Premier étudiant.

             RÉPÉTER
             Répéter le menuet # 1 de Bach.
      *      TANT QU'il n'est pas parfait
    —    Deuxième étudiant.

      *      Pour répétition variant de 1 à 20.
             Répéter le menuet # 1 de Bach.
```

2.

```
             RÉPÉTER
             Demander à l'usager d'entrer le mot "Quitter".
             Lire le mot entré par l'usager.
      *      TANT QUE le mot entré n'est pas "Quitter"
```

4.

```
    —    Déterminer la politique d'emprunt.
             SELON le cas de l'emprunteur
             =   Étudiant au premier cycle
             durée maximale de 20 jours
    ..       =   Étudiant aux cycles supérieurs
             durée maximale de 30 jours
    ..       =   Professeur
             durée maximale de 2 mois

    —    Si le nombre de volumes a atteint le maximum.
             SI Nombre de volumes >= 5
              ne plus emprunter
```

9.

–   Choix d'un chiffre

         RÉPÉTER

         Choisir de façon aléatoire un nombre de 1 à 100.

     – Le multiple commun de 2, 3 et 5 est 30.

     *   <u>TANT QUE le nombre est non divisible par 30</u>

11.

      Demander à l'usager d'entrer au clavier l'indice de pollution.

      Lire l'indice de pollution.

       SELON l'indice de pollution

       <u>=   0 à 25</u>

         la qualité de l'air est très bonne

..   <u>=   25 à 45</u>

         la qualité de l'air est bonne

..   <u>=   45 à 60</u>

        l'air est pollué

...   SINON

–   L'indice de pollution > 60.

     Le taux de pollution est très élevé.

```cpp
#include <iostream> // Pour l'utilisation de cin et cout
using namespace std;
void main(void)
{
    float Indice;

    cout << "Entrer l'indice de pollution: ";
    cin >> Indice;
    if (Indice >0 && Indice <=25)
        cout << "La qualité de l'air est très bonne";
    else
        if (Indice >25 && Indice <=45)
            cout << "La qualité de l'air est bonne";
        else
            if (Indice >45 && Indice <=60)
                cout << "L'air est pollué";
            else
                cout << "Le taux de pollution est très élevé";
}
```

14.

```
        Lire le nom du fichier de données.
        Ouvrir le fichier de données en lecture.

   *    TANT QUE la fin du fichier n'est pas atteinte
        Lire le nom et le statut de l'employé.
        SELON le statut

        =   Cadre
            Lire le salaire annuel.
            Calculer la paie mensuelle.

        =   Employé de bureau
            Lire le taux horaire et les heures travaillées par semaine.
            Initialiser la paye mensuelle à 0 $.

            *       POUR chacune des 4 semaines
                    SI Heures travail > 40 heures
                        Ajouter à la paie mensuelle: 40 h fois le taux
                        horaire et 1.5 fois le taux horaire fois les heures
                        supplémentaires.

                    SINON
                        Ajouter à la paie mensuelle:
                        le taux horaire fois les heures travaillées.

        =   Employé contractuel
            Lire le taux horaire et les heures travaillées.
            Calculer la paie mensuelle.

        =   Vendeur
            Lire le salaire de base et le volume des ventes.
            Calculer la commission (2 % du volume des ventes).
            Calculer la paie mensuelle.

        Afficher le nom de l'employé et sa paye mensuelle.

    Fermer le fichier de données.
```

CHAPITRE 9

Réponses aux questions

1.   – La définition du problème.
    – L'analyse du problème.
    – La conception des algorithmes.
    – La rédaction des programmes.
    – La mise au point des programmes.
    – La rédaction des rapports.

2. Une imprécision ou une mauvaise interprétation peut entraîner la réalisation d'un projet tout à fait autre que celui attendu.

3. Identifier les éléments et les objets à traiter ainsi que les traitements à effectuer. Décrire avec clarté les résultats attendus et éviter au maximum toute ambiguïté.

4. L'analyse nécessite l'élaboration de solutions, alors que la définition ne requiert que l'identification du problème.

5. La description des différentes séquences d'opérations qui génèreront la solution au problème posé.

6. Utiliser des identificateurs significatifs, bien documenter chaque module et mettre en évidence la structure logique des modules en respectant les décalages.

7. Parce que ce choix facilite grandement la maintenance des programmes.

8. Non, mais ils peuvent être la cause d'autres erreurs bien plus graves.

9. Le nom du fichier, le nom des auteurs, les dates de création et de modification, la description des objectifs, la description exacte de chaque paramètre, les types requis, les bibliothèques requises ainsi que toute information pertinente à la compréhension du programme.

10. Parce qu'il s'agit d'indices très importants pour la maintenance des programmes.

11. Parce qu'il offre une vue d'ensemble qu'on perd rapidement lorsqu'on utilise uniquement l'écran.

12. On doit retourner à l'étape de l'analyse et identifier la source du problème.

13. Les erreurs de syntaxe, de logique, de données et de manipulation.

14. Les traces de programme permettent de suivre le déroulement de l'exécution et d'observer les modifications de l'état de certaines entités (indices, variables, fonctions, pointeurs, etc.).

15. L'observation du comportement du programme face à des conditions limites: données erronées, limites de tableaux, variables trop grandes ou trop faibles, etc.

16. La documentation détermine la qualité de notre travail et permet d'assurer la maintenance du produit qu'on a développé.

17. – L'exposé du problème.
    – Le mode d'utilisation du programme.
    – Les algorithmes utilisés.
    – La discussion.
    – Les listages du programme et les résultats obtenus.

Solutions aux exercices

Dans ces exercices, les ajouts nécessaires à la définition sont en caractères gras.

1. a) Collecte des données   Lire trois lettres du clavier. **Les caractères autres que des lettres sont rejetés**.

Traitement des données	Placer les lettres en ordre alphabétique.
Présentation des résultats	Afficher la première lettre selon l'ordre alphabétique.

b)

Collecte des données	Lire 20 valeurs numériques **du clavier ou d'un fichier selon ce que l'usager a spécifié**.
Traitement des données	Déterminer le nombre de valeurs positives et le nombre de valeurs négatives.
Présentation des résultats	Afficher les nombres correspondants et un message identifiant la plus grande valeur.

c)

Collecte des données	Lire une liste **d'au plus 100** nombres entiers **du clavier ou d'un fichier selon ce que l'usager a spécifié**.
Traitement des données	Trouver l'indice ou le rang de la première et de la dernière occurrences du nombre 12.
Présentation des résultats	Afficher les indices correspondants.

2. a) *Problème des trois lettres*

Collecte des données	On peut utiliser trois variables de type `char` pour que le programme mémorise les trois lettres.
Traitement des données	Les lettres peuvent être lues successivement à l'aide de l'instruction `cin >>` ou `cin.get()` qu'on inscrit dans un `do-while`; cette inscription permet l'obtention et la vérification des trois lettres. On peut déterminer quelle lettre est la première en utilisant trois `if` qui comparent l'une des lettres avec les deux autres; de cette façon, un seul `if` est satisfait. On peut également utiliser un `if-else` avec d'autres `if` imbriqués pour connaître la plus petite des deux lettres qui restent.
Présentation des résultats	Utiliser une instruction `cout <<` accompagnée de la lettre et d'un court message explicatif.

Problème des 20 valeurs

Collecte des données	Un tableau de 20 valeurs réelles ou une seule variable réelle.

Traitement des données	Dès lors qu'on sait où la lecture doit être faite, on utilise une boucle `while` contenant une instruction de lecture et un `if-else` qui permet de savoir si c'est le nombre de positifs ou le nombre de négatifs qu'il faut actualiser.

Une autre façon de faire est d'utiliser le tableau et de l'initialiser à la lecture. Par la suite, le programme parcourt le tableau à l'aide d'une boucle `for` accompagnée d'un `if-else` comme précédemment.

Présentation des résultats	Utiliser une instruction conditionnelle qui compare les deux nombres et permet d'afficher le bon message.

b) 1°

Collecte des données	Un tableau de n valeurs entières ou une seule variable entière.

Traitement des données	Dès lors qu'on sait où la lecture doit être effectuée, on utilise une boucle `while` ou `do-while` contenant une instruction de lecture et un test qui vérifie si la valeur actuelle est un 12.

À la première occurrence, les deux indices «premier» et «dernier» prendront la valeur du rang présent. Pour les autres occurrences du nombre 12, seul l'indice du dernier changera. De cette manière, le programme examinera toutes les valeurs.

Présentation des résultats	Afficher à l'aide de l'instruction `cout <<` des indices d'occurrence du nombre 12.

2° Non, puisqu'il serait plus avantageux d'examiner le début pour trouver la première occurrence et d'examiner la fin pour trouver la dernière occurrence.

3° Sûrement, car de cette manière il n'y a que trois cas où il faut examiner tous les nombres. Dans les autres situations, il n'est pas nécessaire de regarder toute la suite.

3. Niveau initial:

```
- DESCRIPTION: Permet de déterminer, dans une liste de nombres entiers, la
-              première et la dernière occurrences du nombre 12.

    [01] Description des identificateurs

  >>>> STRUCTURE DES OPÉRATIONS <<<<

  Initialiser Premier12 et Dernier12 à 0
  Demander où doivent être lues les données
  Lire l'endroit spécifié par l'usager

  [02] Ouverture du fichier si c'est le cas
  [03] Lecture des données
  [04] Rechercher le premier 12
  [05] Rechercher le dernier 12
     Afficher les positions de Premier12 et Dernier12
```

Niveau détaillé:

```
- DESCRIPTION: Permet de déterminer, dans une liste de nombres entiers, la
-              première et la dernière occurrences du nombre 12.

- 01  Description des identificateurs
-
- IDENTIFICATEUR    TYPE           DESCRIPTION

- Suite             Tableau        Les n valeurs de la suite
-                   d'entiers
- Premier12         Entier         Indice de la première occurrence
-                                  du nombre 12
- Dernier12         Entier         Indice de la dernière occurrence
-                                  du nombre 12
- Indice            Entier         Pour parcourir le tableau Suite
- FichierSuite      Fichier        Fichier dans lequel se trouvent les
-                                  nombres de la suite

 >>>> STRUCTURE DES OPÉRATIONS <<<<

   Initialiser Premier12 et Dernier12 à 0
   Demander où doivent être lues les données
   Lire l'endroit spécifié par l'usager

- 02  Ouverture du fichier si c'est le cas
      SI c'est dans le fichier ALORS
         Ouvrir FichierSuite en lecture

  Initialiser Indice à 0
- 03  Lecture des données
  Initialiser Indice à 0
```

```
   ┌─┬──────────────────────────────────────────────────────────
   │ │ *   TANT QU'il y a des données à lire
   │ │     Lire la valeur de la suite
   │ │     Augmenter l'indice de 1
   │
 ──┤  04   Rechercher le premier 12
   │     Initialiser Indice à 0
   │
   │  ┌─┬──────────────────────────────────────────────
   │  │ │   RÉPÉTER
   │  │ │   Augmenter l'indice de 1
   │  │ │   - 06   Vérifier la valeur actuelle
   │  │ │ ┌─── SI la valeur actuelle de la suite est 12 ALORS
   │  │ │ │   Affecter Indice à Premier12
   │  │ │
   │  │ *│   TANT QUE le nombre n'est pas 12 et Indice < NbValeur
   │
 ──┤  05   Rechercher le dernier 12
   │  ┌─┬────────────────────────────────────────────────
   │  │ │ SI Premier12 <> 0 ALORS
   │  │ │   - 07   Chercher l'emplacement du dernier 12 dans la suite
   │  │ │     Initialiser Indice à NbValeur
   │  │ │
   │  │ │  ┌─┬──────────────────────────────────
   │  │ │  │ │   RÉPÉTER
   │  │ │  │ │   Diminuer Indice de 1
   │  │ │  │ │   08 Évaluer la valeur de la suite
   │  │ │  │ │ ┌── SI la valeur actuelle est 12 ALORS
   │  │ │  │ │ │   Affecter Indice à Dernier12
   │  │ │  │ │
   │  │ │  *│   TANT QUE le nombre n'est pas 12 et Indice > Premier12
   │  │ │
   │  │     Afficher les positions de Premier12 et Dernier12
   └──┴──────────────────────────────────────────────────────────
```

4.
```
   ┌──────────────────────────────────────────────────────────────
   │ - DESCRIPTION: Calcul du prix de vente des dessins selon la taille,
   │ -             le type et l'expression.
   │
   │ - 01 Description des identificateurs
   │
   │ - IDENTIFICATEUR    TYPE              DESCRIPTION
   │
   │ - Cout_Variable    Tableau           Coût selon l'expression et le
   │ -                  de réels          type de dessin en $/cm²
   │ - Grandeur         Chaîne de caract. Normale, moyenne ou grande
   │ -                                    pour connaître la superficie
   │ - LeType           Chaîne de caract. Croquis, schéma ou détaillé
   │ - Expression       Chaîne de caract. N/B, couleur ou phosphorescent
   │ - CoutFixe         Réel              Coût fixe connu
   │ - CoutBase         Réel              Coût de base connu
   │ - CoutArticle      Réel              Coût calculé pour l'article
   │ -                                    vendu
```

```
- >>>> STRUCTURE DES OPÉRATIONS <<<<


  *   TANT QU'il y a des prix à calculer  FAIRE
      Demander le type de dessin
      Lire le type de dessin
      Demander la grandeur du dessin
      Lire la grandeur du dessin
      Demander l'expression du dessin
      Lire l'expression du dessin
      Évaluer le prix de l'article selon les descriptions
      Afficher la description et le prix
      Demander s'il y a un autre prix à calculer
      Lire la réponse
```

5. L'instruction `u = x-1/x;` devrait s'écrire `u = (x-1)/x;`.
    L'affectation à *y* devrait être:

    ```
    y = u + pow(u,2.0)/2 + pow(u,3.0)/3 + pow(u,4.0)/4 + pow(u,5.0)/5;
    ```

CHAPITRE 10

Réponses aux questions

1. Simula et Smalltalk.

2. Division du problème principal en sous-problèmes et résolution par raffinements successifs.

3. À déterminer les entités appartenant au problème ainsi que les opérations qui leur sont applicables.

4. Non, elle s'assimile plus à une approche ascendante.

5. L'encapsulation, l'héritage et le polymorphisme.

6. Le droit d'accès aux membres d'un enregistrement est public par défaut, tandis que le droit d'accès aux membres d'une classe est privé par défaut.

7. C'est la propriété d'un objet de contenir à la fois sa description ou ses données, appelées attributs, et les traitements associés, appelés méthodes.

8. Non, elle peut être de différents types.

9. Qu'il ne soit plus nécessaire de connaître la représentation interne d'un objet, mais qu'il suffise de savoir quelles opérations on peut lui appliquer.

10. L'appel d'une méthode appliquée à l'objet.

11. Oui, mais une méthode doit avoir comme préfixe l'identificateur d'un objet de la classe dans laquelle elle est déclarée, ce qui permet de distinguer deux méthodes portant le même nom et s'appliquant à des objets différents.

12. Selon ce principe, la seule manière d'interagir avec l'objet est de lui envoyer un message l'amenant à réagir suivant la méthode concernée.

13. Parce que, lors de modifications dans la structure de données d'un objet, seules les méthodes qui s'appliquent aux attributs de cet objet nécessitent une révision. Les programmes ayant accès uniquement aux méthodes ne nécessitent généralement aucun changement.

14. Le pointeur à l'objet courant de la classe concernée.

15. La possibilité qu'a une classe d'accaparer les membres «accessibles» d'une autre classe.

16.
```
class t_descendant : public t_racine
{
    ...
};
```

17. Une façon est de suivre le principe d'occupation de la mémoire par les objets; toutefois, ce principe ne suffit pas et il faut appliquer d'autres critères tels que les buts du problème à résoudre ou l'utilisation prévue pour les objets.

18. La capacité qu'a un objet d'être perçu différemment selon sa composition ou sa réaction à un message.

19. Parce qu'un objet peut se présenter ou être perçu comme un objet d'une classe dont il hérite. De plus, la possibilité de déclarer le même en-tête d'une méthode dans des objets distincts et d'introduire ces objets dans une même branche de l'arbre d'héritage constitue un polymorphisme de méthodes.

Solutions aux exercices

1. `Premier.Agir(N);`

2. L'accès aux attributs A et B de Objet ne peut pas se faire directement dans la fonction `main()` puisque leur droit d'accès est privé. On ne doit donc pas écrire:

```
Entier = Objet.A + Objet.B;
```

3. On doit écrire deux fonctions qui donnent comme résultat le contenu des membres A et B:

```
class type_classe
{
    int A,B;
  public:
    void Initialiser_A(void);
    void Initialiser_B(void);
    int Lire_A(void);
    int Lire_B(void);
};
```

```
int type_classe::Lire_A(void)
{
   return A;
}

int type_objet::Lire_B(void)
{
   return B;
}
```

4.
```
int type_compose::AplusB(void)
{
   return (A + B);
}
```

5. `cout << Compose.AplusB();`

6. **Tout d'abord, il faut changer le droit d'accès aux membres** A **et** B **de la classe** type_compose; **ce droit devient protégé. Ensuite, on déclare:**

```
class   type_super_compose : public type_compose
{
    char Chaine[81];
};
```

7.
```
class type_date
{
        int Jour, Mois, Annee;
     public:
        void Initialiser(int J, int M, int A);
        void Afficher(void);
};
void  type_date::Initialiser(int J, int M, int A)
{
   Jour  = J;
   Mois  = M;
   Annee = A;
};
void type_date::Afficher(void)
{
   cout << "La date est: " << Jour << '/' << Mois << '/' << Annee;
}
```

8. La date est: 30/7/1966

9. a, b, e et g sont les énoncés justes.

11. **Pour la classe** type_b, prive.a **est inaccessible,** protege_a **et** public_a **sont privés.**

Pour la classe type_c, prive.a **est inaccessible,** protege_a **et** public_a **sont protégés.**

Pour la classe `type_d`, `prive.a` est **inaccessible**, `protege_a` est **protégé** et `public_a` est public.

12.
```
typedef char type_chaine[20];
enum type_etudiant {LIBRE, TEMPS_PARTIEL, PLEIN_TEMPS};
enum type_enseignant {CHARGE_COURS, CHARGE_ENSEIGNEMENT, PROFESSEUR};
enum type_personnel {EMPLOYE_BUREAU, ENTRETIEN};

class type_personne
{
    protected:
        type_chaine Nom;
    public:
        void Changer_Nom(type_chaine Nouveau_Nom);
        type_chaine Lire_Nom(void);
};
class type_etudiant :  public type_personne
{
        type_etudiant Statut;
        float Moyenne;
    public:
        void Modifier_Type(type_etudiant Nouveau_Type);
        void Modifier_Moyenne(float Nouvelle_Moyenne);
};

class type_employe : public type_personne
{
    protected:
        float Salaire;
    public:
        void Fixer_Salaire(void);
};

class type_enseignant : public type_employe
{
        type_enseignant LeType;
    public:
        void Fixer_Type(type_enseignant Nouveau_Type);
};

class type_personnel : public type_employe
{
        type_personnel LeType;
    public:
        void Fixer_Type(type_personnel Nouveau_Type);
};
```

13.
```
Enseignante.Fixer_Type(Charge_Enseignement);
```

14.
```
void type_employe::Fixer_Salaire(void)
{
    cout << "Donner le nouveau salaire: ";
    cin >> Salaire;
}
```

15.
```
type_chaine   type_personne::Lire_Nom(void)
{
    return Nom;
}
```

18. a) i) constructeur 3
  ii) constructeur 1
  iii) constructeur 3
  iv) constructeur 2

b)
```
void type_message::Lire()
{
    cout << "Message: ";
    cin.getline(Message,120);
    NombreRecus++;
}
```

c)
```
void type_message::Recevoir(char UnMessage[])
{
    strcpy(Message,UnMessage);
    NombreRecus++;
}
```

19. a)
```
type_disque ::type_disque()
{
    strcpy(Artiste, "";
    strcpy(Titre, "");
    Prix = 0;
    Valider_Prix(LePrix);
    A_Vendre= 0;
}

type_disque ::type_disque(char Lartiste[], char LeTitre[],
                          double LePrix, int Stock      )
{
    strcpy(Artiste, Lartiste);
    strcpy(Titre, LeTitre);
    Prix = LePrix;              // Facultative
    Valider_Prix(LePrix);
    A_Vendre= Stock;
}

type_disque( char Lartiste[30], double Leprix, int stock = 0 );
{
    strcpy(Artiste, Lartiste);
    strcpy(Titre, Lartiste);
    Prix = LePrix;             // Facultative
    Valider_Prix(LePrix);
    A_Vendre= Stock;
}
```

b)

i)   2

ii) 3

iii) 3

iv) 1

c)

```
double type_disque ::Obtenir_Prix()
{
    return Prix;
}
```

d)

```
bool type_disque ::VendreDisques(int Vendu)
{
    if (Vendu > A_Vendre)
       return false;
    else
    {
        A_Vendre -= Vendu;
        return true;
    }

}
```

20. a)

```
type_fraction::type_fraction(int N=0,int D=1)
{
    Num=N;
    Den=D;
    Reduire();
}
```

b)

```
type_fraction type_fraction::Additionner(type_fraction Ajout)
{
    type_fraction Somme;
    Somme.Num=Num*Ajout.Den + Ajout.Num*Den;
    Somme.Den=Den*Ajout.Den;
    Somme.Reduire();
    return Somme;
}
```

c)

```
double type_fraction::DonnerReel()
{   // La conversion explicite d'un seul opérande est suffisante
    return double(num)/(double)den;
}
```

d)
```
void main()
{

    type_fraction Q1(2,4), Q2(3,5), Resultat;

    // Affecter à Resultat l'addition de Q1 et Q2
    Resultat = Q1.Additionner(Q2);

    // Afficher la valeur de Resultat
    Resultat.Afficher();

    // Afficher la valeur réelle de Resultat
    cout << Resultat.DonnerReel() << endl;;
}
```

CHAPITRE 11

Réponses aux questions

1. Des nœuds du même type comprenant un ou plusieurs champs d'information et un pointeur à l'article suivant.

2. L'impossibilité de remonter aux nœuds précédents et le traitement particulier qu'il faut effectuer au moment de l'insertion de nœuds au début ou à la fin d'une liste.

3. Une structure d'éléments qui comportent un ou plusieurs champs de données ainsi que deux pointeurs les reliant à la fois au nœud précédent et au nœud suivant.

4. Parce que ce nœud ne sert qu'à établir des liens avec les nœuds suivant et précédent.

5. On ne doit jamais l'utiliser pour conserver des données.

11. Aucun nœud ne nécessite un traitement particulier.

12. On détermine d'abord l'endroit d'insertion du nœud. Ensuite, on fait pointer le nouveau nœud vers les nœuds précédent et suivant, puis on fait pointer les nœuds suivant et précédent vers le nouveau nœud.

13. On localise le nœud à retirer et on fait pointer son nœud précédent vers le suivant et son suivant vers le précédent.

17. Une liste simple ou double dont on se sert pour sauvegarder des données et en retirer dans un ordre particulier; le dernier nœud inséré dans la pile est toujours le premier retiré.

18. Une liste simple ou double dont on se sert pour sauvegarder des données et en retirer dans un ordre particulier; le premier nœud inséré dans la file est toujours le premier retiré.

19. `Double-ended Queue`; il s'agit d'une structure dans laquelle on combine les caractéristiques d'une pile et d'une file d'attente.

Solutions aux exercices

1.
```
class type_etudiant
{
    char   Nom[20],
           Prenom[20];
    int    Matricule;
    type_etudiant  *PtrSuiv, *PtrPrecedent;
};
```

3. L'espace occupé par le deuxième pointeur × le nombre d'articles + la taille de l'article factice, soit la taille + 2 pointeurs:

$$4 \times 120 + 24 + (2 \times 4) = 512 \text{ octets}$$

4. a) `type_noeud`
   b) `type_noeud*`
   c) `type_noeud`
   d) `int`
   e) `char`

5. a) `Gilles 25`
   b) `Luc`

6.
```
int Denombrer_17.35()
{
    type_noeud *PtrAux;
    int Compte;

    PtrAux = PtrTete->PtrSuivant;
    Compte = 0;
    while (PtrAux!=PtrTete)
    {
        if (PtrAux->Age>=17 && PtrAux->Age<=35)
            Compte++;
        PtrAux = PtrAux->PtrSuivant;
    }
    return Compte;
}
```

7.
```
template class<TYPEINFO>
void type_liste <TYPEINFO>::Retirer-18()
{
    type_noeud *PtrAux, *PtrEnleve;

    PtrAux = PtrTete->PtrSuivant;
    while (PtrAux != PtrTete)
      if (PtrAux->Age < 18)
      {
          PtrAux =PtrAux->PtrSuivant;
          Eliminer(PtrAux->PtrPrecedent->Info);
      }
```

```
        else
            PtrAux = PtrAux->PtrSuivant;
    }
```

8. a)

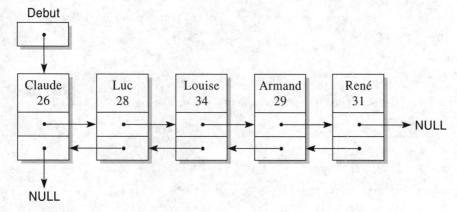

b) **De la boucle** do-while:

```
    Louise
```

De la boucle while:

```
    Luc
    Armand
    Armand
```

13.
```
#include <iostream>    // Pour l'utilisation de cout
using namespace std;
#include "Listes.h"    // Pour l'utilisation de De_Pile(), En_Pile() et Liste_Vide()
type_pile <type_info> Hommes, Femmes, Table;
type_info Personne;
int Altern=1;

// Transfert alternatif d'un homme et d'une femme à la table
while (!Hommes.EstVide() !Femmes.EstVide())
{
    if (Altern%2==0)
        Personne= Hommes.Retirer();
    else
        Personne= Femmes.Retirer();
    Table.Inserer(Personne);
    Altern++;
}
```

```
    // Transfert des hommes à la table s'ils sont plus nombreux
while (!Hommes.EstVide())
{
    Personne= Hommes.Retirer();
    Table.Inserer(Personne);
}

    // Transfert des femmes à la table si elles sont plus nombreuses
while (!Femmes.EstVide())
{
    Personne= Femmes.Retirer();
    Table.Inserer(Personne);
}

    // Noms et prénoms des convives assis autour de la table
    Table.Afficher();
```

15. a)
```
bool Sont_Voisines(int X1, int Y1, int X2, int Y2)
{
    double Distance;

    Distance = sqrt(pow(X1-X2,2.0) + pow((double) Y1-Y2,2.0));
    return (Distance <= sqrt(2.0));
} //- Sont_Voisines --------------------------
```

b)
```
bool Est_Ferme()
{
    type_noeud PtrProchain;
    bool Ferme;

    // Placer PtrCourant sur le premier noeud
      DeplacerAlaTete();
      DeplacerAuSuivant();
    Ferme = true;
    while ((!CourantEnTete() && Ferme)
    {
      PtrProchain = PtrCourant->PtrSuivant;
      if (PtrProchain == PtrTete)
         PtrProchain = PtrTete->PtrSuivant;
      Ferme = Sont_Voisines(PtrCourant->X, PtrCourant->Y, PtrProchain->X,
                            PtrProchain->Y);
      DeplacerAuSuivant();
    }  // While
    return Ferme;
} //- Est_Ferme
```

MOTS RÉSERVÉS POUR LA PROGRAMMATION EN LANGAGES C ET C++

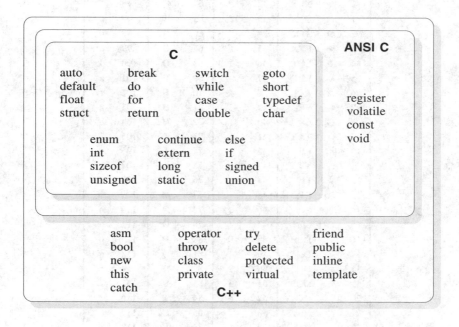

CARACTÈRES ASCII

Dec	Char		Dec	Char	Dec	Char	Dec	Char
0	^@	NUL	32		64	@	96	`
1	☺	SOH	33	!	65	A	97	a
2	☻	STX	34	''	66	B	98	b
3	♥	ETX	35	#	67	C	99	c
4	♦	EOT	36	$	68	D	100	d
5	♣	ENQ	37	%	69	E	101	e
6	♠	ACK	38	&	70	F	102	f
7	•	BEL	39	'	71	G	103	g
8	◘	BS	40	(	72	H	104	h
9	○	TAB	41	)	73	I	105	i
10	◙	LF	42	*	74	J	106	j
11	♂	VT	43	+	75	K	107	k
12	♀	FF	44	,	76	L	108	l
13	♪	CR	45	-	77	M	109	m
14	♫	SO	46	.	78	N	110	n
15	☼	SI	47	/	79	O	111	o
16	►	DLE	48	0	80	P	112	p
17	◄	DC1	49	1	81	Q	113	q
18	↕	DC2	50	2	82	R	114	r
19	‼	DC3	51	3	83	S	115	s
20	¶	DC4	52	4	84	T	116	t
21	§	NAK	53	5	85	U	117	u
22	▬	SYN	54	6	86	V	118	v
23	↨	ETB	55	7	87	W	119	w
24	↑	CAN	56	8	88	X	120	x
25	↓	EM	57	9	89	Y	121	y
26	→	SUB	58	:	90	Z	122	z
27	←	ESC	59	;	91	[	123	{
28	∟	FS	60	<	92	\	124		
29	↔	GS	61	=	93	]	125	}
30	▲	RS	62	>	94	^	126	~
31	▼	US	63	?	95	_	127	⌂

Dec	Char	Dec	Char	Dec	Char	Dec	Char
128	Ç	160	á	192	└	224	α
129	ü	161	í	193	┴	225	β
130	é	162	ó	194	┬	226	Γ
131	â	163	ú	195	├	227	π
132	ä	164	ñ	196	─	228	Σ
133	à	165	Ñ	197	┼	229	σ
134	å	166	ª	198	╞	230	μ
135	ç	167	º	199	╟	231	τ
136	ê	168	¿	200	╚	232	φ
137	ë	169	⌐	201	╔	233	θ
138	è	170	¬	202	╩	234	Ω
139	ï	171	½	203	╦	235	δ
140	î	172	¼	204	╠	236	∞
141	ì	173	¡	205	═	237	Ø
142	Ä	174	«	206	╬	238	∈
143	Å	175	»	207	╧	239	∩
144	É	176	░	208	╨	240	≡
145	æ	177	▒	209	╤	241	±
146	Æ	178	▓	210	╥	242	≥
147	ô	179	│	211	╙	243	≤
148	ö	180	┤	212	╘	244	⌠
149	ò	181	╡	213	╒	245	⌡
150	û	182	╢	214	╓	246	÷
151	ù	183	╖	215	╫	247	≈
152	ÿ	184	╕	216	╪	248	°
153	Ö	185	╣	217	┘	249	•
154	Ü	186	║	218	┌	250	·
155	¢	187	╗	219	█	251	√
156	£	188	╝	220	▄	252	^{2}
157	¥	189	╜	221	▌	253	^{n}
158	Pt	190	╛	222	▐	254	■
159	ƒ	191	┐	223	▀	255	

CARACTÈRES ÉTENDUS

Les caractères étendus sont les touches ou un ensemble de touches du clavier qui ne font pas partie de la table des 256 codes ASCII. Ils sont composés de deux caractères: le premier est toujours le caractère nul #0 et le deuxième, l'un des 255 autres caractères standard.

Valeur du DEUXIÈME caractère	Caractère étendu
3	NUL (caractère nul)
15	Shift Tab
16-25	Alt-Q/W/E/R/T/Y/U/I/O/P
30-38	Alt-A/S/D/F/G/H/J/K/L
44-50	Alt-Z/X/C/V/B/N/M
59-68	F1-F10
71	Home
72	Flèche haut
73	PgUp
75	Flèche gauche
77	Flèche droite
79	End
80	Flèche bas
81	PgDn
82	Ins
83	Del
84-93	F11-F20 (Shift-F1 à Shift-F10)
94-103	F21-F30 (Ctrl-F1 à Ctrl-F10)
104-113	F31-F40 (Alt-F1 à Alt-F10)
114	Ctrl-PrtSc
115	Ctrl-Flèche gauche
116	Ctrl-Flèche droite
117	Ctrl-End
118	Ctrl-PgDn
119	Ctrl-Home
120-131	Alt-1/2/3/4/5/6/7/8/9/0/-/=
132	Ctrl-PgUp
133	F11
134	F12
135	Shift-F11
136	Shift-F12
137	Ctrl-F11
138	Ctrl-F12
139	Alt-F11
140	Alt-F12

PRÉCOMPILATEUR

D.1 PRÉCOMPILATION

La précompilation, comme son nom l'indique, précède la compilation d'un programme. Elle peut inclure diverses actions, notamment l'inclusion de fichiers, la définition de constantes et de macros et la compilation conditionnelle. Toutes les directives de précompilation commencent par un dièse, «#», qui n'admet que le caractère d'espacement avant lui. Puisque ce ne sont pas des instructions de langage C ou C++, elles ne doivent pas se terminer par un point-virgule «;». Le programme doit traiter toutes les directives de précompilation avant le début de la compilation.

D.1.1 Directive de précompilation `#include`

La directive de précompilation `#include` permet d'insérer une copie d'un fichier à l'emplacement de la directive. Pour spécifier l'insertion d'un fichier fourni avec le compilateur, il faut inscrire le nom du fichier entre les caractères < et >. L'énoncé:

```
#include <stdio.h>
```

insère une copie du fichier d'en-tête `stdio.h` à l'endroit où la directive apparaît dans le fichier.

Si on veut demander l'insertion d'un fichier personnel situé dans le répertoire de l'espace de travail courant, il faut inscrire le nom du fichier entre guillemets. Ainsi, l'énoncé:

```
#include "avion.h"
```

insère le fichier `avion.h` à l'emplacement exact où se trouve la directive dans le fichier.

Cette directive convient principalement pour inclure des fichiers d'en-tête contenant des définitions de type, de constante et des prototypes de fonction.

D.1.2 Directives de précompilation `#define` et `#undef`

Directive `#define`. La directive de précompilation `#define` permet de créer des constantes dites symboliques, au sens où un identificateur est associé à une valeur connue, et des macros qui se composent d'opérations génériques.

La directive `#define` fonctionne de la même façon que la commande *Trouver et Remplacer* d'un traitement de texte. La syntaxe usuelle est:

```
#define Chaine_A_Trouver Chaine_De_Remplacement
```

Par exemple, pour la déclaration de la constante `LIMITE` valant `100`, on a:

```
#define LIMITE 100
```

Dans ce cas, le précompilateur recherche dans le fichier toutes les occurrences de la chaîne `LIMITE` et les remplace par la valeur `100`.

L'énoncé `#define` ne sert pas uniquement à déclarer des constantes. En effet, il est possible de remplacer la chaîne de l'identificateur par une chaîne formulant une expression. Par exemple, l'énoncé:

```
#define FORMAT cout<<setiosflags(ios::showpoint)
```

permet de remplacer chaque occurrence de la chaîne `FORMAT` par l'énoncé `cout<<setiosflags(ios::showpoint)`. Cette stratégie peut simplifier grandement la spécification du format d'affichage puisqu'elle le spécifie à un seul endroit. Pour modifier le format d'affichage, il suffit d'indiquer les changements à cet endroit.

L'énoncé `#define` offre la possibilité de franciser la syntaxe du langage C en associant sa traduction française à chaque mot réservé. Par exemple, on pourrait écrire:

```
#define ENTIER int
#define TANTQUE while
```

L'énoncé permet également de ne pas préciser de chaîne de remplacement dans une directive `#define`. Par exemple:

```
#define BONHEUR
```

est un énoncé correct qui peut s'avérer très utile dans certaines situations. En effet, à la rencontre d'un tel énoncé, le précompilateur mémorise l'identificateur `BONHEUR`, ce qui assure sa reconnaissance dans la suite du programme.

Une autre utilisation de l'énoncé `#define` consiste à définir une opération, que nous appelons une macro. Comme dans les cas précédents, une chaîne de remplacement, soit l'expression de la macro, vient remplacer son identificateur lors de la précompilation. Cette définition des macros se fait avec ou sans argument. Une macro sans argument est traitée comme une substitution de constante. Lorsqu'une macro comporte des arguments, les arguments sont insérés dans le texte par remplacement, puis la macro est développée, c'est-à-dire que le texte de remplacement se substitue, dans le programme, à l'identificateur de la macro et à sa liste d'arguments.

La macro suivante calcule le carré de son argument:

```
#define CARRE(x)   ((x)*(x))
```

Supposons que le fichier contient l'instruction suivante:

```
Aire = CARRE(Longueur) ;
```

Une fois que le précompilateur aura traité cette instruction, elle s'exprimera:

```
Aire = ((Longueur)*(Longueur)) ;
```

Nous recommandons fortement l'utilisation de parenthèses dans la définition d'une macro pour garantir un remplacement adéquat des arguments. Par exemple, la macro définie par l'énoncé:

```
#define CARRE(x)   (x * x)
```

appliqué à l'instruction:

```
Aire = CARRE(Longueur + 5) ;
```

deviendra, après le traitement du précompilateur:

```
Aire = Longueur + 5 * Longueur + 5 ;
```

Toutefois, cette expression est erronée puisqu'elle équivaut à:

```
Aire = Longueur + (5 * Longueur) + 5 ;
```

compte tenu de la priorité des opérateurs.

L'avantage de l'utilisation d'une macro est qu'elle augmente la rapidité d'exécution du programme puisqu'elle évite le processus d'appel de fonction qui exige la gestion de la pile système. Par contre, selon sa taille, la macro peut augmenter la taille du programme puisqu'elle s'installera à chacune de ses occurrences. Le concept de macro est l'ancêtre des fonctions `inline` en langage C++. Ces dernières sont plus efficaces puisqu'elles combinent les performances des macros et les avantages logiciels des fonctions.

Directive `#undef`. La directive `#undef` permet d'annuler la déclaration d'un identificateur préalablement déclaré dans une directive `#define`. Par exemple, après la directive:

```
#undef FORMAT
```

le précompilateur considérera que l'identificateur `FORMAT` est non défini.

D.1.3 Directives de compilation conditionnelle `#if`, `#ifdef`, `#ifndef`, `#else`, `#endif`

La compilation conditionnelle permet d'indiquer au compilateur s'il doit accepter ou ignorer un bloc de directives ou de code lors de la compilation. Les directives de compilation conditionnelle ont un fonctionnement similaire à une structure conditionnelle du langage C. Chacune d'elles évalue une expression entière ou une expression booléenne afin de déterminer s'il y a lieu de compiler le bloc de directives ou de code lié à cette condition.

Les directives `#ifdef NOM` et `#ifndef NOM` sont des abréviations de `#if defined(NOM)` et `#if !defined(NOM)`. Un énoncé `#ifdef`, `#ifndef` ou `#if` se termine obligatoirement par un énoncé `#endif`. Les énoncés `#elif` et `#else` conviennent à la construction d'une structure conditionnelle comportant une alternative ou plusieurs sélections.

Voici quelques exemples d'utilisation des énoncés de compilation conditionnelle. Dans le premier exemple, l'énoncé `#ifndef DIM` vérifie si la constante `DIM` a été définie ou non. Si elle n'est pas définie, l'énoncé suivant la définit et lui donne la valeur 10. L'application de l'énoncé `#ifndef DIM` se termine à la rencontre de l'énoncé `#endif`.

```
#ifndef DIM
    #define DIM 10
#endif
```

Un deuxième exemple illustre l'utilisation des énoncés `#ifdef` et `#else`. Dans ce cas, si l'identificateur `FILM` est déjà défini, les deux énoncés suivants sont pris en compte; autrement, le programme exécutera les deux énoncés sous le `#else`.

```
#ifdef FILM
    #include "vision.h"
    #define DEPART 2
#else
    #include "film.h"
    #define DEPART 1
#endif
```

L'énoncé `#if` est similaire à l'énoncé `if` du langage C. Une expression booléenne peut être utilisée pour contrôler les énoncés à compiler. Dans l'exemple suivant, si `SYS` vaut 1, alors le programme exécute la directive d'inclusion.

```
#if SYS == 1
    #include "ibmpc.h"
#endif
```

L'énoncé `#elif` correspond à l'énoncé `else-if` du langage C. Dans l'exemple suivant, si l'identificateur `SYS` vaut 1, le programme exécute la directive `#include "ibmpc.h"`. Par contre, si `SYS` vaut 2, le programme exécute la directive `#include "mac.h"`. Si aucune de ces conditions ne se vérifie, le programme passe à la directive `#include "general.h"`.

```
#if SYS == 1
    #include "ibmpc.h"
#elif SYS == 2
    #include "mac.h"
#else
    #include "general.h"
#endif
```

Dans cet ouvrage, nous avons fait précéder chaque déclaration de classe d'une directive destinée à vérifier l'existence de la définition d'une constante symbolique. On inclut donc une directive de définition de constante sans valeur de remplacement qui devient valide dans le cas où la constante n'est pas définie. Le nom de la constante est celui de la classe, en majuscules. La déclaration de la classe apparaît juste en dessous. Cette façon de faire évite d'inclure le fichier d'une classe à plusieurs reprises lors d'une même compilation.

Par exemple, dans le fichier nommé CLASSE.H, on retrouve les énoncés suivants:

```
#ifndef TYPE_CLASSE
#define TYPE_CLASSE
class type_classe
{
  // Identification des membres de la classe
};
#endif
```

Supposons que le fichier CLASSE.H est inclus dans chacun des trois fichiers suivants :

```
//Fichier Un.h
#include <iostream.h>
#include "Classe.h"

void Fonction1a();
char Fonction1b();
int Fonction1c(int);

// Autres déclarations
```

```
//Fichier Deux.h
#include <iostream.h>
#include "Classe.h"

void Fonction2a(int);
int Fonction2b();
char Fonction2c(char);

// Autres déclarations
```

```
//Fichier Trois.cpp
#include <iostream.h>
#include "Classe.h"
#include "Un.h"
#include "Deux.h"

void main()
{
// Déclaration de la
// fonction
}
```

Lors d'une compilation unique concernant ces trois fichiers, les directives ajoutées au début du fichier CLASSE.H feront en sorte que la déclaration de la classe `type_classe` sera compilée une seule fois. La compilation débute avec le fichier TROIS.CPP, qui contient la fonction `main()` comprenant quatre directives `#include`. Ces directives de précompilation copient les fichiers IOSTREAM.H, CLASSE.H, UN.H et DEUX.H à l'emplacement de la directive les concernant. Une fois le fichier IOSTREAM.H compilé, la compilation se poursuit avec les instructions du fichier CLASSE.H. La première directive de ce fichier, `#ifndef TYPE_CLASSE`, vaut Vrai. L'identificateur `TYPE_CLASSE` est alors défini et la déclaration de la classe, compilée. La compilation continue avec les instructions du fichier UN.H qui contient également une directive d'inclusion du fichier CLASSE.H. Cependant, le compilateur ne compilera pas de nouveau le contenu de ce fichier puisque la première directive, `#ifndef TYPE_CLASSE`, vaut Faux. Le même raisonnement s'applique lors de la compilation du fichier DEUX.H.

NOUVEAUX NOMS DES FICHIERS D'EN-TÊTE ET L'ESPACE DE NOMS

E.1   NOUVEAUX NOMS DES FICHIERS D'EN-TÊTE

La norme ANSI/ISO C++ spécifie de nouveaux noms pour les anciens fichiers d'en-tête du C++ tels que `iostream.h` et `iomanip.h`. Les nouvelles appellations omettent l'extension «.h». Les fichiers `iostream.h` et `iomanip.h` deviennent `iostream` et `iomanip`. De plus, les anciens fichiers d'en-tête du langage C débutent par la lettre «c». Par exemple, l'appellation du fichier `stdlib.h` devient `cstdlib`. Le tableau E.1 présente les nouveaux noms des fichiers du C++.

Chaque fichier d'en-tête du standard C++ utilise un espace de noms, qu'on appelle `std`. Cet espace permet de s'assurer que chaque fonctionnalité fournie par la bibliothèque standard C++ est unique par rapport aux composants développés par d'autres programmeurs. Ainsi, les programmeurs peuvent créer de nouveaux composants sans pour autant générer de conflits de noms avec des composants qui existent déjà.

E.2   ESPACE DE NOMS (*NAMESPACE*)

La norme ANSI/ISO du C++ tente de résoudre le problème de superposition d'identificateurs, qui provient de l'utilisation d'une bibliothèque possédant des noms identiques pour des identificateurs globaux. Par exemple, prenons le cas d'un programme qui contient la définition d'une fonction nommée `sqrt()` et qui inclut le fichier d'en-tête `<cmath>`, ce dernier comprenant également une fonction nommée `sqrt()`. Pour résoudre le problème, la norme fait appel à l'espace de noms (*namespace*). Chaque espace de noms définit un domaine de validité ou une portée où sont placés les identificateurs globaux et les variables globales. Pour utiliser un membre d'un espace de noms, on doit qualifier l'identificateur du membre du nom de l'espace suivi de l'opérateur de résolution de portée «`::`», comme suit:

```
Nom_Espace :: Identificateur_Membre
```

Tableau E.1   Nouveaux noms des fichiers du C++

Fichier d'en-tête de bibliothèque standard	Contenu	Ancienne version
`<cassert>`	Les macros et l'information facilitant le débogage.	`<assert.h>`
`<cctype>`	Les prototypes des fonctions qui vérifient certaines propriétés d'un caractère et d'autres qui convertissent une lettre minuscule en majuscule ou vice-versa.	`<ctype.h>`
`<cfloat>`	Les valeurs limites des nombres réels.	`<float.h>`
`<climits>`	Les valeurs limites des nombres entiers.	`<limits.h>`
`<cmath>`	Les prototypes des fonctions mathématiques.	`<math.h>`
`<cstdio>`	Les prototypes des fonctions d'entrées/sorties standards et l'information qu'elles utilisent.	`<stdio.h>`
`<cstdlib>`	Les prototypes des fonctions exécutant les conversions de nombres à texte et de texte à nombres, ainsi que l'allocation de mémoire, la génération de nombres aléatoires et d'autres fonctions utilitaires.	`<stdlib.h>`
`<cstring>`	Les prototypes des fonctions agissant sur les chaînes de caractères comme définies par le langage C.	`<string.h>`
`<ctime>`	Les prototypes des fonctions et les types nécessaires à la manipulation du temps et de la date.	`<time.h>`
`<iostream>`	Les prototypes des fonctions pour l'entrée et la sortie standards.	`<iostream.h>`
`<iomanip>`	Les prototypes des fonctions servant à l'organisation et au formatage des données.	`<iomanip.h>`
`<fstream>`	Les prototypes des fonctions utiles à la manipulation des fichiers en entrée et en sortie.	`<fstream.h>`
`<utility>`	Les classes et les fonctions utilisées dans plusieurs fichiers d'en-tête.	
`<vector>`, `<list>`, `<deque>`, `<queue>`, `<stack>`, `<map>`, `<set>`, `<bitset>`	Les classes qui implantent les contenants standardisés *Standard Template Library*. Les contenants servent à mémoriser des données au moment de l'exécution d'un programme.	
`<functional>`	Les classes et les fonctions utilisées par les bibliothèques standardisées d'algorithmes.	
`<memory>`	Les classes et les fonctions utilisées par les bibliothèques standards pour allouer de la mémoire à la bibliothèque standardisée de contenants.	
`<iterator>`	Les classes accédant aux données de la bibliothèque standardisée de contenants.	
`<algorithm>`	Les fonctions servant à la manipulation dans la bibliothèque standardisée de contenants.	
`<exception>`, `<stdexcept>`	Les classes utilisées pour la gestion des exceptions (erreurs).	
`<string>`	La définition de la classe `string` de la bibliothèque standard.	
`<sstream>`	Les prototypes des fonctions agissant sur l'entrée/sortie de la classe `string`.	
`<locale>`	Les classes et les fonctions normalement utilisées pour la manipulation des données dans un format donné (ex. : format monétaire, présentation de caractère, etc.).	
`<limits>`	Les classes définissant les limites numériques sur chaque plate-forme d'ordinateur.	
`<typeinfo>`	Les classes déterminant le type d'une donnée à l'exécution.	

Le petit programme suivant permet l'accès au membre d'un espace en précisant explicitement l'espace de noms:

```
#include <iostream>
#include <iomanip>

void main()
{
   int Entier;
   std::cout << "Entrer un nombre entier: ";
   std::cin >> Entier;
   std::cout << "Le nombre lu est " << std::setw(5) << Entier;
}
```

Il est possible d'accéder à certains membres d'un espace de noms sans les préfixer chaque fois de l'identificateur de l'espace de noms suivi de «::». Dans ce cas, on utilise l'instruction suivante, et ce pour chaque membre utilisé dans le programme:

```
using Nom_Espace :: Identificateur_Membre
```

Le programme peut alors s'écrire:

```
#include <iostream>
using std::cin;
using std::cout;

#include <iomanip>
using std::setw;

void main()
{
   int Entier;
   cout << "Entrer un nombre entier: ";
   cin >> Entier;
   cout << "Le nombre lu est " << setw(5) << Entier;
}
```

L'instruction qui permet d'accéder directement à tous les membres d'un espace de noms, sans devoir préfixer chaque membre de l'identificateur de l'espace de noms suivi de «::», s'écrit comme suit:

```
using namespace Nom_espace;
```

Par exemple, l'instruction:

```
using namespace std;
```

placée après l'énoncé #include d'une bibliothèque standard permet d'accéder directement à tous les membres de l'espace de noms std.

Le programme précédent peut donc s'écrire:

```cpp
#include <iostream>
#include <iomanip>
using namespace std;

void main()
{
    int Entier;
    cout << "Entrer un nombre entier: ";
    cin >> Entier;
    cout << "Le nombre lu est " << setw(5) << Entier;
}
```

Nous avons adopté cette dernière méthode, car nous la considérons comme la plus simple à utiliser. Par contre, il peut être avantageux de se servir de la méthode précédente qui consiste à identifier chaque membre d'un espace de noms utilisé dans un programme sans rendre les autres membres directement accessibles.

E.3   DÉCLARATION D'UN ESPACE DE NOMS

Il est possible de déclarer un espace de noms contenant des constantes, des classes, des espaces de noms, des fonctions et autres. La définition d'un tel espace doit être globale ou imbriquée à l'intérieur d'un espace de noms.

Voici la déclaration d'un espace de noms qui est similaire à la déclaration d'une classe, mais qui ne se termine pas par un point-virgule:

```cpp
namespace LeMien
{
    const double PI = 3.14159265358979323846426433832795;
    char Lettre;
    void Afficher();
    namespace Amoi
    {
        enum type_grandeur {PETIT, MOYEN, GRAND};
    }
}
```

BIBLIOGRAPHIE

ABRAHAMS, P.W. et B.A. LARSON. *Unix for the Impatient*, 2e éd., Reading (Massachusetts), Addison-Wesley, 1996, 824 p.

ADAMS, J., LEESTMA, S. et L. NYHOFF. *C++ an Introduction to Computing*, 2e éd., Upper Saddle River (New Jersey), Prentice Hall, 1998, 868 p.

BARTON, J.J. et L.R. NACKMAN. *Scientific and Engineering C++, An Introduction with Advanced Techniques and Examples*, Reading (Massachusetts), Addison-Wesley, 1994, 671 p.

BOOCH, G. *Object Oriented Design with Applications*, Redwood City (California), The Benjamin/Cummings Publishing Company Inc., 1991, 580 p.

BOUDREAULT, Y., J.-C. BERNARD, R. GUARDO, J. LAVOIE et P. SAVARD. *TURBO PASCAL: Programmation et résolution de problèmes*, Montréal (Québec), Éditions de l'École Polytechnique de Montréal, 1994, 585 p.

BRASSARD, G. et P. BRATLEY. *Algorithmique: conception et analyse*, Montréal (Québec), Masson (Les Presses de l'Université de Montréal), 1987, 344 p.

BROOKSHEAR, J.G. *Computer Science: an Overview*, 5e éd., Reading (Massachusetts), Addison-Wesley, 1997, 483 p.

BURDEN, R.L. et J.D. FAIRES. *Numerical Analysis*, 3e éd., Boston (Massachusetts), Prindle, Webeb & Schmidt, 1985, 676 p.

COAD, P. et E. YOURDON. *Object-Oriented Design*, Englewood Cliffs (New Jersey), Yourdon Press, 1991, 197 p.

COPLIEN, J.O. *Advanced C++ Programming Styles and Idioms*, Reading (Massachusetts), Addison-Wesley, 1992, 520 p.

CORMEN, T.H., LEISERSON, C.E. et R.L. RIVEST. *Introduction to Algorithms*, New York (New York), McGraw-Hill, 1991, 1028 p.

DEITEL, H.M. et P.J. DEITEL. *C++ How to Program*, 3e éd., Upper Saddle River (New Jersey), Prentice Hall, 2001, 1168 p.

DEITEL, H.M. et P.J. DEITEL. *Comment programmer en C++*, 2e éd., Éditons Reynald Goulet Inc., 2000, 1116 p.

ECKEL, B. *Thinking in C++, Volume One: Introduction to Standard C++*, 2e éd., Upper Saddle River (New Jersey), Prentice Hall, 2000, 814 p.

ELLIS, M.A. et B. STROUSTRUP. *The Annotated C++ Reference Manual*, Reading (Massachusetts), 1995, 470 p.

FRIEDMAN, F.L. et E.B. KOFFMAN. *Problem Solving, Abstraction, and Design Usign C++*, 3ᵉ éd., Reading (Massachusetts), Addison-Wesley, 2000, 822 p.

GRAHAM, I., O'CALLAGHAN, A. et A.C. WILLS. *Object-Oriented Methods: Principles and Practice*, 3ᵉ éd., Harlow (England), Addison-Wesley, 2001, 832 p.

HANLY, J.R., KOFFMAN, E.B. et F.L. FRIEDMAN. *Problem Solving and Program Design in C*, Reading (Massachusetts), Addison-Wesley, 1993, 729 p.

HANLY, J.R., KOFFMAN, E.B. et J.C. HORVATH. *C Program Design for Engineers*, Reading (Massachusetts), Addison-Wesley, 1995, 644 p.

KAFURA, D. *Object-Oriented Software Design and Construction with C++*, Upper Saddle River (New Jersey), Prentice Hall, 1998, 440 p.

KELLEY, A. et I. POHL. *C by Dissection: the Essentials of C Programming*, 2ᵉ éd., Redwood City (California), The Benjamin/Cummings Publishing Company Inc., 1992, 639 p.

LEE, R.C. et W.M. TEPFENHART. *UML and C++: a Practical Guide to Object-Oriented Development*, 2ᵉ éd., Upper Saddle River (New Jersey), Prentice Hall, 2001, 257 p.

LERMAN, S.V. *Problem Solving and Computation for Scientists and Engineers: an Introduction Using C*, Englewood Cliffs (New Jersey), Prentice Hall, 1993, 521 p.

LÉVESQUE, G. *Analyse de système orientée-objet et génie logiciel : concept, méthodes et applications,* Montréal (Québec), Chenelière/McGraw-Hill, 1998, 458 p.

MANSINI, G., NAPOLI, A., COLNET, D., LEONARD, D. et K. TOMBRE. *Les langages à objets*, Paris, InterEditions, 1989, 584 p.

MARTIN, J. et J.J. ODELL. *Object Oriented Methods : a Fundation, UML Edition*, 2ᵉ éd., Upper Saddle River (New Jersey), Prentice Hall, 1998, 408 p.

MAZUHELLI, M. et D. BEAUCHEMIN. *Langage C du début au standard ANSI*, Montréal (Québec), Addison-Wesley, 1989, 299 p.

MEYERS, S. *More effective C++: 35 Ways to Improve your Programs and Design*, Reading (Massachusetts), Addison-Wesley, 1996, 318 p.

MOREAU, R. *L'approche objets concepts et techniques*, Paris, Masson, 1995, 302 p.

MURRAY, R.B. *Stratégies et tactiques C++*, Paris (France), Éditions Addison-Wesley France, 1994, 296 p.

NGUYEN, L.V. Notes de cours IFT 1166, Université de Montréal, 1995.

POHL, I. *Object-Oriented Programming Using C++*, 2ᵉ éd., Reading (Massachusetts), Addison-Wesley, 1997, 543 p.

REISS, P.R. *A Practical Introduction to Software Design and Construction with C++*, John Wiley and Sons Inc., 1999, 513 p.

ROBILLARD, P.N. *Le logiciel: de sa conception à sa maintenance*, Chicoutimi (Québec), Gaëtan Morin Éditeur, 1985, 279 p.

ROBILLARD, P.N. *Schematic Pseudocode for Program Constructs and its Computer Automation by Schemacode*, Communications of the ACM, vol. 29, n° 11, p. 1072-1089, 1986.

ROBILLARD, P.N. *Workshop on Knowledge Engineering*, Sorrento, mai 1994, 14 p.

RUMBAUGH, J., BLAHA, M., PREMERLANI, W., EDDY, F. et W. LORENSEN. *Object-Oriented Modeling and Design*, Englewood Cliffs (New Jersey), Prentice-Hall, 1991, 500 p.

SAVITCH, W. *Problem Solving with C++: the Object of Programming*, Menlo Park (California), Addison-Wesley, 1996, 807 p.

SEDGEWICK, R. *Algorithms in C*, Reading (Massachusetts), Addison-Wesley, 1990, 657 p.

SOBEL, M.G. *A Practical Guide to the Unix System*, 3e éd., Redwood City (California), Benjamin/Cummins, 1995, 800 p.

STROUSTRUP B. *The C++ Programming Language*, 2e éd., Reading (Massachusetts), Addison-Wesley, 1992, 520 p.

TUCKER, A.B., BRADLEY, W.J., CUPPER, R.D. et R.G. EPSTEIN. *Fundamentals of Computing II: Abstraction, Data Structures, and Large Software Systems*, New York, McGraw-Hill Inc., 1993, 559 p.

TUCKER, A.B., BRADLEY, W.J., CUPPER, R.D. et D.K. GANICK. *Fundamentals of Computing I: Logic, Problem Solving, Programs and Computers*, New York, McGraw-Hill, 1992, 400 p.

WAITE, M. et S. PRATA. *New C Primer Plus*, 2e éd., Carmel (Indiana), Sams Publishing, 1993, 521 p.

WINBLAD, A.L., EDWARDS, S.D. et D.R. KING. *Object-Oriented Software*, Reading (Massachusetts), Addison-Wesley, 1990, 291 p.